COLEÇÃO HISTÓRIA AGORA

Volume 1
A USINA DA INJUSTIÇA
RICARDO TIEZZI

Volume 2
O DINHEIRO SUJO DA CORRUPÇÃO
RUI MARTINS

Volume 3
CPI DA PIRATARIA
LUIZ ANTONIO DE MEDEIROS

Volume 4
MEMORIAL DO ESCÂNDALO
GERSON CAMAROTTI E BERNARDO DE LA PEÑA

Volume 5
A PRIVATARIA TUCANA
AMAURY RIBEIRO JR.

Volume 6
SANGUESSUGAS DO BRASIL
LÚCIO VAZ

Volume 7
A OUTRA HISTÓRIA DO MENSALÃO
PAULO MOREIRA LEITE

Volume 8
SEGREDOS DO CONCLAVE
GERSON CAMAROTTI

PALMÉRIO DÓRIA

O PRÍNCIPE DA PRIVATARIA

**A história secreta de como
o Brasil perdeu seu patrimônio e
Fernando Henrique Cardoso
ganhou sua reeleição**

GERAÇÃO

Copyright © 2013 by Palmério Dória

1ª edição – Agosto de 2013

Grafia atualizada segundo o Acordo Ortográfico da Língua Portuguesa de 1990, que entrou em vigor no Brasil em 2009

Editor e Publisher
Luiz Fernando Emediato

Diretora Editorial
Fernanda Emediato

Produtora Editorial e Gráfica
Erika Neves

Capa, Projeto Gráfico e Diagramação
Alan Maia

Revisão
Taissa Antonoff Andrade
Josias A. Andrade

DADOS INTERNACIONAIS DE CATALOGAÇÃO NA PUBLICAÇÃO (CIP)
(Câmara Brasileira do Livro, SP, Brasil)

Dória, Palmério
   O Príncipe da Privataria / Palmério Dória. -- 1. ed. -- São Paulo : Geração Editorial, 2013.

   ISBN 978-85-8130-201-0

   1. Brasil - Condições sociais 2. Brasil - Política e governo 3. Cardoso, Fernando Henrique, 1931- 4. Corrupção administrativa - Brasil 5. Corrupção na política - Brasil 6. Presidentes - Brasil 7. Privatização - Brasil I. Título.

13-08107   CDD: 353.460981

Índices para catálogo sistemático

1. Brasil : Privatizações : Corrupção no governo : Política econômica : Administração pública   353.460981

GERAÇÃO EDITORIAL

Rua Gomes Freire, 225 – Lapa
CEP: 05075-010 – São Paulo – SP
Telefax.: (+ 55 11) 3256-4444
Email: geracaoeditorial@geracaoeditorial.com.br
www.geracaoeditorial.com.br
twitter: @geracaobooks

Impresso no Brasil
Printed in Brazil

Sumário

NOTA DO EDITOR 7
Luiz Fernando Emediato

APRESENTAÇÃO 15

1. SENADOR RECEBE UM NERO: QUER BOTAR FOGO NO MUNDO 19

2. QUEM É O PRÍNCIPE DOS SOCIÓLOGOS QUE CHEGA A BRASÍLIA 29

3. DISPARADA ATRÁS DO QUASE CANDIDATO POSTO EM APUROS 41

4. "DIZ-ME COM QUEM ANDAS E TE DIREI SE VOU CONTIGO" 45

5. O HOMEM PREPARADO PARA RESOLVER O PROBLEMA DOS POBRES 50

6. O POVO LEVARIA 8 ANOS PARA CONCLUIR QUE ENTROU NUMA FRIA 63

7. A CELMA DA AVENIDA SÃO LUÍS E O CASO DO BANCO FRANCÊS 74

8. SOBRA DE CAMPANHA É UMA FORTUNA: 130 MILHÕES DE REAIS 82

9. CINDERELA ESQUECIDA, VÍTIMA INDIRETA DA MORTE DO BAMERINDUS 94

10. PLANEJARAM 20 ANOS NO PODER, MAS O POVO MUDOU DE PLANO 98

11. MODERNIDADE QUE LEMBRA O TEMPO DOS CORONÉIS 105

12. *SENHOR X*, CALADO POR QUASE 13 ANOS, ENFIM VAI FALAR 120

13. MELARAM CONVENÇÃO DO PMDB QUE
LANÇARIA ITAMAR À PRESIDÊNCIA 135

14. FILHOS, MELHOR NÃO TÊ-LOS OU: A VIDA MANSA DE PHC E SUA TURMA ... 140

15. MILLÔR E JOÃO UBALDO DEMOLEM A
OBRA DO PRÍNCIPE DOS OCIÓLOGOS 154

16. COMO SE CRIA A TAL DE HERANÇA MALDITA 161

17. ECONOMISTA INVENTA OS BRICS E OS BRICS CRIAM VIDA PRÓPRIA 173
18. UMA QUESTÃO DE ELOS PERDIDOS QUE ACHAM OUTROS ELOS 179
19. BUEIRO DO RIO, CALOR QUE PROVOCA ARREPIO (EM PENA DE TUCANO) ... 190
20. A LÓGICA DA EXPROPRIAÇÃO DO MAIS FRACO 198
21. NÃO CONSEGUIRAM RASGAR A SEGUNDA BANDEIRA BRASILEIRA 208
22. MELHORES MALDADES DOS HOMENS E MULHERES DE FERNANDO HENRIQUE 216
23. PRIVATIZAÇÃO COMEÇA COM BURRICE: PÔR TELES NAS MÃOS DOS GRINGOS 236
24. DOM ANTIQUIXOTE TENTA DESTRUIR UM SÓLIDO MOINHO: A ERA VARGAS 246
25. A MAIOR ESTUPIDEZ POLÍTICO-ESTRATÉGICA QUE SE FEZ NO PAÍS 261
26. "SÓ UM BOBO DÁ A TELEFONIA PARA ESTRANGEIROS" 272
27. UM MORTO COMANDA OS VIVOS 283
28. O ELO PERDIDO ENTRE JOSÉ SERRA E RICARDO SÉRGIO 292
29. ELDORADO EXISTE, O DESCOBRIDOR TAMBÉM: BRENO, O GEÓLOGO 307
30. VAMOS AO QUE VALE A VALE E AO QUE VALIA PARA TUCANOS: NADA 319
31. DE COMO FHC ENTRA NA HISTÓRIA COMO VENDE-PÁTRIA 325
32. A REPORTAGEM QUE MEXEU COM A MÍDIA BRASILEIRA 331
33. A ÚLTIMA EXILADA E O PRESIDENTE DE ÚLTIMA CATEGORIA 346
34. UMA CONTRIBUIÇÃO PARA A HISTÓRIA UNIVERSAL DA INFÂMIA 349
35. INSTITUTO DE FH, IFHC, SE FEZ NUMA HISTÓRIA SÓRDIDO-TRAGICÔMICA ... 361
36. DIÁLOGO PERFEITO PARA FECHAR A HISTÓRIA DO AMOR DESFEITO 366

LINHA DO TEMPO 369

ÍNDICE ONOMÁSTICO 389

Nota do Editor

Conheci o sociólogo Fernando Henrique Cardoso em meados dos anos 70, quando pequenos grupos de esquerda enfrentavam a ditadura militar pelas armas, sem nenhuma possibilidade de vencer, e outros — entre os quais nos incluíamos — tentávamos fazer este enfrentamento no nível das ideias e das ações desarmadas, políticas.

Já em meados dos anos 80 — quando a ditadura saíra de cena e a chamada Nova República preparava-se para entusiasmar e logo em seguida decepcionar o povo brasileiro — conheci também o ex-presidente da UNE e economista José Serra, que chegara ao país em 1977, de volta do exílio. Eu o vi pela primeira vez dançando numa festa em Brasília, um pouco antes da posse — que não houve — do presidente Tancredo Neves. A partir daí eu o veria muitas vezes mais, em campanhas cívicas, como a do parlamentarismo, e eleitorais.

A partir de 1978, quando fui trabalhar como jornalista e depois editor no jornal *O Estado de S. Paulo*, algumas poucas vezes eu entrevistei Fernando Henrique Cardoso em seu apartamento da rua Maranhão, no bairro de Higienópolis, em São Paulo.

Quando se elegeu presidente da República, em 1994, eu já não era jornalista, mas consultor de políticas públicas. Não foram poucas as ocasiões em que, a serviço de organizações da sociedade civil, participei

— junto com o governo de FHC — do desenvolvimento de políticas de emprego e renda, o que me obrigou a privar da intimidade de ministros e altos funcionários da República. E de reuniões com o próprio presidente, nos palácios do Planalto e da Alvorada.

Naquele período, privei também da intimidade do poderoso ministro Sérgio Motta, a quem admirei, apesar de seus métodos ocasionalmente pouco convencionais. Publiquei um livro sobre a vida dele, *Sérgio Motta — um trator em ação*, depois de sua morte.

Fiz questão de citar minha presença pessoal ao lado dessas três grandes personalidades da história e da política de nosso país porque, como editor da Geração Editorial, devo, assim creio, explicar por que estamos publicando este livro que você tem nas mãos — depois de ter publicado, com enorme estrondo, recentemente, o "Privataria Tucana", de Amaury Ribeiro Jr., com os negócios estranhos de familiares do senhor José Serra, e pelo qual nossa editora está respondendo a meia dúzia de processos, dos quais sem dúvida sairemos vencedores, pois a verdade é uma só.

A Geração Editorial, "uma editora de verdade", publica — ao lado de clássicos da literatura e outros livros de interesse geral — obras sobre nossa história recente, a chamada "história imediata". Publicamos "Mil Dias de Solidão", de Claudio Humberto, sobre os menos de três anos do governo de Fernando Collor; "Memórias das Trevas", de João Carlos Teixeira Gomes, que precipitou a renúncia do então poderoso senador Antônio Carlos Magalhães; "Memorial do Escândalo", de Gerson Camarotti, sobre o chamado "mensalão"; "Honoráveis Bandidos", de Palmério Dória, sobre o controvertido uso do poder pela família Sarney no Maranhão e o referido "Privataria Tucana", entre outros.

Assim como defendemos a liberdade de expressão para os jornais e revistas, a defendemos também para os livros. Estranhamente, o judiciário brasileiro tem tratado de forma desigual a imprensa e os livros. Poderosos afetados por denúncias em livros têm recorrido ao judiciário para impedir a circulação das obras e obter indenização por danos morais incomprovados, tentando inibir a liberdade de expressão.

No caso presente, não poderíamos deixar de dar guarida, em nossa editora, a este "O príncipe da privataria", de Palmério Dória, o autor de "Honoráveis Bandidos". Ele trata de questões dramáticas de nossa história: o governo dos chamados tucanos, sua política econômica neoliberal, sua proclamada relutância em priorizar ações sociais — substituídas pelas chamadas "políticas compensatórias" —, o uso de seu poder político para impedir investigações sobre denúncias de corrupção entre seus pares, a criticada venda do patrimônio público, a qualquer preço, com base em um modelo em que muitos podem ter enriquecido ilicitamente e, finalmente, a espantosa compra de votos para a reeleição de Fernando Henrique Cardoso, governadores e prefeitos em todo o país.

As inéditas revelações do ex-deputado Narciso Mendes para esta edição — na qual ele revela ter sido o "Senhor X" que colheu gravações de colegas confessando terem recebido R$ 200 mil cada para apoiar a reeleição — comprova que a base da corrupção e do modelo supostamente democrático que a preserva é o sistema eleitoral baseado no financiamento privado. As revelações de Narciso Mendes são bem mais graves, em dimensão e valor, que as contidas no caso do mensalão.

O que nos obriga a ir direto ao ponto, o que pode ser, como se verá, bastante doloroso.

Em meados do governo Collor, no primeiro trimestre de 1991, quando o controvertido e incômodo amigo do presidente, Paulo Cesar Farias, já se tornara conhecido no meio político e empresarial, a atriz e empresária Ruth Escobar — adida cultural do governo em San Francisco, na Califórnia — ali promoveu um seminário sobre a cultura brasileira, com apoio do Itamaraty e da empresa Hidrobrasileira, de Sérgio Motta, o principal amigo de Fernando Henrique Cardoso.

Participei deste seminário, viajando com recursos próprios da entidade privada para a qual eu prestava consultoria. A variada e numerosa "troupe", levada graciosamente em classe executiva pela Viação Aérea São Paulo — VASP, recém-comprada por Wagner Canhedo, que depois faliu, era composta, entre outros, pelo então senador Fernando Henrique Cardoso, do PSDB e sua esposa Ruth, pelo senador Eduardo Suplicy, do PT e sua então esposa Marta, o sociólogo Bolívar Lamounier, o economista

João Sayad, um dos autores do Plano Cruzado, o deputado José Fogaça, do PMDB gaúcho, o sindicalista Luiz Antônio de Medeiros, da recém fundada Força Sindical, o patrocinador Sérgio Motta e sua esposa Wilma, a agitadora cultural Lulu Librandi e algumas socialites paulistanas.

A festa cultural durou uma semana, ao longo da qual Fernando Henrique, com seu inglês esplêndido, discursou no campus de Berkeley, da Universidade da Califórnia, sobre as especificidades da democracia brasileira. De público, falou o que se podia falar sem escândalo.

No entanto, numa manhã tediosa em que José Fogaça, em inglês macarrônico, falava algo ininteligível para americanos e brasileiros, Fernando Henrique levantou-se conosco e foi para o fundo da sala. Ali, de frente para mim e ao lado de Bolívar Lamounier, falou um pouco sobre o governo Collor e as primeiras denúncias de corrupção. O nome de PC Farias surgiu e, sem que ninguém o provocasse, Fernando Henrique defendeu que era urgente uma nova lei eleitoral.

De forma clara e sem censura, falou sobre o financiamento das campanhas eleitorais por empresas privadas, com recursos não contabilizados — o caixa 2 — e admitiu que nenhum partido e nenhum candidato podia naquela época prescindir desses recursos ilegais. E observava:

— Assim é, mas a diferença entre nós e "eles" é que nós gastamos o dinheiro nas campanhas, enquanto "eles" enfiam uma boa parte em seus próprios bolsos.

Nada comentou sobre o que poderia vir depois — as licitações viciadas para devolver aos financiadores o que haviam investido.

Anos depois, já presidente da República, Fernando Henrique Cardoso receberia no Palácio da Alvorada os sindicalistas que haviam apoiado sua eleição e com os quais negociava mudanças na economia que pudessem trazer, a estes sindicalistas, prestígio em suas bases. Um jogo competentemente combinado, para alegria dos dois lados — salvo quando o governo não podia ceder. Ainda assim, o presidente era gentil e paciente. Até que surgia o "trator" Sérgio Motta.

Numa dessas noites, em que o presidente e seu ministro do Trabalho Paulo Paiva tomavam seu uísque no Alvorada com o presidente da Força Sindical, Luiz Antônio de Medeiros, o sindicalista histórico José

Ibrahim e o ainda desconhecido Paulo Pereira da Silva, o Paulinho, que Medeiros faria seu sucessor, de repente surgiu — sem que tivesse sido convidado — o ministro das Comunicações Sérgio Motta.

— Mas como é possível, Fernando, que vocês estejam aí sem minha presença? — rugiu Serjão.

— Mas é que não queríamos mesmo você aqui — respondeu o presidente jocosamente.

— Mas é bom que você tenha chegado, Serjão — interrompeu Paulinho. — Ouvi dizer que você está comprando deputados para votar a favor da reforma da Previdência, mas vou colocar mil ônibus de trabalhadores na Esplanada para pressionar o Congresso.

— Economize seu dinheiro, rapaz — respondeu Motta — porque a votação está decidida. Já almocei com todo mundo.

Paulinho levou os ônibus, mas os sindicalistas foram derrotados.

Isso não os impediu, entretanto, de continuarem apoiando o governo.

Quando da campanha pela reeleição, eles apoiaram a emenda do deputado pernambucano Mendonça Filho e todos os atos de apoio a ela. Quando Fernando Henrique se recandidatou, houve um grande ato das centrais Força Sindical e CGT em Brasília. Por uma obra do espírito santo, as centrais não tiveram que desembolsar muito dinheiro pelo fretamento das centenas de ônibus que transportaram os milhares de trabalhadores, nem pelas "quentinhas" que os alimentaram.

Os sindicalistas da Força Sindical apoiaram efusivamente o programa de privatização do governo tucano. Quando tomaram o Sindicato dos Metalúrgicos de Ipatinga das mãos da Central Única dos Trabalhadores — CUT, apoiaram a privatização da Usiminas e se deram bem. Em Volta Redonda, sede da histórica Companhia Siderúrgica Nacional — CSN, também assumiram a direção do sindicato dos metalúrgicos local e como o Clube de Investimento dos Trabalhadores tinha 10% das ações da usina privatizada, ele seria o fiel da balança que daria o controle da empresa — ou não — a um dos grandes investidores que disputavam o comando da empresa.

Paulo Pereira da Silva era então o já influente presidente do Sindicato dos Metalúrgicos de São Paulo quando um dia surgiu na sua porta um empresário que ele não conhecia, e que se identificou como Benjamin Steinbruch, do grupo Vicunha — um dos donos da CSN privatizada que disputaria o controle com outros investidores, entre eles o banqueiro e ministro José Eduardo de Andrade Vieira, do Bamerindus.

Steinbruch revelou a Paulinho que Vieira poderia estar "comprando" (com dinheiro) os sindicalistas que controlavam o Clube de Investimento dos Trabalhadores. Paulinho negou — de fato ele ignorava isso — e, sem nada pedir em troca, como sempre foi seu hábito, garantiu que os trabalhadores apoiassem o que considerassem a melhor proposta, que parece ter sido a de Steinbruch, pois ele ganhou o ambicionado controle. Anos depois, Paulinho candidato a prefeito de São Paulo, bateu à porta de Steinbruch e pediu apoio para sua campanha, que não era competitiva, mas pelo menos o iniciava na política.

— Não tenho negócios na prefeitura de São Paulo, por que o ajudaria? — perguntou Steinbruch, com um sorriso irônico.

— Mas eu também não vou ganhar, Benjamin. Só quero a sua ajuda oficial, dentro da lei, para fazer uma boa campanha.

— Eu já disse, Paulinho, não tenho motivos para lhe ajudar NESTA campanha. Por que eu faria isso?

— Porque eu lhe dei a CSN, não foi o bastante? — cobrou Paulinho.

— Ah! Então é isso! Naquela época eu lhe daria isso e muito mais, peão — redarguiu Steinbruch. — Mas isso é passado. Por que não pediu naquela época?

— Porque não era candidato, seu FDP! — resmungou Paulinho.

E desde então a relação dos dois azedou.

Porque é assim que funciona. Quando um empresário financia uma campanha eleitoral, ele tanto pode compartilhar o programa do partido daquele candidato — essa hipótese não está totalmente descartada — como terá em mente ter apoio do deputado ou senador para seus propósitos no Congresso ou alguma obra ou negócio no estado ou prefeitura cujos mandatários está financiando.

Mas quando Sérgio Motta, coordenador da campanha de José Serra prefeito, em 1996, precisou de recursos urgentes para pagar outdoors, não foi em alguma empresa privada que o "trator" foi buscar recursos.

Acionou a direção da estatal Telefônica de São Paulo, Telesp, quando o governador era outro tucano, Mário Covas, e esta se prontificou a fazer imediatamente uma campanha publicitária de outdoors em todo o Estado de São Paulo. Mas na cidade de São Paulo a maioria dos cartazes efetivamente colocados não tinha nenhuma imagem de telefone — só a cara do candidato Serra e sua mensagem eleitoral.

Convivi, portanto, com os tucanos e seus dramas. Não são diferentes de qualquer outro drama, quando se trata de chegar ao poder e mantê-lo.

Daí que, apesar de toda a minha simpatia pelo bonachão Fernando Henrique Cardoso, assim como pelo saudoso Sérgio Motta, não tenho — como editor da Geração Editorial — como recusar a publicação deste livro de Palmério Dória. Ele trata, de forma seca e dura, de uma realidade com a qual convivemos e haveremos de conviver enquanto não houver uma reforma política e eleitoral e não encontrarmos um novo sistema de governo que não essa suposta democracia representativa. O menos pior sistema inventado até agora pela humanidade, mas já com sinais de fadiga.

É no interior, nos intestinos desse sistema que se movem os partidos, com seus cabos eleitorais, vereadores, prefeitos, deputados estaduais e federais, senadores e presidentes da República. O mais cândido dos candidatos não consegue livrar-se dos tais recursos "não contabilizados", eufemismo para "caixa dois" imortalizada pelo ex-tesoureiro do PT Delúbio Soares.

Daí que quando terminamos a leitura desse livro fascinante de Palmério Dória, em certo momento, estupidificados, seremos obrigados a nos perguntar: onde estava, no reinado dos tucanos, o ministério público, o procurador geral da República, os Joaquim Barbosa daquele tempo? O chamado "mensalão" — tenha existido ou não — parece coisa de amadores diante do profissionalismo de empresários, burocratas e políticos daquele tempo. Nenhuma CPI. Nenhuma investigação que chegasse ao fim. Nenhuma denúncia capaz de levar a um processo e a uma condenação!

Justiça seja feita: os jornais, as revistas, todos, cumpriram com seu papel de denunciar negociatas, comissões pagas a privatas, desvios, atos de pequenas e gigantescas corrupções. Ler — com os olhos de hoje — o que se denunciou no passado chega a ser, mais do que desconfortável, revoltante. A reprodução de capas de revistas e manchetes de jornais, neste livro, mostram que a imprensa naquele tempo cumpriu com o seu papel. Com destaque para o grande jornalista Fernando Rodrigues, da *Folha de S. Paulo*, que com a ajuda do "Senhor X" (agora revelado como Narciso Mendes) contou com gravações periciadas a história de como votos foram comprados com dinheiro e financiamentos para ajudar na reeleição.

Finalmente: este livro já estava na gráfica quando um bom amigo do PSDB, extremamente próximo ao presidente Fernando Henrique Cardoso, telefonou-me, já alertado da publicação, para fazer um apelo — não publicar — e transmitir um aviso, quase uma ameaça: já estavam constituindo advogado para enfrentar a questão.

Infelizmente, é nosso dever tornar público o que interessa aos cidadãos e refletir à luz dos olhos de hoje sobre o que, tornado público no passado, ficou sem as devidas consequências políticas e judiciais. Muito do que se mostra neste livro nem sequer é novidade: são os mesmos fatos à luz de um novo mundo, um novo Brasil.

Ou seja: como o próprio presidente Fernando Henrique Cardoso admitiu para mim, naquele distante dia em São Francisco, ao fim e ao cabo não existe muita diferença entre "nós e eles" quando o assunto é financiamento de campanhas eleitorais. Por isso — devemos insistir — a necessidade de uma reforma política e do sistema eleitoral.

Quanto ao resto, é História. Pura e simplesmente História.

LUIZ FERNANDO EMEDIATO
EDITOR

APRESENTAÇÃO

Vende-se um país.
Compra-se uma reeleição.
E o *Senhor X* rompe o silêncio.

De 1994 a 2002, o Brasil viveu tempos peculiares. Pagou para vender suas empresas e pagou para reeleger seu presidente. Nunca dantes na história deste país houve coisa igual. As páginas seguintes revelam como isso aconteceu, quem levou vantagem e quem pagou a conta. E por que os brasileiros, ainda hoje, desconhecem os donos das mãos que se enfiaram em seus bolsos naqueles oito anos. Para melhor entendimento da tragédia, antes da história uma historinha:

Imagine que o seu síndico, na reunião de condomínio, proponha a venda daquele galpão lá dos fundos da área comum que, na argumentação dele, só serve para atulhar os condôminos de dívidas, com chamadas extras para conservação e pintura e outras despesas. A assembleia acha razoável. Ele observa, porém, que o negócio deve ser atraente. Então, além do terreno e do prédio, o comprador levará todas as máquinas, móveis, materiais e ferramentas que estiverem no galpão. Mesmo assim, adverte, não há garantia de cativar os interessados. Será preciso tornar a proposta ainda mais tentadora. "Há gente que quer comprar mas não tem o dinheiro", repara. E sugere: "Sabem o nosso fundo de reserva? E se emprestássemos o valor para que, assim, o comprador possa nos livrar daquela coisa inútil, que apenas consome os nossos recursos?" E a assembleia aprova o negócio.

O terreno e o galpão são passados adiante por R$ 50 mil. Financiados. Algum tempo depois, a propriedade vale quase 60 vezes mais, ou seja, R$ 3 milhões. Valorização de 5.940%. A principal pergunta que ocorre aos condôminos é: terá levado o síndico alguma vantagem na venda ou foi apenas estúpido? Essa é a dúvida. A certeza é que ele jamais será síndico novamente.

O síndico, o condomínio, os condôminos, o terreno e o galpão são fictícios. O que não é de faz de conta é a história.

No dia 6 de maio de 1997, sob a gestão do síndico Fernando Henrique Cardoso, o Condomínio Brasil vendeu o controle acionário da Companhia Vale do Rio Doce por US$ 3,3 bilhões. Financiados. Em 2008, diz a consultoria Economática, o valor de mercado da empresa subira quase 60 vezes, ou seja, para US$ 196 bilhões. Valorização de 5.940%.

Antes de levada ao martelo, a Vale do Rio Doce já era a maior exportadora de minério de ferro do planeta. E dona do mapa da mina: uma de suas subsidiárias, a Docegeo, pesquisara, identificara e localizara as riquezas do subsolo brasileiro. Estão nas mãos da Vale vastas reservas de ferro, níquel, manganês, cobre, cobalto entre outros minerais. Senhora também da maior província mineral do mundo, Carajás, seu faturamento, em 2011, bateria nos US$ 30 bilhões. Quer dizer, faturou apenas num exercício mais de nove vezes o preço pela qual foi privatizada.

"Compre você também uma empresa pública, um banco, uma ferrovia, uma rodovia, um porto. O governo vende baratíssimo. Ou pode doar", ironizou Aloysio Biondi em *O Brasil Privatizado*, simulando um pregão de feirante.

Natural que alguém ria com o patético desses números e comparações. Nada mais justo até porque a tolice anda de braços dados com o ridículo — ainda mais sendo, como essa, uma tolice de primeira magnitude. Mas o que houve de violência bruta e impune nessa e em outras decisões voltadas contra todas as possibilidades que poderiam ser abertas para o Brasil e os brasileiros não é nem um pouco engraçado.

Por que nos anos imediatamente anteriores à venda da Telebras o governo federal despejou R$ 21 bilhões no sistema de que iria se desfazer? Por que, à custa da saúde e da educação, abriu a torneira do dinheiro para a Telebras que iria leiloar? Que síndico administraria seu condomínio desse jeito? Por que entregou a Companhia Siderúrgica Nacional (CSN) e o Banco Meridional com dinheiro — muito dinheiro — em caixa? Por que pôs em prática um modelo de negócio em que a União vendeu, a preço vil, patrimônio público à prestação? Ou, como contou Biondi, fornecendo "metade" da "entrada" nos leilões, financiando até a "compra" de "moedas podres" onde os felizes "compradores" ainda têm direito a empréstimos bilionários do BNDES para que realizem os seus "investimentos"?

Quando a *razia* privatista estendeu-se aos Estados, governadores do PSDB perpetraram páginas dignas do almanaque *Guinness* da patetice — ou da esperteza, se a sua leitura for a da maioria. Em São Paulo, Mário Covas vendeu a Companhia Siderúrgica Paulista (Cosipa) por R$ 300 milhões e ficou com uma dívida de R$ 1 milhão e meio. No Rio, Marcelo Alencar fez pior: contraiu um empréstimo de R$ 3 bilhões e 300 milhões para entregar o Banerj sem dívidas e com metade dos funcionários. E vendeu o banco por R$ 330 milhões, dez vezes menos do que gastou para vendê-lo!

Por que tantos negócios assim, mesclando bizarria e dilapidação do interesse nacional, também foram feitos? Muitos fatores contribuíram para a obra. No pano de fundo, o mundo unipolar após o colapso da União Soviética, o rolo compressor do neoliberalismo triunfante de Margaret Thatcher e Ronald Reagan e a imposição do pensamento único. Na América Latina, o Brasil foi apenas mais um peão no tabuleiro global a adotar o receituário, primeiro com Fernando Collor, depois com Fernando Henrique. Aqui, porém, o aluno superou de muito o mestre.

Nos oito anos de reinado de Fernando II, com o respaldo maciço da mídia — até porque diretamente interessada no butim — o Brasil foi a leilão. A privatização gravou-se de tal maneira no imaginário nacional, que se transformou na primeira e inesquecível marca da gestão FHC.

A segunda está unida umbilicalmente à primeira. Realizou-se como instrumento para o mandato seguir servindo à ideia motriz da entrega do patrimônio de gerações e gerações: a introdução da reeleição.

Para se entender uma e outra, é preciso saber mais desse protagonista central do período.

Que personagem é esse? Qual a sua formação? Quais as suas escolhas? O que fez para chegar ao poder? E o que fez para nele permanecer por mais quatro anos? Qual o custo disso? A quem serviu? E quem o serve? Quais as suas ligações perigosas? Qual o seu grupo e os seus compromissos? Quem o protege e a quem ele protege?

As respostas a todas essas perguntas têm sido, ao longo dos anos, sonegadas à opinião pública. Cumplicidade aberta ou omissão oculta? A missão do livro que o leitor tem nas mãos é iluminar as muitas zonas sombrias dessa narrativa. Jogar um facho de luz sobre este personagem que desfila como um monarca não coroado pelos salões da plutocracia e pelos editoriais da mídia empresarial.

Da *privataria* falam muitos entrevistados, revelando o que ocorria atrás do pano quando a pantomima era encenada no palco.

Da aprovação da reeleição, fala uma figura essencial na denúncia da trama urdida no Palácio do Planalto. É o *Senhor X* que, após quase duas décadas, mostra o rosto e rompe o silêncio para contar, em detalhes, como comprovou a compra — R$ 200 mil por voto — de deputados para aprovação da emenda da reeleição.

Mas o primeiro capítulo não trata nem de privatização nem de reeleição. Começa por um episódio que levou a mídia nacional a tecer uma teia de proteção inexpugnável ao seu aliado sob ameaça. Começa pelo humano. Pelo homem que teme um caso fora do casamento capaz de destruir sua carreira política. Começa no momento em que Fernando Henrique Cardoso, casado, três filhos, é informado de que será pai do filho de uma repórter da TV Globo. E flagra sua reação colérica.

CAPÍTULO 1
Senador recebe um Nero: quer botar fogo no mundo

Bombeiros acionados sem incêndio à vista — Imagine, fazer álcool de madeira num país com tanta cana — Grupo Serjão dá adeus à pobreza — Última exilada vive na Europa

"... mas este meu sobrinho não é de confiança."
General Felicíssimo Cardoso, tio de FHC

"Rameira! Ponha-se daqui para fora!"

Os gritos partem de um dos gabinetes dos senadores, ao lado da agência do Banco do Brasil, nalgum dia do primeiro trimestre de 1991. A voz é masculina e vem acompanhada de impropérios mal distinguidos e o ruído de algum objeto a rolar pelo piso. O jornalista Rubem Azevedo Lima, experiente repórter de política, que na década anterior havia assinado editoriais na página 2 da *Folha de S. Paulo* sob as iniciais R.A.L., detém-se no interminável corredor no subsolo do Senado Federal para ouvir melhor. Identifica o gabinete como sendo o do senador por São Paulo Fernando Henrique Cardoso, do PSDB, Partido da Social Democracia Brasileira, fundado em 1988 principalmente por dissidentes do PMDB, Partido do Movimento Democrático Brasileiro.

A porta do gabinete se abre e por ela sai uma jovem colega de profissão de Rubem.

"Rameira!"

A moça logo reconhece Rubem e para ele se dirige, chorando. Figura paternal, querida e respeitada entre seus pares, Rubem a ampara num abraço. Ela tirita. Sem dizer nada, desembaraça-se do abraço e retira-se subindo a escada que leva ao plenário, escada conhecida como "alegria de suplente" — outrora, ao descê-la, algum senador tropeçou, caiu, machucou-se feio, afastou-se para tratamento e o suplente assumiu, dando origem ao apelido.

Por que o senador passou tal descompostura na repórter? O que o levou a perder a compostura de acadêmico e parlamentar, a ponto de usar um termo chulo, embora não muito comum em bocas chulas, e dar um pontapé no circulador de ar, origem da barulheira ouvida por Rubem Azevedo Lima? A resposta estava no ventre da repórter. Ela tinha ido comunicar ao senador que estava grávida de um filho dele, a nascer meses depois, em 26 de setembro de 1991.

A jornalista, catarinense, repórter de política Miriam Dutra Schmidt, enquanto subia aqueles degraus para o plenário, humilhada, escorraçada, deve ter decidido, ali, partir para a "produção independente". E o senador, não menos transtornado, já avaliava os passos a dar, para evitar um escândalo que poderia vir a criar obstáculo de monta em seus projetos políticos. Projetos que incluíam objetivo maior, ainda embrionário como a criança gestada na barriga da moça: a Presidência da República. Era preciso urgente impedir que a caixa-d'água caísse e o paiol pegasse fogo.

Entra em cena um corpo de bombeiros, formado por Sérgio Motta, José Serra e Alberico Souza Cruz — os dois primeiros, cabeças do "projeto presidencial"; o último, diretor de jornalismo da Rede Globo e futuro padrinho da criança.

Descobriram o caminho das pedras

O primeiro bombeiro citado, homenzarrão, chamado carinhosamente pelo aumentativo Serjão, era naquele momento secretário-geral do PSDB, "um partido elétrico" segundo Sebastião Nery, pois nasceu na Eletropaulo, "filho de uma grande vontade política e uma imensa gula financeira", como o jornalista descreve em *A Eleição da Reeleição*. O ano é 1988. Fazia cinco anos que o futuro núcleo do novo partido vinha gestando um projeto capaz de viabilizar a atividade política do grupo que achava o governador paulista Franco Montoro "mole demais" e seu vice e futuro governador Orestes Quércia, "duro demais". Nesse grupo estavam ainda, entre outros, o futuro ministro da Educação de FHC, Paulo Renato Souza, e mais um paulista, o futuro governador Mário Covas.

Esse núcleo queria se livrar de Montoro, que lançou o tucano como símbolo do PSDB, e principalmente de Quércia. Era constituído em 1983 por Serjão; FHC, então senador por assumir a vaga de Montoro como seu suplente na eleição de 1978, pelo MDB — Movimento Democrático Brasileiro; e José Serra, secretário do Planejamento do governador Montoro.

O bombeiro Sérgio Motta, gordo e cheio de garra, de sorriso quase sem dentes, parecia o *João Bafo de Onça*, personagem de Walt Disney. Era amigo de Serra e FHC desde a temporada destes dois no Chile no pós-1964. No minicorpo de bombeiros montado para evitar uma tragédia no caso Miriam Dutra, ele vai usar seus talentos de produtor de teatro e tesoureiro — exercidos na mocidade, quando pertenceu à AP, Ação Popular, agremiação esquerdista de extração cristã. Em 1963, ele atuou decisivamente para a eleição de Serra como presidente da UNE, União Nacional de Estudantes; e comprovou os talentos na coordenação da campanha de FHC para o Senado em 1978 e para a Prefeitura de São Paulo em 1985.

Sua grande jogada deu-se ainda em plena ditadura militar, sob o governo Figueiredo (1979-1985). Com apoio do general Golbery do Couto e Silva, que o jornalista Hélio Fernandes chamava de Golbery do "Colt" e Silva, Serjão cria a Coalbra, Companhia de Álcool do Brasil, para montar usinas de álcool de madeira, sob protesto do vice-presidente. O civil Aureliano Chaves, naquele governo, cuidava justamente de energia. Engenheiro, mineirão, Aureliano achou aquilo um "atentado à ecologia" e "um disparate econômico" — imagine, produzir álcool de madeira num país com tanta terra, tanto canavial e tanta tradição na produção de álcool de cana!

Contando com apoio do ministro de Minas e Energia, Cesar Cals, e do próprio Figueiredo, Serjão importou 30 usinas da antiga União das Repúblicas Socialistas Soviéticas, a extinta URSS. Atropelou Aureliano, mas não sua lógica. Pois, das 30 usinas, uma chegou a ser instalada, mas não funcionou — duas décadas depois, continuava em Uberlândia que nem uma carcaça fantasma; as outras 29 nem sequer foram deslocadas dos trapiches dos portos: lá deterioraram e acabaram vendidas como ferro-velho.

O rombo montou a US$ 250 milhões, dinheiro que daria para instalar rede de esgoto numa cidade com mais de 60 mil domicílios, ou cerca de 250 mil habitantes — uma Juazeiro do Norte.

"Nunca mais Sérgio Motta foi pobre nem fraco", escreveu Nery, "nem ele nem o Grupo Serjão; tinham descoberto o caminho das pedras. Quando Montoro assumiu o governo, ele foi dirigir a poderosa e riquíssima Eletropaulo. E passou a comandar o projeto político, econômico e financeiro da turma."

Primeiro passo: instalar a moça em lugar melhor

O segundo bombeiro, paulistano da Mooca, nasceu José Chirico Serra mas expurgou de sua biografia o nome do meio. Devia a Serjão a cristalização da amizade com FHC. Naquele momento de crise existencial e ameaça de crise conjugal do futuro presidente, era deputado federal pelo PSDB.

Com o golpe de 1964, José Serra havia se exilado no Chile, onde conheceu a futura mulher, Monica Allende, parente distante do presidente Salvador Allende. Com o novo golpe, em 1973, agora contra Allende — morto no Palacio de La Moneda —, não se sabe como Serra é liberado do Estádio Nacional, onde estão detidas três mil pessoas, muitas delas assassinadas e desaparecidas; e vai para os Estados Unidos, com Monica Allende.

A amizade com FHC e Serjão estreita-se na volta do exílio, na década de 1970. Serra vai trabalhar no Cebrap, Centro Brasileiro de Análise e Planejamento — entidade fundada em 1969 com o "ouro de Washington", conforme veremos no próximo capítulo. A ala liderada por FHC, na qual Serra atuava, foi uma das matrizes ideológicas do PSDB.

Elege-se duas vezes deputado federal, cargo que ocupa em 1991 quando Miriam Dutra surge nesta história. Sua especialidade, planejamento, consiste agora em planejar o que fazer para evitar danos ao projeto presidencial do grupo. Primeira providência, imediata: instalar a futura mamãe em apartamento melhor e mais bem localizado, na mesma Asa Sul de Brasília; e, a médio prazo, remover o "problema" do Brasil.

Como subir na vida desinventando a tevê e reinventando o rádio

Alberico Souza Cruz, terceiro bombeiro da trupe, era "o dono da notícia", segundo reportagem de Hamilton Almeida Filho publicada naqueles tempos na revista mensal *Interview*. Dono da notícia porque dirigia o jornalismo da Rede Globo, o qual, por força do monopólio, em matéria de audiência surrava de 8 a 2 o resto inteirinho da concorrência.

Alberico assumiu a chefia da Editoria Rio da TV Globo, no começo da década de 1980. Vinha da chefia da sucursal da rede em Belo Horizonte, para onde foi guindado após uma passagem pela assessoria de comunicação da Companhia Vale do Rio Doce. Era bom montador de equipes. Foi ele quem indicou boa parte da "plêiade mineira" que enriqueceu a redação do nascente *Jornal da Tarde* de São Paulo, "irmão caçula" do *Estadão*.

Assim que chega à chefia da Editoria Rio, convoca reunião geral, com repórteres, câmeras, produtores, editores, para explanar a filosofia que passaria a nortear a todos ali, sentados na redação. Depois de algumas palavras, resumiu:

"Precisamos de muitas notas ao vivo. Muitas notas ao vivo... e... muitas notas ao vivo."

Nota ao vivo é aquela em que o âncora do programa, ou a âncora, dá a notícia apenas de viva-voz, sem imagem alguma. Luís Carlos Cabral, já veterano, subeditor, portanto logo abaixo de Alberico, sussurrou a um colega ao lado:

"Pronto! Desinventou a televisão e reinventou o rádio!"

Ele chegaria ao poder no jornalismo da Globo ao fim daquela década, graças a episódio bastante conhecido da categoria e de boa parte do público externo. Trata-se da altamente polêmica edição do debate final da campanha que, em 1989, escolheria o primeiro presidente depois da ditadura militar eleito pelo voto direto do povo. Collor *versus* Lula. Na última edição do *Jornal Nacional* em que ainda se podia falar da disputa pelo Palácio do Planalto, contando-se em horas o tempo que faltava para o início da votação no segundo turno, foram ao ar os melhores momentos de Collor e os piores de Lula — edição de Alberico e Ronald Carvalho. Isto, acompanhado de repercussão popular favorável a Collor, "pesquisa" feita por telefone com vitória ampla de Collor, mais um editorial francamente elogioso a Collor lido por Alexandre Garcia, ex-assessor de imprensa do "presidente" general Figueiredo.

O serviço valeu a Alberico a ascensão ao topo do jornalismo da Globo, e queda da dupla Armando Nogueira e Alice Maria.

Um casal nas noites de Brasília

Para entender melhor o papel de Alberico no caso Miriam Dutra-Fernando Henrique, precisamos voltar um pouco no tempo, a 1988. Ano feérico na capital federal. Brasília é o coração do Brasil, enfim. Todos os grupos dos mais variados interesses reunidos, índios, quilombolas, representantes dos trabalhadores de todas as categorias — a geleia geral brasileira a discutir a nova Constituição, depois de uma ditadura militar que sufocou toda uma geração.

Imagine você, nesse clima propício à sensualidade, como num pós-guerra, um senador solto na praça, bonitão e atraente aos 57 anos, e uma repórter de política vinda de Santa Catarina, morena insinuante, 28 anos, que sonha com o estrelato na já bem-sucedida carreira de jornalista da principal rede de televisão do país. A vocação se evidenciou cedo, quando Miriam era bem mocinha, em fins da década de 1970 — ela é de 1960.

"Fomos amigos. Nós fazíamos um jornal, o *Afinal*, que ficava nos fundos de um bar e restaurante, o Ceca, Centro Etílico e Cultural Afinal", lembra Nelson Rolim de Moura, gaúcho havia muitos anos radicado em Florianópolis, dono da Editora Insular.

Um dia, publicaram matéria acusando o governador Jorge Bornhausen de depositar dinheiro na Suíça. Foram processados pela Lei de Segurança Nacional, enquadrados no artigo 33 — "ofender a honra ou a dignidade" do presidente, vice-presidente, governadores e outras autoridades dos três poderes. "Tivemos de responder ao processo em Curitiba, foi uma coisa desagradável", recorda Nelson.

Por não ter participado da reportagem, Miriam se livrou da enrascada. Mas, como se verá, futuramente Bornhausen entrará em sua vida. No Ceca, conta Nelson, havia um palco para apresentações musicais, teatrais, exposições.

"Nesse palco fazíamos semanalmente uma entrevista com uma personalidade e a Miriam me acompanhou em algumas delas. Era uma menina muito esperta e já dava pra notar que teria futuro profissional brilhante. Creio que trabalhava na TV Cultura, uma emissora local, depois foi para a RBS."

Miriam Dutra Schmidt é filha de um policial militar, o coronel Schmidt, da PM de Santa Catarina, e de Marlene Dutra. O avô materno também foi figura conhecida, o despachante Dutra, no tempo em que Florianópolis tinha porto e navegação marítima comercial regular. A menina estudou em tradicional escola da elite florianopolitana, o Colégio Coração de Jesus, que adotava belos uniformes à moda inglesa.

Uma de suas grandes amigas de Florianópolis, Lucinha, viria a ser a segunda mulher de Jorge Bornhausen. Na RBS, afiliada da Rede Globo, chegou a ser apresentadora da edição regional do *TV Mulher*, programa feminino pioneiro da década de 1980 baseado em São Paulo, criação da jornalista Rose Nogueira, que lançou Marta Suplicy como comentarista de sexualidade.

Miriam acabou repórter de política em Brasília, aonde chega com sonhos mais altos — na política, na TV Globo, um programa só seu, o estrelato. Nesse agitado mundo, fará novas amizades.

Não demora, e os jornalistas notam a regularidade com que Miriam Dutra e Fernando Henrique passam a ser vistos juntos em restaurantes, reuniões sociais, cerimônias públicas, cada vez mais. A jornalista fez uma amiga entre os políticos que entrevistava, a deputada federal Rita Camata, do PMDB do Espírito Santo, mulher do senador Gerson Camata, do mesmo partido. As duas trocam confidências.

No ano da eleição presidencial, a primeira depois da ditadura, Alberico circulará com desenvoltura na capital da República, funcionando como "linha auxiliar" da candidatura Collor, ostensivamente apoiada pela família Marinho. Ao mesmo tempo, não há no *Jornal Nacional* figura pública mais presente, mais ouvida sobre todo tipo de questão político-econômico-administrativa, do que Rita Camata — e esta, cada vez mais solidária com os altos e baixos do romance da amiga.

Uma colega de trabalho, a gaúcha Anna Terra, lembra-se de que certa vez estranhou uma ausência de dez dias de Miriam.

"Estava em Nova Iorque graças a uma bolsa", explicou Miriam ao voltar.

Ao comentar com uma colega de redação, passou por ingênua. A amiga sorriu:

"Você é bem bobinha, hein, Anna? Ela foi encontrar o Fernando Henrique.

Última exilada vive na Europa para não estragar projeto do ex-amado

Collor cai, entra Itamar Franco, que dá uma reformulada no serviço secreto. Cria a Subsecretaria de Inteligência, SSI, onde atuam ex-integrantes do Serviço Nacional de Informações, o SNI. E a SSI passará a cuidar com desvelo de "seu" candidato à sucessão de Itamar.

Em abril de 1994, quando FHC deve deixar o cargo de ministro da Fazenda de Itamar, para atender à regra de se desincompatibilizar de cargo público seis meses antes das eleições, sua situação não é confortável. As pesquisas o mostram 20 pontos atrás de Lula. E ele ainda depende do sucesso do Plano Real — tocado por, entre outros, André Lara Resende, Pérsio Arida e Winston Fritsch, criando mais um problema de paternidade para FHC. Itamar resolve a questão falsificando a "certidão de nascimento" do real. As primeiras notas circularão a 1º de julho de 1994 trazendo a assinatura do presidente do Banco Central, Pedro Malan, e a assinatura de seu ex-chefe, Fernando Henrique Cardoso, que não era mais ministro fazia três meses. Mais uma vez, FHC assume o que não é dele: em 1985, sentou na cadeira de prefeito um dia antes de ser derrotado por Jânio Quadros; agora, assina obra feita por outros.

Embora atrás nas pesquisas, FHC conta com alguns trunfos, além do impacto positivo da entrada em cena das notas e moedas de real.

Tem o apoio do PFL, forte nos grotões com seus carcomidos restos da Arena, a Aliança Renovadora Nacional, partido de sustentação da ditadura; dinheiro grosso dos empresários e banqueiros; e a simpatia da maioria dos militares, inclusive do serviço secreto. Não é pouco. E Itamar ainda vai dar uma forcinha para Lula sofrer uma bela despencada nas pesquisas, como veremos no Capítulo 6.

Porém, a SSI, monitorando possíveis problemas de percurso, detecta algo preocupante: a história que circula em todas as rodas de Brasília, a do filho de Fernando Henrique com uma repórter da TV Globo. A SSI classifica o caso como "explosivo" e decide agir para impedir a imprensa de divulgar aquilo. Passa a procurar jornalistas para sentir o clima. De fato, algumas redações se movimentam para investigar o caso, porém mais para ter algo "na gaveta" caso algum concorrente resolva publicar a história — a mídia se calará por seis anos, até que, em abril de 2000, a revista mensal *Caros Amigos* comemorará seu terceiro aniversário dando na capa a manchete "Por que a imprensa esconde o filho de 8 anos de FHC com a jornalista da Globo?" Chamava para reportagem de seis páginas, "Um fato jornalístico", assinada por Palmério Dória, João Rocha (de Barcelona), Marina Amaral, Mylton Severiano, José Arbex Jr. e Sérgio de Souza — que você pode ler no Capítulo 32, *A reportagem que mexeu com a mídia brasileira*.

Se Caros Amigos *cancelasse esta reportagem, o governo despejaria anúncios nas páginas da revista.*

Não precisavam se preocupar tanto os homens da SSI. A Globo removerá o problema com criança e tudo. Transferirá Miriam Dutra e seu filho Tomás para Lisboa, onde — ó sorte! — breve encontrará sua amiga Lucinha, segunda mulher de Jorge Bornhausen. No ano seguinte, Bornhausen chegaria à antiga metrópole colonial como embaixador do Brasil em Portugal. Ali, a julgar por outro episódio narrado pela gaúcha Anna Terra, Miriam não precisará "pegar no pesado", como também podemos avaliar por terceiros testemunhos. Deu-se que, mal Miriam chega a Lisboa, cai um avião na Europa e o núcleo de matérias especiais da Globo, chefiado por Narciso Kalili, pede-lhe que cubra. Miriam respondeu com aspereza:

"Estou chegando e já tenho de trabalhar?"

Na hora exata se deu sua transferência. Miriam havia recém-entrado em contato com um editor de São Paulo para negociar livro do tipo "Meu caso com Fernando Henrique".

Dê asas à imaginação, você que nos lê. Tal livro sepultaria o projeto presidencial de FHC, adeus privatizações, não existiria o neologismo "privataria", Lula seria eleito não em 2002, mas oito anos antes...

Miriam foi despachada para uma espécie de exílio em Barcelona, na Espanha que, na feitura deste livro, já durava 18 anos. Mas nunca mais sairia da vida de Fernando Henrique.

CAPÍTULO 2
Quem é o príncipe dos sociólogos que chega a Brasília

Um antepassado propôs fuzilar Pedro II — O charme do "intelectual-perseguido" — Um casal como Sartre e Simone; mas sexo sem casar, jamais — Exílio dourado e dinheiro da CIA

Carioca de Botafogo, nascido a 18 de junho de 1931, filho, sobrinho e neto de generais, Fernando Henrique Cardoso descende de uma dinastia de militares e políticos que remete ao império. Um tio-avô, o general Augusto Inácio do Espírito Santo Cardoso, será ministro da Guerra do governo Getúlio Vargas durante a Revolução Constitucionalista de 1932. Também parente, o general Ciro do Espírito Santo Cardoso ocuparia o mesmo posto e também sob o mandato Vargas em 1952. No passado mais distante, um bisavô, o capitão Felicíssimo do Espírito Santo (1835-1905), recebeu o título honorífico de brigadeiro e foi duas vezes presidente de Goiás; em sua autobiografia ditada a Miguel Darci de Oliveira, *A Soma e o Resto — Um olhar sobre a vida aos 80 anos*, FHC chama este bisavô de "governador", erroneamente, pois até o século XIX o cargo era de "presidente de província", governador só após a chegada da República, quando as províncias passam a chamar-se Estados.

Felicíssimo casou com Emerenciana Azevedo, com quem teve, em Goiás Velho, os filhos Joaquim Ignácio e Augusto Ignácio, aquele mesmo que foi ministro da Guerra de Vargas. Joaquim, avô de Fernando Henrique, também atingiria o generalato, mesmo caso de seu filho Leônidas Cardoso que viria a ser o pai de FHC.

Joaquim e Augusto conspiraram e agiram, militarmente, a favor da República. Numa entrevista a Roberto Pompeu de Toledo, da revista *Veja*, em 1998, FHC narra:

"Outro dia li um artigo do Sarney mencionando um jovem tenente — ou alferes, como diziam na época — que tinha proposto fuzilar o imperador. Eu disse: é o meu avô. Há um quadro clássico de três oficiais levando ao Imperador a ordem de banimento. Um é meu avô."

Com tantos militares na árvore genealógica, Fernando Henrique tentou na década de 1940, por duas vezes, entrar na Escola Militar. Levou duas bombas. Também arriscou a segunda carreira do pai, que além de militar, era advogado. Então, prestou vestibular para a Faculdade de Direito. Nova bomba. O pai, general Leônidas Cardoso, ficou desgostoso.

"Ele nunca vai dar para nada", desabafou com o colega de farda Jocelyn Brasil, oficial da aeronáutica, amigo da família do autor deste livro.

Este mal-estar entre pai e filho se repetirá na maturidade, na relação de Fernando Henrique com o filho Paulo Henrique, como veremos no Capítulo 14, *Filhos, melhor não tê-los ou: a vida mansa de PHC e sua turma*.

Na citada autobiografia, Fernando Henrique ressalta que a influência da mãe, Nayda, é que foi "preponderante" em sua infância. Revela que ela era muito espontânea, e confessa:

"Eu não sou espontâneo."

Isto deve explicar seu jeito atabalhoado de falar, aos arranques, se policiando, como se temesse dizer algo que não deva dizer. Não obstante, uma coisa de que se gaba é saber comunicar-se bem com o povo. Na verdade, jamais conseguiu impressionar as pessoas comuns. O colunista Telmo Martino, em celebrada coluna do *Jornal da Tarde*, o chamava de "impressionista dos impressionáveis". E conta-se que ao discursar no sertão nordestino, durante a campanha eleitoral de 1994, Fernando Henrique lembra para uma plateia de sertanejos:

"Eu perdi minha cátedra na ditadura..."

Um ouvinte murmura "que foi isso que o homem perdeu, oxente?", e um cabo eleitoral o acalma:

"Não se preocupe, não, *minino*, faz muito tempo que ele perdeu esse negócio aí."

"Ele não honrou o nome do pai nem a tradição da família"

Fernando Henrique constrói a carreira acadêmica e política em São Paulo. Entra para a Faculdade de Filosofia Ciências e Letras da Universidade de São Paulo, USP, na já afamada rua Maria Antônia. Ficará conhecido como *Pavão* no meio acadêmico, dada a vaidade pela fama de intelectual — "sou mais inteligente do que vaidoso", definiu-se certa vez, pondo na marota definição a prova da vaidade. Igualmente saboreou sempre a fama de "mulatre" boa-pinta, que um colega da USP, estudante de Direito, o futuro escritor Fernando Jorge, flagrou como, na verdade, um tipo mais para indiano magro e macilento — ou nordestino de *Vidas Secas*, de Graciliano Ramos; e um colega de titularidade, o sociólogo Gilberto Felisberto Vasconcellos, com sua verve peculiar, no livro *O Príncipe da Moeda*, de 1997, anota:

> *Esta notoriedade intelectual merece ser objeto de uma CPI [Comissão Parlamentar de Inquérito], porque seus livros não são mais lidos atualmente, o que causa sem dúvida espanto, pois trata-se de notoriedade intelectual baseada menos nas qualidades intrínsecas do texto (ou do pensamento) do que no* marketing *do "intelectual-perseguido-pela-ditadura".*

Sobre as "qualidades intrínsecas do texto" de Fernando Henrique, falará bem falado o humorista Millôr Fernandes no Capítulo 15, *Millôr e João Ubaldo Demolem a Obra do Príncipe dos Ociólogos*.

* * *

Na Faculdade de Filosofia da rua Maria Antônia vai apaixonar-se pela colega Ruth Vilaça Corrêa Leite, de Araraquara, 280 quilômetros a noroeste da capital paulista. Ruth era filha única da professora Maria Vilaça, a Mariquita, e de José Corrêa Leite, contador da fábrica de meias Lupo, nove meses mais velha que Fernando Henrique: nasceu a 19 de setembro de 1930. Ou seja, duas semanas antes do 3 de Outubro, quando civis liderados por Getúlio Vargas tomam o QG da III Região Militar em Porto Alegre, detonando a Revolução de 1930.

"Vou casar com mulher rica e ser presidente da República", disse Fernando Henrique certa vez, quando ainda estudante, na casa do jornalista Cláudio Abramo, da família que deu Lívio Abramo, desenhista e gravador; Lélia Abramo, atriz; Perseu e Fúlvio Abramo, dois outros grandes jornalistas.

Ruth podia não pertencer a família milionária, mas pobre não era. Os pais puderam sustentá-la em São Paulo, estudando no Des Oiseaux, das irmãs agostinianas francesas. Era colégio das meninas grã-finas, inaugurado em 1907, de mensalidades ao alcance apenas de famílias abastadas, dos grandes proprietários urbanos e rurais, profissionais liberais, altos funcionários do setor público ou privado, sócios do Jockey Club, do Clube Athletico Paulistano, da Sociedade Harmonia de Tênis — meninas de sobrenome Almeida Prado, Mesquita, Souza Queiroz, Silva Prado, Sampaio Viana — "gente que o próprio nome já apresentava a pessoa", definiu uma madre superiora. Tudo ali era ritualizado. Cada refeição, uma cerimônia.

"As freiras comandavam tudo fazendo um pequeno *clac!* com um livro de madeira", conta uma ex-aluna.

As meninas entravam sem dar um pio, em fila, sentavam nos lugares marcados, usavam talheres de prata com o nome de família gravado. Eram servidas por funcionárias. O Des Oiseaux ensinava em francês até 1930, quando o governo brasileiro decretou: aulas só em português. O francês ficou para a hora do recreio, da educação física, das refeições — e para as aulas de francês propriamente ditas. Mais uma consequência da Revolução de 1930, liderada pelo nacionalista Getúlio Vargas — cuja era, a Era Vargas, Fernando Henrique, nascido no primeiro ano da revolução, quando se tornar presidente vai se propor a "enterrar". Ele, que tinha pai nacionalista, o general Leônidas Cardoso, deputado federal pelo Partido Trabalhista Brasileiro, o PTB de Getúlio, "não honrou o nome do pai nem a tradição da família", segundo o presidente da ABI, a Associação Brasileira de Imprensa, o jornalista Barbosa Lima Sobrinho, como veremos no Capítulo 30, *Vamos ao que vale a Vale e ao que valia para tucanos: nada.*

Depois do Des Oiseaux, viriam mais quatro ou cinco anos de curso superior para os pais bancar.

Operação maluca: trocar de uniforme sem ficar despida!

Fernando Henrique Cardoso e Ruth Vilaça Corrêa Leite formam-se juntos em 1952 e, nas férias de verão de 1953, casam no Rio, onde vivem os pais do noivo. Terão três filhos: Paulo Henrique, Beatriz e Luciana. E, juntos, ele mais voltado à sociologia e ela à antropologia, passarão a dividir uma vida trepidante de intelectuais, semelhante — e guardadas as proporções dos intelectos e das obras — à vida dos filósofos franceses Jean-Paul Sartre e Simone de Beauvoir, com os quais se identificavam. Frequentam o "*grand monde*" da intelectualidade, o Clube dos Artistas e Amantes da Arte, dirigido por *Barros, o Mulato* — nome artístico do pintor Miguel Barros — na rua Barão de Itapetininga. Ali chegaram a ter contato com gente como Tarsila do Amaral, Oswald de Andrade, Di Cavalcanti, Helena Silveira.

* * *

1960. O círculo de amigos de FHC e Ruth se alvoroça: Sartre e Beauvoir virão ao Brasil, convidados por Jorge Amado. O casal passará quase três meses no país, começando por uma visita à Amazônia, depois às cidades históricas mineiras, e encontros com camponeses e operários em várias capitais de estado.

Mas eis que, no meio do caminho, tinha um sequestrador de filósofos franceses, o jovem filósofo brasileiro Fausto Castilho. Ele conseguiu convencer Sartre a falar para professores e alunos da recém-inaugurada Faculdade de Filosofia, Ciências e Letras de Araraquara, cidade então com 80 mil habitantes, irritando Simone de Beauvoir e Jorge Amado. Mesmo assim, Simone também deu uma conferência, no Teatro Municipal da cidade, tendo Fernando Henrique como intérprete. Falou sobre feminismo, baseada em seu livro *O Segundo Sexo*, de repercussão mundial. No livro, publicado em 1949, Simone põe duas epígrafes, a primeira do filósofo dinamarquês Soren Kierkegaard:

Que desgraça ser mulher! Entretanto, a pior desgraça quando se é mulher é, no fundo, não compreender que sê-lo é uma desgraça.

A outra, do homem com quem viveu um relacionamento nada convencional que durou 50 anos, formando um dos casais mais célebres da História:

Metade vítimas, metade cúmplices, como todo o mundo.

Na orelha, possivelmente escrita pelo tradutor Sérgio Milliet, intelectual paulista, lemos este resumo do que trata o livro:

As mulheres de nossos dias estão prestes a destruir o mito do "eterno feminino": a donzela ingênua, a virgem profissional, a mulher que valoriza o preço do coquetismo, a caçadora de maridos, a mãe absorvente, a fragilidade erguida como escudo contra a agressão masculina. Elas começam a afirmar sua independência ante o homem; não sem dificuldades e angústias porque, educadas por mulheres num gineceu socialmente admitido, seu destino normal seria o casamento que as transformaria em objeto da supremacia masculina.

Naquele momento, Ruth com certeza recordou seus anos de Des Oiseaux, a repressão, filas por tamanho e idade, obediência às "hierarquias sociais", a entrada e saída das "passarinhas" de luvas e chapéu, as saias plissadas e meias três quartos — nem um milímetro de pernas à mostra, ponto de honra nos colégios católicos femininos. Um sino tocava às sete da manhã e ouvia-se um brado:
"*Sursum corda!*"
Corações ao alto, em latim. E todas deviam responder:
"*Habemus ad Dominum!*"
Ou seja, o coração de cada uma estava com "o Senhor". A rígida etiqueta: não se pedia para ir ao banheiro, mas ao "*lave-main*" (lava-mão,

em francês); fazer reverência ao encontrar "*Notre Mère*" (Nossa Madre). E uma inacreditável operação: vestir o uniforme de ginástica, de sarja azul-marinho, sem ficar despida! Operação complexa, digna de Houdini, o Homem Miraculoso. Naquele tempo, a liberdade sexual que os dois filósofos franceses imprimiam a suas vidas era uma afronta, mesmo para a maioria de seus compatriotas. Sexo antes do casamento jamais — Fernando Henrique, mesmo já noivo e comprometido com Ruth, quando visitava Araraquara hospedava-se no Hotel Municipal enquanto a moça dormia na casa dos pais.

Naquele mundo provinciano, a fala de Simone de Beauvoir deve ter causado furor. Ela e Jean-Paul desafiaram a moral de seu tempo, viveram muitos amores. Assumiram posições diante da instituição do casamento que, quase meio século depois, Fernando Henrique e Ruth não teriam coragem de assumir, conforme vamos ver.

Dois anos depois da passagem de Sartre e Simone pelo Brasil, Fernando Henrique publica sua tese de doutoramento, *Capitalismo e Escravidão no Brasil Meridional*, em 1962. Por coincidência, a cidade escolhida por ele como um dos locais para o trabalho de campo é Florianópolis. A tese resulta inicialmente no opúsculo *Negros em Florianópolis — Relações Sociais e Econômicas*, publicado em 1960 pela Companhia Editora Nacional e republicado em 2000 pela Insular.

Se a CIA financia quem financia o Cebrap, então a CIA financia o Cebrap

O golpe militar de 1964 o apanha em ascensão na vida acadêmica. É apontado como ex-assistente e ex-assessor de Florestan Fernandes, então o papa da sociologia brasileira. O Florestan que orientou sua tese de doutorado em 1961, sobre a escravidão na província do Rio Grande do Sul na época de Pedro II, afinal batizada de *Formação e desintegração da sociedade de castas: o negro na ordem escravocrata do Rio Grande do Sul*. Orgulha-se de ter sido assistente também de Roger Bastide, sociólogo francês que lecionou na USP entre 1938 e 1984.

Procurado pela polícia política da ditadura no pós-golpe, refugia-se Fernando Henrique em casas de amigos e conclui que é melhor cair fora. Vai para o Chile.

Mas o exílio em que escreveu *Dependência e Desenvolvimento na América Latina*, mais conhecido como *Teoria da Dependência*, não teve as dificuldades, agruras e penúrias que nos vêm à mente quando ouvimos falar em exílio. Para começar, FH já chega a Santiago empregado na Cepal, Comissão Econômica para a América Latina, em seu Instituto Latinoamericano de Planificación Económica y Social, Ilpes, ligado à ONU, Organização das Nações Unidas. Além disso, viajou com passaporte e salário integral da Universidade de São Paulo.

Em *Livro de Ruth*, a cientista social Margarida Cintra Gordinho, ex-aluna de Ciências Sociais de FHC e Ruth Cardoso, conta que a família morou numa "boa casa com jardim e uma lareira aconchegante", onde os anfitriões receberam "sem cerimônia" muitos hóspedes — afinal, lembra a autora, no Chile antes do *pinochetazo*, "a comunidade brasileira chegava a umas cinco mil pessoas". Margarida pontua:

> *Os funcionários da Cepal ganhavam bem e podiam importar artigos sem imposto. Paulo Henrique lembra-se de um catálogo da Sears em que escolheu uma fantástica bicicleta Raleigh; lembra-se também dos meninos com quem jogava futebol na rua. Pelas ruas de Santiago, Fernando Henrique guiava uma Mercedes-Benz, muito diferente do velho Singer em que rodava em São Paulo.*

Era "a mais linda Mercedes azul" que um futuro ministro dele já havia visto, o também sociólogo Francisco Weffort. A autora conclui:

> *Visto através do filtro do tempo, esse foi um exílio dourado!*

E cravejado de brilhantes. Depois de outro exílio dourado na França, volta a família ao Brasil em 1968, ano do famigerado AI-5, o Ato Institucional 5. Em abril de 1969, Fernando Henrique seria aposentado compulsoriamente da Universidade de São Paulo e teria os direitos políticos cassados. Aos poucos, FHC irá se aproximando do campo da política. No mesmo ano de sua expulsão da USP, funda com outros professores universitários perseguidos o Cebrap, Centro Brasileiro de Análise e Planejamento. Sobre o financiamento para tal empreendimento, como se estivesse "vacinando-se" contra possíveis suspeitas quanto à origem do dinheiro, diz em sua autobiografia:

"Tive que buscar apoio em fundações internacionais e, naquela época, havia preconceito contra isso."

Preconceito? A FF, Fundação Ford — financiadora do Cebrap em seu nascedouro —, entidade com sede em Nova Iorque, foi criada, segundo seus fundadores, para patrocinar programas de "promoção da democracia e redução da pobreza". Há quem afirme, porém, que esse bonito lema serve apenas como luminoso de uma fachada atrás da qual se ocultam os não tão bonitos interesses da CIA, a Agência Central de Inteligência dos Estados Unidos.

James Petras, sociólogo que lecionou na Universidade de Binghamton, estado de Nova Iorque, bem como outros intelectuais americanos, acusam a Fundação Ford de agir como testa-de-ferro da CIA. Petras documentou doações da FF para organizações criadas pela CIA a fim de intervir na política interna de outros países. Mostra ainda que Richard Bissell, ex-presidente da FF, era ligado a Allen Dulles, diretor da CIA e responsável pela criação do Projeto MK-Ultra, de controle do comportamento humano com uso de drogas, como LSD, sem conhecimento das vítimas. Bissell tinha vocação para o fracasso: foi o cérebro da espionagem da União Soviética usando o avião U-2, que voava tão alto, que jamais seria alcançado pela artilharia inimiga: foi derrubado; e cérebro criador da invasão da Baía dos Porcos, que derrubaria Fidel Castro em poucas horas — um dos maiores fiascos militares dos Estados Unidos.

Outra acadêmica americana, Joan Roelofs, em *Foundations and Public Policy: The Mask of Pluralism (Fundações e Política Pública: A Máscara do Pluralismo)*, de 2003, diz que entidades como a FF ajudam a isolar movimentos de oposição aos interesses americanos. Lembra que o presidente do Conselho da FF de 1958 a 1965, John J. McCloy, descreveu a entidade como "uma quase-extensão do governo americano". E repara que uma das funções da FF era visitar o Conselho de Segurança em Washington para ver quais projetos deveria financiar no exterior. Patrocinou ainda programas para desestabilizar a resistência às ditaduras na Indonésia e outros países. Bem, quem sabe a CIA tenha aberto uma exceção ao Brasil: enfraqueceu a resistência às ditaduras noutros continentes, em toda a América Latina, mas aqui resolveu criar um organismo para nos libertar da própria CIA.

O livro *Quem pagou a conta? — A CIA e a guerra fria da cultura*, da pesquisadora inglesa Frances Stonor Saunders, contém uma pista quente de que o Cebrap de FHC foi financiado pela CIA por meio da Fundação Ford, pois prova com documentos que a FF canalizava secretamente dinheiro da agência americana para áreas culturais. Poderá alguém alegar que Frances só pesquisou até 1967 e o Cebrap nasce em 1969. Ora, basta seguir um silogismo:

1. CIA dava dinheiro à Fundação Ford;
2. Fundação Ford dava dinheiro ao Cebrap; logo,
3. Cebrap recebeu dinheiro da CIA.

Já em meados da década de 1970, o cineasta Glauber Rocha escrevia:

No Brasil, o gancho do Pentágono é o Centro Brasileiro de Análise e Planejamento (Cebrap), que funciona em São Paulo.

E sobre o administrador da entidade, Glauber não se enganava; foi o primeiro intelectual a perceber, com 20 anos de antecedência, que o Cebrap era um aparelho ideológico internacional que antecipava a política neoliberal das privatizações e da entrega de nossas riquezas:

Fernando Henrique Cardoso é apenas um neocapitalista, um kennedyano, um entreguista.

Noutro livro, de 1997, *Fernando Henrique Cardoso, o Brasil do possível*, a jornalista francesa Brigitte Hersant Leoni pontua que os americanos não estavam investindo dinheiro à toa. Fernando Henrique já havia prestado "serviço de qualidade": com o economista chileno Enzo Faletto, acabava de lançar *Dependência e Desenvolvimento na América Latina*, defendendo a tese de que países em desenvolvimento ou atrasados poderiam desenvolver-se mantendo-se dependentes de países ricos — por exemplo os Estados Unidos. O livro é magistralmente avacalhado no já citado capítulo *Millôr e João Ubaldo Demolem a Obra do Príncipe dos Ociólogos*.

Assim é que, menos de dois meses depois do AI-5, o país vivendo o auge da fúria da ditadura, com centenas de novas cassações, cárceres lotados, tortura comendo solta, Fernando Henrique se prepara para tornar-se "personagem internacional", a dar aulas e conferências em universidades americanas e europeias, com respaldo da Fundação Ford. E, coisa mais difícil de explicar, gozando de notoriedade entre as esquerdas, citado em teses acadêmicas — "um prodígio". Juntou a fama de "exilado" à de perseguido pela Universidade, por fim à fama de empreendedor com o Cebrap, fruto da internacionalização do mercado, mas visto — anota Gilberto Vasconcellos — "equivocadamente como resistência de esquerda contra o obscurantismo cultural da ditadura".

E como dispunha de dinheiro! Na página 123 do livro de Brigitte, lemos que FHC, administrador do Cebrap, certa vez disse:

"Não conseguíamos gastar tudo. Lembro-me de ter encontrado o tesoureiro. Santo Deus, disse eu, como podemos gastar isso? Não havia limites, ninguém tinha que prestar contas. Era impressionante."

A primeira parcela, de US$ 145 mil, lhe foi entregue em fevereiro de 1969 pelo tesoureiro da FF no Brasil, Peter Bell. Nunca se divulgou o total, mas na USP dizia-se que pode ter chegado a US$ 1 milhão.

De volta ao planalto central
brasileiro de seus ancestrais

A sequência de sua carreira, de tão recente, está na memória geral. Fernando Henrique se aproxima de movimentos sociais (como aquele que resultará na fundação do PT em 1980), de ações das pastorais da Igreja Católica; entra para o MDB em 1974.

Quatro anos depois, candidata-se ao Senado e, com 1,3 milhão de votos, torna-se suplente do senador eleito Franco Montoro. Eleito Montoro para o governo paulista, enfim Fernando Henrique, assumindo a cadeira vaga de senador por São Paulo, chega ao planalto central de seus antepassados goianos.

CAPÍTULO 3
Disparada atrás do quase candidato posto em apuros

Segredo de polichinelo — Roberto Marinho por acaso representava a mídia toda? — "Choque? Se querem choque, enfiem o dedo na tomada" — Vai para Nova Iorque chanceler e volta ministro da Fazenda — "Me deixem em paz!"

Cenário: frente de uma casa de campo nos arredores de Brasília. Pertence a alguém muito importante, ou algo muito importante está para acontecer ali, pois um magote de jornalistas se posta, de plantão, na entrada da casa. Estamos no fim do primeiro trimestre de 1994. De repente ouve-se um auê lá dentro, uma agitação. O portão se abre e um Volkswagen Gol sai em alta velocidade, fazendo os jornalistas correr para todo lado. Levantando pó na estrada de terra, o carro quase capota logo adiante.

Passado o susto, os jornalistas disparam atrás. Por que eles estavam de plantão na frente daquela casa? Porque Fernando Henrique Cardoso, que usava a casa em fins de semana, na passagem do primeiro para o segundo trimestre de 1994, está para anunciar a qualquer momento sua candidatura a presidente da República. É ele quem vai dirigindo o automóvel. Ao lado dele, os jornalistas não sabem ainda, vai a futura primeira-dama Ruth Cardoso, com fratura num dos braços. A correria termina no Hospital Sarah Kubitschek. O Gol entra por um portão e desaparece lá dentro.

Deixou Mário Covas irado, a ponto de dar um murro na mesa

Polichinelo é um dos personagens da *Commedia dell'Arte*, teatro popular surgido na Itália entre os séculos XV e XVI. Polichinelo gosta de

Colombina, que faz dele o que ele é: um tolo. Ele não se acha tolo, mas todos sabem que Polichinelo é, daí a expressão "segredo de polichinelo". Expressão que os jornalistas naquele momento da história brasileira usam para referir-se ao "caso Miriam Dutra".

Mas não é segredo de polichinelo para Ruth Cardoso: ela ainda "não sabe". A ilação que todos tirariam: o senador prestes a anunciar sua candidatura resolveu contar "tudo"; a mulher — sabidamente independente e voluntariosa — revoltou-se e, por acidente, machucou-se. O senador Fernando Henrique escolheu o dia errado para abrir o jogo com a mulher? Ou não soube conduzir a conversa? O que aconteceu?

Nelson Rodrigues dizia que o marido não deve ser o último a saber — o marido não deve saber **nunca**. Naquele momento, na sala de espera do hospital, Fernando Henrique talvez tenha pensado que também a mulher não deve saber **nunca**. Durante o trajeto entre a casa de campo e o hospital, e durante a espera, enquanto Ruth é atendida, FHC repassa no cinematógrafo da memória os passos rumo às eleições de outubro daquele ano de 1994, sua caminhada desde a chegada a Brasília em 1982.

Sobreviveu à gestão Sarney, mesmo tendo sido líder do governo no Senado — governo desastroso. Houve percalços? Houve. Uma ponta de aflição surge ao recordar alguns, o de ter sentado em 1985 na cadeira de prefeito de São Paulo antes das eleições, posando para uma foto para a revista *Veja*; ou insinuar-se para ser o vice de seu xará Collor; ou aceitar o convite de Collor para ser seu chanceler, provocando a ira de um grande amigo — Mário Covas chegou a dar um murro na mesa, e ver o "espanhol" bravo não foi nada agradável.

Também acha que pisou na bola ao ostensivamente correr a visitar Roberto Marinho tão logo virou ministro da Fazenda, e voltar a Brasília sem falar com mais ninguém. Sequer com o governador fluminense Leonel Brizola. E a desculpa furada que deu?

"Precisava ter um contato com a mídia para ganhar apoio na luta contra a inflação."

Por acaso Roberto Marinho representava a mídia inteira? Deve ter dado na vista... FHC matuta.

Já virei FHC nos jornais, já estou na raia, já me batizei no contato com sertanejos do Ceará. Nunca fui de falar difícil. Fui professor. Sei falar. Nunca fui um desastre como professor. E ainda sou sociólogo e fiz pesquisas a vida toda, as primeiras com negros. Andei por favelas. Fui assistente do Roger Bastide e do Florestan Fernandes. Aí me vêm com o estigma de ser intelectual, dizem no partido — "não sabe pegar uma criança no colo", mas ora, tive filhos, tenho netas... há um lado prático na vida intelectual. Dirigi o Cebrap, administrei dinheiro do banco; aplica, desaplica. Uma experiência limitada perto do que vem por aí, mas é um desafio bom.

Tudo agora caminha bem, pensa ele, o caso Miriam foi encaminhado, o Plano Real está sendo bem conduzido. Viajei para Nova Iorque em maio de 1993 e voltei ministro da Fazenda. "O senhor vai aplicar um choque?" Choque? Se querem choque, enfiem o dedo na tomada. Minha frase correu mundo. *If you want a shock, stick your finger in the socket.* Acertei ao trocar o Itamaraty pelo Ministério da Fazenda.

Sente falta da pompa, dos "punhos de renda" e do farfalhar das roupas finas, das recepções, do bom e do melhor. Mas o Palácio da Alvorada está a pouquíssimos minutos dali. Um sobressalto, um frio na barriga.

Preciso cuidar de apagar certos rastros. O banco francês... o Paribas... se o *Parribá* vem à luz...

"Candidato? Não sou candidato. Será que vocês não reconhecem que há pessoas que querem apenas se dedicar a seu país sem receber nada em troca?"

Alguém poderia tachar a resposta de demagógica, mas pegou bem. Apesar da inflação, acumulada desde o início da ditadura militar em 1.000.000.000.000% — um quatrilhão por cento! — o desafio é bom. A rapaziada vem trabalhando bem, há de dar tudo certo...

Estou bem cercado e bem amparado. Clóvis Carvalho, este será homem forte do meu "grupo palaciano"; Paulo Renato, este vai para a Educação; Serra, para o Planejamento; Eduardo Jorge, continua comigo; a Gilda Portugal Gouvea vai ajudar o Paulo Renato; Xico Graziano? Incra; Ana Tavares na Assessoria de Imprensa. Quanto ao pessoal do Nordeste, dos grotões, os Antônio Carlos Magalhães, os Bornhausen, os Marco Maciel — o Tasso Jereissati que cuide deles. E ainda tenho o guarda-valas, o trator, o costurador de alianças, o que tem o mapa das minas, o Serjão Motta.

No Sarah Kubitschek, FHC volta a si: seu futuro pode estar por um triz. Ruth sai com um braço na tipoia. Aos jornalistas que se acercam, ela grita:

"Me deixem em paz!"

E se manda para Nova Iorque.

CAPÍTULO 4
"Diz-me com quem andas e te direi se vou contigo"
Barão de Itararé

Governador duas vezes, nenhuma pelo voto popular — Queria vender até Caixa, Petrobras e Banco do Brasil — Surge o golpe conhecido como "barriga de aluguel" — A lavanderia de dinheiro sujo de dimensões galácticas

Tenho a fé abundante. Cheguei a acreditar em banqueiros.
Oswald de Andrade

Santa Catarina é uma espécie de *Konderado*, nele manda um Konder — Jorge Konder Bornhausen. Nasce no Rio três meses e meio depois de Fernando Henrique, a 1º de outubro de 1931, quase no primeiro aniversário do 3 de outubro em que estalou a Revolução de 1930. Filho de Maria Konder e Irineu Bornhausen.

Forma-se advogado no Rio e se estabelece na terra da família, Blumenau, onde se filia à União Democrática Nacional, a UDN, partido de direita.

Este personagem, que serviu como um dos sustentáculos mais empedernidos da ditadura militar, merece pinceladas biográficas para fins do "diz-me com quem andas e te direi se vou contigo". Pois será a companhia dele que FHC buscará em 1994, para garantir a eleição e a tal de governabilidade.

Na ditadura, depois de presidir o Besc, Banco do Estado de Santa Catarina, Jorge Bornhausen ganha o posto de governador biônico — nomeado em 1978. No ano seguinte, a 30 de novembro, traz ao Estado o novo general de plantão, João Figueiredo, com assessores e mais o ministro de Minas e Energia, o cearense Cesar Cals. São todos escorraçados da praça principal de Florianópolis, a Praça XV, no episódio conhecido como *Novembrada*.

Jorge Bornhausen foi governador duas vezes, nenhuma delas pelo voto popular: na primeira, era vice de um governador que acabou cassado pelos golpistas; na segunda, nomeado pelo general Ernesto Geisel. Elege-se em 1982 senador pelo PDS, partido sucessor da velha Arena, responsável pela coreografia civil do regime militar. Adversários acusaram a eleição de fraudulenta — teve 816.386 votos e o segundo colocado, 815.563, apenas 823 votos de diferença — menos de 0,05% do eleitorado.

Com a redemocratização em 1985, Bornhausen transforma sobras do PDS em PFL, Partido da Frente Liberal, e ajuda a forjar a imagem de Fernando Collor, que defenderá até o *impeachment*, no cargo equivalente à chefia da Casa Civil, noutro governo dos mais desastrosos de nossa história.

É bom você se preparar para conhecer este senhor que, se pudesse, venderia aos gringos muito mais do que FHC vendeu.

Garfaram escolas, postos de saúde, asfalto para rodovias

É Bornhausen que Fernando Henrique vai procurar para garantir sua eleição. E ele que nomeará embaixador em Lisboa, para onde enviaram Miriam Dutra, unha e carne com Lucinha, então a senhora Bornhausen. O futuro cabeça do movimento pelo *impeachment* de Lula — "Vamos nos livrar dessa raça por uns trinta anos", disse — sonhava levar ao martelo muito mais patrimônio público do que seu amigo FHC.

Com a crise do real em janeiro de 1999, pregou abertamente a privatização do Banco do Brasil, da Caixa Econômica Federal e da Petrobras. Na família, de banqueiros, empresários e políticos, há uma "ovelha negra" notória: o filósofo e escritor Leandro Konder.

O rol de notícias negativas na mídia ajuda a compor o perfil do parceiro que FHC iria procurar no início de 1994 para garantir a vitória nas eleições de outubro. Em julho de 2002, a semanal *IstoÉ* publica:

Na investigação sobre remessa ilegal de dinheiro, PF acha boleto bancário em nome de Bornhausen

FOLHA DE S.PAULO
FHC vai vender parte da Petrobrás

O ESTADO DE S. PAULO
Lei de Concessões abre reforma de FH

O GLOBO
FH conclama governadores a trabalharem pela reforma

O ESTADO DE S. PAULO
Reforma começa com telecomunicações

FOLHA DE S.PAULO
País estuda privatizar BB e Caixa, afirma FMI

Iam vender até Petrobras, e a mídia acha novo eufemismo para "entrega": "reforma".

A matéria descreve em detalhes um esquema gigantesco de envio irregular de bilhões de dólares do Brasil para o exterior.

Na papelada encontrada por investigadores na agência Banestado em Nova Iorque havia um boleto bancário no valor de 185 mil reais em nome de Jorge Konder Bornhausen.

O dinheiro tinha saído do Banco Araucária, em Foz do Iguaçu — banco da família Bornhausen, e note onde fica a agência: na porta dos fundos do Brasil, menos vigiada que a porta da frente.

"Era uma agência daquelas que funcionam em um andar superior de um prédio, não é uma agência, assim, de rua. Não era um banco importante para ter essa autorização especial", observou em 2005 em entrevista a *Caros Amigos* o procurador da República Vladimir Aras.

De Foz, aqueles R$ 185 mil passam por uma *off shore*, ou paraíso fiscal; e desembarcam nos Estados Unidos.

A investigação levantaria 137 movimentações suspeitas realizadas por meio de contas CC5, as famosas. O BC, Banco Central, emitiu em 1969 a Carta Circular 5 (daí CC5), criando conta voltada a brasileiros residentes fora do país e empresas exportadoras ou financeiras com vínculos no exterior. Permite, sem necessidade de autorização do BC, depositar reais lá fora, sem limites, e convertê-los em dólares; ou resgatar, aqui e em reais, dólares depositados no exterior. Mas apenas cinco bancos podiam realizar essas operações: Banco do Brasil, Bemge, Banestado, Real e Araucária.

Logo a ditadura militar passa a permitir que qualquer pessoa, desde que identificada, possa usar a CC5. Surge o golpe conhecido como "barriga de aluguel": políticos, autoridades, assessores de segundo escalão e outros altos malandros passam a usar a CC5. Eles não se expõem. Usam *laranjas*, pessoas em geral humildes e desavisadas, em cujos nomes enviam fortunas para fora do país.

Sangria desatada: só entre 1992 e 1997, pessoas físicas e jurídicas remetem ilegalmente ao exterior R$ 124 bilhões. Daria para construir 3 milhões e 100 mil casas populares com sala, cozinha, dois dormitórios e banheiro — já seria uma força para resolver o déficit habitacional brasileiro, de 5 milhões e meio de casas.

A Polícia Federal identificou quase R$ 12 bilhões em dinheiro sujo — boa parte proveniente de corrupção, tráfico de drogas e de armas. Você há de perguntar se o governo, diante da denúncia contra Bornhausen, mandou investigar, não? O que fez? Arquivou o dossiê da PF e afastou o delegado José Castilho Neto, responsável pela investigação.

Seria porque as averiguações poderiam rumar na direção de tucanos de penas douradas?

O Banespa, Banco do Estado de São Paulo, sob controle tucano, enviou ao exterior em 1997, mediante o esquema, R$ 50 bilhões — daria para arrumar todas as rodovias federais de Minas e Goiás em mau estado ou por asfaltar, e sobraria troco; ou melhor: falta creche no seu bairro? Na sua cidade? Seria possível ajudar até nossos vizinhos e construir 132.626 creches para 300 guris cada uma no Brasil e América Latina afora.

O Banestado, Banco do Estado do Paraná, quebrou em 1998, lesando seus quatro mil clientes em US$ 200 milhões — aí se foram mais 2.647 ambulâncias equipadas, com tudo o que é necessário para salvar vidas, uma para cada dois municípios brasileiros.

Em junho de 2003, procuradores da República entregaram à Receita Federal aproximadamente seis mil documentos sobre mais de 80 mil pessoas que lavaram US$ 30 bilhões nos Estados Unidos, a partir da agência do Banestado de Foz do Iguaçu — mandaram para o exterior dinheiro que serviria para construir 67.500 postos de saúde equipados inclusive com gabinete dentário.

As investigações recaíram principalmente sobre os Bornhausen: o Araucária, banco da família, teria lavado, por baixo, US$ 5 bilhões no esquema, dinheiro de origens obscuras. Apenas para comparar: os US$ 5 bilhões equivalem ao custo anual de 10.300 escolas para 500 alunos cada uma, incluindo a merenda das crianças; ou, já que eles são catarinenses, os US$ 5 bilhões dariam para construir 50 quilômetros de metrô em Florianópolis.

Só em 2005, após o escândalo Banestado, o governo — por intermédio do Conselho Monetário Nacional, CMN — mudou as regras. Quem quisesse mandar dinheiro para fora deveria agora assinar contrato de câmbio com algum banco, registrado no Banco Central. O CMN "instalou" uma torneira, sob seu controle, no "encanamento" da CC5.

É neste homem, Jorge Bornhausen, que Fernando Henrique pensa em fevereiro de 1994, quando, ainda ministro da Fazenda de Itamar Franco, em público se diz em dúvida sobre ser candidato, mas nos bastidores já se prepara para montar a campanha.

CAPÍTULO 5
O homem preparado para resolver o problema dos pobres

"Você vence com uma chapa puro-sangue" — Mídia ignora fazenda declarada por valor duzentas vezes menor — "Fernando Henrique odeia que eu conte essa história" — Mau agouro: a mesa do palanque caiu — Língua de trapo

Brasília. Algum dia de fevereiro de 1994. Sem que a imprensa saiba, e escondido até de outros altos quadros do PSDB, Fernando Henrique mantém encontro com Carlos Augusto Montenegro, dono do Ibope, Instituto Brasileiro de Opinião Pública e Estatística. É bom lembrar: Ibope e Rede Globo de Televisão, tudo a ver — vimos no Capítulo 3 como ele, tão logo virou ministro da Fazenda, visitou logo quem? Roberto Marinho. Curioso que, agora, um dos primeiros encontros para tratar da viabilização de sua candidatura não tenha sido com uma liderança política de porte com quem buscará aliar-se, um ACM, um Bornhausen, um Jereissati. Mas com o Ibope.

O encontro ocorre no apartamento de um assessor. O homem do Ibope diz que só há dois nomes em condições de vencer Lula. Um seria Antônio Britto, do PMDB, ex-jornalista da TV Globo, assessor de imprensa de Tancredo Neves — famoso por anunciar os boletins médicos assinados pelos "professores doutores" que tentavam, no Instituto do Coração de São Paulo, salvar a vida do presidente eleito no colégio eleitoral em 1985 e morto antes de tomar posse; Britto era pré-candidato ao governo gaúcho e como tal seria eleito.

O outro capaz de derrotar Lula, afirmou o homem do Ibope no encontro secreto, seria ele, Fernando Henrique, do PSDB, que pergunta ao Ibope: será que, para vencer, precisaria procurar Jorge Bornhausen e fazer aliança com o PFL?

"Você vence com uma chapa puro-sangue", respondeu Montenegro, "e o PFL vem atrás."

FHC agradeceu, mas continuou em dúvida. Achava que, apenas confiado na frágil estrutura partidária do seu partido, não alçaria voo tão alto. Mais a mais, convenhamos, pelo governo que fará, estará mais à vontade com direitistas do que com esquerdistas.

Noutra reunião, igualmente secreta, FHC decidirá seu futuro, um mês depois, na fazenda que tem em sociedade com o amigo Sérgio Motta, no interior mineiro. Cabe pequeno parêntese esclarecedor sobre que apito a mídia iria tocar.

* * *

No momento em que todos os observadores políticos percebem que a luz de Fernando Henrique emana sinais presidenciais, olhos e ouvidos se aguçam nos repórteres mais atilados. Alguns miram na fazenda de FHC e Sérgio Motta e acham uma discrepância entre o preço "real" e aquele declarado no Imposto de Renda: para a Receita Federal, é uma fazendinha de não mais que US$ 2 mil; mas o valor de mercado bate nos US$ 400 mil.

Um repórter faz a matéria e envia para a matriz de seu jornal em São Paulo. Apenas dois ou três leitores ficaram informados de seu conteúdo, antes que ela jazesse na gaveta do editor. Os leitores (e eleitores) da publicação ficaram sem saber que, desde 1988, Fernando Henrique e Sérgio Motta dividiam a propriedade no distrito de Serra Bonita, município de Buritis, Minas Gerais, a duas horas e meia de viagem, por terra, da capital federal. Terras boas para o cultivo de arroz.

Outras reportagens tiveram o mesmo destino da primeira. Os editores de jornais, revistas e noticiários de televisão devem ter decidido que matérias "negativas" prestariam um "desserviço" ao país.

Naquela época, o Brasil acabava de despachar um presidente, Fernando Collor; e escorraçou o antecessor de Fernando Henrique no

Ministério da Fazenda, Eliseu Resende. Na cabeça dos mandachuvas da mídia, já torcedores declarados do pré-candidato FHC, seria autodestrutivo para a nação desmoralizar tão promissor concorrente capaz, sobretudo, de deter a ascensão de Lula — nas pesquisas de opinião da largada para a campanha de 1994, o candidato do PT aparecia bem na frente, com 42% da preferência do eleitorado, contra 8% daquele do PSDB. Algumas publicações estavam inclusive saindo em defesa preventiva de FHC. *Veja* e *O Globo*, mesmo que nada tivesse sido publicado contra ele, optaram por favorecê-lo com notas de apoio explícito.

Os magnatas da mídia, portanto, esqueceram a fazendola de 1.046 hectares, equivalente a um décimo da área urbana de São Paulo, com valor declarado ao Fisco duzentas vezes menor que o valor verdadeiro. Lá estarão Serjão com Fernando Henrique, em março de 1994. FH quer avaliar com os dois homens de confiança, três riscos:

1. perder caso recusasse aliar-se com o PFL de Bornhausen;
2. desgastar-se ao abandonar o Ministério da Fazenda para candidatar-se;
3. projetar o nível em que a campanha se desenrolaria — preocupava-se com a boataria fervendo sobre sua vida pessoal, o menino Tomás, o "filho fora do casamento" que poderia destruir a candidatura no nascedouro, como vimos no primeiro capítulo.

Os três concluíram:

1. a aliança com o PFL viria para acrescentar;
2. renunciar ao Ministério? problema menor;
3. campanha adversária usar baixaria? tinham de correr o risco.

"Vou ser candidato", FHC bateu o martelo. "Mas antes vou conversar com a Ruth."

Aproveitou uma viagem a Nova Iorque para manter longa conversa com a mulher, Ruth Cardoso.

"Se me permite, estou achando isso uma sacanagem"

Naqueles momentos, há um tucano cearense vendo tudo com olhos críticos: Ciro Gomes. Mais moço na cúpula do PSDB, havia sido eleito em 1990 governador de seu estado aos 32 anos e, no terceiro ano do mandato, sente-se tomado pela responsabilidade que pesa sobre seu partido quando, em maio de 1993, Fernando Henrique se torna ministro da Fazenda de Itamar Franco. Ele recordará aqueles dias com seu imbatível e áspero bom humor 12 anos mais tarde, ao conceder entrevista na redação de *Caros Amigos* em abril de 2006. Fui um dos entrevistadores e, agora, passo a palavra a Ciro porque sua versão contém peças que ajudam a compor o mosaico a fim de entendermos melhor o papel de cada grão-tucano naqueles dias.

Ciro diz que formaram "um coletivo" e resolveram precipitar o plano econômico do futuro governo tucano ainda no governo Itamar.

"E a turma que tinha a engenhoca técnica ficou contra", narra ele, "argumentando que 'não tinha ambiente' e que primeiro tinha que fazer a reestruturação da dívida externa, a privatização, a reforma tributária e a reforma da Previdência."

Ciro opinou que, ao contrário, primeiro deveriam estabilizar a economia, porque aí teriam força para "fazer o resto". Ouçamos Ciro:

> *O Fernando Henrique odeia que eu conte essa história, mas teve uma reunião fatídica para coagir a turma da equipe econômica a entregar a engenhoca, e eles dizendo:*
>
> *"Vai ser a maior hiperinflação da história, é uma loucura fazer isso..."*
>
> *E Fernando Henrique insistindo:*
>
> *"Não temos saída, nós temos que fazer agora, já estamos dentro do governo, a responsabilidade é nossa."*
>
> *E aí se virou pro Covas:*
>
> *"O que você acha?"*
>
> *E o Covas não hesitou:*
>
> *"Temos que fazer, e não tem conversa."*

Depois, perguntou pra mim:
"Ciro, e você?"
E eu:
"Vamos fazer, está na hora."
Quando chegou a vez do Serra, deu-se aquele silêncio constrangedor. E o Fernando Henrique, muito cavalheiro, ofereceu:
"Você quer tomar alguma coisa? Tem suco, água..."
E não sei o quê. Daí o Covas, o mais respeitado de todos nós, interrompeu:
"Peraí! Alto lá! O que é isso? Está todo o mundo aqui fazendo de conta que não está vendo o que aconteceu? O que é, seu Serra? Está achando que essa merda vai fracassar e você vai me tomar o lugar de candidato a governador? Não vai não. Você vai dizer, agora, se é contra ou a favor!"
Aí o Serra se encolheu e disse:
"É... sou a favor."
Arrancamos a fórceps o voto do Serra a favor do Plano Real.

* * *

Passam a reunir-se toda quarta-feira à noite, em Brasília: Fernando Henrique, José Serra, Ciro Gomes, Mário Covas, Tasso Jereissati e a equipe econômica. Certa noite, quase ao fim da reunião, FHC sussurra no ouvido de Ciro, Covas e Tasso: *Fica aí depois*. Era "pra tirar o Serra de perto", observa Ciro. Então, quando a equipe econômica e Serra se vão, partem os quatro mancomunados para o restaurante Lake's Baby Beef (em português, Bife Bebê do Lago), onde jantam numa sala envidraçada e separada, um "aquário". Ciro conta:

Aí começa o palpo de aranha do Fernando Henrique:
"Nós somos muito amigos, muito companheiros, mas vem aí uma sucessão presidencial que o partido tem que disputar, vamos abrir a conversa: o candidato vai ser um de nós quatro, que temos condição."

Quando ele disse "nós quatro", eu pensei "xi! ele, nem pensar". Ministro da Fazenda, sem chance de ser deputado em São Paulo, tinha perdido a eleição para prefeito, e aí, nisso ele é mestre, disse:

"Sem qualquer imposição, ou obsessão, gostaria de dizer que quero ser o candidato."

Enquanto eu abro a boca de susto, ele vira pro lado esquerdo, onde está o Tasso, pega o braço dele:

"Que você acha, Tasso?"

E o Tasso abaixa a cabeça:

"Por mim, tudo bem."

E o Fernando Henrique segue adiante:

"Covas?"

"Você sabe que o meu projeto é ser governador de São Paulo e acho que você tem todas as qualidades."

E tal. Aí, quem calou a boca fui eu, cruzei os braços e fiquei esperando, olhando pra ele, que disse:

"Mas tem o Ciro aqui, que pode ser nosso candidato, né?"

E eu respondi:

"Olha aqui, Fernando, eu não posso ser candidato porra nenhuma. Tenho 36 anos de idade, não estou preparado, agora, francamente, se você me permitir, estou achando isso aqui uma sacanagem."

"Sacanagem por quê, Ciro? Que palavra áspera!"

"Sacanagem porque, você sabe, o candidato natural é o Tasso. Você sabe que o seu papel é crítico nessa questão do Plano Real, que está começando, você é fundamental pro êxito do Plano, e depois você sucede o Tasso, naturalmente."

E ele:

"Por mim, tudo bem, se o Tasso quiser está resolvido agora."

E o Tasso, já avacalhado:

"Não, isso não é pra mim."

E acabou a reunião. Aí eu tive a maior briga que já tive na vida com o Tasso. Saí esculhambando:

"Filho da puta, como é que você faz uma coisa dessas? Era a chance que o Nordeste tinha de fazer o presidente."

E ele:

"*Não, Ciro, você está iludido, isso aí já está resolvido.*"

Enfim, aí o Fernando Henrique vira o candidato a presidente, eu zangado lá no Ceará, e vem a escolha do vice do PFL. Aí, rolo:

"*Tem que chamar o doido lá do Ceará, porque senão ele vai criar problema...*"

E vem a conversa constrangedora, digo o que penso:

"*Porra! Mais PFL? Não há necessidade, Fernando. Se esse Plano funcionar, o PFL vem de graça. Se não funcionar, não adianta o PFL estar na chapa. Vai ficar contra. Não faça isso, essa aliança nega toda a nossa vida, nossa confusão no Ceará contra os coronéis.*"

FHC:

"*Ciro, pare, porque não é só pensar hoje na eleição, é a governabilidade depois.*"

Aquele palpo de aranha. Então eu disse:

"*Pare, porque já entendi. Vocês estão com medo que eu crie caso, não vou criar. Agora, lá no Ceará, o PFL fica na última fila do comício, no palanque não sobe.*"

E ele:

"*Mas a sua ausência no lançamento já vai ser mal interpretada.*"

"*Puta que pariu! Vamos lá.*"

Sento do lado do Fernando Henrique no lançamento do Guilherme Palmeira. E a mesa do palanque cai, lembra? Caiu a mesa no chão. Mau agouro."

Certo estava Ciro. Tinha um problema no passado de Guilherme, como veremos, substituído então por outro pefelista, o pernambucano Marco Maciel.

Ciro, desgostoso, quando um ano e meio depois FHC se eleger e lhe oferecer um ministério — qualquer um, menos a Fazenda — vai recusar. Resolverá dar um tempo na política e rumar para Harvard, a universidade norte-americana, que o convidou para um estágio de 18 meses em Economia. E faz uma confidência ao presidente eleito:

"Estou com problema em casa, quero ver se meu casamento termina de um jeito digno, porque me apaixonei."

A mais ninguém contou que estava apaixonado por outra, só para Fernando Henrique — que mostrará outra faceta: língua de trapo. Neste ponto da entrevista, Ciro Gomes explode:

"Poucos dias depois estava na imprensa!"

Ciro e Patrícia Pillar, a atriz, namorados.

Maciel jura: não tem cheque de PC Farias na conta

Com a aliança entre PSDB e PFL acertada num café da manhã em Brasília, FHC deixa a pasta da Fazenda em abril. Recebe então um texto, sob o título *Perfil de um presidente ideal*, escrito por Antônio Lavareda, cientista político que coordenou as pesquisas da campanha tucana. O estudo dá uma série de dicas e chega a falar sobre o nome que o candidato deve usar. "Fernando" é descartado porque "também é o nome de Collor". "Fernando Cardoso" não pode, pois tem as iniciais FC, de Fernando Collor. "Fernando Henrique Cardoso" é longo demais. E as iniciais, "FHC", parecem nome de remédio ou inseticida. Aconselha o uso de "Fernando Henrique" apenas. Nessa, Lavareda perdeu para a mídia adesista, que elegeu o FHC — ecoava iniciais famosas e positivas, como JK, de Juscelino Kubitschek, e JFK, de John Fitzgerald Kennedy.

No mesmo estudo, Lavareda diz que a imagem do candidato precisa de um retoque.

"A falta de proximidade com o povo precisa ser neutralizada."

A história de ser sociólogo, de ter feito pesquisas a vida toda, a primeira delas com negros, de ter andado por favelas, isso não cola com o experiente cientista político, especialista em comportamento eleitoral. Pensou-se numa forma de aproximar o candidato dos pobres. Mas FHC não veio "de baixo" como Lula, à vontade no meio do povo. Quem avisou que era bobagem tentar fazer FHC parecer "natural" entre pessoas comuns como um peixe entre peixes, foi o americano James

Carville, marqueteiro que se tornou o cérebro da campanha vitoriosa de Bill Clinton à Casa Branca em 1992. Em vez de uma imagem forçada, que o ligasse aos pobres, Carville recomendou que FHC aparecesse como "o homem preparado para resolver o problema dos pobres".

James Carville tinha sido importado por Sérgio Motta. O americano, porém, aliava desconhecimento do Brasil a uma insuportável empáfia. Ele acabaria escorraçado do QG tucano, correndo risco de grave agressão, durante reunião no *flat* Victoria Place, no Itaim Bibi, conforme vamos ver. Não conseguiu impor-se aos Três Ursos, como eram conhecidos Sérgio Motta, coordenador geral da campanha, e os publicitários Nizan Guanaes e Geraldo Walther — os três, somados, pesavam um terço de tonelada e não podiam entrar juntos em qualquer elevador.

Carville "se acha o máximo", desdenha um dos publicitários tucanos. A primeira reunião com o gringo, no Hotel Caesar Park, conta com a presença de Einhart Jacome da Paz, dono da Diana TV; e Nizan Guanaes e Geraldo Walther — da agência DM9, responsável no futuro pelo símbolo da Copa de 2014, que segundo a agência representaria o esforço de conquistar a vitória, mas para vários artistas gráficos parece uma mão levada ao rosto no gesto de quem vê o craque de seu time perder um gol feito, e para muitos internautas parece a atitude do médium Chico Xavier ao psicografar mensagens do além.

Carville chega ao Caesar Park com a mulher, a marqueteira Mary Matalin, que trabalhou para George Bush. O casal, enquanto os brasileiros fazem uma explanação sobre o perfil do nosso eleitorado, troca beijinhos e apertos de mão escondidos por baixo da mesa. Carville pede para ver logotipos, símbolos e outros materiais de campanha. Não havia ainda. Os brasileiros trocam acusações e Carville passa um bilhete para seu sócio americano, que o esquecerá na mesa, para a delícia de um membro da equipe, pois o texto dizia, em inglês:

"Duda Mendonça é melhor que eles todos."

Os publicitários, ao se verem rebaixados na comparação com o marqueteiro que fez fama elegendo Paulo Maluf, ficam fulos. Nizan Guanaes ameaça abandonar a campanha.

Outro gringo, o espanhol fixado em Nova Iorque Jesus Pedregal, que uns consideravam genial e outros, maluco, aparece pouco depois. FHC o leva para olhar seus programas. Quando Pedregal vê o símbolo da mão espalmada sobre a bandeira, torce o nariz:

"*Que pelôta assul ecstranha és aquêlha? Para que êssa pelôta?*"

Explicam que se trata do centro do pavilhão auriverde, e redondo como uma pelota e azul por representar nosso céu estrelado. Certo dia, Nizan — conhecido no meio publicitário por suas explosões — precisa ser contido para não avançar sobre Pedregal com uma cadeira na mão. O espanhol passaria a dar seus palpites do quarto no hotel, em Brasília.

* * *

Na cúpula também houve atritos, por causa da verba de US$ 8 milhões reservada para o programa de televisão. FHC chegou a pensar num *pool* de agências. No fim, ficaram com a DM9, que contava com um trunfo: Jacome da Paz, cunhado do então ministro Ciro Gomes e diretor de campanhas tucanas no Ceará.

Embora pensem numa campanha propositiva, os tucanos pedem a uma empresa que assumiu a assessoria de comunicação, para acompanhar secretamente, inclusive tirando fotos, a suposta amante de um adversário. Haverá troco caso mexam com a vida privada de FHC.

Mas os tucanos espiões viram reles arapongas numa das missões. Investigam o acidente que matou o ex-líder estudantil Luís Travassos no Rio, em 1982, três anos depois de voltar do exílio. Quem dirigia o carro era Aloizio Mercadante, candidato a vice de Lula. Os tucanos-arapongas descobriram que o inquérito foi arquivado por um tio de Mercadante, Waldir Muniz, secretário de Segurança do Rio, famoso pelo envolvimento com o atentado do Riocentro.

Trabalharam duro para que as informações chegassem à redação de um jornal carioca a tempo de publicação no dia seguinte. Causariam belo estrago na candidatura de Lula. Só que Mercadante não tem tio algum chamado Waldir Muniz. Confundiram Waldir com Wilson — Wilson Muniz, tio de Mercadante e ex-reitor da USP, Universidade de São Paulo.

Em maio, FHC encontra-se em segredo com o candidato do PMDB, Orestes Quércia, na casa do economista Luiz Gonzaga Belluzzo, em São Paulo. FHC, depois de fazer um apelo para que evitassem baixarias, diz:

"Eu só tenho um probleminha: a fazenda. Mas isso é uma bobagem."

Restava a "questão" Marco Maciel, substituto do alagoano Guilherme Palmeira, este ejetado da candidatura a vice de FHC após denúncia de que teria favorecido a empreiteira Sérvia com emendas ao Orçamento da União. Fernando Henrique o engoliu atravessado por conta de sua carreira política na Arena pela qual, inclusive, foi nomeado governador de Alagoas durante o período ditatorial. A solução apresentada pelo PFL, Marco Maciel, vem eivada de suspeições. Além de igualmente haver progredido sob as asas da ditadura — em 1979, foi "eleito" pelos militares governador de Pernambuco — teria recebido dinheiro de PC Farias para sua campanha ao Senado em 1990. Uma pesquisa pedida em regime de urgência mostra que ninguém aceitaria relações com o tesoureiro de Fernando Collor, que continuou arrecadando dinheiro mesmo depois que a campanha já havia acabado.

Diante de Fernando Henrique, um Marco Maciel garante que não há cheque algum de PC Farias na sua conta pessoal. Se houvesse denúncia, não negariam que o tesoureiro de Collor ajudou o vice de FHC indiretamente, e diriam que nunca houve dinheiro das arcas colloridas na conta pessoal dele, Maciel. Por prudência, Marco Maciel vira o sujeito oculto da campanha, tão bem escondido, que parece que Fernando Henrique está disputando a eleição sem vice.

Uma força de Itamar com ajuda do Serviço para Lula despencar

Faltando quatro meses para as eleições, a 2 de junho de 1994, "um torpedo político" atinge o PT e, é claro, a candidatura Lula. O *Estado de S. Paulo* publica no alto da página 17:

SAE afirma que sem-terra treinam guerrilha

SAE: Secretaria de Assuntos Estratégicos, da Presidência da República. O serviço secreto — o Serviço — tinha dado uma requentada no caso da guerrilha do Araguaia, movimento militar que o Partido Comunista do Brasil, PCdoB, enquistou em 1966 no Bico do Papagaio, sul do Pará, aniquilado 20 anos antes daquele 1994, em 1974.

O Movimento dos Trabalhadores Rurais Sem-Terra, MST, praticamente se confundia com o PT. A matéria do *Estadão* feriu gravemente a candidatura Lula.

Do ponto de vista da técnica jornalística, a repórter do jornal paulista, Tânia Monteiro, havia produzido texto "isento", limitava-se a reproduzir o documento do Serviço. Mas acontece que o relatório misturava informações corretas com dados falsos e um tom que recuperava a histeria anticomunista do passado. Dizia que os sem-terra estavam fortemente armados — possuíam na verdade o de sempre, armas para caçar e armas caseiras, como facas, facões e foices. Destacava que tinha "apoio do PT". E que, "treinados por alemães, chilenos, cubanos, nicaraguenses e russos, planejavam instalar bases guerrilheiras na região do Bico do Papagaio". Um delírio.

* * *

Você estará a perguntar: como é que a repórter conseguiu botar os olhos num documento "confidencial", do serviço secreto que se coloca como um dos mais preparados do mundo? Só havia quatro cópias, em envelopes lacrados: uma com o chefe da SAE, almirante Mário César Flores; a segunda, com a chefia da SSI, Subsecretaria de Inteligência; mais uma com o ministro da Agricultura, Synval Guazzelli; e a quarta, com o presidente Itamar Franco.

O chefe da SAE e o chefe da SSI se irritam com o vazamento. O almirante Flores não consegue acreditar que o próprio presidente tenha entregado o documento à repórter do *Estadão*. Pede ao ministro Guazzelli que lhe devolva o documento e, "para seu espanto", o recebe dentro do mesmo envelope lacrado. E agora? O almirante continua achando impossível: Itamar fez mesmo isso?

Céus! Terá sido sua própria cópia que vazou? Manda o ajudante-de-ordens buscá-la. O funcionário, além de trancar documentos confidenciais e secretos no cofre da SAE, ainda usa um expediente corriqueiro para garantir a inviolabilidade: dispõe um pente em cima deles. E estava tudo em ordem — inclusive o pente na posição deixada.

Itamar?!

Flores vai ao presidente. Sem fazer acusações diretas, diz-lhe francamente que o vazamento "avacalhou" com o Serviço e que é preciso evitar tal tipo de situação, ao que Itamar concorda. E ficou tudo por isso mesmo. Menos para Lula, que da "reportagem" de Tânia Monteiro no *Estadão* em diante, e com ajuda do Plano Real implantado um mês depois, despencará nas pesquisas. Com ajuda do *Estadão*, Itamar tinha feito um bom serviço para o Serviço, que fez um bom serviço para FHC.

* * *

Quanto ao escorraçado Carville, conseguiu emplacar ao menos duas sugestões: FHC passará a campanha toda feito candidato de faroeste americano, com um fino colete à prova de balas por baixo da camisa e bem despistado por uma jaqueta; e o já mencionado conselho de se mostrar "preparado para resolver o problema dos pobres".

Assim será na propaganda da televisão. Mas, e o contato pessoal com o povo?

CAPÍTULO 6
O povo levaria 8 anos para concluir que entrou numa fria

O povo não sabe o que é uni-vos — "Itamar, você tem coragem de fazer Fernando Henrique candidato à presidência?" — O pãozinho entra na campanha — No ar, o homem que se diz sem escrúpulos — "Sou melhor que Kennedy"

A primeira grande oportunidade para observar seu desempenho sentindo o cheiro de povo havia ocorrido quando FHC ainda era o ministro da Fazenda. Visita o distrito de Bonito, em Canindé, sertão do Ceará, castigado pela seca. Sol de rachar, com temperatura "normal" de 42 graus. Só há sombra embaixo de dois cajueiros. O caminhão-pipa da prefeitura despeja uma água verde e grossa, que o povo de Bonito bebe com gosto. Cenário arrumadinho: crianças com bandeirinhas brancas, líderes comunitários, coro feminino.

Todo o mundo olha para o céu, de onde baixará o ministro.

Chega de helicóptero, à uma da tarde, levantando poeira e obrigando o povo a cobrir os olhos. É anunciado como "o primeiro ministro da Fazenda a visitar os flagelados". Do meio da nuvem de pó emerge o pré-candidato, de camisa aberta, pescoço mais claro que o resto do corpo — ali nunca batia sol. De cabelos embranquecidos, no olho direito — que foi operado — mostra um raiado vermelho a denotar irritação e cansaço. Conversa com crianças, "viúvas" da seca — mulheres cujos maridos se mandaram dali atrás de trabalho para se sustentar e sustentar a família. Diz que fez pesquisa em áreas secas do Piauí e conhece o drama. Discursa: vai liberar 6 milhões de cruzeiros para manter a frente de trabalho que ali existe, ou seja, meio salário mínimo para cada um. Naquele momento, em que a moeda vai mudar, ninguém sabe o que significam 6 milhões de cruzeiros.

"A culpa pela pobreza do Brasil é do sonegador."

Ninguém em Bonito sabe o que significa sonegador, e mesmo que tivesse uma ideia do que seja sonegar, não saberá o que significa imposto. Isto lembra Graciliano Ramos, o escritor de *Vidas Secas*, que a propósito do lema "Proletários de todo o mundo, uni-vos", comentou:

"O comunismo não vai dar certo no Brasil, porque o povo não sabe o que significa *uni-vos*."

Nesse momento, já lembramos, FHC ainda nega que será candidato a presidente. Mais tarde, aí sim candidato, ele andará de jegue, e os Três Ursos rosnarão na toca dos tucanos — "Fernando Henrique não combina com jegue".

Noutra ocasião, passou pela prova da buchada de bode, e, questionado pela imprensa, disse que não estranhou, que ela lembrava a *Tripe à la Mode de Caen*, prato francês típico da região de Caen, que em comum com a nossa buchada só tem o bucho — e lá não é de bode, mas de gado. Novos rosnados dos Três Ursos; um deles pegou sua caixa de calmantes e tomou um.

"Simon deu um chute na parede, meteu o pé, *tum!*"

Vamos avançar a folhinha 12 anos, até abril de 2006. Com a vantagem que oferece o passar do tempo, de se poder enxergar melhor fatos idos, em perspectiva e com mais amadurecimento, Itamar Franco aceita receber jornalistas da revista mensal *Caros Amigos*. Para Juiz de Fora voamos, Marina Amaral, João de Barros e eu. O colega Mauro Santayana, gaúcho aclimatado em Minas, nos espera para participar da entrevista.

Itamar nos recebe em sua casa-escritório, na sala com mesona, onde ele primeiro conta que, embora mineiríssimo, nasceu — a 28 de junho de 1930 — na costa da Bahia, a bordo de um navio que ia para Salvador, o "ita" celebrizado numa canção de Dorival Caymmi:

*Peguei um ita no norte
E vim pro Rio morar...*

O pai, engenheiro, havia ido à Bahia a trabalho, e lá morreu de malária, deixando grávida a mulher, que ia para Salvador pedir abrigo a um tio. Passaria a infância em Juiz de Fora e se tornaria engenheiro como o pai, formado pela mesma instituição, a Escola de Engenharia de Juiz de Fora. Tinha 33 anos quando se deu o golpe militar de 1964 — "foi muito sofrido, queimaram livros, jogaram no rio Paraibuna" — e, quando os golpistas extinguiram os partidos existentes e criaram apenas dois, ele fundou em sua cidade o diretório municipal do MDB, Movimento Democrático Brasileiro, em contraposição ao partido de apoio à ditadura, Arena, Aliança Renovadora Nacional. Pelo MDB, elegeu-se em 1966 primeiro prefeito de Juiz de Fora depois do golpe militar. Após dois mandatos como prefeito, chega ao Senado em 1974 e se junta ao grupo dos "autênticos", a esquerda possível daquele momento.

Arrepende-se de ter aceitado ser vice de Collor em 1989, chamado, ele reconhece, para atrair votos de Minas — diz que foi levado por amigos que o convenceram de que Collor "estava imbuído de transformar o Brasil". Mas de cara se atritou com Collor:

"Quando a ministra Zélia fez aquela intervenção, não gostei", diz Itamar, "ele nunca teve simpatia por mim, acabamos nos desentendendo, mas fomos levando o barco..."

E por que escolheu Fernando Henrique como candidato a presidente, e não o senador gaúcho Pedro Simon ou o ministro da Cultura de Sarney, José Aparecido, mineiro também? O mineiro Itamar diz que José Aparecido estava doente e que Pedro Simon "não se manifestava, sempre naquela modéstia". Por falta de aviso não foi que acabou pendendo para FHC. Ele contou-nos na última grande entrevista que concedeu:

"Havia um colega dos senhores, que já se foi, que Deus o tenha, o jornalista João Emílio Falcão, que tinha muita amizade comigo desde que cheguei ao Senado. Eu gostava dele como jornalista porque era um homem sério. E ele dizia: 'Itamar, você vai ter coragem de fazer do ministro Fernando Henrique candidato à presidência?'

Estamos estudando. 'Você vai ver o arrependimento que vai ter na vida.' Daí a pouco, vinha o ministro Jamil Haddad: 'Itamar, pelo amor de Deus, não faz isso, não cometa isso.' O senador Simon também entendia que ele deveria ficar no ministério e não devia ser candidato."

Antônio Britto, já vimos, preferia tentar o governo gaúcho. Por esta narrativa, parece que Fernando Henrique sobrou para Itamar por exclusão. Ele chamou Pedro Simon, FHC e o então governador mineiro Hélio Garcia e, "no fundinho do Palácio", conversaram:

"E eu disse: 'Fernando, gostaria que o vice fosse o governador Hélio Garcia.' Este até assustou, não esperava isso. O Fernando virou e falou: 'Mas já convidei o meu vice.' Que não era o Marco Maciel. E o Fernando mentiu depois para o Antônio Carlos Magalhães que eu havia vetado o filho dele. Fernando nunca me indicou o Luís Eduardo Magalhães. Nunca!"

Hélio Garcia, conta Itamar, ficou sem jeito, disse que não estava ali "para pedir nada" e, "educadamente", pediu para sair. E saiu. Em seguida, Fernando Henrique também se retirou. A cena vista a distância é cômica:

"Simon deu um chute na parede, bem assim frontal, meteu o pé na parede, *tum!* E despejou toda a bílis em cima de mim: 'Você não pode continuar com esse cara", e tal, tal. Estava nervoso, bravo. Fiquei olhando para o Simon.

"Mas, a essa altura, como é que nós vamos fazer? O processo já está adiantado."

Se fosse um programa de televisão, o diretor de tevê poderia cortar para outra câmera e pôr no ar o gaúcho Pedro Simon. Perguntei a ele durante entrevista para *Caros Amigos*, em agosto de 2004, capa da edição de setembro que teve como chamada de capa *Um alerta à nação*:

"Como o senhor avalia o que disse o Fernando Henrique, que a grande tarefa dele como estadista seria acabar com a Era Vargas, o entulho getulista?"

"Acho que ele já deve estar pedindo para esquecerem", respondeu Simon, que a seguir confirma que defendeu o nome do governador mineiro Hélio

Garcia como vice de FHC, que estava no PTB — não o getulista de antigamente, mas em todo caso partido "trabalhista" e "brasileiro".

O gaúcho Pedro Simon diz que ele, como outros, avisava FHC:

"Fernando, tu vai ter complicação. Esse pessoal do PFL é o pessoal que esteve aí a vida inteira. É o pessoal da Arena da ditadura, é o pessoal que não tem afinidade alguma com o que tu escreveu, com teu pensamento, com o PSDB."

E Fernando Henrique, segundo Simon, respondeu-lhe:

"E daí? Quem vai ter a caneta sou eu. Quem vai governar sou eu!"

Pedro Simon me responde, enfim:

"Aconteceu o que muita gente viu: o PFL era governo, o Fernando Henrique era o mais legítimo PFL. E, quando ele falou esse negócio do Getúlio, já falou dentro da estrutura do PFL, na verdade ele não tinha controle nenhum."

Era um títere?

Itamar confessa que errou naquele momento, sem especificar se errou por permitir a Fernando Henrique escolher seu próprio vice ou se errou ao escolher o próprio FHC como candidato. Mas como "o processo estava adiantado", acabaríamos entrando na Era FHC.

Para Lula, o Plano Real era "um estelionato eleitoral"

No início da campanha propriamente dita, entra em ação a operação *Pé na Estrada*, criada por Serjão Motta, sob comando de Bia Aydar, assessora de imagem e eventos, que se orgulhava de ter Madonna em seu portfólio — você vai voltar a topar com Bia no Capítulo 14, *Filhos, melhor não tê-los ou: a vida mansa de PHC e sua turma*.

E a Caravana FHC saiu pelo Brasil, animada por uma verba de 1 milhão e 600 mil dólares. Havia *shows*, trio elétrico e discurso do candidato em telão. Na reta final, houve nove supercomícios, animados por astros e estrelas da música popular: banda Araketu, de Salvador; grupo Raça Negra, de pagodeiros paulistas; sanfoneiro Dominguinhos; a cantora Elba Ramalho — que enlaçava o candidato no palanque.

Nada atrapalhava o caminho, nem o escândalo de agosto, que poderia significar tropeço fatal se fosse com algum candidato que não FHC, brindado com a blindagem da mídia "a favor". Aconteceu aquele problema com o alagoano Guilherme Palmeira, até então vice na chapa da coligação *União, Trabalho e Progresso*, indicado em maio de 1994 pelo PFL. Ex-deputado pela Arena, governador biônico nomeado pelo general Geisel, em 1978 — na mesma leva que incluiu Jorge Bornhausen — a denúncia que o envolvia com aquela empreiteira desembocou na sua substituição. Veio outro nordestino do "pê-fê-lê": o pernambucano Marco Maciel, vulgo *Mapa do Chile*, de tão esguio e magro. Palmeira seria recompensado em 1998 quando, após perder a vaga no Senado para a então petista Heloísa Helena, foi indicado ministro do Tribunal de Contas da União sob FHC. No livro *Sérgio Motta — O Trator em Ação*, de José Prata, Nirlando Beirão e Teiji Tomioka (Geração Editorial, 1999), de quase meio milheiro de páginas, Palmeira não faz sequer uma pontinha. E sua queda da chapa PSDB-PFL em 1994 nem foi percebida pelos eleitores, ofuscados pela nova moeda e seu presumido criador. A propaganda de FHC na televisão estrearia mostrando um pãozinho, enquanto a locução diria:

O preço do pãozinho está comemorando seu primeiro aniversário. Faz um mês que ele não muda. Feliz aniversário, pãozinho! Bom começo, Brasil!

O jingol da campanha, composto e cantado por Dominguinhos, acompanhado por seu acordeon, era assim:

É só você olhar pra cara
que você vê logo
que esse sujeito
é um cabra de bem
Tá na sua mão, na minha mão
na mão da gente
Fazer de Fernando Henrique
nosso presidente

Numa entrevista, Lula havia dito:

"Esse plano econômico é um estelionato eleitoral."

No fim do segundo ano do primeiro mandato de FHC, enfim Lula tem câmeras e um microfone à disposição para explicar, a um auditório de jovens, por que achava o real irreal. Foi no *Programa Livre*, do apresentador Serginho Groisman, no segundo semestre de 2006, no canal SBT. A uma garota que pergunta o que acha das viagens de FHC, diz que está certo, pois chama atenção para a importância do país, e cria mais uma de suas famosas metáforas:

"O Brasil, em matéria de política internacional, faz o papel de gandula. É importante, mas não tem presença, está em campo mais para pegar a bola para os outros jogar."

Um garoto pergunta o que ele acha do Plano Real. Ele ri, diz que sabia que lhe fariam a pergunta e no caminho vinha pensando em como se fazer entender. Ali estão adolescentes, não têm mais que 15, 16 anos. Lula diz que "é preciso garantir que dê certo", mas está montado, o plano, sobre base falsa. E lá vem outra metáfora:

"Um prédio, para você fazer, precisa apoiar em colunas; e as colunas em cima de sapatas grandes de cimento, para poder segurar, senão, qualquer coisinha a casa arreia, trinca. O Plano Real está montado numa base falsa, que é a política cambial. A nossa moeda está sobrevalorizada em relação ao dólar e, portanto, facilitando as importações e dificultando as exportações — está quebrando a indústria brasileira, e daí você vê as denúncias de desemprego na imprensa. Segundo: o Plano Real está montado numa política de juros que é a maior do mundo. O juro de um mês no Brasil é maior que o juro de um ano nos Estados Unidos, no Japão e outros. E juros altos faz o quê? Faz com que a moeda brasileira... que fique caro o dinheiro, as empresas não podem tomar dinheiro emprestado, os agricultores não podem tomar emprestado, e portanto gera mais desemprego."

Mas no ano eleitoral de 1994, quem o ouvia? O grosso do eleitorado já estava hipnotizado pelo real e só oito anos depois descobriria que

Lula estava certo. Nem houve debates na campanha de 1994, nos quais candidatos bons de oratória como Lula e Leonel Brizola pudessem expor aos eleitores por que achavam o Plano Real ilusório. E, à medida que a Caravana FHC avançava e os programas eleitorais de tevê e rádio apregoavam o sucesso do Plano Real, a gangorra das pesquisas ia virando, FHC subindo, Lula descendo. Parecia que o candidato daria um "passeio" até o 3 de outubro de 1994. Mas eis que, faltando 33 dias para o primeiro turno, as penas de todos os tucanos do país se arrepiaram e um frio lhes perpassou pela boca do estômago.

Na noite de 1º de setembro, numa conversa coloquial entre o substituto de FHC no Ministério da Fazenda, Rubens Ricúpero, e o repórter Carlos Monforte, da TV Globo de Brasília, inadvertidamente os dois falam sem saber que o microfone captado pelas antenas parabólicas está ligado. Eles vão entrar ao vivo no *Jornal da Globo* em instantes. Trocam ideias sobre detalhes do Plano Real e, com a intimidade de cunhados — a irmã de Monforte é casada com Ricúpero — o ministro solta esta:

"Eu não tenho escrúpulos: o que é bom a gente fatura, o que é ruim a gente esconde."

Se um microfone mágico pudesse captar o que todos os tucanos exclamaram Brasil afora, ouviríamos um monumental coro:

"Ai! Não!"

O diplomata Sérgio Amaral, chefe de gabinete de Ricúpero, liga para um assessor de FHC que liga para o presidente, sugerindo que ele ligue imediatamente para a Globo e obtenha uma fita com a conversa gravada. FHC está na casa do senador Pedro Simon, em Porto Alegre. Diz que primeiro quer saber o que Ricúpero falou, o que acontece a seguir, quando recebe um fax que reproduz a conversa.

É de imaginar-se o corre-corre, quase pânico. Ricúpero consegue da Globo o compromisso de não entregar a fita à Justiça Eleitoral, caso requisitada — ora, centenas, talvez milhares de pessoas tinham gravado aquilo país afora. "Isso é um absurdo. O Itamar tem que trocar o ministro", diz FHC a Pedro Simon, e liga para o presidente, mas a empregada Raimunda não quer acordar o patrão, levando-o a implorar, "por favor, a senhora vá até o quarto de Itamar, se a porta não estiver fechada, avise que preciso falar com urgência", mas a porta está fechada. Os dois só se falarão na manhã seguinte, quando Itamar, já informado, está decidido a demitir Ricúpero. "Ponha alguém da equipe no lugar", sugere FHC. "O Malan, o Bacha."

Trata-se de Pedro Malan, presidente do Banco Central, e o assessor Edmar Bacha. Como Itamar se mostre "mineiro" demais sobre qual dos dois toparia o desafio, FHC blefa. Ansioso por uma solução o mais rápido possível, diz que já recebeu sinal verde dos dois. Desliga à beira do desespero. Itamar telefona, que tal Ciro Gomes? "Ótimo", responde Fernando Henrique.

Mas ao saber que FHC não se compromete a mantê-lo no cargo caso se eleja presidente, Ciro Gomes — então governador do Ceará — recusa o convite. Itamar sonda o ex-ministro da Justiça Maurício Correa, que indica o paulista Ives Gandra Martins, malufista, advogado tributarista e conhecido por suas posições ideológicas. Itamar parece que não sabe nada disso, aprova a ideia e mal imagina a reação de FHC:

"O que é isso, Itamar? Queremos o bem do Brasil, manter o Real... O Ives Gandra votou no Maluf."

Nisso amanhece o domingo, 4 de setembro. Falta menos de um mês para as eleições. FHC está nervoso. No estúdio da produtora de tevê em São Paulo, preparando-se para gravar uma declaração sobre o "escândalo Ricúpero", localiza Ciro, que assiste a um jogo de vôlei de praia em Fortaleza. Pede que aceite o cargo, argumenta que o país precisa dele, que sua nomeação é "decisiva" para o "projeto nacional" do PSDB. E Ciro se dobra.

Ricúpero vai pedir demissão no início da semana, justificando-se na televisão:

"Um momento de fraqueza me levou a dizer palavras que não refletem o que penso, nem o que sinto."

Mais aliviado, quando um ainda aflito Sérgio Motta, levando-o ao aeroporto para mais uma viagem, rememora o caso, o candidato, sem traço algum de contrariedade, diz:

"A gente não deve perder a calma. Não fui eu que falei."

Quem conhece FHC conhece também sua fama de esquivo, que alguns tacham mesmo de dissimulado. Itamar Franco, em entrevista para *Caros Amigos* em março de 2006, conta:

"Uma vez procurei o Fernando Henrique no Palácio das Laranjeiras, no Rio. E discutimos bastante. Ele era presidente. Terminei minha conversa dizendo o seguinte: 'Olha, Fernando, quando você conversar comigo, por favor, nivele teus olhos aos meus. Porque, se você não nivelar teus olhos aos meus, não vamos terminar bem. Você, como sociólogo, sabe o que é nivelar os olhos, não é preciso ser engenheiro para saber. Vamos nivelar.' Foi uma conversa muito desagradável."

De modo que, sempre se esquivando, FHC adotou a mesma postura quando a revista *Veja* lhe perguntou se sabia que o empresário Sérgio Motta, tesoureiro de sua campanha, pagara propinas para receber pagamentos estatais devidos à sua empresa. Respondeu:

"Eu não tenho nenhuma noção sobre o que o empresário Sérgio Motta tenha feito aqui ou ali, em suas empresas. Nunca soube que tenha feito pedidos para suas empresas, ele nunca me pediu que fizesse isso. Quem encontrar algum exemplo disso, que apresente..."

O repórter insiste, diz que a informação foi publicada e não foi desmentida, pergunta qual providência pretendia tomar. Resposta de FHC:

"Nenhuma. Isso não tem nada a ver comigo. Eu não tenho nenhuma relação com isso."

Achava-se melhor que Kennedy em debate, mas aqui não houve debate

O 3 de outubro de 1994 caiu numa segunda-feira. Na véspera, Fernando Henrique chegou tenso ao anoitecer. Tomou uns uísques para relaxar. Em seu apartamento de Higienópolis, bairro mais refinado de São Paulo, toca o telefone e recebe os números da pesquisa do Ibope: 48% de intenções de voto para ele, 21% para Lula. Um canal de tevê mostra o debate entre Kennedy e Nixon na campanha eleitoral americana de 1960. Comenta:

"Sou melhor que Kennedy na televisão."

Como ele sabia disso se não houve debate? Temendo que a anunciada vitória no primeiro turno não se confirmasse, foi dormir. Tinha olheiras ao acordar. Votou ao meio-dia, na Escola Alberto Levy, em Indianópolis, São Paulo. O que as pesquisas antecipavam, aconteceu. Fernando Henrique venceu no primeiro turno de capote. O resultado:

1. FHC (PSDB/PFL/PTB) 34.364.961 votos (54,27%)
2. Lula (PT/PSB/PCdoB/PSTU/PCB/PPS) 17.122.127 votos (27,04%)
3. Enéas Carneiro (Prona) 4.671.457 votos (7,38%)
4. Orestes Quércia (PMDB) 2.772.121 votos (4,38%)
5. Leonel Brizola (PDT) 2.015.836 votos (3,18%)
6. Esperidião Amin (PPR) 1.739.894 votos (2,75%)
7. Carlos Antônio Gomes (PRN) 387.738 votos (0,61%)
8. Brigadeiro Hernani Fortuna (PSC) 238.197 (0,38%)

O povo brasileiro levaria oito anos para constatar que Lula estava certo quando dizia que o Plano Real era um estelionato eleitoral.

CAPÍTULO 7
A Celma da avenida São Luís e o caso do banco francês

Entrevista bomba — "Querem a história?" Sim! "Vocês não vão dormir direito" — Banco Paribas: de como FHC manipulou e ganhou com isso — "Desgraçado! Que o inferno o acolha!" — Celma passa a ser ameaçada após depor

Protógenes Queiroz, policial federal que se tornou deputado pelo PCdoB de São Paulo, nem sonhava com a Câmara Federal quando me falou pela primeira vez do Caso Paribas — como se trata de banco francês, pronunciemos à francesa: *Parribá*. Ele não apenas falou. Naquela noite de meados da década de 2000, no saguão do hotel no bairro de Santa Ifigênia, em São Paulo, delineou o mapa minucioso da armação que envolvia o *Parribá* no Brasil. Seu rosto nem sequer havia surgido na mídia, apenas o nome, mas já conduzia aparatosas operações da PF, envolvendo o ex-governador Paulo Maluf, o ex-deputado federal pelo PFL do Acre Hildebrando "Motosserra" Pascoal e o contrabandista de origem chinesa Law Kin Chong.

A segunda vez foi em sua primeira entrevista exclusiva à imprensa, na sede de *Caros Amigos*, que durou de duas e meia da tarde às oito e meia da noite. De tudo se tratou. Não por coincidência, depois da entrevista setores poderosos da PF botaram a vida de Protógenes de pernas para o ar. Vamos ao trecho da entrevista-bomba, concedida em novembro de 2008 e publicada em dezembro, no número 141 da revista:

PALMÉRIO DÓRIA — Você está falando do Fernando Henrique Cardoso?

Fernando Henrique Cardoso.

PALMÉRIO DÓRIA — Você está falando do Paribas, de como o presidente manipulou e ganhou com isso?

Exatamente. Nossa dívida externa é artificial e eu provei isso na investigação. Houve repulsa minha porque quando era estudante empunhei muita bandeira "Fora FMI", "Nós não devemos isso".

MYLTON SEVERIANO — "A dívida já está paga".

"A dívida já está paga". E foi muito jato d'água, muita cacetada, muito gás lacrimogêneo, "bando de doido, tem que tomar porrada, pau nesses garotos". Você cresce achando que era um idiota, não é? Chega um momento que pensa "a dívida foi criada no regime militar, mas a gente precisa pagar".

FERNANDO LAVIERI — Como você provou isso?
PALMÉRIO DÓRIA — O jogo começou a ser jogado no Ministério da Fazenda?

Sim. Querem essa história?

TODOS — Sim!

Vocês não vão dormir direito. Isso é para maiores de 50 anos. Estamos em 2002, me atravessa as mãos o expediente para um banco francês, "esse banco eu conheço, é sério". E a suspeita que investigo é fraude com títulos públicos brasileiros, negociados no mercado internacional, títulos da dívida externa. Negociados na década de 1980: o que chama atenção?

MYLTON SEVERIANO — Fim da ditadura.

E transição para o regime civil. José Sarney pega o país em frangalhos, devendo até a alma, sem dinheiro para financiar as contas públicas, muito menos honrar compromissos, a famigerada dívida com o FMI. Havia até o "decrete-se a moratória". Era o papo nosso, da esquerda, dos estudantes, "não vamos pagar, já levaram tudo". E o Sarney, o que faz? Bota a mão na manivela e nossos títulos da dívida externa valiam, no mercado internacional, no máximo 20% do valor de face, era negociado na bolsa de Nova Iorque. No paralelo valiam 1%. O que significa? Não passa pela bolsa. Comprei, quero me livrar, então 1% do valor de face, título de um país "à beira de uma convulsão social, ninguém sabe o que vai acontecer com aquele país, um conjunto de raças da pior espécie": essa, a visão primeiro-mundista, o que representávamos para os banqueiros. Escória. E aqui estávamos, discutindo a reconstrução do país. Vamos dialogar, botar os partidos para funcionar, eleições, e o Sarney tendo que dar uma solução. Fecha a manivela e toca a jogar título no mercado de Nova Iorque. Cada título que valia 10%, 15%, mandava dinheiro aqui para dentro. Seis anos depois, o mercado financeiro internacional detectou que no Brasil haveria desordem, até guerra civil, e eles não iam receber o que tinham colocado aqui com a compra dos papéis podres, queriam receber mesmo os 15%. E fazem uma regrinha de três e colocam para o Banco Central: "Você vai instituir uma norma, os títulos da dívida externa brasileira adquiridos no mercado financeiro internacional, no nacional poderão ser convertidos no Banco Central pelo valor de face desde que esse dinheiro seja investido em empresas brasileiras." Bacana, não? Se funcionasse como ficou estabelecido, nosso país seria uma potência, não? Ainda que uma norma perfeita, acho um critério não normal, não é? Não é moralmente ético eu comprar um título por 15% e ter um lucro de 100%, em tão pouco tempo. Mas enquanto regra de mercado financeiro tenho de admitir que sou devedor. Se vendi a 15%, na bolsa, assumi o risco de, no futuro, o lucro ser maior para o credor. Tenho que pagar. Foi assim que foi feito? Não. Será que o grupo Votorantim recebeu algum dinheiro convertido? Alguma outra empresa nacional do porte recebeu? Não. O que o sistema montou? Uma grande operação em determinado período para sangrar as reservas do país, e ainda tinha as cartas de intenção, que diziam "se você não me pagar posso explorar o subsolo de 50 mil quilômetros da Amazônia".

WAGNER NABUCO — Era a fiança?

Sim. Então me deparo com um banco, o Paribas, hoje BNP--Paribas que se uniu ao National de Paris. Com três diretores, em São Paulo, e dois outros, mais um contador que foi assassinado e um laranja que se chamava Alberto. O banco adquire esses títulos, no valor de 20 milhões de dólares, não é? E converte no Banco Central e aplica em empresas brasileiras, empresas-laranja. Comprou no paralelo a 1%, eram 200 mil dólares, e converteu a 20 milhões de dólares aqui no Brasil e colocou nessa empresa-laranja...

MYLTON SEVERIANO — Empresa de quê?

De participações. Chamava-se Alberto Participações, com capital social de 10 mil reais. Já tem coisa errada. Como uma empresa com capital de 10 mil reais pode receber um investimento estrangeiro da ordem de 20 milhões? Cadê o patrimônio da empresa? Como é que o Banco Central aprova? Mando pegar o processo. Ela investiu, vamos ver aonde o dinheiro vai. Converteu os 20 milhões e ao longo de doze meses o dinheiro é sacado mensalmente na boca do caixa em uma conta e convertido no dólar paralelo e enviado para a matriz em Paris. Eu digo "Banco Central, me dá o processo do Paribas". Aí não consigo, quem consegue é o procurador que trabalhava comigo, Luiz Francisco. Consegue e remete pra mim em São Paulo. Vejo que no Banco Central houve uma briga interna pela conversão. Os técnicos se indignaram, e indeferiram. Aí houve uma gestão forte para que houvesse a conversão. De quem? Do ministro da Fazenda. Que era quem?

MYLTON SEVERIANO — Fernando.
MARCOS ZIBORDI — Henrique.
MYLTON SEVERIANO — Cardoso.

Tento localizar os banqueiros. Todos fugiram. Os franceses todos. O contador, assassinado. O laranja Alberto morreu de morte natural, assim falam no Líbano, onde ele morreu. E me sobra a sócia dele, uma senhora chamada Celma. Morava na avenida São Luís. Ah, é? Um foi embora, outro fugiu, outro morreu, outro foi assassinado: querem brincar com a Polícia Federal? Com a dívida externa do Brasil? Descubro essa sem-vergonhice, essa patranha, essa picaretagem de fundo de quintal que acontecia enquanto nós, estudantes, lutávamos, dizíamos que a dívida externa não existia, e, de fato, parte dela era artificial. A coisa é grave, vamos fazer uma continha, nós contribuintes, que cremos que existe uma ordem no país. Títulos que adquiri por 200 mil, converti no Brasil aos 20 milhões de dólares, quanto tive de lucro? Dezenove milhões e 800 mil. Vamos fazer essa continha para vocês dormirem direito hoje. Esses 19 milhões mandei para minha matriz, o papel está na minha mão ainda, porque dizia o seguinte a norma do Banco Central: ao converter esse título, invista em empresa brasileira, e ao final de doze anos "Brasil, mostre a sua cara e me pague aqui, você me deve, pois sou credor dessa nota promissória chamada título da dívida externa brasileira". Está na lei. Bota aí. Soma 20 milhões com 19 milhões e 800 mil: 39 milhões e 800 mil. Nós devemos isso aí? E mais, o que pedi? Que o juiz bloqueasse o título do Paribas, não pagasse, indiciei os diretores. Por quê? Porque estava se aproximando o final dos doze anos, o título estava vencendo e tínhamos que pagar. Pedi que o Banco Central enviasse cópia de todos os processos de conversão da dívida externa brasileira pra mim. Estou esperando até hoje. Sabe o que o Banco Central falou? "O departamento não existe, nunca existiu, era feito por uma seção aleatoriamente lá no Banco Central." Então nós não devemos esse montante de milhões que cobram.

RENATO POMPEU — Só não entendi o que o Fernando Henrique Cardoso ganhou com isso.

Calma, calma. Sobrou uma para contar a história. A Celma da avenida São Luís. A mulher de verdade. Era companheira do Alberto, ex--embaixador do Brasil no Líbano. Quando estourou a guerra ele fugiu e viveu na França, estudando na Sorbonne. Quem ele conhece lá?

MYLTON SEVERIANO — **Fernandinho.**

Colegas de faculdade. A Celma, marquei depoimento numa quinta, véspera de feriado, às seis da tarde na superintendência da Polícia Federal. Uma morena bonita, quase 60 anos, me disse que tinha sido *miss*, modelo, era sócia nessa empresa, tinha tipo 1%. Furiosa, "que absurdo, véspera de feriado, perder meus negócios, engarrafamento". Já estava gritando no corredor. Dei um molho de uns trinta minutos até ela se acalmar. Pensei "essa mulher está furiosa e tem culpa no cartório". Falei "obrigado por ter vindo", e ela "obrigado nada, o senhor é indelicado, desumano, sou dona de uma indústria de sorvetes, e me chama numa hora importante porque tenho que distribuir sorvete, é feriado, o senhor não tem coração". No meio da esculhambação, digo "tenho que cumprir meu dever, sou funcionário público", e ela "aposto que é o caso daquele Paribas, não sei por que ficam me chamando, e tem mais, fui companheira do Alberto, e ele foi muito mais brasileiro que muita gente. Era digno, honesto, ficam manchando a alma dele. Eu ajudei ele até o fim da vida, inclusive sustentei parte da família dele". Percebi que não sabia a verdade, ela disse "ele morreu pobre, ficou esperando a conversão dessa dívida que nunca houve". Detalhe: na quebra de sigilo bancário encontrei um cheque do Alberto que ele recebeu, 64 milhões, na boca do caixa do Banco Safra. E ele transfere as cotas para uma empresa criada pelo Paribas em nome dos diretores.

MYLTON SEVERIANO — No Brasil?

Já é um Paribas do Brasil. Transfere para a subsidiária, e os diretores começam a sacar. O primeiro que recebe é ele, valor equivalente a 5%. E ela disse "ele não recebeu a comissão dele que era de 5%". Bateu! Tranquei o gabinete, falei "vou mostrar um documento, mas se disser que mostrei, prendo a senhora", era a cópia do cheque, com assinatura e data. A mulher começou a chorar. "Desgraçado. Que o inferno o acolha!" Ela disse "tenho muito documento na minha casa". Se fizesse pedido de busca e apreensão chamaria atenção da Justiça, teria um indeferimento. Essa investigação estava sendo arrastada. Fiz uma busca e apreensão ao inverso, "a senhora permite que selecione o que quero?", ela disse "perfeito". Naquela véspera de feriado, peguei dois agentes, contrariando colegas que queriam ir embora...

MYLTON SEVERIANO — Qual o ano?

2002. Saímos de lá de madrugada, era um apartamento antigo, magnífico. Ela chorando, "desgraçado, até comida na boca eu dei". Ela me dá uma agenda, "aqui parecia o Banco Central, eu atendia o doutor Alberto, da área internacional". Encontrei documentos, agendas que vinculavam ele ao Armínio Fraga, ao Fernando Henrique, inclusive uma carta manuscrita, não vou falar de quem, depois confirmada, ela falou

— "levei esse presente, pessoalmente, até a casa do Fernando". Mandei documentos para perícia. Na época era eleição do Fernando Henrique...

RENATO POMPEU — Não, do Lula.

Isso. Lula venceu contra Serra. Fernando Henrique era presidente.

RENATO POMPEU — Ele recebeu dinheiro então?

Vamos pegar a linha do tempo. Ele sai de ministro da Fazenda e vira presidente. O gerente da área internacional que dá o parecer no processo, quem era? Armínio Fraga. Que presidiu o Banco Central. Essa investigação não sei que fim deu. Pedi ao Banco Central o bloqueio de todos os títulos da dívida externa brasileira que foram convertidos. E pedi cópia de todos os processos de conversão no Banco Central para investigação.

RENATO POMPEU — Saiu na mídia?

Em parte, mas foi abafado. Quem conseguiu publicar foi, se não me engano, a *Época*.

PALMÉRIO DÓRIA — Citando Fernando Henrique?

Não, não citou. A reportagem era *Fraude à francesa*. Essa investigação surge da denúncia de um advogado, Marcos Davi de Figueiredo. Ele sofre uma pressão implacável dentro do banco. A Celma passa a ser ameaçada, logo que presta depoimento entregando tudo. Inclusive, sobre os escritórios que deram suporte a essa operação, um do Pinheiro Neto, ela diz que sofria ameaça do próprio Pinheiro Neto. O procurador foi o doutor Kleber Uemura.

* * *

Contei a história, com o trecho da entrevista, no blog 247; um internauta, que assina como Rubens, comentou em 12 de dezembro de 2011:

Pra quem gosta de jornalismo investigativo, seguem algumas correções/sugestões: 1. o nome da empresa era ACHCAR COMÉRCIO E

PARTICIPAÇÕES LTDA, CNPJ 58.745.548/0001-40, sócios ALBERTO FARES ACHCAR e CELMA SILVA (e não Célia), constituída em 30.12.86, com capital de CZ$ 10.000,00 [cruzados, invenção do governo Sarney], com sede na av. São Luis, 130, 1º andar, São Paulo (SP). Hoje a mesma se chama Soma Projetos de Hotelaria Ltda, com capital de R$ 54.452.951,00, sócios: Pinus Holding Ltd, Grand Cayman e Alpha Participações Ltda, e a sede fica na RUA JOSÉ PESTANA, 197, SALA 1, JD. MARIA ROSA, TABOÃO DA SERRA (SP). Fonte: dados (públicos) da JUCESP (Junta Comercial do Estado de São Paulo) e dica do PHA [Paulo Henrique Amorim].

No endereço citado, existia em junho de 2012, ali instalada havia oito meses, a Locadora Suporte, prestadora de serviços de engenharia civil. A meu pedido, esteve lá a repórter Luana Schabib, que achou o lugar "de difícil acesso, do lado de uma favela". Tocando o interfone, nada souberam informar sobre a Soma ou a Achcar. Quando entrevistamos Paulo Henrique Amorim, ele nos aconselhou:

"Tem uma história que o Protógenes conta numa entrevista pra vocês, que vocês podiam aprofundar: o caso do Paribas, dos títulos."

Contudo, nosso velho amigo acrescentou como advertência da pedreira que haveria pela frente:

"Vou contar uma história que ainda não contei. Estava preparando documentário e pedi ao presidente do BC, o Henrique Meirelles, uma explicação formal para o sumiço dos documentos referentes àquela ação do Paribas. Pedi repetidas vezes e ele não me disse nada. Até que ameacei por meio do blog dizendo que publicaria sem resposta. Recebi então a visita de um funcionário do gabinete do Meirelles na redação do *Conversa Afiada*, uma salinha. O cara disse: Nós não podemos falar sobre isso; em nome da estabilidade institucional sugerimos que não nos coloque contra a parede, porque é uma gestão muito difícil."

Falta muito a dizer, como comentaria o saudoso Aloysio Biondi.

CAPÍTULO 8
Sobra de campanha é uma fortuna: 130 milhões de reais

Esse Bamerindus... — Um acordo mais moral que material — "Se encontrar FHC, Malan e Loyola, mato os três na hora" — Uma fortuna que não está embaixo do colchão — Deram o cano em José Alencar, futuro vice de Lula

Para quem gosta de uma história que só tem vilões, ou melhor, tem mocinho mas também é vilão, esta é muito boa. No fim do primeiro semestre de 1994, enquanto FHC ensaia para fazer o papel de "homem preparado para resolver o problema dos pobres", seus homens de confiança vão cuidar do principal: arrecadar dinheiro para a campanha. A primeira mina que visitam para uma prospecção é o Bamerindus, do banqueiro José Eduardo de Andrade Vieira, que havia sido ministro da Agricultura no ano anterior, no governo Itamar Franco, e chefiará a mesma pasta no governo FHC entre janeiro de 1995 e maio de 1996.

FHC, ministro da Fazenda do mesmo governo Itamar até deixar o cargo em abril para se candidatar a presidente, sabia muito bem que o Bamerindus do fazendeirão do Paraná formava, com o baiano Econômico, de Ângelo Calmon de Sá, e com o mineiro Nacional, da família Magalhães Pinto, uma trinca de bancos considerados em perigo. FHC receberia doação dos três. Faria a campanha, usaria o jatinho do Bamerindus. E, depois de eleito, liquidaria um a um. No caso do Bamerindus, houve conotações de traição, a ponto de o banqueiro fazendeiro alimentar sonhos de vingar-se derramando sangue.

O Bamerindus, maior financiador de FHC, seria entregue ao Hong Kong and Shanghai Banking Corporation, banco internacional com sede em

Londres — conhecido pelas iniciais, HSBC. E foi entregue pelo valor simbólico de R$ 1,00 ou US$ 1,00, quando José Eduardo, segundo garantiu, negociava a venda com o mesmo HSBC por centenas de milhões de dólares.

Coordenando a campanha, Sérgio Motta escalou-se a si mesmo para a missão. Encontrou-se com o banqueiro depois que FHC lhe anunciou, "solenemente", que ele seria procurado para tratar do tema "dinheiro para a campanha". A quantia pedida, logo veremos, já seria uma fábula uma década mais tarde, imagine se você atualizar a cifra, que seria jogada para mais que o dobro.

"Nada disso", cortou José Eduardo de Andrade Vieira, estimando o custo em menos da metade, ao prometer logística, comícios, comitês, seus jatinhos à disposição, até papel para cartazes, folhetos e panfletos. Ele aludia à empresa Inpacel, seu complexo gráfico que fabricava o próprio papel. Dali a apenas quatro anos, tal como o Bamerindus, não estaria mais em mãos de José Eduardo, sequer em mãos brasileiras: seria arrematada por gringos americanos e, na década seguinte, por gringos finlandeses e suecos.

"Eu queria ganhar a eleição, eles queriam fazer caixa"

Começo de 2001. Apesar de verão, é dia ameno na calorenta capital do norte do Paraná. Sala da diretoria da *Folha de Londrina*, espartana — antiga mesa de madeira, duas surradas poltronas de couro preto. Recostado numa das poltronas da sala no jornal de sua propriedade, calmo e seguro, José Eduardo conta, a um editor e a um publicitário de São Paulo que o visitam, a razão de seu tormento. A negociação com o HSBC, afirma ele, estava fechada.

"Eles não entendiam por que eu estava com problemas, já que eu era ligado ao governo, o mercado internacional conhecia o Bamerindus como banco extremamente ético, não se comprovou nada contra mim. Todos os passos da negociação, em Hong Kong e Londres, eu informava a FHC. Por trás, Pedro Malan oferecia o mesmo negócio por um dólar. Alguém acredita na sinceridade desse sujeito?"

Como agiam "os rapazes do Banco Central"? O jornalista Mauro Santayana, que na época escrevia coluna no *Correio Braziliense*, reconhecia num texto que o Bamerindus "tinha dificuldades", mas Andrade Vieira "tentava encontrar solução que não fosse traumática". E explicava como atuavam os rapazes do BC:

Passaram a sinalizar as dificuldades do Bamerindus para o mercado, usando porta-vozes informais, que assinam algumas das colunas do jornalismo econômico do País. Em suma, o que era difícil tornou-se grave; e o que era grave, irremediável.

José Eduardo não perdoa o trio: FHC, seu ministro da Fazenda Pedro Malan e seu presidente do Banco Central, Gustavo Loyola. Ele se aprofunda na memória e volta aos idos de 1994.

"Eu era presidente do PTB. Era ministro do Itamar Franco. Bato meu martelo e digo: o candidato é Fernando Henrique. Imediatamente coloco minha estrutura à disposição da campanha, meus aviões, meus assessores e até a empresa de vídeo. Qual não foi minha surpresa quando vejo o desconforto do Sérgio Motta. Eles não queriam infraestrutura. Eles queriam o dinheiro. Chamei meu secretário."

Emerson Palmieri, o secretário, viria a ser tesoureiro do PTB e diretor da Embratur, a Empresa Brasileira de Turismo, no governo Lula, cargo que deixaria após a crise do Mensalão, em 2005. Andrade Vieira o apresenta a Serjão — que já está vermelho, constrangido, e ficando bravo, pode a qualquer momento perder a paciência:

"Esse é o Emerson. Você vai viajar? Ele paga as contas. Fale com o Emerson, que ele cuida de tudo."

Mas Sérgio Motta não está interessado em saber que pode imprimir cartaz de graça e voar no jatinho do banqueiro. Não aguenta mais e abre o jogo.

"Nós precisamos de dinheiro."

"Pra quê?", insiste José Eduardo, "nós estamos no governo, o Plano Real é um sucesso, os acordos são regionais, não vamos comprar votos, a estrutura eu vou oferecer. Falo com meus colegas empresários..."

Serjão atalha:

"A gente tem despesas. Temos um grupo político."

"Tá bom, Serjão", concorda José Eduardo enfim. "De quanto vocês precisam?"

"Uns 100 milhões pra começar."

Em seu escritório da *Folha de Londrina*, José Eduardo, com gesto muito típico seu, arqueando as sobrancelhas, girando o indicador no ar e levando o tronco para a frente, recorda para os visitantes o que disse ao enviado de Fernando Henrique:

"Serjão, sabe quanto é que esta campanha vai custar? Todinha? Até com a estrutura que eu estou dando do meu bolso? No máximo 40 milhões. Se você repete essa história para alguém vai ficar muito mal pra você."

Com o característico sorriso de canto de boca, José Eduardo encara os interlocutores:

"Daquele dia até o meu último dia no governo FHC, o Serjão mal me cumprimentou. Eu queria ganhar a eleição. Eles queriam fazer caixa."

José Eduardo de Andrade Vieira talvez não tivesse prestado atenção no apelido que deram a Sérgio Motta — *Trator*. Tanto pela força bruta com que passava por cima de quem o enfrentava, como pela insensibilidade com que o fazia, embora fosse de extrema lealdade para com os fiéis do "grupo".

"Eu fiz mais do que podia. Meu banco era de capital aberto. Tinha ações na Bolsa e mesmo assim coloquei os aviões, a estrutura, à disposição de Fernando Henrique. Qualquer acionista podia ir à CVM e representar contra esse abuso."

A CVM, Comissão de Valores Mobiliários, autarquia vinculada ao Ministério da Fazenda, desde 1976 disciplina e fiscaliza o funcionamento do mercado de valores mobiliários. Como vemos, José Eduardo reconhece que praticou uma ilegalidade. O dinheiro, o avião, a estrutura que pôs à disposição de FHC, nada disso lhe pertencia a si só, mas a ele e a 53 mil acionistas, pequenos e grandes.

E os acionistas? Precisamos dar um pequeno salto ao passado, outro ao futuro, para entender melhor a história. Os acionistas também queriam saber por que FHC lhes tirou o Bamerindus. O banco, terceiro entre os maiores do país, fazia sucesso também na televisão. Durante

11 anos, o ator Toni Lopes foi a cara do banco. Estreou em 1987 anunciando a Conta Remunerada, produto inovador. Gordo, barbudo e bonachão, encerrava os comerciais balançando a cabeça, com ar finório, dizendo "Esse Bamerindus...". Outro comercial cantava:

> *O tempo passa*
> *O tempo voa*
> *E a Poupança Bamerindus*
> *Continua numa boa*

Patrocinava o programa *Gente que Faz*, todo sábado em horário nobilíssimo, oito da noite. Minidocumentários, de 3 minutos: o sujeito que aprendeu a restaurar discos antigos de música brasileira, os irmãos palhaços que lutam para preservar a magia do circo, a camponesa paraibana que se tornou professora e construiu sua própria escola.

Os acionistas passaram 14 anos à espera de receber o dinheiro de suas ações e querendo saber por que o Bamerindus, que era "nosso", foi entregue ao estrangeiro. Em março de 2011, enfim o FGC, Fundo Garantidor de Crédito, começou a devolver o dinheiro das ações — claro que a brasilidade dos filmetes na tevê só ficará na saudade. Ao jornal *O Estado do Paraná*, Euclides Nascimento Ribas, presidente da Associação Brasileira dos Investidores Minoritários do Banco Bamerindus, declarou para a edição de 24 de março de 2011:

"O acordo tem mais peso moral que material, mesmo assim precisamos celebrar porque, pela primeira vez na história do sistema financeiro brasileiro, o Banco Central e o Fundo Garantidor resolvem ressarcir acionistas."

Euclides tinha oitocentas ações herdadas do pai, que, ao preço corrigido de R$ 7,74 cada uma, rendeu-lhe R$ 6.192,00. Ele concorda com o ex-banqueiro José Eduardo de Andrade Vieira ao dizer que o Bamerindus não estava quebrado, "tanto que em catorze anos não conseguiram fazer uma prestação de contas que justificasse isso", e mais: recentemente houve caso de banco em muito pior estado que não foi liquidado. Diz Euclides:

"O próprio FGC, durante o acordo, reconheceu que a situação do Panamericano foi infinitamente mais grave que a do Bamerindus."

Seu colega, o vice-presidente da entidade Jair Capristo, também sustenta que o Bamerindus não estava quebrado quando o governo FHC o entregou ao HSBC, "mas os interesses de grupo que queria comprar a instituição impediram qualquer tentativa de salvá-lo". Jair acrescenta um argumento que nos leva a crer que, se todos os atores principais nessa história são vilões, o maior de todos não foi o banqueiro Andrade Vieira:

"A venda para o HSBC foi tão dissimulada, que o sistema preferiu entrar num acordo com os acionistas minoritários após catorze anos de tramitação judicial."

* * *

Em seu escritório da *Folha de Londrina*, Andrade Vieira torna a recostar-se na poltrona de couro preto surrado. Diz que FHC sabia que seu banco não estava falido:

"O Fernando Henrique sabia disso, eu sabia disso. Depois tomou o banco, que não estava quebrado."

Com seu jeitão simples, sem ocultar sentimentos, promete:

"Se eu encontrar o FHC, o Pedro Malan e o Gustavo Loyola juntos, não perco a oportunidade: mato os três na hora."

Bresser tesoureiro: "é honesto e ingênuo demais para roubar"

Ninguém morreu. Mas José Eduardo de Andrade Vieira daria o troco, pesado. Naqueles tempos remotos em que a *Veja* pegava no pé de tucano, na edição de 16 de agosto de 2000, em reportagem de Rodrigo Vergara, a revista repercutia as acusações que o ex-banqueiro havia feito à imprensa na semana anterior. Ele acusou os tucanos de arrecadar, para a campanha de Fernando Henrique em 1994, mais dinheiro do que o necessário, e dava a cifra: sobraram R$ 130 milhões.

"Foram 30 milhões no caixa oficial e cerca de 100 milhões de reais de contribuições extraoficiais, ou seja, sem recibo", afirmou o ex-ministro da Agricultura, dando a entender que a fortuna foi parar em algum paraíso fiscal: "Provavelmente está no exterior. Debaixo do colchão é que não está."

Disse ainda que Sérgio Motta cuidava das "compras e pagamentos do presidente". O ex-banqueiro Andrade Vieira tinha comentado com amigos paranaenses sobre as sobras de campanha. Agora fazia acusações publicamente; e com a propriedade de ter participado do esquema de arrecadação dos tucanos, passou a sacolinha para o dízimo entre os colegas empresários de seu estado, ele próprio figurando entre os dez maiores doadores — teve, portanto, acesso às planilhas de contabilidade.

Suas acusações tinham gravíssimo significado: o comitê eleitoral e o próprio presidente teriam praticado vários crimes, eleitorais e fiscais — falsidade ideológica, corrupção eleitoral, sonegação fiscal, evasão de divisas — sujeição a cadeia, *impeachment* do presidente; ele, sendo o candidato, pela Lei Eleitoral "é o único responsável pela veracidade das informações financeiras e contábeis de sua campanha" (Art. 21).

Desta vez, FHC — que, já vimos, sempre tira o corpo fora — tomou raríssima atitude. Escolheu *O Globo* para responder ao ex-ministro:

"É uma indignação *(sic)*. Se houve sobra de campanha e o dinheiro não foi para o partido, é apropriação indébita. E quem participa disso e sabe disso e não denuncia é criminoso. Ele participou da campanha e perdeu o banco dele, porque eu separo as coisas. Entendo que ele esteja magoado. Mas entre estar magoado e mentir há uma diferença."

O comando tucano havia debatido muito sobre quem assumiria o caixa da campanha. Por volta de maio de 1994, parecia haver consenso de que a tarefa não poderia caber a Sérgio Motta, apesar de muito hábil para cavar dinheiro. Justamente por isso, quem sabe: hábil demais em pôr a mão no dinheiro. A decisão sobre o nome do tesoureiro partiu de Fernando Henrique, segundo apurou o repórter de *Veja* Expedito Filho. Ele publicou na primeira revista após as eleições de 3 de outubro de 1994 a justificativa de FHC para nomear oficialmente como tesoureiro da campanha seu futuro ministro:

"Vamos pôr o Bresser; além de honesto, é ingênuo demais para roubar."

Contudo, no já citado *Sérgio Motta — O Trator em Ação*, o personagem principal, Serjão, é chamado o tempo todo de "tesoureiro", nos episódios que compõem a campanha de 1994.

Você que nos lê pare um pouco e raciocinemos juntos. Se você fosse o Fernando Henrique, não poria o "honesto" e "ingênuo" Bresser-Pereira como tesoureiro para fins legais — registrar tudo bonitinho, devolver as sobras ao partido etc. — e Serjão na tesouraria do caixa dois?

No mesmo livro acima citado, o trio de jornalistas mostra como o "comandante" era dominador, de "estilo minucioso e detalhista". De cara, ele produziu em seu QG um organograma que previa tudo na campanha e, como gostava de siglas, se autodenominou CG — Coordenador Geral. Em suma, "nada se passaria na campanha sem que o CG soubesse". Não lhe escaparia por certo o lugar onde se guardava a chave do cofre e as planilhas que registravam o fluxo de dinheiro.

Se ainda nos falta informação de apoio, vamos consultar a *Folha de S. Paulo* na versão *online*, que a 12 de novembro de 2000 às 8 horas e 34 minutos postou o título:

*Documento revela doações não
registradas para campanha de FHC*

Doações não contabilizadas: o famoso caixa 2.

FHC DÁ O T[ROCO]

Rodrigo Vergara

Denuncias contra o governo alcançam maior ou menor repercussão de acordo com as condições do cenário político e econômico que encontram. Quando o ambiente está obscuro, como este encontrado desde o início das denúncias contra Eduardo Jorge, ex-secretário geral da Presidência, as acusações repercutem mais. Em clima de muito otimismo, nem são ouvidas. Na semana passada, o ex-dono do Bamerindus e ex-ministro da Agricultura, José Eduardo Andrade Vieira, afirmou à imprensa que o comitê de campanha de FHC teria arrecadado mais dinheiro do que o necessário para elegê-lo presidente em 1994. Segundo Andrade Vieira, sobraram 130 milhões de reais. "Foram 30 milhões no caixa oficial e cerca de 100 milhões de reais de contribuições extra-oficiais, ou seja, sem recibo", afirmou o ex-ministro. Andrade Vieira insinuou ainda que o dinheiro foi enviado a um paraíso fiscal. "Provavelmente está se esperando o cadastro é que não está para completar, dado que Sergio Motta cuidava das 'compras e pagamentos do presidente'", respondeu irritado repassando a Eduardo Jorge após sua morte.

Disse-se FHC que ele pretende analisar as críticas que se...

Fernando Henrique: tom grave na resposta às acusações do ex-aliado

...sabe como o professor do sociologia que foi a quem atacou agressivamente, como se esperaria de político presumivelmente que é. Integrantes mais próximos da base governista já o alertaram para o fato de que, mesmo quando se manifesta ofensivamente, defendendo seu governo, o presidente o faz com certo distanciamento professoral, como se estivesse falando de outra pessoa. O estilo exudado na semana passada. Atacado por José Andrade Vieira, FHC deu o troco. Em entrevista ao jornal O Globo, o presidente respondeu às acusações do ex-ministro. "É uma indignação. Se houve sobra de campanha e o dinheiro não foi para o partido, é apropriação indébita. E como disso e sabe disso é não denuncia. Ele (Vieira) participa e produto o bolso dele, separam as coisas, dizendo que imaginou. Mas entre uma e outra há uma diferença", disse Henrique.

Insinuações a respeito a campanha são relativamente raras em geral não chegam próximas de favorecendo o peso do as por adiante uma o desafio

Presidente rebate acusações de ex-ministro e Veja repercute: FHC dá o troco.

CO

Andrade Vieira diz que o PSDB teve uma sobra de 130 milhões na campanha de 1994 e que esse dinheiro foi para o exterior. O presidente reage, acusando-o de criminoso

A acusação de Vieira

"A campanha presidencial de 1994 deixou uma sobra de 130 milhões de reais. Foram 30 milhões no caixa oficial e cerca de 100 milhões de reais de contribuições extra-oficiais, ou seja, sem recibo."

A resposta de FHC

"É uma indignação. Se houve sobra de campanha e o dinheiro não foi para o partido, é apropriação indébita. E quem participa disso e sabe disso e não denuncia é criminoso. Ele (Vieira) participou da campanha e perdeu o banco dele, porque eu separo as coisas. Entendo que ele esteja magoado. Mas entre estar magoado e mentir há uma diferença."

No texto, assinado por Andréa Michael e Wladimir Gramacho, lemos que "planilhas eletrônicas sigilosas do comitê eleitoral de Fernando Henrique Cardoso revelam que sua campanha pela reeleição, em 1998, foi abastecida por um caixa dois, expediente ilegal".

Eleição e reeleição: reincidentes.

Deixaram de declarar ao TSE — Tribunal Superior Eleitoral — "pelo menos R$ 10 milhões e 120 mil reais". E, informam os repórteres, 1 em cada 5 reais arrecadados "foi parar numa contabilidade paralela, cujo destino final ainda é desconhecido". Era "poderoso" o esquema de arrecadação. Havia um grupo de "alto nível" a visitar empresários e a negociar doações. Nele estavam: o futuro ministro Andrea Matarazzo, da Secretaria de Comunicação; o empresário Eduardo Eugênio Gouvêa Vieira, do grupo Ypiranga; a banqueira Kati Almeida Braga, do Icatu, entre outros.

Mais discretamente, reforçavam a captação Jair Bilachi, ex-presidente da Previ — Caixa de Previdência dos Funcionários do Banco do Brasil; Pedro Pereira de Freitas, presidente da Caixa Seguros; e Mário Petrelli. Mais uma vez, como em 1994, em 1998 também cuidou do "comitê financeiro" o "honesto" e "ingênuo" Luiz Carlos Bresser-Pereira. Este cairia fora do governo FHC em 1999; e, uma década depois, deixaria o ninho dos tucanos, desgostoso com sua guinada para a "direita ideológica".

Aos repórteres da *Folha*, Bresser disse que as planilhas da contabilidade da campanha de 1998 ele jogou fora e não se lembrava do conteúdo.

Não ficamos sabendo se foi Sérgio Motta quem mandava jogar fora as planilhas. A reportagem, bem apurada e bem escrita, afirmativa, não lembra a *Folha* de uma década mais tarde — cheia de dedos, carregada de "supostamentes" e "supostos", de condicionais do tipo "teria sido", "poderia ser", "estariam". Os repórteres tiveram dois meses para trabalhar. Ouviram mais de cem empresários e executivos, publicitários, relatam o "desconforto" dos entrevistados "ao tratar de um tema que virou tabu na política brasileira".

Uma curiosidade. Nas planilhas conseguidas pelos repórteres Andréa Michael e Wladimir Gramacho, a maior doação para a campanha de FHC não declarada ao TSE, de R$ 3 milhões, era atribuída ao então ministro Andrea Matarazzo, da Secretaria de Comunicação de FHC. Ouvido pelos jornalistas, mostrou-se espantado:

"Não pode ser. Não conheço a planilha. Não tenho ideia. Muito menos valores desse tamanho. Eu não fui arrecadador. Não me ponha como arrecadador. Fiz alguns jantares com empresários. E só."

Não foi arrecadador? Bresser-Pereira desmentiu:

"O Andrea também foi, no começo."

E outro arrecadador, o publicitário Luiz Fernando Furquim, põe pimenta no caldo de Andrea:

"Havia certa competição, talvez em função da vontade dele de ir para Brasília."

No Rio, a banqueira Kati Almeida Braga, que "procurou 18 empresários para recolher doações", conseguiu da Sacre Empreendimentos e Participações Ltda R$ 50 mil para FHC. A Sacre pertencia ao banqueiro foragido Salvatore Cacciola. Outro enrolado com as leis, Wagner Canhedo, da falida Vasp — Viação Aérea de São Paulo —, conhecido como "Rei do Rolo" e "Piloto de Cheque-Voador", doou R$ 150 mil — sem registro no TSE.

Dentre as doações obtidas a fórceps — ou será a pé de cabra? — "nenhuma se compara à da Coteminas", indústria têxtil do senador José Alencar, futuro vice do presidente Lula. A Coteminas vendeu 2 milhões e 100 mil camisetas aos tucanos; e a dívida, de R$ 3 milhões, não havia sido quitada até ali — novembro de 2000. Contam os repórteres que, "para fechar o negócio, a Coteminas foi instada a entregar como doação outras 415 mil peças e a distribuí-las de acordo com indicações da campanha". Equivaleu a R$ 589 mil, que a Coteminas registrou em "notas de doação" para a devida declaração ao TSE.

Só que o comitê de FHC não entregou os recibos. Deu o cano na Coteminas, e no TSE.

CAPÍTULO 9
Cinderela esquecida, vítima indireta da morte do Bamerindus

Casamento de Tânia se esvai quando FHC intervém no banco do marido — Pediu-lhe que gastasse o mínimo dos mínimos — "O presidente reclamou até que o chuveiro não esquentava" — Treze anos esperando uma solução

De família pobre de Niterói, antiga capital fluminense, a menina que havia sido criada pela mãe e pela avó viveria história digna de cinderela. Aos 16 anos, Tânia Souza começa a trabalhar como operadora de telex numa agência do Bamerindus no Rio. Moreninha e bonita, certo dia passa por ela o "dono" daquilo tudo, inclusive do equipamento de telex que ela opera: José Eduardo de Andrade Vieira. Já separado da primeira mulher, o banqueiro faz a corte.

Os dois se apaixonaram, casaram e foram morar em Curitiba em 1974. Tânia passou a cuidar dos filhos que chegaram em "escadinha", a partir de 1976: Alessandra, Taninha, Juliana e Cláudio. O casamento dura 24 anos, até 1998, desgastado pelos acontecimentos da vida pública do marido.

"Fui muito feliz ao lado dos meus filhos e do Zé Eduardo. Mas tudo começou a mudar quando ele decidiu entrar para a política", disse Tânia ao repórter Gerson Sintoni, da *IstoÉ Gente*. A revista se lembrou da vítima quase anônima da liquidação do Bamerindus e mostrou como ela vinha vivendo ao lado de seus quatro filhos.

Gerson começa o texto narrando "emblemática" cena: Tânia se equilibra em duas gavetas para trocar uma lâmpada; cai, a lâmpada quebra e ela se corta com os cacos. Na garagem, o Mercedes parado por falta de dinheiro para fazer a revisão.

Sabe-se que, nos primeiros tempos, o ex-banqueiro lhe pediu que "gastasse o mínimo dos mínimos", pois o que tinham estava "sob intervenção", mais tarde acertariam. No momento em que este livro é escrito, testemunhos colhidos em Curitiba dão conta de que vive em sua chácara, depois de uns tempos em que chegou a pedir emprego para o "sobrinho político", Beto Richa, governador tucano do Paraná, casado com sua sobrinha por afinidade, Fernanda Vieira Richa — sobrinha de seu ex-marido. Por uns anos, segurou-se "sem psiquiatra" — "entre uma consulta e um batom, prefiro um batom", havia dito a *IstoÉ Gente*, acrescentando que, chegada recentemente à quadra dos 40 anos, ainda moça e bonita, tinha "todo o direito de voltar a ser feliz". Na última vez que nosso informante em Curitiba a viu foi no programa evangélico *Fala que eu te escuto*, na TV Record. Acusou FHC de conspirar contra seu ex-marido; e afirmou que quem intermediou a "venda" do Bamerindus ao HSBC foi um irmão de um dos seus ministros. A mágoa de Fernando Henrique pelo destino que deu ao Bamerindus continuará certamente guardada:

"A intervenção poderia ter sido mais branda. O Zé Eduardo ajudou muito o presidente. O avião dele ficou à disposição do Fernando Henrique durante toda a campanha. Tive muito contato com FHC quando ele concorreu pela primeira vez. O último comício dele foi em Curitiba. Eu preparei a recepção e o jantar aqui em minha casa. O presidente esteve também em nossa fazenda. Reclamou até que a água do chuveiro não esquentava. O Zé Eduardo ajudou muito na campanha e não foi só com avião, não. Deu dinheiro, não sei quanto, mas foi bastante."

Desfecho em 2012:
BC libera bens do Bamerindus

Mais treze calendários são trocados nas paredes. Abril de 2012. Nesse meio-tempo, os filhos de Tânia Souza e José Eduardo de Andrade Vieira deixaram a juventude para trás, a mais velha está com 36, o caçula com 31. Ela própria entrou na casa dos 50. E, enfim, o caso Bamerindus se encaminha para final mais ou menos feliz.

Em 11 de abril de 2012, quase 15 anos depois da intervenção do governo FHC no banco de Andrade Vieira, o BC — Banco Central — suspende a indisponibilidade dos bens de ex-administradores de quatro empresas do grupo Bamerindus. O jornal paulista *Valor* mandou a repórter Marli Lima e o fotógrafo Joel Rocha, da sucursal de Curitiba, para 350 quilômetros ao norte, à Fazenda Capela, em Joaquim Távora. A foto mostra um José Eduardo sorridente aos 73 anos, calças brancas, camisa de listras verticais azul-branco-rosa, japona preta, sobre o verde das plantações tendo ao fundo o céu anil. Mas não está com a saúde cem por cento, tem diabetes, a repórter anota do que ele reclama:

"Cada hora aparece uma coisa. Há seis meses tenho dificuldade pra falar. O médico acha que pode ter sido um AVC."

Mais distante, no tempo, dos acontecimentos da Era FHC, a raiva abrandou-se; por certo, caso encontre FHC, Pedro Malan e Gustavo Loyola juntos, não pretende mais "matar os três na hora"; mas continua dizendo-se "traído" pelo ex-presidente. Acrescenta informações que ainda não tínhamos ouvido de sua boca: FHC não coibiu boatos sobre o Bamerindus espalhados por dois diretores do BC, "um era do Rio e outro, gaúcho". Narra um episódio crucial:

"O Bamerindus tinha a receber do governo do Mato Grosso 500 e tantos milhões de reais e me foi dito que o processo de liberação de recursos estava na gaveta do Malan. O dinheiro era de empréstimo que o banco tinha feito e o FHC deu dinheiro para todos os estados acertarem seus débitos. O Bamerindus sofreu intervenção dia 29 de março e, no dia 2 de abril, o Mato Grosso recebeu o dinheiro e pagou o HSBC. O dinheiro seria o suficiente para eliminar os boatos. O banco não tinha problemas graves. Eram todos de ordem pessoal, da diretoria do Banco Central e de algumas outras autoridades comigo, porque sempre fui muito rigoroso, austero, cobrava ética e seriedade."

À repórter do jornal de economia e política, o ex-banqueiro garante que, sem seu trabalho de costurar o apoio do PFL, inclusive falando com quem tucano algum teve peito de procurar — o baiano Antônio Carlos Magalhães, o ACM — sem isso, Fernando Henrique não teria sido eleito:

"Não teria. Tenho convicção disso. Sei o quanto me custou convencer Antônio Carlos Magalhães, Bornhausen, Maciel, de que seria o caminho. Ninguém gostava dele e ninguém queria ser candidato. Os que queriam não podiam ser, porque não ganhariam. Eu mesmo cheguei a aventar minha candidatura, cheguei a ter três ou quatro pontos um mês depois, mas daí o Fernando Henrique aceitou e me retirei. Coloquei três aviões a serviço da campanha dele. O candidato natural do PSDB era Covas. Com o surgimento de FH, Covas foi ser governador de São Paulo. Morreu sem saber, mas foi escanteado pela coligação."

A repórter estava atenta à atualidade — entrevistou Andrade Vieira na semana do primeiro de maio de 2012, quando a presidente Dilma chamou de "perversa" a prática de juros altos dos bancos. Perguntou a ele o que achava:

"Juro alto é bom para os bancos, mas não para o país", respondeu e, dizendo-se um "banqueiro diferente", definiu-se:

"Era patriota. É óbvio que em qualquer empresa o objetivo é lucro, mas razoável, não absurdo."

Acrescenta sobre os banqueiros atuais:

"Agora é tudo agiotagem."

Andrade Vieira tem sete filhos: dois do primeiro casamento, quatro do segundo — com nossa personagem Tânia Souza — e um caçula, de dez, fora do casamento, que vive com ele na fazenda, numa casa secular. A *Folha de Londrina*, onde informantes nossos o entrevistaram uma década antes, ele passou para duas filhas do primeiro casamento. Com os bens desbloqueados — "tudo o que eu tinha sofreu intervenção" —, agora socorrerá, e bem socorridos, Tânia e os quatro filhos tidos com ela, em nome dos quais está a Fazenda Capela. Não revela quanto lhe tocará:

"Não é muito, mas dá para viver bem."

CAPÍTULO 10
Planejaram 20 anos no poder, mas o povo mudou de plano

Articulador fora de combate — Emenda da reeleição dorme na gaveta — Fujimori se reelege e FHC elogia "maturidade do povo peruano" — Comissão da Câmara aprova emenda da reeleição: ouviu "a voz rouca das ruas", diz FHC

> *O infarto te pega doutor, acaba essa banca.*
> **A Banca do Distinto**, Billy Blanco

Uma segunda-feira, 18 de setembro de 1995, Sérgio Motta, aos 55 anos e 105 quilos, sente-se mal. Tratando os dentes, sua frio na poltrona. Sai das mãos do dentista para as mãos do cirurgião vascular Ricardo Aun, no Albert Einstein, um dos melhores hospitais da capital paulista. Serjão ganha três pontes de safena e uma veia mamária, implantadas no peito pelo cirurgião Sérgio de Oliveira.

Fernando Henrique fica provisoriamente privado de seu principal articulador político. O plano de privatização entra em fogo brando. A emenda constitucional número 8, aprovada em agosto no Senado, fica em suspenso.

Serjão volta ao batente em 5 de novembro, domingo. A tempo de encontrar FHC e acompanhá-lo do Palácio do Planalto até a Base Aérea, de onde o presidente seguirá para reunião do Grupo dos 15 em Buenos Aires.

Têm duas horas para repassar as pendências. Na Base Aérea, Serjão conversou por bom tempo com Luís Eduardo Magalhães, presidente da Câmara, que na ausência de FHC e do vice Marco Maciel, iria assumir por alguns dias a Presidência da República. Mas o que chamou atenção dos jornalistas foi o ministro das Comunicações levar a um canto um deputado jovem e inexpressivo, o pernambucano

José Mendonça Filho, do PFL, futuro DEM, Democratas. O que será que os dois tanto sussurravam?

Repórteres mais tarimbados lembram que Mendonça Filho foi deputado estadual em Pernambuco, eleito em 1986 aos 20 anos — o mais jovem parlamentar do país. E que agora, na Câmara Federal, eleito aos 28 anos, traz no currículo, como maior feito, a apresentação de proposta de emenda à Constituição para permitir a reeleição de prefeitos, governadores e presidentes da República. Serjão e Mendonça Filho só podem estar tratando disso.

A emenda foi apresentada em 1º de fevereiro de 1995, apenas um mês após a posse de FHC, e agora jaz na gaveta da presidência da Câmara Federal à espera do momento oportuno para ser reapresentada.

Para isto, Motta trabalhará sem descanso dali em diante. Diz que a reeleição sairá "a qualquer custo". O primeiro que procurou foi Paulo Maluf, então prefeito de São Paulo. Mas haverá muito vaivém— inclusive ameaça de FHC de propor plebiscito ou referendo para o povo decidir se queria a reeleição — até a aprovação na Câmara em fevereiro de 1997, confirmada a seguir pelo Senado.

A MARCHA DA REELEIÇÃO

1994
OUTUBRO Tão logo acaba a apuração dos votos da eleição que FHC vence no primeiro turno, o PSDB anuncia que vai trabalhar pela reeleição.

1995
1º FEVEREIRO Deputado Mendonça Filho (PFL-PE) apresenta a proposta, que fica à espera do sinal verde de FHC.

NOVEMBRO Sérgio Motta vai negociar com prefeitos, entre eles Paulo Maluf, e aliados.

DEZEMBRO Serjão diz que a emenda entra na pauta da convocação extraordinária do Congresso em janeiro.

1996

Janeiro A emenda não entra na pauta extraordinária. Maluf, sem poder tentar mais um mandato, rompe com o governo.

Março PMDB aprova moção que proíbe filiados de votar a reeleição antes de 1997. Para tentar salvar a campanha do candidato do PSDB à Prefeitura de São Paulo, José Serra, Sérgio Motta declara guerra ao malufismo, que vencerá a eleição com Celso Pitta.

Outubro Após o primeiro turno da eleição, governistas instalam a Comissão Especial "na marra".

Dezembro A briga entre PFL e PMDB pelas presidências da Câmara e do Senado prejudica a discussão da emenda. Luís Eduardo Magalhães anuncia que a votação na Comissão Especial acontecerá em 8 de janeiro.

1997

6 de janeiro O governo adia a votação da Comissão Especial para o dia 13, segunda-feira, um dia depois da convenção nacional do PMDB.

12 de janeiro Irritados porque o calendário de votação da emenda se atrela à eleição de Antônio Carlos Magalhães para a presidência do Senado, peemedebistas se rebelam. A convenção aprova moção que proíbe a votação da emenda antes de 15 de fevereiro e rejeita a reeleição.

As negociações incluiriam negócios: votos comprados.

13 DE JANEIRO O governo adia a votação na Comissão Especial. FHC reúne 15 dirigentes do PMDB; aumenta a insatisfação dos peemedebistas — FHC falou em "traição" e "chantagem". Governistas espalham que o presidente pode convocar plebiscito ou referendo.

14 DE JANEIRO A Comissão Especial aprova a emenda. Numa solenidade, FHC diz que o Congresso ouviu "a voz rouca das ruas", expressão tomada de Ulysses Guimarães.

22 DE JANEIRO Depois de negociações, FHC determina que a emenda passe pela primeira votação na Câmara dentro de uma semana.

23 DE JANEIRO Os governistas contam 317 votos a favor.

28 DE JANEIRO A Câmara aprova a emenda em primeiro turno por 336 votos a favor, 17 contra e 6 abstenções.

29 DE JANEIRO A Câmara derruba as propostas de plebiscito, referendo, necessidade de desincompatibilização e outras alterações pretendidas por adversários da emenda.

4 DE FEVEREIRO ACM é eleito presidente do Senado vencendo o candidato do PMDB, o goiano Iris Rezende.

5 DE FEVEREIRO Michel Temer (PMDB-SP) é eleito presidente da Câmara, mostrando a força da base de FHC.

25 DE FEVEREIRO Câmara, em segundo turno, aprova o texto por 369 a 111, com 5 abstenções. Explicação para o número de votos contra bem maior: na primeira votação os adversários não registraram voto para mostrar o tamanho do apoio dos governistas; no segundo turno votaram contra todos os adversários da proposta presentes.

21 de maio Senado aprova a emenda por 63 a 6 em primeiro turno.

4 de junho Senado aprova a emenda por 62 a 14, com duas abstenções. Pela primeira vez em 108 anos de República, um presidente tem a chance de se reeleger.

Lutaram tanto pela reeleição, e ela lhes escapou das mãos

A revista *Veja*, claramente governista, comemorou a vitória da emenda da reeleição com nota carregada de alusões esquisitas:

No Peru, o presidente Alberto Fujimori teve de fechar o Parlamento e calar a Justiça para aprovar sua reeleição. Fernando Henrique conseguiu o mesmo com o Congresso e o Judiciário funcionando. "Este é um dia muito feliz", comemorou o presidente, minutos depois da aprovação. Foi tranquilo. Nem as denúncias de compra de votos favoráveis à reeleição abalaram o passeio.

FHC aplaudiu a reeleição de Fujimori, que acabaria preso.

Oportuna lembrança da *Veja*. FHC era "grande amigo" de Fujimori e, na posse do segundo mandato do nipoperuano em Lima, na noite de 27 de julho de 1995, foi o escolhido para falar antes do banquete, em nome dos chefes de Estado da América ali presentes. No discurso protocolar, menciona oito vezes as palavras "democracia" e "democrático"; de cara, alude ao evento como "o ritual mais elevado da democracia consolidada em nosso continente: o início de uma nova fase de governo, produto da vontade livre e soberana do povo". Assim, sanciona a reeleição que ele próprio pretende. Chama a ocasião de memorável "para todos os democratas latino-americanos", pois, conforme ele reafirma, a reeleição é legitimada pelo povo:

> *Mais uma vez, em um país irmão e da mesma maneira renascido para a democracia, um ciclo de governo chega ao final e outro se inicia, legitimado pelo voto popular. Reconduzido à suprema magistratura da Nação, o senhor reveste, senhor presidente, a vontade própria do seu povo, e com ele assume o compromisso mais nobre que um ser humano pode receber, o de ser agente e guardião da soberania popular.*

Pedindo que os presentes o acompanhem num brinde "à prosperidade do povo irmão", deseja sucesso a Fujimori em sua "nova jornada". Quatro anos depois, em viagem oficial a Lima, condecorará Fujimori com a mais importante comenda brasileira, a Ordem Nacional do Cruzeiro do Sul. Naquele momento, julho de 1999, já se evidencia o caráter ditatorial do presidente do Peru, que manobra para obter um terceiro mandato consecutivo. E não é que o Brasil pressiona a OEA, Organização dos Estados Americanos, e seu secretário-geral, o ex--presidente colombiano César Gavíria, para não condenar o terceiro mandato de Fujimori? O nissei peruano o conseguirá em maio de 2000, em eleições fraudadas, nas quais observadores da OEA carimbaram o eufemismo "falta de transparência". Desta vez, FHC evitará comparecer à terceira posse do amigo, mas o governo brasileiro, na 30ª Assembleia Geral da OEA, votará contra retaliações ao Peru.

E por que FHC aferra-se ao apoio a Fujimori quando o povo peruano já lhe demonstra repúdio? O governo Fernando Henrique sonha com o terceiro mandato, e cairá bem um precedente dentre os ilustres neoliberais latino-americanos. É o exemplo mais que perfeito para apresentar ao eleitorado brasileiro. Se você que nos lê acrescer a tais sintomas a afirmação de Sérgio Motta de que seu grupo tem um projeto de poder de 20 anos, ficam confirmados os prognósticos imaginados por FHC.

Contudo, no Peru como no Brasil, o povo — que FHC elogiou por sua "maturidade" no banquete da segunda posse de Fujimori — mostra-se de fato maduro ao cortar a menos de metade a duração desses voos. No Brasil, nas eleições de 2002, o eleitorado enfim põe "Lula lá" e nega novo mandato aos tucanos na pessoa de José Serra. No Peru, o amigo de Fernando Henrique cai em setembro de 2000, após a divulgação de vídeo que mostra seu chefe do Serviço de Inteligência, Vladimiro Montesinos, subornando um deputado da oposição.

Fugiram os dois.

Montesinos, também traficante de cocaína, foi preso na Venezuela em junho de 2001. Fujimori, filho de japoneses, exilou-se no Japão e, numa viagem ao Chile em 2005, acaba preso, extraditado para o Peru e, em 2007, condenado a 25 anos de prisão por corrupção, enriquecimento ilícito e violação de direitos humanos. Em dez anos de governo, seu grande feito foi atacar a guerrilha de esquerda Sendero Luminoso, numa ofensiva que deixou 70 mil mortos — para uma população de 30 milhões de habitantes, seria como no Brasil um governo matar meio milhão de pessoas. O amigo de Fernando Henrique repassou a Montesinos, igualmente condenado e preso, 15 milhões de dólares — encontrados num banco suíço.

Ironia do destino: empenharam-se para obter a reeleição, que evitaram encaixar na Constituição de 1988 com medo de Lula, e, quando conseguiram, acabaram por desperdiçá-la em apenas oito anos. Quando escrevemos este livro, o "lulismo" cumpriu dois mandatos e fez sua sucessora Dilma Rousseff, que aparecia em todas as pesquisas como favorita a reeleger-se em 2014.

O feitiço virou contra o feiticeiro e o sonho virou pesadelo.

CAPÍTULO 11
Modernidade que lembra o tempo dos coronéis

CNBB faz papel de jornalista — Simon: compraram 150 deputados — Fila para vender voto pró reeleição — "E se sustarem os cheques?" — Vendedores de voto dizem que quem trouxe o dinheiro "foi o menino aí, o Serjão"

Aprovação da reeleição, dissemos. Talvez fosse melhor dizer "compra" da reeleição. Era mais um dos segredos de polichinelo desses que pululam em Brasília. E logo caem na boca do povo. Mas a mídia, no ritmo inverso com que as notícias correm velozes de boca em boca, em certos casos adota a velocidade da lesma. Como neste capítulo.

Uma pontinha do véu escuro que escondia o escândalo da compra de votos é puxada quando a *Folha de S. Paulo* publica, em 14 de abril de 1997, denúncia da Conferência Nacional dos Bispos do Brasil.

Compra de votos para reeleição: CNBB fura a mídia inteira.

Em sua 35ª assembleia, realizada em Itaici, 70 quilômetros a noroeste da Pauliceia, uma CNBB ainda combativa em defesa dos interesses da nação cumpre o papel que caberia aos jornalistas: acusa o governo FHC de corrupção, dez dias depois de confirmada no Senado a emenda constitucional da reeleição. Com a palavra a CNBB:

"Há uma verdadeira compra de votos de parlamentares, por meio de oferta de cargos, de favores, de obras públicas, de isenções fiscais, anistias de dívida e socorro a instituições financeiras. Trata-se de uma prática evidente de corrupção ativa por parte do governo, que oferece bens em troca de votos", adverte o Ibrades, Instituto Brasileiro de Desenvolvimento Social, órgão da Conferência, na sua Análise da Conjuntura Socioeconômica e Política Brasileira.

Para não deixar dúvidas, o Ibrades acrescenta: "os parlamentares que votam assim não votam com independência, nem pensando nos interesses do país: são corrompidos". Só depois de "furada" pela CNBB a mídia correrá atrás.

A *Folha de S. Paulo* levaria mais um mês até publicar, em 13 de maio de 1997, a reportagem intitulada *Deputado diz que vendeu seu voto a favor da reeleição por R$ 200 mil*. O deputado era o acreano Ronivon Santiago, do PFL. O jornal repara que as revelações de Ronivon Santiago sobre a votação da emenda da reeleição "foram captadas ao longo de vários meses, em diversas oportunidades".

A conversa, relata o repórter Fernando Rodrigues, "foi gravada e a *Folha* teve acesso à fita". Ronivon afirma que negociou seu voto com dois intermediários: Amazonino Mendes e Orleir Cameli. O primeiro, governador do Amazonas eleito pelo PFL. Cameli, que morreu em 2013, governador do Acre pelo PPB de Paulo Maluf.

O próprio Ronivon conta que outros colegas também entraram na fila de venda de votos: João Maia, Zila Bezerra e Osmir Lima, todos do Acre e do PFL. Apareceria, depois, igualmente citado, o deputado Chicão Brígido, do PMDB, que "entrou no negócio na última hora". Mas Chicão também era do Acre, estado com oito parlamentares na Câmara, e seis votaram a favor da emenda da reeleição. Todos, segundo a *Folha*, "comprados".

Quem primeiro ouve Ronivon Santiago escancarar os bastidores da reeleição do *Príncipe dos Sociólogos* é certo *Senhor X*. Que aceita a incumbência com o compromisso de sua identidade ser mantida em segredo. Diante do *Senhor X* e sem saber que está sendo gravado, Ronivon se abre. Confidencia que, para votar pela reeleição já embolsou R$ 100 mil. Outros R$ 100 mil lhe serão pagos pela CM, empreiteira que teria executado uma obra para o governo do Acre e lhe repassaria a bolada quando recebesse o pagamento do governador Orleir Cameli.

A *Folha* publica alguns trechos dessas fitas. Cada um é um testemunho sociopolítico antropológico, em viva voz, dos usos e costumes no Brasil sob o reinado de Fernando II. Vale saborear alguns deles:

Senhor X — *Mas, me diga uma coisa. Ele (Cameli) não deu 200 mil para cada um?*
Ronivon — *Mas eu peguei só 100.*
Senhor X — *E quem foi que pegou?*
Ronivon — *Não, todo mundo pegou 200.*
Senhor X — *Todo o mundo pegou 200... pela votação?*
Ronivon — *E eu peguei 100. Mas eu tinha um assunto meu. Que ele ia me pagar isso aqui. Aí ficou pra CM. Aí, eu, né...? Ficou pra CM, porque a empresa que está lá, pra faturar essa nota, que é para poder me pagar tudo. Aí, ficou dentro os meus outros 100. Tô pra receber, ele vai me pagar...*
Senhor X — *Orleir chegou a dizer a algumas pessoas lá no Acre que os votos tinham sido pagos...*
Ronivon — *200 paus.*
Senhor X — *200 paus para cada um?*
Ronivon — *É.*
Senhor X — *E você, tirou 200?*
Ronivon — *Só um. Mas eu tenho... vou receber. Está negociado.*
Senhor X — *O João Maia também recebeu os 200?*
Ronivon — *Recebeu.*
Senhor X — *Os 200?*
Ronivon — *Todo o mundo... Osmir, Zila...*

HISTÓRIA AGORA

FOLHA DE S.PAULO
Deputado conta que votou pela reeleição por R$ 200 mil

FOLHA DE S.PAULO
Nova fita liga Sérgio Motta a compra de voto para reeleição
★ "Eram os 200 do Serjão", diz trecho

FOLHA DE S.PAULO
Motta deu TV para deputado que disse ter vendido o voto

FOLHA DE S.PAULO
Crescem adesões à CPI da Reeleição
★ Assinaturas em favor da abertura de comissão sobem de 156 para 218
★ Não há sinais de montagem nas fitas sobre compra de votos, diz perito

FOLHA DE S.PAULO
EDITORIAL
PARA EVITAR UMA DEMOCRACIA CORRUPTA
'Senhor X' diz ter mais fitas da compra de votos

FOLHA DE S.PAULO
Governo faz blitz para barrar CPI

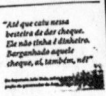

FOLHA DE S.PAULO
Sérgio Motta intermediou compra de voto pró-reeleição, diz deputado

Repórter da Folha cria Senhor X, comprova compra de votos e dá um banho.

FOLHA DE S.PAULO
"Senhor X" diz ter mais fitas sobre compra de votos para a reeleição

O boquirroto deputado, na verdade, se chama José Edmar Santiago de Melo. Contrabandeou o Ronivon para dentro do nome valendo-se do apelido que recebeu na juventude, quando exibia cabeleira como a do cantor da "jovem guarda" Ronaldo Nogueira, por nome artístico Ronnie Von. Resolveu trazer seu extrato bancário à baila no bate-papo com o *Senhor X*. A grana grossa pela qual trocou seu voto serviria para tapar buracos em diversos bancos. Quando o *Senhor X* pergunta "a reeleição te salvou, né?", a resposta, exultante, carrega entusiasmo que dispensa tradução:

"Ôôôô!"

Senhor X — *E João Maia? Pagou também todas as contas?*
Ronivon — *Não sei. Aí, eu não sei. Eu só fiquei na Caixa um pouquinho... Ah, eu tô no BRB também, mas é pouquinho.*
Senhor X — *Mas você pagou, você pagou o Banco do Brasil...*
Ronivon — *Numa porrada só.*
Senhor X — *Logo? Na mesma hora?*
Ronivon — *Não... Na semana passada... Na semana passada (risos). Sou leso? Não, isso foi tudo na semana passada... Deixei assentar a poeira. Fui lá e negociei. Paguei 196 paus.*
Senhor X — *196?*
Ronivon — *Pau! Os meus cheques sem fundos tudinho. Eu tive que arrecadar esses cheques tudinho. Paguei, só de cheques aí deu 46 mil de cheques. Em Rio Branco tinha seis.*
Senhor X — *A reeleição lhe salvou, né?*
Ronivon - *Ôôô!*
Senhor X — *A reeleição.*
Ronivon — *Eu me protejo, rapaz...*

Ronivon contava sobre a venda de seu voto como coisa normal, feliz da vida. Comentava detalhes com colegas, tal como a desconfiança em que ficaram os vendedores de votos quando receberam o pagamento, antecipado, em cheque pré-datado, a descontar apenas após a vitória da emenda.

"E se sustarem os cheques?"

No Brasil sob FHC, onde a palavra mágica era "modernidade", que vinha para "enterrar a Era Vargas", adotava-se métodos da República Velha que Vargas enterrou. No passado, o "coronel" cortava uma cédula graúda no meio, guardava metade, e dava a outra metade ao caboclo, que voltava para completar a cédula depois que o partido do coronel vencesse a eleição; a operação também podia ser feita com botinas — um pé ficava na casa-grande, o eleitor levava o outro, e voltava depois da eleição ganha, para completar o par. A novidade agora era essa: "cheque pré".

Segundo Ronivon, o cauteloso Amazonino alertou Orleir Cameli:
"Você é tão infantil, rapaz. Vai dar esse cheque para esse pessoal? Pega um dinheiro e leva."

Na manhã de 28 de janeiro, terça-feira, dia da votação da emenda em primeiro turno, encontram-se discretamente em Brasília. Cada deputado chega com seu "cheque pré", rasga na frente de Cameli e recebe os 200 mil em dinheiro dentro de uma sacola.

Canal de tevê e rádio também entram no negócio

O circo pega fogo e o Palácio do Planalto faz cara de paisagem. O ministro Clóvis Carvalho, chefe da Casa Civil, acha bom dizer alguma coisa. E diz à *Folha* que o quiproquó "obviamente não tem nada a ver com a ação de governo federal". Desmerecendo a imaginação dos tucanos, garante que "jamais faríamos nem imaginaríamos fazer uma coisa dessas".

Pelas bandas do pefelê acreano, a batata está assando mas o homem que dá as cartas no partido do Norte se distanciou do burburinho. Amazonino viaja pela Ucrânia e cabe ao interino, Lupércio Ramos, tratar do assunto. É tocante. Lupércio jura "pela pureza da minha alma" que "jamais ouvi falar nisso". Longe da Ucrânia e perto dos repórteres, Cameli tem que dar explicações. Nega tudo, até mesmo a necessidade de qualquer investigação. Por quê? Porque "o Ronivon todo o mundo sabe que é louco, maluco, débil mental".

Enquanto o governador do Acre bota a crise na conta do deputado falastrão, a estratégia do Planalto é interpretar o assunto como algo periférico, quase como certa degeneração moral e localizada de parlamentares de um estado insignificante. Os governadores, da mesma região, vão a reboque de tal interpretação. E o governo ainda gargareja suas prédicas em favor da ética na política e lastima aquela distorção, coisa do "Brasil velho" e não dos novos e fulgurantes tempos de FHC.

Porém, uma segunda rodada de gravações vai puxar Sérgio Motta para o meio da roda. Mais um deputado, João Maia, cai na teia do *Senhor X*. E descreve que o dinheiro recebido pela turma do Acre, embora entregue por Cameli, vinha de duas fontes: Amazonino Mendes e Sérgio Motta. Vamos ouvir o que acontece quando Maia morde a isca do *Senhor X*:

Senhor X — *Aquele cheque vocês devolveram?*
Maia — *É, mas ele, ele, ele cobriu, né?*
Senhor X — *Ele (Orleir Cameli) cobriu?*
Maia — *Cobriu. No meu caso, pelo menos, ele cobriu.*
Senhor X — *Ele cobriu? Mas acho que ele deu uma enroladinha em alguém por aí, não deu não?*
Maia — *Enrolou nós mesmos porque aquele dinheiro era o dinheiro do Amazonino. Que o Amazonino mandou trazer, por ordem do... do... menino aqui, do Serjão. Ele pegou emprestado do Amazonino e cobriu o cheque.*
Senhor X — *Ah, foi?*
Maia — *Esse dinheiro seria um outro apoiamento a nível federal, sabe? Porque aquilo ali, o Orleir é vivo também, né? Ele não é besta. Sabia que estava tudo reservado. E já estava o dinheiro aí, o dinheiro e coisa. E daí que chegou o Orleir, andou sabendo e, quer dizer: 'Não admito isso, não sei o quê'. Mas o Amazonino disse 'olha, ficou mais fácil para ele'. Pegou e emprestou o dinheiro para o Orleir, ele cobriu o cheque, aquele dinheiro mesmo, esse cheque não ficou nem algumas horas na mão.*

Maia esmiúça como se dava a abordagem dos deputados federais do Norte no mutirão em favor da emenda reeleitoral. E põe dois outros personagens na articulação dos encontros com Sérgio Motta: o deputado Pauderney Avelino, do PPB do Amazonas, mas de malas prontas para o PFL, e o presidente da Câmara na ocasião, Luis Eduardo Magalhães, pefelista baiano.

Senhor X — *O Orleir se sentiu ferido com o Amazonino estar em Brasília coordenando o voto de vocês?*
Maia — *É. E coincidiu que exatamente ele estava... Tinha saído lá e estava lá no... conversando com o Amazonino. E já tinha sido o Sérgio Motta* — *isso aí aqui na Presidência, né? Luís Eduardo vai falar com o Sérgio Motta, Sérgio Motta fala com o Amazonino, só que seria um troço... quer dizer, não teria nada a ver com Orleir pagar os atrasados dele. O filho da puta! Quer dizer, né? Também o Amazonino acabou entregando e participando, eu sei, ele, o Pauderney, que é outro sacana, aí. Esse dinheiro era para o Orleir ter que pagar as dívidas dele atrasadas, você entendeu? Mais esse, Serjão e Amazonino. Mas, o problema é o seguinte: naquela época, bicho, eu estou jogando muito em função da sobrevivência política, pessoal, familiar minha.*
Senhor X — *Claro, claro...*
Maia — *Não jogo com essa hipocrisia de dizer: não dá para perdoar o que eu estou fazendo ainda que pode, etc. e tal.*
Senhor X — *Na realidade, o liberado foram 200? Do Orleir?*
Maia — *É, o Orleir, 200.*
Senhor X — *Aí não ficou devendo 100 a você e 100 ao Roni?*
Maia — *Não, não. Ele tinha de fato ... esses 200, ele pagou os dois, pra mim ele pagou os dois.*
Senhor X — *Mas você sabe que na cabeça dele ele pagou pelo voto da reeleição.*
Maia — *Sim, é claro. Mas é uma coisa que eu estou dizendo. Eu estou ali também, no fundo, esse pessoal é sacana, filho da puta. Na realidade, ele queria, mais uns outros daqui, Serjão e Amazonino. O negócio cruzou aqueles troços. O Amazonino... Mas na última hora...*

Senhor X — *O Pauderney em cima. O aliciamento começou com ele?*
Maia — *Pelo que eu sei bem é o seguinte: eram os 200 do Serjão, via Amazonino, que era a cota federal, aí do acordo... Ele falou, pra todo o mundo, aí, meio mundo, aí. Eu falei com o Luís Eduardo. O Luís Eduardo marcou uma audiência com o Serjão. Daí, o Serjão marcou com o Amazonino. Acho que foi na quinta, à noite. E, depois, na segunda, fui lá falar com o Amazonino. Só que tinha chegado o Orleir, e nesse tempo o Orleir acabou pegando a gente lá.. Sabe? E volta de novo... E aí deu aquela coisa. Eu disse: 'Não senhor. São duas coisas distintas. Tem aí os nossos acertos, os nossos atrasados, e também tem essa coisa aqui que é federal'. Ele falou: 'Eu não acredito', não sei o quê. Eu disse para ele: 'Tem os atrasados'. E ele: 'Não, não sei o quê'. Daí ele mandou entregar. Isso foi na segunda de manhã. Não, foi na terça...*

Outra fita e outra entrega: agora Ronivon Santiago narra que a negociação da bancada do PFL acreano com o Planalto envolveu três itens: 1) inclusão do Banco do Estado num programa de recuperação federal; 2) dinheiro para os deputados; 3) liberação de verbas para estradas.

Senhor X — *E para o Planalto? Esses votos o Planalto acha que foram conseguidos pelo Orleir ou pelo Amazonino?*
Ronivon — *Olha, eu estive com o Sérgio Motta, há duas semanas atrás. E ele gosta muito do Orleir. Me falou que o Orleir até virou o voto do Chicão.*
Senhor X — *O Orleir?*
Ronivon — *Foi ele que me disse. O ministro. Que considera muito ele. Que 'nós estamos atentos aí'. Aliás, o presidente privilegiou aí as minhas estradas aí. Essas liberações aí. Falei com ele anteontem. Isso ele me falou.*
Senhor X — *Mas o dinheiro das liberações das estradas entrou na renegociação dos votos?*
Ronivon — *Entrou.*
Senhor X — *Entrou?*
Ronivon — *Entrou.*

Senhor X — E isso o Sérgio Motta sabia?
Ronivon — Sabia. Negócio pro banco. Dinheiro, negócio pro banco do Estado, né? Estrada... Tinha três itens... Eu tive lá com o Sérgio Motta. Tu tá sabendo que eu tô com a... levando uma televisão, o canal 40, né? De Quinari. Nós estamos inaugurando agora. Aí, o caso é o seguinte, o canal 40, né? É bom, né?

Aqui, Ronivon aparece afirmando que conseguiu uma concessão de canal de tevê com Serjão. A estação está, diz, em nome de um *laranja*. Ele tenta ainda "outra jogadinha":

Ronivon — Aí, o caso é o seguinte, eu fui lá com ele pra poder me dar uma rádio também, né, agora. Ele vai me dar. Eu transei com ele, tem uma concorrência. Tem uma jogadinha lá, concorrência, tal. Mas vamos estar lá juntos também, né? Mas não está no meu nome, não. É no nome de um cara lá, de um amigo meu. O cara está tocando. Aí, o caso é o seguinte. Aí, nós já montamos a coisa. Nós vamos pegar Quinari, 40. Só pro Quinari. Aí, depois nós vamos aumentar pra pegar até Rio Branco. Nós temos que fazer, que nós temos um prazo. Aí vai pegar em Rio Branco e vai atingir Brasileia, Xapuri, né? Aí, vou ver se entro na... vou ver se o Orleir... entrar aí naquela concorrência para depois ver se eu ganho um dinheirinho.
Senhor X — Sim, a mídia.
Ronivon — É.
Senhor X — Claro.
Ronivon — Eu vou entrar, depois, tudinho. É [a tevê] minha e de um cara lá, sabe? Gastei nada não.

No repertório de tiradas de Serjão, uma espelha ensinamento que ele próprio formulou mas, parece, não obedeceu. O ministro das Comunicações e pau para toda obra do governo FHC advertia que, para negociar com a base aliada, só mesmo "na sauna e pelado". Alguém acrescentou: "na sauna, pelado e com a chave do armário". É pouco provável que a prosa altamente republicana do superministro de FHC com a brava bancada do Acre tenha sido travada entre toalhas e vapores. O certo é que, depois de muito silêncio, Motta abriu a boca e negou tudo, dos 200 mil por voto à tal TV de Ronivon. Era preciso falar alguma coisa. Afinal, altos próceres do PFL e do PMDB já pediam sua cabeça para barrar uma CPI. À *Folha*, um deles explicou que "o erro foi ter permitido que Sérgio Motta avançasse até onde avançou". Esse "até onde avançou" nunca se soube e talvez nunca se saiba quantos sinais vermelhos ultrapassou. Ainda mais se lembrarmos outra das frases prediletas de Serjão, igualmente capaz de causar calafrios palacianos mesmo no clima morno de Brasília:

"Do que falo, 95% é Fernando Henrique. E 5% é o que ele pensa, mas ainda não disse."

Cutucado pelos aliados, Fernando II, bem à sua maneira, declara que conversou com seu ministro e "ele me assegurou que não tem nada a ver com esse assunto". Serjão reage atirando contra Ronivon & Maia, afirma que sua vida é "um livro aberto" e afiança que as práticas em questão — as de Ronivon, Maia e companhia, onde ele próprio estaria incluído — foram "totalmente varridas do panorama do atual governo". E arremata citando "minha postura contundente, indignada, contra aqueles que usam os recursos públicos para benefícios pessoais".

Como a chapa não para de esquentar, o PFL mete o pé no traseiro de Ronivon & Maia. Os dois logo renunciam ao mandato. Antes, a expulsão leva o colunista Jânio de Freitas a uma reflexão. Se o PFL ejetou a dupla — escreve em 15 de maio de 1997 — "encampou e subscreveu as revelações dos dois deputados sobre as compras, vendedores e compradores (inclusive Sérgio Motta) de votos para aprovar o projeto da reeleição". Se as gravações e as revelações não fossem verdadeiras, não os teria expulsado. Mais: "a cúpula pefelista não tem elementos para sustentar que Santiago e Maia foram verdadeiros ao falar de si e não o foram ao citar outros corruptos e corruptores".

O balcão de negociações não era novidade na Câmara dos Deputados. Quatro anos antes, por exemplo, os deputados Onaireves Moura, do PSD do Paraná, e Nobel Moura, do PTB de Rondônia, haviam sido flagrados oferecendo dinheiro a parlamentares para trocar de partido. Foram cassados. Um terceiro parlamentar, Itsuo Takayama, do Mato Grosso, teve o mesmo destino. Eleito pelo PFL, que trocou pelo PP, foi denunciado por pretender mudar novamente de legenda — iria para o PSD — em troca de vantagens pecuniárias.

* * *

Naquela mesma entrevista de agosto de 2004, o senador gaúcho Pedro Simon dirá que a oposição quis investigar. Tentou criar uma Comissão Parlamentar de Inquérito mas não conseguiu. O número de deputados "comprados", segundo Simon, é espantoso. Vamos ouvi-lo:

"Acho que a CPI é a instituição mais respeitada no Brasil. Aí, o Fernando Henrique começou a matar. Matou aquela que ele comprou o mandato: 150 deputados, aqueles que foram comprados, uma montanha de dinheiro pra fazer a reeleição. Não deixou criar aquela CPI."

E foi assim, com a ajuda deste tipo especial de eleitor — 150 deles, segundo Simon — mais os votos dos aliados fiéis do PSDB, que a reeleição deixou de ser um sonho. E o segundo mandato de FHC tornou-se uma possibilidade concreta.

A mídia achou 5 vendedores de votos; cadê os outros 145?

Pouco mais de dez anos depois, em dezembro de 2007, o ex-presidente negará que tenha havido "esquema de compra de votos de parlamentares para aprovar a emenda da reeleição em 1997". No Teatro Folha, onde periodicamente a *Folha de S. Paulo* promove sua Sabatina, FHC responde a perguntas dos colunistas Eliane Cantanhêde, Vinicius Torres Freire e Josias de Souza; e de seu ex-ministro das Comunicações, Luiz Carlos Mendonça de Barros. Questionado sobre o assunto, justifica-se:

"O Senado votou em junho e oitenta por cento aprovou. Que compra de voto?", mas, admitindo que possa ter havido, a acusação não caberia a ele nem a seu partido: "Houve compra de votos? Provavelmente. Foi feita pelo governo federal? Não foi. Pelo PSDB? Não foi. Por mim, muito menos."

Sugere que governadores também defendiam o instituto da reeleição. Mais uma vez, tira o corpo fora e desvia a seta para outros alvos. Pena que entre os sabatinadores não estivesse Fernando Rodrigues. Mas os entrevistadores poderiam ter levado ao teatro um recorte de seu próprio jornal, com a reportagem do colega. Leia isto:

> Também foram acusados de participação deputados influentes do Congresso, o então presidente da Câmara, Luís Eduardo Magalhães, e ministros do governo Fernando Henrique. Pelas conversas gravadas, o esquema teria sido comandado pelo então ministro das Comunicações, Sérgio Motta, que era considerado o homem forte do governo de FHC.

A convicção de que a reeleição precisava passar de qualquer jeito formava-se no núcleo dirigente do partido. O então ministro da Educação, Paulo Renato Souza, ao sentir resistências à emenda constitucional, pronunciou uma frase significativa:

"A reeleição não vai deixar de ser aprovada. Ela apenas vai ficar mais cara."

Fernando Rodrigues, para realizar a reportagem, usou um estratagema: pediu a alguém da confiança dos deputados acreanos que conversasse com alguns deles e gravasse as conversas. Apelidou o intermediário de *Senhor X*. O repórter contou em detalhes ao Instituto Gutenberg, centro de estudos da imprensa, como se deu o trabalho, relato que a entidade publicou em seu boletim número 15, de maio-junho de 1997. Disse que falou com 70 deputados, e a maioria confirmou "os boatos", mas não tinham provas. Então, encontrou uma pessoa que se dispôs a fazer as gravações, desde que seu nome ficasse em sigilo, o *Senhor X*.

Vamos ao ponto. FHC disse na Sabatina Folha que nem seu governo nem seu partido compraram votos para conseguir a reeleição. Fernando Rodrigues relata ao Instituto Gutenberg que "os operadores do governo", na época de suas denúncias, disseram que o nome do ministro Sérgio Motta foi "jogado na lama de forma irresponsável". Mentira, diz o repórter, e põe ênfase:

"As citações a Sérgio Motta aparecem dezenas de vezes nas conversas de Ronivon e de João Maia, quando contam ter vendido seus votos por 200 mil reais."

Dezenas de vezes. E "para que não restem dúvidas", Fernando Rodrigues reitera algumas citações:

De João Maia, ao explicar de onde veio o dinheiro: "Pelo que eu sei bem é o seguinte: eram os 200 do Serjão, via Amazonino, que era a cota federal, aí do acordo... Ele falou, pra todo o mundo aí, meio mundo."

Ainda João Maia: "É que esse dinheiro do Amazonino era o dinheiro que já estava aí. Você entendeu? Que o Serjão já tinha acertado."

De novo, João Maia: "Aquele dinheiro era dinheiro do Amazonino. Que mandou trazer por ordem do... do menino aqui, do Serjão."

Na sua fala ambígua, Ronivon Santiago indica aquela que seria a origem da grana: "Mas quem deu foi o Sérgio Motta ao Amazonino, parece..."

Das notícias veiculadas na época, consegue-se localizar cinco vendedores de votos: Ronivon Santiago, João Maia, Chicão Brígido, Zila Bezerra e Osmir Lima — os últimos três absolvidos posteriormente pela Câmara.

Mas quem acredita em número tão inexpressivo? Principalmente quando se sabe que, em janeiro, nos últimos dias que antecederiam a votação, uma enquete realizada pela *Folha* computou somente 228 votos a favor da emenda! Seria uma disputa complicada. Contudo, na hora de votar, em 28 do mesmo mês, uma multidão de deputados, de repente, acordou para as extraordinárias virtudes da reeleição: 336 deles disseram sim. Nada mais, nada menos do que 108 representantes do povo mudaram de ideia e resolveram representar os interesses do

Executivo. O levantamento havia localizado ainda 71 indecisos — que desceram do muro convidados por quem? — e 63 favoráveis à reeleição mas somente para os próximos governantes — que perceberam, de uma hora para outra, que Fernando II também tinha direito a usufruir da benesse.

Se foram 150 os parlamentares que venderam seu voto, segundo o senador Pedro Simon, cadê os outros 145 que a mídia não encontrou? Contudo, seriam mesmo 150?

O *Senhor X* acha que foram muitos mais, conforme se verá no capítulo seguinte, no qual ele enfim falará — em primeira mão, para este livro.

CAPÍTULO 12
Senhor X, calado por quase 13 anos, enfim vai falar

Modernidade chega ao cemitério — "O governo só aprova matéria de seu interesse se comprar voto" — Viu a morte de perto e decidiu falar — Num mundo pequeno, o inferno é grande — "Aquilo devia se chamar Lei FHC"

Ele é chamado de Eminência Parda do Acre. E de cara metade da afirmação já se pode comprovar quando somos apresentados: ele *é* pardo. A outra metade comprovaríamos nos dois dias seguintes: sábado, antes da segunda rodada de entrevistas, passou a manhã no Palácio Rio Branco em conversações com o governador, o petista Tião Viana; domingo, quando nos buscou para almoçar em sua vivenda no Condomínio Ipê — onde entre outras autoridades mora o governador —, ele nos servindo de "motorista", pudemos observar que pessoas o reconhecem nas ruas; e ao cumprimentar um motorista que buzinou e acenou, disse sem falsa modéstia:

"Não há quem não me conheça aqui no Acre."

Na avenida Ceará, que atravessa Rio Branco, ele começa a mostrar, com orgulho, o império que vem construindo. No número 2.804, aponta uma fachada:

"Aqui é a TV e o jornal, vocês já conhecem."

TV e jornal com o mesmo nome: a TV Rio Branco retransmite a programação do SBT, de Silvio Santos; *O Rio Branco* é o principal jornal do estado. Aliás, uma edição de *O Rio Branco* já pertence à história do jornalismo brasileiro. Em 1989, quando o industrial Abílio Diniz foi sequestrado em São Paulo e a cobertura da imprensa comeu na mão da polícia e carregou nas tintas contra a candidatura Lula às vésperas do segundo turno da eleição, o diário acreano foi além e deu a incrível manchete: "PT sequestra Abílio Diniz".

Uma dúzia de quarteirões além, ele para. Entramos numa academia, com equipamentos novos, piscina olímpica, quadras de tênis; uma ala em expansão vai abrigar salões para aulas de dança e artes marciais. Ao lado, numa área imensa, vai erguer um prédio residencial de 22 andares, raridade nesta capital de perfil urbano horizontal.

"Rio Branco agora vai crescer para cá", informa quando entramos na Via Verde, após o *campus* da Uninorte, União Educacional do Norte. Uma curva e surge um prédio de dois andares. Vai reformá-lo para abrigar uma clínica médica.

Então, numa baixada, o carro desacelera, curva à esquerda e entra pelo portão aberto no muro onde se lê *Morada da Paz*. Com meia década de existência, o novo cemitério já enterrou 12 mil corpos e recebe 80% dos mortos em Rio Branco. São 15 hectares gramados, sem os vetustos jazigos, apenas lápides.

A família cria seus próprios empregos. Entre filhos, genros, noras, irmãos, este cuida do cemitério, aquela da academia, um filho toca a empresa que vai participar do programa Minha Casa, Minha Vida, que erguerá 10 mil casas populares.

"Eu não faço mais nada. Eu só supervisiono."

Quase 13 anos depois de desempenhar o papel de *Senhor X*, enfim conhecemos o "ator": Narciso Mendes, 67 anos. Engenheiro civil, este potiguar deixa o Rio Grande do Norte tão logo recebe o diploma, migra para Belém do Pará, e ali se estabelece. Conhece uma paraense e, já casado, ruma ao Acre onde acompanha uma construção durante seis meses. E aqui está há 40 anos com a mulher, filhos e netos acreanos.

Saindo de cirurgia delicada, decidiu não passar para outra dimensão sem deixar registrado para a história seu depoimento sobre um episódio em que exerceu papel dos mais importantes, porém subestimado pela grande mídia.

O autor entrevista Narciso Mendes, o Senhor X, na casa dele em Rio Branco.

Só podia ser coisa de alguém do estado "rebelde"

O Acre nasce de uma rebelião na passagem do século XIX para o século XX, quando seringueiros liderados pelo gaúcho-acreano Plácido de Castro expulsam bolivianos que ali estavam instalados. Desde então, o Acre ganhou fama de "rebelde" ou, no mínimo, de território peculiar.

Aqui, em 2013, o PT atinge 16 anos no poder. No entanto, no primeiro turno das eleições presidenciais de 2010, a petista Dilma perdeu para o tucano José Serra, enquanto a acreana "verde" Marina Silva amargava o terceiro lugar em seu próprio torrão. Aqui, onde a esquerda domina, subsiste um aeroporto chamado Garrastazu Médici, nome do general que chefiou o governo que mais perseguiu, torturou e matou opositores.

Ex-prefeito de Rio Branco, o petista Jorge Viana ganha as eleições para o governo em 1998. A reeleição seria um passeio, mas eis que o TRE, Tribunal Regional Eleitoral, às vésperas da votação, impugna a candidatura. Contudo, o TSE, Tribunal Superior Eleitoral, por 7 a 0, devolve-lhe a candidatura. E ele se reelege com 64% dos votos.

Em 2013, a engenharia política dos irmãos Viana produziu a seguinte situação: o mais velho, engenheiro florestal Jorge Viana, está no Senado; o mais novo, médico Tião Viana, no governo — com apoio do nosso personagem aqui retratado, o *Senhor X*.

Antes oposição cerrada aos Viana, Narciso Mendes trocou de lado e transformou-se em apoiador da dupla.

"Como está a bolsa de apostas? Quanto é que está o preço do voto?"

Ex-deputado federal pelo PP, Partido Progressista, o *Senhor X* considera-se autodidata em economia e política. "Estou sempre lendo três, quatro livros ao mesmo tempo", explica. Estamos, Mylton Severiano e eu, diante dele no prédio que abriga sua tevê e seu jornal. Na mesa de executivo, mal terminam os cumprimentos ele dispara:

"Eu não acredito, definitivamente, no presidencialismo de coligação que inventaram neste país. Não posso aceitar que, qualquer que seja o governo, para formar sua base de sustentação política, que se faz necessária, você tenha de recorrer a dez partidos, no mínimo."

Pedimos uma pausa para ligar o gravador e ele prossegue, sem esperar pergunta alguma:

"Porque, se você pegar as duas maiores bancadas do Congresso, PMDB e PT, dá 180 deputados. Pra formar maioria simples, você precisa de 251 votos. Pra aprovar uma emenda constitucional, 308. Então, você só aprova matéria do interesse do governo se entrar na compra do voto."

Sem a compra do voto, não há solução? — pergunto eu.

"Não há solução! Agora, a compra do voto, para mim, é mais perniciosa quando você entrega uma diretoria de estatal, um ministério, do que pagando em dinheiro."

Mas o assunto é a compra de votos para aprovar a emenda da reeleição em 1997, quando as gravações realizadas pelo *Senhor X* deram conta até de uma dinheirama carregada em sacolas.

A compra dos votos para a reeleição, frisa Narciso, "se dava às escâncaras". Seria "muita ingenuidade", diz ele, considerar inverossímil que, no episódio da troca de cheques pré-datados por dinheiro vivo, os deputados saíssem carregando R$ 200 mil em sacolas. Afinal, em notas de R$ 100,00 seriam duas mil notas, ou o dobro se fossem notas de R$ 50,00. Duzentos pacotes de mil reais: volume considerável.

"Tinha de ser em sacolas!", diverte-se ele.

Narciso Mendes foi deputado constituinte em 1988, no governo de José Sarney, primeiro presidente civil depois dos 21 anos de ditadura militar. Para transformar em cinco os prescritos quatro anos de mandato, o governo Sarney conseguiu votos com farta distribuição de concessões para emissoras de rádio e canais de televisão.

"Foi assim que consegui minha estaçãozinha de tevê", ele nos confessará ao cabo de uma de nossas conversas, no saguão do Hotel Maju, perto do centro de Rio Branco. Narciso falou aquilo dando-nos uma piscada cúmplice, como quem dissesse que aquela distribuição de brindes era tão aberta e franca, que tolo seria quem não apanhasse a parte que lhe tocava.

Naquela época, pontua, o Brasil "era mais transigente com a corrupção", em parte porque a imprensa não denunciava tanto. No governo Sarney, um dos lemas, de par com o "Tudo pelo social", era o "É dando que se recebe", popularizado pelo deputado paulista Roberto Cardoso Alves, do PMDB.

Passa Collor, passa Itamar, e quando começa a discussão sobre reeleição em 1995, mal iniciado o primeiro mandato de Fernando Henrique, os mais antagônicos ao governo se postam contra aquela emenda constitucional: o PT de Lula e o PP de Paulo Maluf. Os governistas sintetizavam: são petistas e malufistas que estão contra.

"Só que eu não era nenhuma das duas coisas", afirma Narciso, "mas logo passam a dizer que o *Senhor X* é malufista. Mas nunca disseram que o *Senhor X* era eu."

Ele credita a criação do *Senhor X* ao repórter Fernando Rodrigues. Porém, assim como "em sociedade tudo se sabe", tudo se sabe nos meios políticos. Diz Narciso:

"Logo de cara se falou: o *Senhor X* é Narciso Mendes. Por quê? Porque eu era intransigentemente contra a emenda da reeleição."

Não porque o ex-deputado tivesse qualquer reserva ao instituto da reeleição, que ele considera "um estado avançado do sistema democrático", pois o administrador bem avaliado pelo eleitor pode, assim, ser reconduzido ao cargo. Sua posição adversa deve ser interpretada dentro daquele contexto:

"A emenda constitucional da reeleição não podia beneficiar Fernando Henrique Cardoso, e ela foi criada para beneficiá-lo diretamente!"

Uma lei precisa ter legitimidade e legalidade, acrescenta, e apesar da legalidade, ou seja, aprovada pelo Congresso, só teria legitimidade caso passasse a ser aplicada apenas a partir do próximo presidente, mas jamais para beneficiar o próprio FHC. Neste momento, ele reluta em citar personagens do escândalo que já morreram, casos de Sérgio Motta e Luís Eduardo Magalhães; ou gente que poderia testemunhar, como o ex-deputado acreano Carlos Airton Magalhães, do mesmo partido de Narciso, também falecido.

Fernando Rodrigues, como outros jornalistas, percebeu que a bancada do Acre estava sendo "cantada", lembra Narciso.

"Naquele momento, todos os oito deputados da bancada acreana pertenciam à base de sustentação do governo. Supostamente, deviam estar com o governo. Não precisava comprar. Mas o que acontece? Se o Lula por exemplo quisesse aprovar o terceiro mandato, embora tivesse uma bancada majoritária na Câmara, ou ele comprava votos ou não aprovava. Para mim, um dos atos de grandeza do Lula foi não ter partido para o terceiro mandato, porque se quisesse teria conseguido. É certeza!"

Em 1997, quem ocupava na Câmara Federal o lugar que havia pertencido a Narciso era sua mulher, Célia Mendes, eleita pelo mesmo PPB do marido, futuro PP. Mas quem se comprometeu a fazer as gravações com deputados dispostos a vender seus votos não foi Célia.

"Essas jogadas sebosas", explica Narciso, "eles não preferem fazer com mulher, porque muitas vezes mulher não aceita, então fui eu o procurado para intermediar."

Narciso havia disputado o Senado em 1994 e perdeu para Marina Silva. Estava sem mandato. Ele narra:

"O Fernando Rodrigues me disse — 'Narciso, a *Folha* está disposta a te conceder meios para gravar depoimentos, a única coisa que não faz é pagar por entrevista.' Ele tinha sido correspondente em Tóquio, e trouxe um gravador moderníssimo. Tem até uma fotografia de Fernando com o gravador na mão, o gravador *era* o Senhor X."

Narciso se refere à capa do número 4 de *Caros Amigos*, julho de 1997: o repórter Fernando Rodrigues posa olhando para a câmera, e sua mão em primeiro plano exibe o gravador do tamanho de uma caixa de fósforos, com a chamada:

ENTREVISTA EXPLOSIVA
Fernando Rodrigues
O CASO SENHOR X

Só duas pessoas, além do repórter, sabiam da gravação das conversas: Narciso Mendes e seu amigo Carlos Airton. O tamanho do gravador era inversamente proporcional à sua sensibilidade: Narciso o punha já ligado em algum ponto do ambiente, ao lado de onde estava sentado, quando algum deputado "comprável" se aproximava. Então perguntava:

"E aí? Como é que tá a bolsa de apostas? Como é que tá o preço do voto?"

Nesse tom de pregão, Narciso obtinha as confissões escancaradas, não precisava embebedar ninguém, nem pedir nomes. Os informes vinham espontaneamente:

"Eu não perguntei se foi Sérgio Motta quem procurou, se Amazonino procurou, se Orleir procurou. Tudo que está dito foi por decisão pessoal deles. Aí, chamava Fernando Rodrigues, 'leva essa porcaria pra lá e faça bom uso'. Até porque ele, a *Folha*, tinha mais condição de tirar, as gravações ficavam precárias, pelo ambiente da Câmara, uma zoadeira danada, era preciso um laboratório pro cara... pro cara... degravar. Tanto, que essas degravações foram feitas pelo Molina."

Ricardo Molina, perito da Unicamp, Universidade de Campinas, especialista em áudio, é tão famoso, que o chamam até para resolver

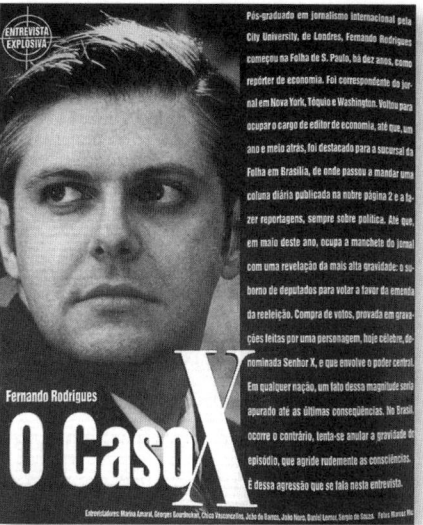

Revista dá capa para o gravador com que repórter comprovou compra de votos.

questões fora de sua área: na campanha eleitoral de 2010, ele garantiu diante das câmeras da TV Globo que a bolinha de papel que atingiu a calva de José Serra era diferente do rolo de fita adesiva que supostamente atingiu a mesma calva em seguida. Mas o caso agora era de sua estrita alçada e Molina contribuiu para se chegar à verdade:

"Ele confirma a voz de Ronivon, confirma a voz de João Maia, confirma a voz de todos!"

"Os tucanos criaram uma cobra e iam morrer picados por ela"

Narciso nos recebeu em companhia de um livraço (setecentas páginas!), *A Arte da Política*, de Fernando Henrique Cardoso, editado pela Record em 2006. A editora diz em seu *site* que FHC faz uma análise de seu governo, inserido num período que vai "do auge do regime militar" ao momento em que, após dois mandatos, transfere o bastão ao principal adversário político, Luiz Inácio Lula da Silva. O livrão está aberto numa página onde Narciso marcou várias citações. Ele lê o título do capítulo em voz alta, *A absurda compra de votos*, e comenta:

"Absurda pra ele. Pra mim não foi. E nem era absurda pra ele também, é pro escritor aqui [FHC]. Ele sabe que, se não comprasse, não aprovava a emenda da reeleição."

Os deputados da situação não permitiram que a CCJ, Comissão de Constituição e Justiça, ouvisse o *Senhor X* — que, já todos sabiam, era ele, Narciso Mendes. Ele não se conforma e, parece, jamais se conformará. Acha "surpreendente" que a Comissão de Sindicância da Câmara Federal não o tenha chamado.

"A sociedade ficava naquela dúvida: *Foi ele? Não foi, não. Foi sim, ele tem uma cabeça que anda a mil por hora.* Por que essa Comissão chamou o governador, Ronivon, e não chamou o *Senhor X*? Não é elementar, meu caro Watson? Era porque o *Senhor X* explodiria este país! O *Senhor X* chutava o pau da barraca!"

Na sequência, a CCJ chama três outros deputados acreanos, citados nas fitas: o peemedebista Chicão Brígido e os pefelistas Zila Bezerra e Osmir Lima. E, de novo, ignoram o personagem principal. Só queriam coadjuvantes — a Comissão de Sindicância, a CCJ e, agora, a mídia, que já sabia quem era o *Senhor X*. Narciso seguia se encontrando com Fernando Rodrigues em Brasília. Seria fácil encontrá-lo.

"Houve a abertura de sindicância pela Corregedoria da Câmara, que ouviu Ronivon, João Maia, Amazonino Mendes e Orleir Cameli, o governador. A *Folha* entregou uma cópia das gravações editada, com as intervenções do *Senhor X* suprimidas. Segredo da fonte: qual é o problema? Por isso tenho o maior respeito pela *Folha* nesse episódio, tinha de preservar a fonte."

Absurdo, como tantos absurdos no episódio, é também que, até nossa ida a Rio Branco, jornalista algum tenha jamais procurado o homem que interpretou o papel de *Senhor X* e ouvir sua história. Também é fácil intuir por qual razão.

"Eu me lembro que a alta direção da Comissão de Sindicância disse: 'Essa fita aqui só será entregue à Justiça em último recurso' — eles nunca foram atrás de entregar a fita, que naquele momento todo o medo deles era que o *Senhor X* falasse. Aqui vem o primeiro paradoxo. O primeiro absurdo."

A primeira denúncia da *Folha* sai no dia 13 de maio de 1997 — um mês depois da CNBB acusar o governo de "corrupção", como vimos no capítulo anterior. Na semana seguinte, a 21 de maio, João Maia e Ronivon Santiago renunciam ao mandato. O já em si exaltado Narciso sobe o tom, bate o dedo indicador com força no tampo da mesa acompanhando o ritmo das palavras:

"Eu quero que alguém me explique qual é o deputado que vai renunciar ao mandato só por causa de uma pressão jornalística de oito dias!"

Precisa ser fraco de espírito, comentamos nós, inadvertidos do óbvio — óbvio que Narciso evidencia falando em tom alto e enfático, feito um promotor que aclara o entendimento dos jurados:

"É porque pagaram! Eles receberam dinheiro pra votar! E receberam dinheiro pra renunciar!"

Só rindo. Narciso lê mais um trecho do livro:

"Aqui diz Fernando Henrique Cardoso: Sérgio Motta indignou-se, queria logo uma CPI na ingenuidade de imaginar que, naquela circunstância, da CPI resultasse outra coisa diferente do que culpar o governo."

Comissão Parlamentar de Inquérito naquela altura? E pedida por Sérgio Motta, raposa cem vezes mais esperta que FHC?

"Nem Sérgio Motta queria CPI, nem Fernando Henrique queria CPI, nem Luís Eduardo Magalhães queria CPI, ninguém queria", diz Narciso, "porque sabiam que, estabelecida a CPI, o processo de *impeachment* ou no mínimo de anulação da emenda da reeleição teria vingado, pois seria comprovada a compra de votos."

Está cada vez mais claro que governo e governistas não queriam que o Senhor X falasse.

"E eu diria que era contra a emenda da reeleição, uma ilegalidade. E que talvez — talvez! — o Fernando Henrique tenha plantado a semente do terceiro mandato nesse continente latino-americano, vulnerável ao terceiro mandato de Hugo Chávez, Rafael Correa, Cristina Kirchner, Evo Morales... os tucanos criaram uma cobra e não sabiam que iam morrer picados por ela. Foi um calote eleitoral do Fernando Henrique. Deixou para o Serra o mandato tão desgastado, que o próprio Serra não quis que Fernando Henrique subisse no palanque dele."

Um peixe tentando desviar o rumo de um transatlântico

No livrão há outra passagem marcada, na qual Fernando Henrique diz que Narciso não merece respeito. Ele rebate que "quem não merece respeito é o cara que aprova a emenda da reeleição comprando voto para se beneficiar"; e que ele sim, primeiro não acreano a se eleger deputado federal pelo Acre, é respeitado. Chama a emenda da reeleição de "uma precipitação". Havia, segundo ele e sua mulher deputada, outra prioridade:

"Nós éramos pra ter preparado este país, ter feito a reforma política. Nós não devíamos ter implantado esse esquizofrênico regime presidencialista onde o governo é obrigado — é obrigado! — a entrar no balcão da negociação, porque senão, não governa."

Falou-se numa centena e meia de votos comprados. Na opinião de Narciso Mendes, foram mais. Reabre o calhamaço de Fernando Henrique, lê na página 299:

"Reavaliamos tudo. É um pouco repetitiva a questão do pessoal lá do Norte... Um bando realmente de gente perigosa. E até acertei não saber se era certo, ou não, ter havido compra de votos regionalmente."

Narciso vira-se para nós:

"Ele joga no ombro dos governadores. Uma covardia."

Retoma a leitura:

"Até poderia ter ocorrido afinal de contas, e isso os acusadores nunca mencionaram, e sequer levaram em conta, porquanto a reeleição interessava a todos os 27 governadores."

Uma mentira, diz Narciso, pois no Acre, por exemplo, Orleir Cameli não se candidatou à reeleição. Ademais, acrescenta, não foi "o pessoal do Norte" quem inventou a reeleição, muito menos a compra de votos:

"Foi uma criação do senhor Sérgio Motta e do senhor Fernando Henrique Cardoso", reitera.

Interrompo Narciso Mendes e lembro-lhe a acusação, feita por seus adversários, de que teria realizado as gravações para se vingar de FHC. A vingança se deveria à devassa fiscal que a União teria promovido em suas empresas, constatando dívidas de R$ 25 milhões para com os cofres públicos. Ele, sem se alterar, primeiro minimiza o termo "empresas", lembrando que outrora seus negócios não passavam de pouco mais que o canal de tevê e o jornal. E desqualifica a operação. Vamos conceder-lhe o direito de defesa:

"Nunca ninguém fez mal a mim sem receber o pagamento de volta, seja em qualquer moeda. Fernando Henrique era presidente e chegou aqui um tal de Luiz Francisco."

Luiz Francisco Fernandes de Souza, procurador da República, famoso entre os anos 1990 e 2000 por rastrear a corrupção entre altos nomes da política nacional. Por seu "voto de pobreza", Luiz Francisco ia trabalhar num velho fusca e vestia ternos surrados. Seria "premiado" com promoção para cargo importante, mas no qual não poderia mais exercer funções investigativas.

"Ele veio fazer seu estágio probatório aqui no Acre. Eu já era conhecido como antipetista, e ele petista roxo. Por sinal, tinha sido candidato a deputado distrital em Brasília. Minha mulher, deputada federal, fez uma denúncia. Nós filmamos o procurador participando de carreata em Sena Madureira, ele com a bandeira do PT nas costas. Esse cara ficou tão pê da vida, que pediu à Receita Federal uma devassa em nossas empresas. Ele e o senhor Geraldo Brindeiro, de quem eu guardo profundas mágoas, procurador-geral, ou engavetador-geral da República. Mandam então onze auditores fiscais pra cá. Fui ao vice-presidente Marco Maciel denunciar a arbitrariedade. Mas a devassa não potencializou minha fúria contra a reeleição. Eu não sou covarde."

Emendo com outra acusação, feita pela revista *Veja* no início da década de 2000: Narciso teria participado de complô para matar o então governador Jorge Viana, irmão do futuro governador Tião Viana. Igualmente sem se alterar, ele rebate apelando para a inverossimilhança da acusação, que não consta de nenhum boletim de ocorrência, nenhuma investigação, e mais:

"Fisicamente, eu sou um frouxo", confessa.

Perguntamos se ele leu Maquiavel, ele responde de pronto:

"Eu leio!"

Deve ter levado em conta um dos preceitos que o escritor florentino do século XVI registrou em *O Príncipe*: se você não pode com o inimigo, alie-se a ele. Foi o que fez em relação aos irmãos Viana.

Narciso volta ao livro de FHC, diz que não pode furtar-se a deixar gravado o que vai ler agora:

"Narciso Mendes... tumultuava a tramitação da emenda da reeleição..."

Ele para de ler:

"Como é que um desgramado, do baixo clero, do Acre, tinha poderes para tumultuar a emenda da reeleição?"

A imagem que nos vem é de um peixe tentando desviar o rumo de um transatlântico.

"Pra mim, isso aqui", diz Narciso empurrando o livro de FHC sobre a mesa, "é a confissão de culpa dele, no máximo a minha influência era sobre o voto da minha mulher."

Narciso sugere algo tão óbvio, que só a boa vontade da grande imprensa para com o "Príncipe dos Sociólogos" explica o fato da emenda da reeleição não ter sido devidamente batizada, como aconteceu em tantos outros episódios envolvendo outras leis:

"Aquilo deveria chamar-se Lei Fernando Henrique Cardoso."

Grande é o inferno quando o mundo é muito pequeno

Voltamos a gravar no dia seguinte, sábado, no saguão do Hotel Maju. Gostaríamos de saber por que não queria usar o testemunho do amigo Carlos Airton. O ex-deputado, junto com Célia Mendes, fazia parte da bancada acreana. Dos oito federais do Acre, só eles dois votaram contra. Para sonegar o testemunho de Carlos Airton, Narciso escudava-se no fato de ele estar morto — na manhã de 4 abril de 2005, com o casamento em pane, inconformado porque a mulher pedira o divórcio, ele "entrou em parafuso". Discutiram. Airton apanhou um revólver calibre 38, apontou para a mulher e disparou; em seguida atirou na própria cabeça (a mulher se desviou, a bala acertou-lhe o braço e a omoplata); ela escapou, ele morreu.

Pedimos a Narciso para considerar que os mortos têm direito de "falar", especialmente se contribuem para estabelecer a verdade. Ele se sensibiliza:

"Eu não acho que os mortos estejam mortos para a história. E às vezes estão muito mais vivos que os vivos. Apenas não quero que pensem que estou transferindo alguma responsabilidade sobre ele. Mas tenho certeza absoluta que, se ele estivesse aqui, confirmaria tudo o que eu digo."

Carlos Airton, diz Narciso, era bem moço — 36 anos na votação da emenda, em 1997. Mas tinha muita convicção, "e achava que não deveria votar a favor da reeleição", talvez até por influência do amigo mais velho, aceitando premissas como "este não é o momento, vamos deixar que nossa democracia amadureça":

"Nós estávamos a pouco mais de dez anos da redemocratização", recorda Narciso, "e a democracia não se faz em dez anos."

Revela que foi Carlos Airton quem o apresentou a Fernando Rodrigues. "Nós éramos amigos, e cúmplices da não aprovação da emenda. E Carlos Airton foi procurado. Foi tentado, com propostas monetárias, já nas vésperas da votação, o pagamento seria à vista. E ele rejeitou."

* * *

Sem mandato eletivo, Narciso passou a dar opinião na página 3 de seu jornal; e a falar toda sexta-feira sobre política em seu canal de televisão. Não lhe escapa que, tal como na época da compra de votos para aprovar a reeleição, a mídia em peso poupa Fernando Henrique — "não há nenhum veículo deliberadamente contra ele"; mas "é sabidamente contrária a Lula e ao PT". Há muito caiu fora da política partidária, mundo muito pequeno. Filosofa:

"Quando o mundo é pequeno, o inferno é grande."

HISTÓRIA AGORA

FOLHA DE S.PAULO
Senado aprova reeleição de FHC
Por 63 votos a 6, passa emenda que

O ESTADO DE S. PAULO
ACM garante que reeleição será aprovada

FOLHA DE S.PAULO
REELEIÇÃO *Sindicância sugerirá cassação de cinco deputados envolvidos*
Texto final de comissão não cita Motta nem pede CPI

FOLHA DE S.PAULO
91% dos paulistanos defendem CPI; aprovação a FHC cai 7 pontos

FOLHA DE S.PAULO
Governo lança 'operação abafa' e FHC enfrenta protesto em BH
PERIGO ➡

O ESTADO DE S. PAULO
Senado aprova reeleição em 1º turno

O ESTADO DE S. PAULO
FH convoca rebeldes para impedir CPI

O ESTADO DE S. PAULO
Ato contra FH deixa 5 PMs feridos
Governo age e cai apoio à CPI dos votos

Governo FHC se jogou na operação--abafa com empenho total.

CAPÍTULO 13
Melaram convenção do PMDB que lançaria Itamar à presidência

Tropa de choque em ação na convenção do PMDB — De como fazer candidato subir ou cair nas pesquisas — Dois ônibus com arruaceiros rumam para Brasília — Ex-PM encara Itamar Franco e o xinga o tempo todo

Sérgio Motta era um trator. Por exemplo: como impedir uma candidatura presidencial que não interessa ao seu grupo? O instituto da reeleição está garantido, mas não a reeleição de FHC propriamente dita em outubro do ano seguinte, 1998.

Ouça esta história, porque ela não está na mídia. Sebastião Nery conta no citado livro *A Eleição da Reeleição*.

Estamos em 1998. Para os tucanos, tempo de despedidas irreparáveis: a 14 de março, o publicitário Geraldo Walther, vítima de câncer, morre em Salvador; a 19 de abril, de infecção pulmonar causada pela *Legionella*, bactéria que prolifera nos aparelhos de ar-condicionado, se vai Sérgio Motta; dois dias depois, do coração, morre Luís Eduardo Magalhães, esperança de perpetuação da coligação PSDB/PFL no poder federal. Neste ano de perdas, o PMDB pretende sair vitorioso com candidato próprio: Itamar Franco, verdadeiro pai do Plano Real. Um balde de água gelada na pretensão tucana de dar outro passeio em Lula.

A trama urdida pela turma de FHC vai se desenvolver em três frentes: controle de pesquisas eleitorais; derrota do então petista Cristovam Buarque na tentativa de se reeleger governador do Distrito Federal, com eleição do então peemedebista Joaquim Roriz; e tumulto na convenção nacional do PMDB em Brasília.

O sociólogo Antônio Lavareda mantinha em Pernambuco a MCI, empresa de consultoria político-estratégica.

O Palácio do Planalto fez contrato milionário de quatro anos com o Ibope nas pesquisas; e a MCI, nas análises. Eram pesquisas semanais em todos os estados. Chegavam às mãos de FHC.

Curiosamente, o Ibope manteve Ciro Gomes o tempo todo em 8%. Nas eleições, ele teve 11%. Como a ideia era Roriz no Distrito Federal, José Roberto Arruda, então tucano, ficou congelado em 14% durante a campanha — no voto, teve 18%. Outro tucano indesejado, Marconi Perillo, começa a crescer em Goiás e o *Jornal Nacional* da TV Globo não divulga as pesquisas favoráveis a ele. Seria porque o preferido de FHC é o peemedebista Iris Rezende?

Você está acompanhando o raciocínio deles? São tucanos, mas precisam adular peemedebistas sensíveis à adulação para obter votos com os quais derrotar, já na convenção, Itamar Franco, candidato próprio do PMDB.

Segundo passo da trama. Um assessor de FHC convida Arruda, líder do governo no Senado, para um papo em seu apartamento na Quadra 312 Sul. Arruda chega com o colega de senado Luiz Estêvão, peemedebista com quem ele não mantém relações.

Numa conversa pesada, o assessor do presidente e Estêvão tentam convencer Arruda a tomar duas decisões: desistir de sua candidatura ao governo do Distrito Federal, favorecendo portanto Roriz, e convencer seu candidato ao Senado, Augusto Carvalho, do PPS, a retirar-se de cena.

Irritado, Arruda vai embora e queixa-se a FHC, inutilmente. Roriz acabará eleito, derrotando Arruda e Cristovam Buarque. Para tanto, Roriz contou ainda uma vez com uma ajudinha. A lei eleitoral impede que um candidato apoie outro que não integre seu partido ou coligação. Providencialmente, um juiz do Tribunal Regional Eleitoral é substituído. O substituto concede liminar que irá permitir ao peessedebista FHC aparecer no programa do peemedebista Roriz, dando-lhe o apoio decisivo de presidente da República.

Histórias que a mídia não conta.

O PRÍNCIPE DA PRIVATARIA

De como será eleito quem tiver menos votos que nulos e brancos somados

Falta saber qual feitiçaria adotar para travar o PMDB matando sua proposta de lançar a candidatura de Itamar Franco na convenção de 8 de março de 1998, em Brasília. Todo observador da política nacional sabe a importância do PMDB em toda eleição, dada sua presença em todos os rincões do país. Ainda mais tendo como candidato o mineiro Itamar Franco, ex-presidente, capaz de mostrar que ele, e não FHC, foi quem gestou o Plano Real, e contando com Minas, segundo maior colégio eleitoral depois de São Paulo.

Também aqui o assessor age em dobradinha com Luiz Estêvão, que lhe cede seu jatão para circular pelo Brasil. Luiz Estêvão garantirá três votos de convencionais fiéis a ele contra a escolha de Itamar. O assessor se compromete a torpedear a candidatura Arruda ao governo do DF.

O senador goiano Iris Rezende contribui com o envio de dois ônibus vindos de Goiânia, lotados de arruaceiros, inclusive policiais militares à paisana. Um deles, o ex-PM Valdir, de Planaltina, negro alto e forte, fica bem na frente da mesa. Encara Itamar e o insulta o tempo todo. Na edição de 18 de março de 1998, *Veja* registrou alguns dos insultos: "Você está acabado." Ou: "Vai para casa, traidor." Ou: "Seu pão de queijo já murchou." Estilo eleições a bico de pena e das cacetadas da República Velha.

Um PM ficava encarando e xingando Itamar o tempo todo.

Atrás de Itamar posta-se outro PM que, fingindo-se de assessor, fica abaixando-se e, no ouvido do ex-presidente, bafeja sabe-se lá quais insultos. Convencionais de peso, diante do clima, se retiram.

A convenção do PMDB miou.

Mesmo atordoado, Itamar identificou a origem da recepção que o fez murchar na convenção. "Quando fui impedido de falar pelos gritos e vaias, só me veio um pensamento: meu Deus do céu, que mal eu fiz ao presidente Fernando Henrique?", protestaria o quase candidato do PMDB à *Veja*.

Ficava praticamente garantido um segundo mandato para FHC. Não passou sem protestos eloquentes. Sob o título *A reeleição é um insulto à nação*, o ex-senador Paulo Brossard, jurista gaúcho, escreve num dos prefácios do livro citado que nos serviu de fonte:

> *A reeleição é um insulto à nação, aos 150 anos de Brasil independente, a todos os homens públicos que passaram por este país.*
>
> *Se o presidente Castelo Branco tivesse querido, também teria sido reeleito. Não lhe faltaria apoio. Se o general Geisel quisesse, também teria sido reeleito.*
>
> *Pois bem. Foi preciso que chegasse à presidência da República não um militar, não um general, mas um civil, não um homem de caserna, mas um professor universitário, para que o Brasil regredisse ao nível mais baixo da América Latina, em matéria de provimento de chefia de Estado.*

* * *

Muita celeuma causaria 14 anos depois o apoio de Paulo Maluf à candidatura do petista Fernando Haddad à Prefeitura de São Paulo. Numa entrevista em fins de junho de 2012, Maluf rebateria aos que desdenharam tal apoio. Lembrou que apoiou o tucano Mário Covas em 1994, e Covas venceu. Mais:

"Em 1998, apoiamos FHC, que teve 51% dos votos. Se não fosse meu apoio, ia para o segundo turno contra Lula."

Talvez já ali perdesse, pois os índices de popularidade vinham caindo. Ou melhor, aquela foi "a vitória da minoria", como bem anotou

Rubem Azevedo Lima, o jornalista que aparece logo nas primeiras linhas deste livro amparando Miriam Dutra. Com aquele título, *A Vitória da Minoria*, Rubem assina o prefácio do esclarecedor livro *A Eleição da Reeleição*, de Sebastião Nery. Rubem aponta fatores que levaram à terceira derrota de Lula em eleições presidenciais:

- ✓ bombardeio das mensagens indutoras da ditadura do pensamento único, impostas pelos meios de comunicação;
- ✓ esquema infalível para assegurar a vitória do presidente candidato à reeleição e da maioria dos governadores que o apoiavam: não precisaram afastar-se do cargo e perder o controle das máquinas de pressão administrativa;
- ✓ até a Justiça Eleitoral ajudou, manifestando-se a favor da vitória do candidato à reeleição;
- ✓ parte da imprensa chegou às raias do terrorismo, ao sustentar que a vitória do adversário poderia levar o Brasil ao caos.

E "apesar de tão fantástica mobilização de meios e recursos", aponta Rubem, FHC "conseguiu apenas um terço dos votos válidos". A Constituição havia instituído o princípio da maioria absoluta mas, "incoerentemente", eliminou para fins deste item "a contagem de votos brancos e nulos". Assim, o total de eleitores que não votaram em FHC "foi mais de duas vezes superior ao dos que o reelegeram". A mídia hegemônica ignorou a aritmética e tratou de esconder que Fernando Henrique não representava nem de longe a maioria. Rubem lamenta:

"Os que se omitiram na eleição das reeleições, deixando-se manipular pelas pesquisas ou mensagens que os desestimulavam de comparecer às urnas, ajudaram, portanto, a derrotar o Brasil do povo brasileiro."

CAPÍTULO 14
Filhos, melhor não tê-los ou: a vida mansa de PHC e sua turma

Tempero espanhol na fritura — Chuva ácida na biografia de Covas — Ganha bem e trabalha pouco — A filha do senador e o festival de contratos — Testa de ferro da Disney

Ruth Cardoso liga da residência oficial do presidente da República em Brasília, o Palácio da Alvorada, para o Ministério da Fazenda, na Esplanada dos Ministérios. Pede ao chefe de gabinete que transfira a ligação para o ministro Pedro Malan.

O funcionário diz "um momento, dona Ruth", aperta teclas para avisar ao ministro da Fazenda que a mulher do presidente está na linha. Ao ouvir o cumprimento de Malan, Ruth Cardoso é econômica:

"Um instante, Pedro. O Paulo Henrique quer falar com você."

E Pedro Malan só atende porque "dona Ruth", todos sabem, quando faz um pedido é ordem. A simples menção ao filho mais velho de Ruth Cardoso aciona na memória do ministro uma série de empresas e organizações: Firjan — a Federação das Indústrias do Estado do Rio de Janeiro; Grupo Ypiranga — das tintas e vernizes; White Martins — a gigante latino-americana dos gases industriais e medicinais; Grupo Vicunha — maior indústria têxtil do mundo... A cena se repetirá inúmeras vezes até que, um dia, Malan reclamará com FHC, que cortará rente:

"Não o atenda mais."

O espírito de preservação falou mais alto no peito do presidente. Ele sabe dos pepinos e abacaxis que certos rebentos costumam aprontar para os pais. FHC vem convivendo com abacaxis e pepinos praticamente em família, pois aconteceu recentemente algo que envolvia o filho de um amigo de longos anos. Deu-se que seu ex-ministro da Justiça, o alagoano Renan Calheiros, derrubado a 19 de julho de 1999 após 465 dias lutando para manter o cargo, sentiu sabor de tempero espanhol na fritura que o levou a pedir o boné. E deu o troco de bate-pronto.

No mesmo dia da demissão, o ex-ministro protocola, na Casa Civil do Palácio do Planalto, carta em que faz graves acusações ao governador paulista, Mário Covas, e seu filho Mário Covas Neto, o *Zuzinha*. Renan Calheiros insta o presidente a tomar providências. FHC toma duas: primeiro, envia cópia da carta ao amigo Covas; segundo, toma a atitude que sempre toma em situações delicadas — não toma mais atitude alguma. O Planalto não responde à carta, nem responderá ao discurso que seu autor pronunciará no Senado, pouco depois de, apeado do Ministério da Justiça, reassumir a cadeira de senador pelo PMDB alagoano. Renan, agora no Congresso Nacional, ataca novamente Covas:

"O governador explicitou divergências durante minha gestão no Ministério da Justiça. Todas elas geradas de interesses inconfessáveis, que cobririam de lama a até então imaculada biografia do vetusto governador paulista", discursa o senador em plenário.

Diante do silêncio dos palácios do Planalto e dos Bandeirantes, os jornalistas Mino Pedrosa e Wladimir Gramacho, que assinam reportagem sobre o caso na revista *IstoÉ*, comentam:

Há um dilema no ar. Ou o senador Renan Calheiros, que foi ministro da Justiça, é um irresponsável, leviano, que perdeu a cabeça junto com o cargo, ou existe algo de podre no reino de Covas.

Mário Covas, de origem espanhola, tem outro grande amigo, e compadre, Antônio Dias Felipe, que por sinal atende pelo apelido de *Espanhol* e tem ligações com o filho do governador paulista. Na carta de 54 linhas, cuja cópia os jornalistas de *IstoÉ* obtiveram e publicaram, o ex-ministro da Justiça de FHC acusa Covas de tráfico de influência ao tentar transferir, para empresas de amigos, o serviço de inspeção de veículos, nova exigência do Código Nacional de

Trânsito que renderá bilhões a seus administradores e irá, anos mais tarde, enredar em acusações de desvios bilionários prefeitos como o de São Paulo, Gilberto Kassab. Revela Renan que foi procurado pelo próprio secretário de Segurança paulista, Marco Vinício Petrelluzzi, a pedido de Covas.

"Ficou claro", afirma Renan, "que a empresa beneficiada seria a Tejofran."

Refere-se à empresa de Antônio Dias Felipe, o *Espanhol*, que teria a participação de *Zuzinha*. Em outro trecho da carta, chama atenção um processo (08200007434/97-55) do Departamento de Polícia Federal.

"A irritação do governador paulista com minhas atitudes chegou ao ápice", escreve Renan, "quando revoguei a Concorrência 02/97 — DPF, no valor de 170 milhões de reais, de interesse da empresa Tejofran Saneamento e Serviços Gerais, muito ligada a ele e a seu filho, certo *Zuzinha*, que detinha 20% do consórcio. Após ganhar a licitação, essa gente passou a exigir um escandaloso indexador em moeda americana com o obscuro objetivo de reajustar seus preços."

Em consórcio com a Siemens, a empresa tentou dolarizar o valor dos serviços prestados, ao que se opôs Byron Costa, consultor jurídico do Ministério da Justiça, alegando que aquilo "violaria o procedimento licitatório".

Espanhol comprou a Tejofran em 1975. Serviria como "guarda-chuva", empresa que disputa concorrências e, a cada uma que vence, terceiriza a prestação dos serviços. Em duas décadas, tinha já 23 escritórios no interior paulista, com 14 mil funcionários, e enveredou pelos ramos mais diversos:

- ✓ administração de rodovias,
- ✓ atendimento hospitalar,
- ✓ confecção de passaportes,
- ✓ conservação de ferrovias e metrô,
- ✓ energia elétrica,
- ✓ fornecimento de mão de obra,
- ✓ saneamento,
- ✓ telecomunicações.

ISTOÉ

LEIA A ÍNTEGRA DA CARTA A FHC NA PÁG. 24

EX-MINISTRO DA JUSTIÇA ACUSA COVAS DE CORRUPÇÃO

MÃE-DE-SANTO É AMEAÇADA, FAZ NOVAS REVELAÇÕES E CUNHADA DE PC DENUNCIA AUGUSTO FARIAS

Renan Calheiros entra para o rol de inimigos do tucanato covista.

CAPA

AS DENÚNCIAS

O ex-ministro da Justiça acusa Covas, o filho e um compadre de Covas, vingando-se da fritura que o vitimou.

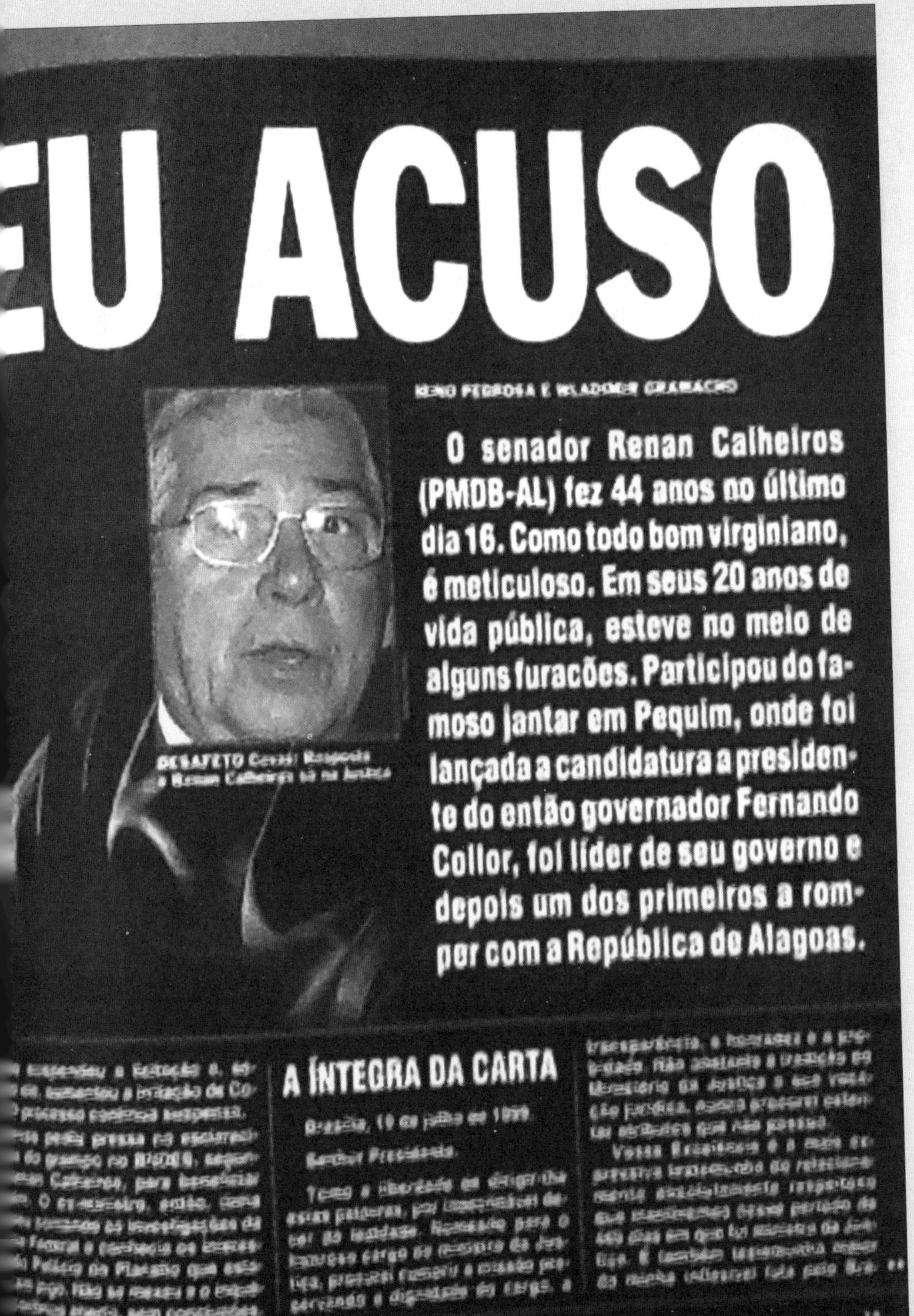

EU ACUSO

RENO PEDROSA E WLADOMIR GRAMACHO

O senador Renan Calheiros (PMDB-AL) fez 44 anos no último dia 16. Como todo bom virginiano, é meticuloso. Em seus 20 anos de vida pública, esteve no meio de alguns furacões. Participou do famoso jantar em Pequim, onde foi lançada a candidatura a presidente do então governador Fernando Collor, foi líder de seu governo e depois um dos primeiros a romper com a República de Alagoas.

DESAFETO Collor Responde a Renan Calheiros lá na Justiça

A ÍNTEGRA DA CARTA

Brasília, 19 de julho de 1999.

Senhor Presidente,

[texto ilegível]

Naturalmente, a Tejofran e outra empresa do *Espanhol*, a Power, contribuíram para a campanha de Covas em 1994. E naturalmente seus contratos com o governo paulista subiram: de 20 milhões de reais em 1994 para 142 milhões em 1995, segundo levantamento da *Folha de S. Paulo*. Ainda naturalmente, os contratos com o governo federal também aumentarão uma vez eleito FHC: em 1995, a União pagou à Tejofran 3 milhões e 900 mil reais. Em fins do "primeiro reinado", já são 5 milhões e meio.

Os primeiros arranhões vêm a público em 1997: o TCE, Tribunal de Contas do Estado, denuncia a Tejofran por explorar o pedágio na Rodovia Carvalho Pinto sem licitação; a 6ª Vara da Fazenda Pública em São Paulo determina a indisponibilidade dos bens da empresa por desrespeitar contrato com a Eletropaulo; e uma auditoria do governo descobre esquema de corrupção na prestação de serviços a três hospitais da Grande São Paulo: envolve a Power e a Tejofran. O senador Renan Calheiros lança no ar uma frase premonitória para resumir o assunto:

"O *Zuzinha* é a chuva ácida que um dia vai erodir a biografia de Mário Covas."

Cada companhia! A 1ª era herdeira de um banco que quebrou

Fernando Henrique pensa no filho que teve, o primeiro.

Com o título de *As andanças do filho do presidente*, a revista *IstoÉ Gente* publica em 1999 um perfil de Paulo Henrique, assinado por Cláudia Carneiro. Diz a abertura:

Paulo Henrique Cardoso trabalha em revista trimestral, anda numa BMW blindada e usa jatinho de empresário para voar entre Rio e São Paulo.

A foto mostra um jovem senhor "saradão", de 45 anos, fazendo caminhada na praia carioca de São Conrado, onde mora, às 11 horas de uma sexta-feira, "antes de ir para o trabalho".

O PRÍNCIPE DA PRIVATARIA

Um "empresário importante" ficou espantado com a sem-cerimônia com que PHC fazia contatos com altas autoridades em Brasília. Ele disse a Policarpo Junior e Consuelo Dieguez, de *Veja*, que publicaram na edição de 29 de novembro de 2000 a reportagem *O estilo de Paulo Henrique*:

"Ele não se dá conta de que isso não fica bem para alguém na sua posição, parece um pouco ingênuo."

IstoÉ Gente traça o perfil do primogênito de FH: anda de BMW e voa de jatinho.

Levado pelo "primeiro filho" a encontrar um ministro, vê Paulo Henrique chegar ao ministério, entrar sem se identificar e sair "abrindo pessoalmente todas as portas até chegar à sala do ministro".

De uma casa bancária, o extinto Banco Nacional, PHC sacou a herdeira, Ana Lúcia Magalhães Pinto, com quem manteve casamento de 17 anos. Tiveram filhas gêmeas. Viajavam Brasil e mundo afora num jatinho da Lider mantido à disposição. Os cunhados pagavam as contas e ajudaram FHC a eleger-se presidente: em 1994, com milhares de empréstimos a clientes fictícios gerados pelo contador Clarimundo Sant'Anna na tentativa de salvar a casa já em escombros, o Banco Nacional foi um dos maiores doadores da campanha de FHC.

No *réveillon* de 1994, véspera de assumir o gabinete da presidência da República, o recém-eleito presidente aparece alegre ao lado de

Marcos, irmão de sua nora Ana Lúcia. Em 1995, antes do primeiro aniversário do primeiro mandato de FHC, o Banco Central decreta a liquidação do Nacional (o Unibanco pegou a massa falida, o filé).

Dois meses depois, PHC deixa Ana Lúcia e suas gêmeas de 11 anos e se instala num hotel da grã-finíssima avenida Vieira Souto, de frente para o mar de Ipanema. O fax que ordena o pagamento das despesas do hotel exibe o logotipo de um grupo têxtil. Em 1993, quando Itamar era presidente e FHC seu ministro da Fazenda, Steinbruch foi agraciado com a usina de Volta Redonda, a CSN, Companhia Siderúrgica Nacional, patrimônio do povo brasileiro, agora privatizado. Getúlio Vargas arrancou a CSN de Franklin Delano Roosevelt durante a II Guerra Mundial (1939-1945), num acordo de estadistas com que deu a largada para a criação de nossa indústria de base.

As gêmeas têm 11 anos em 1997 quando os pais se separam, depois que o Banco Central interveio nas empresas da família Magalhães Pinto. O rombo bilionário que extinguiu o Banco Nacional, do qual a mulher de PHC era herdeira, é tido como a maior fraude financeira da história do Brasil — pois, é o que se diz, atingiu quase um terço do dinheiro circulante.

De novo solteiro, por oito meses namora Tereza Collor, viúva de Pedro Collor de Mello; depois, a consultora de artes Evangelina Seiler, com quem ainda estará nos dias em que se redige este livro. Então, no fim da década de 1999, PHC irá se meter em negócio com a filha de uma das mais funestas figuras da República.

Do "rolo de Hannover" ao "rolo da Rádio Disney", uma década de rolos

Meados de 1999. Abre-se um caixa com dinheiro público que contém 14 milhões de reais. Destinam-se à montagem do pavilhão brasileiro numa exposição a inaugurar-se na Alemanha em 1º de junho do ano seguinte. A Expo 2000 de Hannover muda a rotina de PHC. Viaja a Brasília quase toda semana. Declara a um jornalista:

"Não ganho um tostão nesse trabalho."

Se precisa ficar na capital da República, hospeda-se na casa dos pais, o Palácio da Alvorada. PHC representa um grupo de empresas no Comissariado Geral que levará produtos e projetos culturais do Brasil a Hannover. O pai o pôs ali, ao constituir por decreto o Conselho Empresarial para os 500 Anos — da "descoberta" de Cabral —, em parceria com o CEBDS, Conselho Empresarial Brasileiro para o Desenvolvimento Sustentável. Falta alguma peça para encaixar nesse quebra-cabeça. Ela se evidencia em

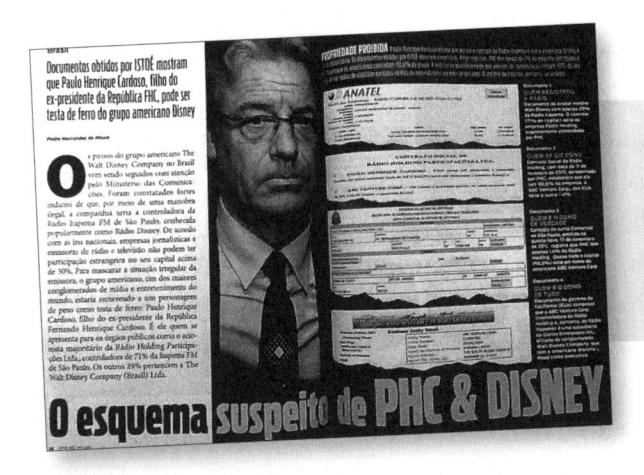

Louco pela Disney: o fascínio pelos "stêites" será hereditário?

11 de setembro de 1999. Cláudio Humberto — aquele do "bateu, levou", assessor de imprensa do ex-presidente Collor — publica em sua coluna, que se espalha por inúmeros jornais país afora, a seguinte nota:

Ação entre amigos

Uma agência de Santa Catarina, a Artplan Prime, venceu a concorrência da conta internacional da Embratur. Se não tem estatura nem credibilidade para atuar no exterior, a pequena empresa tem um trunfo valioso: pertence a Fernanda Bornhausen, filha do senador Jorge Bornhausen (SC), presidente nacional do PFL, e seu sobrinho Ricardo Dalcanale Bornhausen, além da própria Artplan do Rio, cujo proprietário é o deputado Rubem Medina (PFL).

Ah, outra coincidência: o diretor de Marketing da Embratur, o catarinense Roston Luiz Nascimento, deve obediência ao senador. E todos vivem felizes para sempre.

Sim, o filho de Fernando Henrique vai se juntar à filha de Jorge Konder Bornhausen. Tal filho, tal pai.

Já se sabia da ligação de PHC com Rubem Medina, deputado do PFL fluminense — a quem Leonel Brizola aplicou pitoresca qualificação, durante a campanha eleitoral para governadores de estados em 1982, quando um repórter perguntou se temia Medina, que, bem colocado nas pesquisas para o governo do Rio de Janeiro, despencou depois desta:

"Mas, meus amigos", observou Brizola, "este é um bundinha."

Medina na mesma barca de PHC era de se esperar. Surpresa é a presença de Ricardo Dalcanale Bornhausen e Fernanda Bornhausen, ele sobrinho, ela filha de Jorge, por meio da Artplan Prime, esta fincada em Florianópolis — a capital catarinense.

Jorge Bornhausen foi padrinho político do paranaense Rafael Greca, ministro do Esporte e Turismo, pasta à qual está ligada a Embratur (Instituto Brasileiro de Turismo). Greca, por cerca de um ano, balançou no cargo, mas Jorge não o deixou cair.

O governo bancaria estande de 2.000 metros quadrados, com pavilhão de dois andares, para aproveitar e comemorar na Alemanha os 500 anos do Descobrimento. Parte do dinheiro viria da Fundação Universidade do Paraná, estado de Greca. Mas a maior parte sairia da Embratur. A Artplan pegou a verba para lustrar paredes do pavilhão, contratar artistas — e para realizar serviços extras, entre outros comprar lembranças para os donos da agência.

A Embratur, sob pressão devido ao atraso nas obras em Hannover, pôs a culpa em Greca, que ficou "um ano discutindo com o Itamaraty" e, só quando chegou fevereiro de 2000, percebeu que não havia ninguém para montar o pavilhão. "Irresponsabilidade", disse o presidente da Embratur, Caio Luis de Carvalho. Para o procurador Luiz Francisco Fernandes de Souza, houve "desvio de finalidade". E no meio do "festival de subcontratos" feitos pela Artplan Prime, ele encontrou um com uma empresa em Lisboa, cidade onde Jorge Bornhausen tinha servido como embaixador até 1998.

Sob o argumento de que não havia opção "diante da não aprovação do Orçamento da União", contratou-se tudo e a todos sem licitação, inclusive a diretora teatral Bia Lessa, amiga da família Cardoso, que recebeu 580 mil reais para criar o pavilhão, a cuja inauguração compareceu FHC em pessoa, apesar dos protestos veiculados na mídia.

PHC reclamava com os jornalistas por publicar críticas ao "rolo de Hannover":

"As redações cometeram um crime contra o Brasil."

Com o filho de FHC não aconteceu nada — ele seguirá "henricando", até se tornar nada mais nada menos que sócio da Disney, como veremos no fim do capítulo. Mas para Fernanda, filha de Bornhausen, e seu primo Ricardo, sim, Hannover trouxe problemas.

Em fins de 2002, a Justiça Federal de Santa Catarina condenou os dois e a Artplan Prime a devolver 193.300 reais aos cofres públicos por "violação à Lei de Licitações e gastos irregulares na Feira de Hanover". Três anos depois, a 3ª Turma do Tribunal Regional Federal (TRF) da 4ª Região os absolveu, por entender que o autor da ação, o médico catarinense Ricardo Bartieri, "não demonstrou efetivamente que os réus tenham praticado qualquer ato lesivo ao patrimônio público".

Mais uma vez, apenas um sustinho, agora para a filha de Jorge Bornhausen.

PHC gosta da Disney? Se gosta, é terrível; se não gosta, é pior ainda

Será o fascínio pela Gringolândia hereditário? É a ele que devemos o ingresso de PHC no mundo do entretenimento à americana.

Em fins de novembro de 2010, a *Folhinha*, suplemento da *Folhona* para crianças, anuncia que a Rádio Disney entra no ar, com "a proposta de interatividade: o ouvinte participa dando sugestões por telefone e Internet, ou participando de promoções exclusivas"; serão "24 horas de programação com foco no *pop rock* atual". A nota para a criançada termina com um convite e a aprovação da *Folha*:

"Boa diversão!"

Depois do "rolo de Hannover", o "rolo da Rádio Disney". Passado um ano, *IstoÉ* será a primeira a noticiar "suspeitas" de que PHC seria testa de ferro da Disney Enterprises Inc. no Brasil, por meio da Rádio Disney, ali posto como sócio da ex-rádio Itapema FM de São Paulo, na frequência que pertencia à rede RBS, que domina as comunicações de Porto Alegre a Florianópolis.

O *Estadão* deu que o Ministério das Comunicações "abriu processo administrativo para apurar se a rádio Itapema FM, de São Paulo, de propriedade do empresário Paulo Henrique Cardoso (...), cumpre a regra que limita a 30% o capital estrangeiro em empresas nacionais de radiodifusão".

Segundo informa seu *site*, a Disney segue programação semelhante às "irmãs" já espalhadas por dez países: Argentina, Paraguai, Uruguai, Equador, Guatemala, República Dominicana, Costa Rica, Nicarágua, Panamá e Chile. É uma metástase.

Ouvimos a Rádio Disney paulistana por meia hora numa terça-feira, 27 de março de 2012, entre 16 horas e 16h30.

Nossa opinião: é um braço hertziano de Tio Sam para manter a debilidade mental de quem já é débil mental e formar novíssima geração de mascadores de chiclete, leitores de Sidney Sheldon, comedores de McLanche, fãs do lixo musical *made in USA*. Se você acha que exageramos, ouça 91,3 FM, Rádio Disney. Constate com seus próprios ouvidos. Lembra a invasão sonora ianque pós-1964, por meio — em São Paulo — da antiga Rádio Excelsior.

Até então, no Brasil era possível ouvir no rádio música popular brasileira, norte-americana, italiana, francesa, britânica, até japonesa, árabe e de outros povos. Agora, há rádios que tocam mais música dos Estados Unidos do que brasileira.

A investigação foi aberta, segundo a *Folha de S. Paulo*, porque os sócios estrangeiros da emissora têm poderes que apontam para a possibilidade de ser os verdadeiros donos — o que a Constituição não permite — e não PHC, brasileiro nato. *IstoÉ* informou que, segundo documentos que obteve, PHC "pode ser testa de ferro do grupo americano Disney", um dos maiores conglomerados de mídia e entretenimento do mundo.

A suspeita é de que PHC seja testa-de-ferro da Disney.

Documentos obtidos pela revista em novembro de 2011 demonstram que a participação de PHC no capital da Rádio Disney é apenas simbólica. Na ficha da Junta Comercial do Estado de São Paulo quem aparece como sócia majoritária é a empresa americana ABC Venture Corp. Após o flagrante, a Junta emite comunicado informando que algum funcionário trocou por engano a composição acionária e foi afastado. Descobriu-se também que o endereço fornecido não batia com o do lugar onde a rádio funcionava. Um novo rolo mesmo.

Será que PHC gosta da Rádio Disney? Se gosta é terrível. Se não gosta, pior ainda: entrou nessa por entreguismo.

Até a preparação deste livro não havia conclusão das investigações do Ministério das Comunicações sobre a nova diversão do filho do ex-presidente.

CAPÍTULO 15
Millôr e João Ubaldo demolem a obra do príncipe dos ociólogos

Mais ininteligível que sânscrito — Formulou o enfoque como análise! — Esquecessem o que escreveu: alguém poderia lembrar? — "O senhor me traiu" — Em comum com Nabuco duas coisas: o pensar em francês e a alienação — Um barroco-rococó na Academia Brasileira de Letras

> Quem é supremamente vaidoso, se acha sempre supremamente modesto. Esse ser existe materializado em FhC (superlativo de PhD). Um umbigo delirante.
> **Millôr Fernandes (1923-2012)**

Essa é do tempo em que o melhor jornal do Brasil era o *Jornal do Brasil* — o JB. Em suas páginas de opinião, abrigava a coluna do humorista Millôr Fernandes, sobre quem o cineasta Glauber Rocha escreveu a outro grande humorista:

"Não adianta, Henfil. O homem mais inteligente do Brasil é o Millôr Fernandes."

Nas páginas do JB, Millôr deu início à desconstrução de dois ex-presidentes da República que escreveram livros. Em 2002, ele publicaria *Crítica da Razão Impura ou O Primado da Ignorância*, sobre duas obras, de José Sarney e FHC. De *Brejal dos Guajas*, de Sarney, ele diz que "só um gênio conseguiria fazer um livro errado da primeira à última página". Ele escreve quando Sarney, na presidência da República, "ameaça" dedicar-se apenas à literatura, o que, segundo o humorista, já seria motivo de *impeachment*:

> *Brejal dos Guajas só pode ser considerado um livro porque, na definição da Unesco, livro "é uma publicação impressa, não periódica com*

um mínimo de 49 páginas". O Brejal tem 50. Materialmente Sir Ney excedeu-se em uma página. Contam os íntimos que o "escritor", depois de 20 anos de esforço bateu o ponto final na página 50 e gritou, aliviado, pra dona Kyola: "Mãiê, acabei!"

Já sobre o livro de FHC, *Dependência e Desenvolvimento na América Latina*, escrito durante o "exílio" no Chile em 1970 junto com o chileno Enzo Faletto, Millôr explica primeiro por que resolveu ler:

De uma coisa ninguém podia me acusar — de ter perdido meu tempo lendo FhC (superlativo de PhD). Achava meu tempo mais bem aproveitado lendo o Almanaque da Saúde da Mulher. *Mas quando o homem se tornou vosso presidente achei que devia ler o* Mein Kampf *("minha luta", em tradução literal) dele, quando lutava bravamente, no Chile, em sua Mercedes ("A mais linda Mercedes azul que vi na minha vida", segundo o companheiro Weffort, na tevê, quando ainda não sabia que ia ser ministro), e nós ficávamos aqui, numa boa, papeando descontraidamente com a amável rapaziada do Dops/Doi-Codi.*

Quando afinal arranjei o tal opus magnum — Dependência e Desenvolvimento na América Latina *—, tive que dar a mão à palmatória. O livro é muito melhor do que eu esperava. De deixar o imortal Sir Ney morrer de inveja. Sem qualquer* parti pris, *e sem poder supervalorizar a obra, transcrevo um trecho, apanhado no mais absoluto acaso, para que os leitores babem por si:*

"É evidente que a explicação técnica das estruturas de dominação no caso dos países latino-americanos, implica estabelecer conexões que se dão entre os determinantes internos e externos, mas essas vinculações, em qualquer hipótese, não devem ser entendidas em termos de uma relação 'causal-analítica', nem muito menos em termos de uma determinação mecânica e imediata do interno pelo externo. Precisamente o conceito de dependência, que mais adiante será examinado, pretende outorgar significado a uma série de fatos e situações que aparecem conjuntamente em um momento dado e busca-se estabelecer, por seu intermédio, as relações que tornam inteligíveis as situações empíricas em função do modo de conexão entre os componentes estruturais internos e externos. Mas o externo, nessa perspectiva, expressa-se também como um modo particular de relação entre grupos e classes sociais de âmbito das nações subdesenvolvidas. É precisamente por isso que tem validez centrar a análise de dependência em sua manifestação interna, posto que o conceito de dependência utiliza-se como um tipo específico de 'causal-significante' — implicações determinadas por um modo de relação historicamente dado e não como conceito meramente 'mecânico-causal', que enfatiza a determinação externa, anterior, que posteriormente produziria 'consequências internas.'"

E ainda pediu para que esqueçamos o que escreveu. Quem é que conseguiria se lembrar? Millôr, na sequência, lança um concurso:

Qualquer leitor que conseguir sintetizar, em duas ou três linhas (210 toques), o que o ociólogo preferido por 9 entre 10 estrelas da ociologia da Sorbonne quis dizer com isso, ganhará um exemplar do outro clássico já comentado na primeira parte desta obra: Brejal dos Guajas — *de José Sarney.*

Millôr desafia seus leitores, e você que me lê:

"Se não acreditam que o trecho foi escolhido ao acaso, leiam o livro todo. Vão ver o que é bom!"

O humorista destaca passagem mais ininteligível do que se estivesse escrita em sânscrito:

"É oportuno assinalar aqui a influência dos livros como de Talcott Parsons, *The Social System*, Glencoe, The Free Press 1951, ou o de Robert K. Merton, *Social Theory and Social Structure*, Glencoe, The Free Press 1949, desempenharam um papel decisivo na formulação desse tipo de análise do desenvolvimento. Em outros autores enfatizaram-se mais os aspectos psicossociais da passagem do tradicionalismo para o modernismo, como em Everett Hagen, *On the Theory of Social*

Change, Home Wood, Dorsey Press 1962, e David McClelland, *The Achieving Society*, Princeton, Van Nostrand 1961. Por outro lado, Daniel Lemer, em *The Passing of Traditional Society: Modernizing the Middle East*, Glencoe, The Free Press 1958, formulou em termos mais gerais, isto é, não especificamente orientados para o problema do desenvolvimento, o enfoque do tradicionalismo e do modernismo como análise dos processos de mudança social."

Millôr nos convida a apreciar a pândega literária:

Amigos, não é genial? **Formulou** *(em termos mais gerais, isto é, não especificamente orientados para o problema do desenvolvimento)* **o enfoque** *(do tradicionalismo e do modernismo)* **como análise** *(dos processos de mudança social).*

<u>***Formulou o enfoque como análise!***</u>

*É demais! É demais! E sei que o vosso sábio governante, nosso **FhC**, espécie de Sarney barroco-rococó, poderia ir ainda mais longe.*
*Poderia **analisar a fórmula como enfoque**.*
*Ou **enfocar a análise como fórmula**.*
É evidente que só não o fez em respeito à simplicidade de estilo.

Millôr não vê salvação:

O que me impressiona é que esse homem, que escreve mal — se aquilo é escrever bem, o meu poodle é bicicleta — e fala pessimamente — seu falar é absolutamente vazio, as frases se contradizem entre si, quando uma frase não se contradiz nela mesma — é considerado o maior sociólogo brasileiro.

Relembra o humorista que, já no governo, FHC pediu que os brasileiros esquecessem o que ele escreveu. E pergunta:

Alguém poderia lembrar?

João Ubaldo x FHC: briga pela Academia Brasileira de Letras

Em julho de 2010, em seu blog *Brasília, eu vi*, o repórter Leandro Fortes puxa "do fundo do baú" artigo do escritor baiano João Ubaldo Ribeiro de 25 de outubro de 1998, guardado por 12 anos. Publicou "porque esperava justamente esse momento: agora que Fernando Henrique Cardoso, alijado da política e na iminência de cair no esquecimento público, se candidatasse a uma vaga na Academia Brasileira de Letras". Em 2010, pela segunda vez FHC se insinuava candidato ao fardão, citado em colunas de jornal, confiante em que a ABL não passava de uma confraria sujeita a influências políticas, ou à bajulação, embora tenha sido fundada por um gênio como Machado de Assis e sempre tenha abrigado grandes nomes da nossa literatura, como o próprio João Ubaldo Ribeiro. Grandes nomes misturados a nomes eminentes em outras esferas mas de obra literária medíocre ou inexistente, como José Sarney, o cirurgião plástico Ivo Pitanguy, o general Aurélio de Lira Tavares (codinome Adelita), eleito em 1970 com apoio do ditador Emílio Médici, o empresário Roberto Marinho, das Organizações Globo, eleito em 1993 com apoio de si mesmo.

Em 1998, FHC flertou com a ABL logo depois da segunda vitória contra Lula, no primeiro turno das eleições presidenciais, graças ao Plano Real e à aprovação, no Congresso Nacional, da emenda da reeleição, à custa de "escandaloso esquema de compra de votos". O devaneio do tucano foi abatido pelo artigo de João Ubaldo, publicado em *O Estado de S. Paulo*. No artigo, *Senhor Presidente*, o escritor dá parabéns a FHC pela reeleição, embora não tenha gostado, diz que votou nele em 1994 mas foi traído, que ele "é um sociólogo medíocre", cujo livro *O Modelo Político Brasileiro* parece "um amontoado de obviedades que não fizeram, nem fazem falta ao nosso pensamento sociológico". Conclui:

> *Já trocamos duas ou três palavras, quando nos vimos em solenidades da Academia Brasileira de Letras. Se o senhor, ao por acaso estar lá outra vez, dignar-se a me estender a mão, eu a apertarei deferentemente, pois*

não desacato o presidente de meu país. Mas não é necessário que o senhor passe por esse constrangimento, pois, do mesmo jeito que o senhor pode fingir que não me vê, a mesma coisa posso eu fazer. E, falando na Academia, me ocorre agora que o senhor venha a querer coroar sua carreira de glórias entrando para ela. Sou um pouco mais mocinho do que o senhor e não tenho nenhum poder, a não ser afetivo, sobre meus queridos confrades. Mas, se na ocasião eu tiver algum outro poder, o senhor só entra lá na minha vaga, com direito a meu lugar no mausoléu dos imortais.

* * *

O sonho da Academia balançou, mas FHC assanha-se de novo em 2003, quando morre o empresário Roberto Marinho, dono da cadeira 39, fundada pelo historiador pernambucano Manuel de Oliveira Lima. Na ocasião, a viúva do general civil de 1964, Lily Monique de Carvalho Marinho, manifestou o desejo de que FHC herdasse o assento. O ex-presidente agradeceu — João Ubaldo parecia um pesadelo a enfrentar — e continuou sonhando.

Sonhar é livre e imaginar também. Imagine que FHC, humano como nós, sonhava havia tempos com a Academia — o sodalício, o fardão, o discurso de posse, o chá da tarde.

Que cadeira gostaria de ocupar? — "na cadeira de Getúlio Vargas eu não sento". Guimarães Rosa, Machado de Assis, Dias Gomes... Visconde de Taunay... Coelho Neto... "Nabuco! Joaquim Nabuco: Quincas, o Belo. Tudo a ver comigo!"

Por vezes acordava pensando — que não se tornasse obsessão tal desejo. Tenta afastar a ideia, que se insinua como pecado moral, sou octogenário, dez anos apenas mais velho que um João Ubaldo, Roberto Marinho lá chegou aos 89, e viveu quase cem anos, não estou mal para um octogenário, quem sabe até — por ironia — substituo João Ubaldo, e ele próprio me absolveu em vida, pois não disse que eu lá só entraria na vaga dele?

Admira, sim, Joaquim Nabuco (1849-1910), escritor e diplomata, fundador da cadeira 27 da Academia, que tem como patrono o médico, poeta e político Maciel Monteiro, pernambucano como ele. Fernando Henrique não perde chance de citar Nabuco. Em 2010, centenário da morte do autor de *Um Estadista do Império*, na Faculdade de Filosofia onde estudou outrora, Fernando Henrique comparou numa palestra Nabuco a outro que pensava em francês, mas com legitimidade: o historiador, pensador político e escritor francês do século XIX Alexis de Tocqueville.

Nabuco escreveu também *Minha Formação*, livro que Darcy Ribeiro, embora reconheça no autor um "intelectual brilhante de sua geração", qualifica como "autobiografia clássica e chata, de um alienado", que "se vangloriava de pensar em francês" — como Fernando Henrique. E se você acha exagero, Darcy reproduz um trecho de Nabuco:

> *O sentimento em nós é brasileiro; a imaginação, europeia. As paisagens todas do Novo Mundo, a floresta amazônica ou os pampas argentinos, não valem para mim um trecho da Via Appia; uma volta da estrada de Salerno a Amalfi; um pedaço do cais do Sena à sombra do velho Louvre.*

Pelo que vemos neste capítulo, avalizado por um de nossos grandes pensadores, pelo maior escritor brasileiro vivo e por nosso antropólogo-mor, FHC só tem em comum com Joaquim Nabuco duas coisas: o pensar em francês e a alienação.

Mas, de tanto sonhar, FHC chegou enfim à ABL, eleito numa tarde de quinta-feira, 27 de junho de 2013. Ocupa desde então a cadeira 36, sucedendo o jornalista João de Scantimburgo. João Ubaldo se fez de morto. O jornalista Leandro Fortes não perdeu a deixa. De baiano para baiano, cutucou no Facebook: "Vem cá, João Ubaldo não passou quase 20 anos dizendo que FHC só entraria na ABL na vaga dele? Que enquanto estivesse vivo isso jamais aconteceria? E aí, João Ubaldo? Arregou?"

CAPÍTULO 16
Como se cria a tal de herança maldita

Entrevista póstuma com o "doutor em tudo" — Por que privatizações foram boas para "eles" e ruins para "nós" — O papel da mídia — Tudo combinado com os compradores — É como quem apanha e pede desculpas por gemer

Aloysio Biondi, "produto direto de Monteiro Lobato" segundo ele mesmo, "doutor em tudo" segundo o colega Washington Novaes, é o jornalista de economia e política mais completo que conhecemos. Intrépido e solitário marinheiro, rasgou as águas do neoliberalismo (eufemismo para o neocolonialismo, a velha expoliação imperialista), avançou contra a corrente do pensamento único, apontou no nascedouro que as privatizações seriam bons negócios para os compradores e péssimos para o Brasil. Em 44 anos de carreira, ocupou cargos de editor e diretor de redação em várias publicações. Ganhou dois Prêmios Esso de Jornalismo Econômico.

Um de nós, o coautor deste livro, Mylton Severiano, conhece Aloysio tão logo pisa na capital paulista em 1960, vindo de Marília para cursar Direito, e vai trabalhar na *Folha de S. Paulo*. Aloysio também vinha do interior. Nasceu em Caconde em 8 de julho de 1936 e cresceu na vizinha São José do Rio Pardo — 260 quilômetros ao norte da capital — onde já o apontavam como prodígio: "assombrou uma banca julgadora com seus conhecimentos sobre Euclides da Cunha e *Os Sertões* na olimpíada literária que se realizava todos os anos em homenagem ao escritor, que viveu ali um tempo" — recorda Washington Novaes na *Folha* de 22 de julho de 2000, dia seguinte à morte de Aloysio, de enfarte.

Amável, a assobiar passagens de música clássica enquanto reflete, Aloysio tem voz de barítono, levemente anasalada, agradável. Na *Doçura* — revista mensal de culinária, comportamento e economia doméstica criada em 1980 por Narciso Kalili — Mylton volta a trabalhar com ele; colaboram com *Caros Amigos*, lançada por Sérgio de Souza em 1997. Em *Doçura*, Aloysio assina coluna de economia... doméstica — como aproveitar sobras do almoço e preparar jantar que pareça novo prato?

Seu testemunho sobre a Era FHC, *O Brasil Privatizado*, de 1999, baseia-se em acervo pessoal de informações e na memória infalível. Aponta erros, favorecimentos, prejuízos para o povo. Na obra, que vendeu mais de 150 mil exemplares e se encontrava esgotada em 2013, nos abeberamos para a seguinte entrevista póstuma.

Tudo combinado para ajudar os compradores a adiar investimentos

Em seu livro, você diz que as privatizações foram "negócios da China" para os "compradores" e péssimos para o Brasil. Por quê?

Comecemos com alguns exemplos. Na venda do Banerj, o Banco do Estado do Rio de Janeiro, o "comprador" pagou apenas R$ 330 milhões e o governo do Rio tomou, antes, um empréstimo dez vezes maior, de R$ 3,3 bilhões, para pagar direitos dos trabalhadores.

No caso da Rodovia dos Bandeirantes, em São Paulo, a empreiteira que ganhou o leilão estava recebendo R$ 220 milhões por ano desde que assinou o contrato e até abril de 1999 não havia começado a construção da nova pista.

A CSN, Companhia Siderúrgica Nacional, foi comprada por R$ 1,05 bilhão, sendo R$ 1,01 bilhão em "moedas podres" — vendidas aos "compradores" pelo próprio BNDES, Banco Nacional de Desenvolvimento Econômico e Social. E financiado em 12 anos.

Já que somos jornalistas, qual a sua avaliação do papel da mídia no processo?

Ora, houve uma campanha contra as estatais nos meios de comunicação, verdadeira lavagem cerebral do povo para facilitar as privatizações. Entre os argumentos, aparecia sempre a promessa de que elas trariam preços mais baixos "graças à maior eficiência das empresas privadas".

Propaganda enganosa?

Pura enganação. Na telefonia e na energia elétrica, o projeto de governo sempre foi fazer exatamente o contrário, por baixo do pano, ou na surdina.

Você quer dizer que as tarifas não baixaram?

Antes de mais nada, é preciso relembrar: antes das privatizações, o governo já havia começado a aumentar as tarifas alucinadamente, para assim garantir imensos lucros aos "compradores" — e sem que eles tivessem de enfrentar o risco de protestos e indignação do consumidor. Para as telefônicas, reajustes de até 500% a partir de novembro de 1995, e para as elétricas, aumentos de 150% — ou ainda maiores para as famílias de trabalhadores que ganham menos, vítimas de mudanças na política de cobrança de tarifas menores nas contas de consumo mais baixo. Tudo "preparativo", ainda antes dos leilões.

Teria sido assim em outros países...

Negativo. Sempre escondido do povo, em vez de assinar contratos que obrigassem a Light e outros "compradores" a reduzir gradualmente as tarifas — como foi obrigatório em outros países —, o governo garantiu que eles teriam direito, *no mínimo*, a aumentar as tarifas todos os anos, de acordo com a inflação. Isto é, o governo fez exatamente o contrário do que jornais, revistas e tevês diziam ao povo, que acreditou em suas mentiras. Além dessa garantia de reajustes, os "compradores" das empresas de energia podem também aumentar preços se houver "imprevisto" — caso da maxidesvalorização do real no começo de 1999...

... e para as telefônicas, está no seu livro, apesar dos gordos aumentos concedidos antes da privataria, a obrigação de reduzir as tarifas dos serviços locais, os mais usados pelo "povão", só começa em 2001, não?

Exato: o governo, na surdina, combinou que as tarifas não cairiam em 1998, 1999 e 2000. E mais: para os serviços locais, a queda máxima "combinada" é de 4,9% no total.

Até quando mesmo?

Até 2005. Sete anos depois da privatização, o consumidor só terá 4,9% de redução acumulada. Bem ao contrário do que governo e mídia afirmaram.

Mas a qualidade do serviço não melhorou?

Outra mentira. O governo enganou a sociedade também com o anúncio de rápida melhoria dos serviços e promessa de punição para quem não atingisse as metas definidas nos contratos.

Usando os exemplos de energia e telefonia, como se comprova que mentiram?

Ora, o governo e os meios de comunicação sempre esconderam que as metas para as telefônicas somente valeriam a partir de?... dezembro de 1999. Isto é, na prática, os "compradores" poderiam deixar de atender os consumidores, ou não melhorar substancialmente os serviços, durante todo o segundo semestre de 1998 e o ano inteiro de 1999.

Mas por quê?

Porque, como as metas valem somente a partir de 2000, a Anatel (Agência Nacional de Telecomunicações), pretensamente encarregada de fiscalizar o setor, nada poderia fazer contra abusos, a não ser advertências...

Tudo combinado com os compradores?
... exatamente. Foi essa alegação, de que as metas valeriam só a partir de 2000, que a Anatel usou de dezembro de 1998 a março de 1999 para não tomar nenhuma providência contra os desmandos da Telefonica em São Paulo. Somente com a grita da população, desta vez merecedora de atenção da mídia, o governo se movimentou e puniu essas empresas, com base na lei que reformulou o sistema de telecomunicações e havia sido posta de lado nos contratos.

Houve incompetência? Ou má-fé?
Há quem acredite na boa-fé, que essas estranhas "bondades" foram provocadas apenas por incompetência... mas há quem prefira a hipótese de jogo de cartas marcadas, para permitir aos "compradores" adiar investimentos na melhoria dos serviços.

E na energia? A Light e outras elétricas?
Aqui, a "bondade" do governo bateu recordes. No caso da Light, o contrato previu — isto mesmo, previu — a piora dos serviços, pois permitiu um número maior de apagões, e também de interrupções mais prolongadas no fornecimento de energia.

Incrível.
Incrível? Pois essa piora autorizada foi denunciada antes mesmo da assinatura do contrato com a Light, por uma ong do Rio, o Grupo de Acompanhamento Institucional do Sistema de Energia, do qual o físico Luís Pinguelli Rosa é um dos integrantes.

Espantosa foi a história das "dívidas engolidas"

Mas havia multas para o caso de burla, não?
Sim, mas a multa fixada para as empresas de energia que desrespeitassem até os limites "simpáticos" combinados com o governo é absolutamente ridícula.

De quanto?

Apenas zero vírgula um por cento do faturamento anual. Ou seja, se a Light ou a Eletropaulo ou a Companhia Paulista de Força e Luz faturarem R$ 1,2 bilhão num ano, a multa será de apenas R$ 1,2 milhão... Deu para entender a jogada? Se as empresas privatizadas deixarem de investir R$ 100, R$ 200, R$ 400 milhões para atender moradores, indústrias, empresas de certa região, pagarão apenas R$ 1,2 milhão de multa...

Então, não é multa...

... claro! É prêmio do governo para os "compradores".

Outro argumento que tinha muita força, Aloysio, era de que estatais dão prejuízo, tiram dinheiro da saúde, da educação, e logo depois de privatizadas passam a dar lucro, e tal.

Esse argumento, largamente repetido para o povo, é igualmente falso.

Temos a lista aqui, dos pontos a considerar, para explicar os lucros rápidos das empresas privatizadas. Vamos lá: tarifas e preços.

Vamos lá. Os reajustes de 100%, 300%, 500% antes da privatização garantem lucros aos novos donos. E há aumentos até de última hora, como o reajuste de 58% para as contas de energia no Rio dias antes do leilão da Light.

Demissões.

O governo fez demissões maciças antes de privatizar, isto é, gastou bilhões com indenizações e direitos trabalhistas, que seriam de responsabilidade dos "compradores". São Paulo demitiu 10.026 funcionários de sua ferrovia, a Fepasa, de 1995 a 1998. E ficou ainda responsável pelo pagamento a 50 mil (50 mil!) aposentados. No Rio, o governo estadual demitiu 6.200 de 12.000 funcionários de seu banco, Banerj. Além disso, os "compradores" receberam folhas de pagamento mais baixas — e isto vale para todas as privatizadas.

Dívidas "engolidas", o que vem a ser isso?
Eis um ponto que nunca ficou claro para o povo brasileiro: em 30 anos, desde o fim dos anos 1960, o governo frequentemente usou estatais para "segurar" a inflação ou beneficiar certos setores da economia, ditos "estratégicos".

Como assim?
Houve períodos em que o governo evitou reajustes de preços e tarifas de produtos (como o aço) e serviços fornecidos pelas estatais, na tentativa de reduzir as pressões e controlar as taxas de inflação. Esses achatamentos e congelamentos de preços foram os principais responsáveis por prejuízos ou baixos lucros de algumas estatais, que passavam a acumular dívidas, sofrendo então nova sangria de recursos, representada pelos juros a pagar sobre as dívidas. Certo ou errado, as estatais foram usadas como arma contra a inflação por governos que achavam que o combate à carestia era a prioridade do país. O mal é que nunca foi suficientemente explicado ao povo que essa decisão arruinava as estatais, dando motivo a falsas acusações de "incompetência", "sacos sem fundo".

E quando veio a onda de privatizações...
Aí o governo fez exatamente o contrário. Primeiro, já vimos, aumentou os preços cobrados pelas empresas a privatizar (até 300% no aço) e tarifas (até 500%, repita-se).

Falta a história das dívidas "engolidas".
É o que é espantoso. O governo "engoliu", passou para o Tesouro dívidas das estatais, bilhões e bilhões que os "compradores" deveriam pagar — mesmo a longo prazo, mediante acordo com os credores.

HISTÓRIA AGORA

Privataria, em vez de reduzir, aumentou a dívida

Os compradores, como no poema do Manuel Bandeira, encontraram a casa limpa e a mesa posta. Você poderia nos dar exemplos?

A Cosipa, Companhia Siderúrgica Paulista: o governo ficou responsável por dívidas de R$ 1,5 bilhão, além do governo paulista adiar a cobrança de R$ 400 milhões de imposto atrasado — ICMS, Imposto sobre Circulação de Mercadorias e Serviços.

E quanto o governo recebeu pela venda?

Só R$ 300 milhões. Quer dizer, o governo "ganhou" uma dívida de R$ 1,5 bilhão e os "compradores" pagaram somente R$ 300 milhões.

Parece mulher de malandro que apanha e ainda pede desculpa por gemer... E a venda da CSN?

A venda da Companhia Siderúrgica Nacional, de Volta Redonda, não foi diferente. O governo "engoliu" dívidas de no mínimo R$ 1 bilhão. Então, pode-se entender que, com essa política, ficou muito fácil para os "compradores" ter grandes lucros rapidamente: já no primeiro ano, além das tarifas e preços majorados, além da folha salarial reduzida, eles se livraram de pagar prestações dessas dívidas, bem como os juros. Receberam as empresas limpinhas, prontas para lucrar.

Revoltante. Mas vamos a outro ponto, das "dívidas transferidas". O governo, escreve você no livro, sempre dizia que, além do preço da venda, devia-se levar em conta as dívidas das estatais transferidas para o comprador.

Nesse argumento há uma dupla mentira. Primeiro, há as dívidas "engolidas", sobre as quais os meios de comunicação nunca falam. Em segundo lugar, no caso das dívidas que permaneceram com os "compradores", é preciso lembrar que eles contavam com o faturamento para pagá-las. E as dívidas "engolidas" o governo tem de pagar com dinheiro do povo. Dinheiro nosso.

E o que são os "prejuízos bondosos", que também nunca vimos mencionados na mídia?

Trata-se de uma vantagem, sobre a qual nunca se fala, de que desfrutam os "compradores" de bancos estatais — à custa da Receita Federal, do pagamento de impostos. Eles podem usar os prejuízos que os bancos estatais "comprados" tenham acumulado nos balanços.

Mas usar, como?

Eles puderam subtrair esse prejuízo de seu próprio lucro, reduzindo-o e, portanto, diminuindo também o imposto de renda a pagar. O banco "comprador" do gaúcho Meridional pôde usar um prejuízo de R$ 230 milhões em seu benefício.

Quanto pagaram pelo Meridional?

Apenas R$ 267 milhões. Como usaram os R$ 230 milhões, o "gasto" seria na verdade de meros R$ 37 milhões.

Houve caso de venda de estatal com dinheiro em caixa, não?

Por incrível que pareça, sim. A Vale foi entregue a Benjamin Steinbruch com R$ 700 milhões em caixa.

É demais!

E mais, simplesmente espantoso: a Telesp tinha em caixa nada menos que R$ 1 bilhão (com letra **b**, mesmo), ao ser entregue à espanhola Telefonica, segundo entrevista do diretor da empresa "compradora" à *Gazeta Mercantil* em janeiro de 1999. Lembrete: a Telefonica pagou entrada de R$ 2,2 bilhões pela Telesp. Então o desembolso na verdade foi de apenas R$ 1,2 bilhão.

E isto era pago tudo à vista...
Não: na maioria das privatizações, em prestações. E com juros vergonhosamente baixos. Mesmo no caso das teles, houve parcelamento, cuidadosamente escondido por todo o noticiário.

Havia outros tipos de truque?
Nas primeiras privatizações, o governo chegou a aceitar que o pagamento fosse totalmente feito em *moedas podres*...

... *moedas podres*?...
... isto, títulos antigos emitidos pelo governo, que podiam ser comprados por até metade de seu valor. A própria CSN foi "vendida" no leilão por 1,05 bilhão, quase a totalidade em moedas podres, R$ 1,01 bilhão, e apenas R$ 38 milhões pagos em dinheiro. Há mais surpresas, porém. Mesmo *moedas podres* usadas nos leilões, o que é geralmente desconhecido pela opinião pública, também foram vendidas à prestação, financiadas pelo BNDES...

Mas como pode?...
... era o próprio banco do governo que tinha *moedas podres* guardadas e colocava em leilão, para os interessados, em condições incríveis: até 12 anos para pagar e com juros privilegiados. Ou ainda: os compradores não precisavam desembolsar dinheiro vivo nem mesmo para comprar as moedas podres... Sem gastar, viraram "donos" de estatais construídas com dinheiro — bilhões de reais — de todos nós, brasileiros, ao longo de décadas.

Em resumo, a privataria não reduziu nossa dívida nem o "rombo" do governo.
Ao contrário, as privatizações contribuíram para aumentá-los. E o governo ficou com dívidas, e sem as fontes de lucros para pagá-las. Ironicamente, o governo reconheceu isto com todas as letras. Na carta de intenções que o ministro da Fazenda Pedro Malan enviou ao FMI, inconscientemente o governo confessa

que o equilíbrio das contas ficou mais difícil porque... deixou de contar com os lucros que as estatais ofereciam como contribuição para cobrir o rombo até serem vendidas.

É de pasmar!
Pasme, mas é verdade.

O governo anunciava ainda — está no seu livro — outra vantagem das privatizações: criariam novos motores na economia com a contratação de encomendas a nossas indústrias, graças aos "gigantescos investimentos" nas telecomunicações, energia, área petrolífera, ferrovias...
... ao contrário! Com a conivência e até incentivos do governo, foram realizando importações, torrando dólares e ampliando o rombo da balança comercial (exportações menos importações). Além disso, passaram a fazer remessas maciças para seus países — lucros, dividendos, juros, até pagamento de "assistência técnica" ou "compra de tecnologia" das matrizes. Decisões do governo poderiam levar à redução das importações, mas as remessas às matrizes vão ficar. Para sempre.

De como a herança maldita poderia ter sido ainda pior

Antes de privatizar, você disse, o governo elevou os investimentos nas telecomunicações de R$ 3,5 bilhões para R$ 7 bilhões ao ano, mas o faturamento dos fabricantes brasileiros recuou, empresas fecharam, o desemprego aumentou...
O ralo está nas importações. As multinacionais — e beneficiadas por financiamentos do BNDES — passam a importar maciçamente. Alguns equipamentos chegam a usar 97% de componentes importados. Celulares chegam a usar de 85% a 100% — são apenas montados aqui. O governo tinha acenado

com a obrigatoriedade de 35% de peças nacionais. Recuou para 20%. E nas vésperas do leilão, descartou qualquer obrigatoriedade e estabeleceu, apenas, que o BNDES financiaria fabricantes brasileiros, mas em seguida houve novo recuo: financiamentos apenas para os "compradores". Em suma, nas primeiras "concorrências" para compra de equipamentos em março de 1999, a Telefonica, compradora da Telesp, não convidou uma única empresa brasileira para disputar as encomendas.

Quer dizer que a tão propalada "desindustrialização" começou lá atrás?
Começou lá atrás.

Você mostra que o déficit no setor das teles atingiu cifras "assombrosas", US$ 8 bilhões, capaz de devorar o valor das exportações e saldos positivos de outros setores, "sobretudo agricultura". Mas e o tamanho da sangria geral?
O dado (para todos os setores) é assustador: as remessas passaram de algo entre US$ 600 milhões e US$ 700 milhões por ano para atingir a faixa dos US$ 7,8 bilhões em 1998. Um salto de 1.000%, ou dez vezes maior. O mesmo fenômeno ocorreu com o pagamento de "assistência técnica" e "compra de tecnologia" (manobra usada também para remessa disfarçada de lucro às matrizes), que saltou de US$ 170 milhões para US$ 1,7 bilhão, de 1993 a 1998.

Esta foi a herança maldita que Lula recebeu em 2003?
Sem dúvida.

* * *

E, no próximo capítulo, veremos como se criaria uma herança mais maldita ainda se Serra vencesse em 2002.

CAPÍTULO 17
Economista inventa os Brics e os Brics criam vida própria

Que aconteceria se governos perdessem credibilidade? — Era tudo uma bolha, e "plop!" — Humorista prevê arrastão de ibéricos no estádio Itaquerão na Copa de 2014 — Uns vão a Marte, outros fecham sua base espacial

Brics: Brasil, Rússia, Índia, China e África do Sul. Quem criou o acrônimo em 2001 foi o economista Jim O'Neill, atraído pela pujança exibida pelos Bric, aos quais se juntaria em 2011 a África do Sul (South Africa em inglês, justificando o "s" de Brics). Jim era economista-chefe do Goldman Sachs, um dos maiores bancos de investimentos do mundo, com sede em Nova Iorque e escritórios por toda parte, inclusive nos Brics — no Brasil, instala-se em São Paulo.

O conceito que Jim O'Neill lançou acabaria resultando em grupo articulado a partir de 2006, dentro do período 2003-2007 em que o agrupamento inicial respondeu por nada menos que 65% da expansão do PIB mundial. Por isso foi que perguntei a Mauro Santayana se os Brics virariam Rics caso os tucanos continuassem mandando no Brasil. Era muito possível que isto acontecesse. Quem seguiu o caminho que o Brasil seguia na Era FHC tomou na cabeça.

Um jornalista americano, Michael Lewis, dá ideia do atoleiro em que estaríamos enfiados, no livro *Bumerangue — Uma viagem pela economia do novo Terceiro Mundo* (Sextante, Rio de Janeiro, 2011). Ele é repórter da *Vanity Fair*, revista mensal de reportagem e comportamento. O termo "novo Terceiro Mundo" é bem adequado à situação em que se meteram países até ontem incluídos no Primeiro

Mundo, agora insolventes, mergulhados no desemprego e no desalento, como Espanha, Grécia, Islândia, Irlanda, lutando para manter a cabeça acima da flor-d'água.

"A crise financeira de 2008 foi sustada somente porque os investidores acreditaram que os governos poderiam contrair os empréstimos que quisessem para salvar seus bancos", escreve Michael Lewis no prefácio, e pergunta: "O que aconteceria quando os próprios governos perdessem a credibilidade?"

Está claro que a "marolinha" de 2008 era apenas a pré-estreia da crise que, em junho de 2012, a presidenta brasileira Dilma Rousseff classificaria como "sem luz no fim do túnel". Aí o jornalista norte-americano partiu para um "turismo de desastres financeiros", nos países em colapso, onde a palavra calote estava em todas as bocas.

Na Islândia, nação de milenar tradição pesqueira, pescadores começaram a abrir bancos. Tinham descoberto que, com a sua moeda, a coroa, se valorizando e os juros locais em 15% ao ano, seria bem legal contrair empréstimos — não em coroas, mas em ienes e francos-suíços, pagando 3% de juros e ganhando fortunas no câmbio. Era como se estivessem sendo remunerados para tomar empréstimos. Com população de pouco mais de 300 mil habitantes, instruídos, prósperos, historicamente racionais, gozando em 2008 do primeiro lugar em IDH, o Índice de Desenvolvimento Humano, os islandeses se organizaram "para cometer um dos maiores atos de loucura financeira da história", narra.

"Compraram participações em empresas, sobre as quais nada sabiam, e saíram dando ordens a seus administradores como os banqueiros americanos de investimentos."

Como era tudo uma "bolha", chega o momento em que "plop!" — esvanece em gotículas no ar. De seu apartamento em hotel de luxo, erguido para hospedar os "donos do mundo" que vinham especular e agora com vagas à vontade, Michael Lewis volta e meia ouvia no meio da noite considerável explosão. Explicaram que não se tratava de terroristas. Era algum infeliz possuidor de Land Rover, comprado a juros baixos e longuíssimo prazo, que detonava seu veículo a fim de receber o dinheiro do seguro.

Qual é a saída? Quem sabe possa ser o aeroporto internacional

Já os poloneses que invadiram a Irlanda em massa, iludidos por uma bolha imobiliária naquele úmido país onde erguiam condomínios de veraneio, e o verão nunca chegava, e o produto de seu trabalho e seus automóveis mofando, esses arrumaram outra saída: o aeroporto. Eles eram, na Irlanda, 250 mil — um quarto do milhão de compatriotas que deixaram a Polônia, depois de sua entrada na União Europeia em 2004. A descrição de Michael Lewis, para o fenômeno ao qual o povo brasileiro teve a sensatez de escapar em 2002 encerrando a Era FHC pelo voto, nos faz rir de tamanha insensatez:

> *Alguns meses após o feitiço se quebrar, os funcionários do estacionamento de alta rotatividade do aeroporto de Dublin observaram que sua receita diária havia caído. O pátio, porém, parecia cheio. Eles não conseguiam entender aquilo. Então perceberam que os carros nunca mudavam. Ligaram para a polícia de Dublin, que descobriu que os veículos pertenciam a trabalhadores da construção civil, que os haviam comprado com dinheiro emprestado dos grandes bancos irlandeses. Os trabalhadores migrantes tinham abandonado os carros e partiram para casa.*
>
> *Alguns meses depois, o Bank of Ireland enviou três cobradores à Polônia para ver o que conseguiriam obter de volta, mas não tiveram sorte. Era impossível localizar os poloneses. Não fossem os carros no estacionamento, poderiam nunca ter existido.*

No momento em que terminamos este livro, as preocupações do sistema financeiro global se voltavam para a Grécia: será que os gregos iriam aplicar um calote de US$ 400 bilhões? Os bancos que lhes emprestaram quebrariam, tais como Portugal e Espanha, que já estavam trincados. O cientista político e humorista José Simão já previa que os ibéricos fariam "arrastões" nas redondezas do Itaquerão durante a Copa de 2014.

O retrato que Michael Lewis pintou da Grécia, um dos berços da civilização ocidental — se de fato foi nosso berço —, explica por que campeia a sem-cerimônia com que gente graúda, e miúda também, mas com mais voracidade gente graúda, adora uma roubalheira, lá como no Brasil. Por exemplo, os gregos simplesmente sonegam impostos; isso não é sequer imoral — é apenas falta de educação, como um cavalheiro não abrir a porta para uma dama. E nós sabemos que no Brasil pobre é quem mais paga imposto.

Enquanto isso, os alemães flertam com os russos ao leste e, se o namoro der certo, seguem em frente e esperam que o resto da Europa saia dessa sem o Bundesbank. O banco central dos alemães — que de tão certinhos não atravessam rua com sinal vermelho para pedestres mesmo debaixo de temporal, às três da manhã, sem veículo algum à vista em todas as direções — mas que emprestaram dinheiro para vizinhos fazer loucuras que eles não fazem em sua casa.

Estaríamos em semelhante enrascada caso o Brasil seguisse a receita aviada pelos tucanos.

China vai a Marte, EUA fecham Cabo Canaveral

Repórter é que nem goleiro: precisa ter sorte. Saímos no sabadão de sol 16 de junho de 2012 para comer uma feijoada, e pela janela do restaurante passa José Luiz Del Roio, que entra e senta conosco. Traz da Europa notícias mais frescas que a tenra couve servida à mesa. Del Roio, em vésperas da septuagenariedade, é o mais velho novo amigo que fizemos. Perseguido pela ditadura, em 1969 rumou para a Europa, com escalas no Chile, Peru, Cuba. Com dupla cidadania, foi senador italiano e deputado da União Europeia até 2008. Voltando de um giro pela Eurozona, nos pinta quadro exasperante. Mais da metade dos jovens estão sem emprego e sem perspectiva de conseguir. Quando consegue, o salário equivale ao de um paulistano que ganha 600 reais mensais.

"Precisa seguir morando com os pais."

Tem país que já quebrou e ninguém noticia, acrescenta ele: a Inglaterra. E a Escócia aproveita para se desunir do Reino Unido.

"Um dos líderes desse movimento é Sean Connery", comenta Del Roio. Logo ele, o primeiro e único James Bond, o espião 007 a serviço de sua majestade a Rainha da Inglaterra, mas isto era só no cinema e nos livros, criação do inglês Ian Fleming. Na vida real, o ator engrossa o coro dos inconformados com a situação a que os banqueiros levaram a Europa. Situação tal que, comparado ao Banco Central europeu, o FMI é progressista. Perguntamos sobre os protestos de rua.

"Continuam. Mas não existe um foco. O capitalismo? É vago."

"Mas quem é o inimigo?"

"O inimigo é o Banco Central da Europa. Mas, destruir o BC? E daí?"

"E que tal cair fora do euro?"

"Quem cair fora do euro, vira uma Alagoas."

Del Roio dá seu próprio exemplo.

"Eu sou pobre. Tenho uma pequena economia na Itália, vale uns R$ 50 mil. Se a Itália abandona o euro, de cara aquilo vira uns R$ 15 mil."

"A luz no fim do túnel é um trem vindo a toda em nossa direção, como disse o Millôr Fernandes?", brinco eu.

"O Millôr era um otimista", responde Del Roio com seu sorriso irônico de canto de boca, "a coisa está bem mais feia."

Eis, agora na visão de um italiano que é também um brasileiro por inteiro, a situação em que o Brasil estaria caso o projeto do PSDB subsistisse com Serra vencendo as eleições de 2002.

"Fernando Henrique não aumentava os salários. Aumento de salários significa aumento de consumo, mais fábricas trabalhando. Aquela política econômica era mais ligada com o sistema mundial. Nos levaria para o buraco. Bastava a Alca."

Com a Alca, Área de Livre Comércio das Américas, proposta por George Bush em 1994 — felizmente enterrada —, estaríamos transformados em quintal verdadeiro dos Estados Unidos, não apenas metafórico. Não teríamos uma política externa independente, nem o equilíbrio comercial que constitui a China, "nosso maior importador". Antes nos limitávamos a Estados Unidos e Europa, "e os dois foram para o buraco, e iríamos juntos, abraçados". Agora, além da China, nos voltamos para toda a América Latina, ao passo que — lembra Del Roio, para reforçar a ideia de um Brasil atrelado aos EUA e de costas para nossos vizinhos — Serra ataca Hugo Chávez, Cristina Kirchner, Evo Morales. E com certeza saudoso do canal direto com Washington e Wall Street. A comparação final de Del Roio é sideral:

"Vejam que curioso: hoje, enquanto a China se prepara para ir a Marte, você vai ao Cabo Canaveral e no portão tem uma placa: *Closed*. Está fechado."

CAPÍTULO 18
Uma questão de elos perdidos que acham outros elos

Coadjuvante no papel principal — De probleminhas com a Receita à cobrança de propina — Condenado a 11 anos — Revistas falam em propina de R$ 15 milhões — Homem blindado — Outro negocinho: quase R$ 2 milhões, só

Não se pode encarar o caso da entrega da Companhia Vale do Rio Doce como se fosse só mais um caso, mesmo que sério, dentro da privataria. Vamos focar nossa lente de aumento num personagem: Ricardo Sérgio de Oliveira. Ele desempenhou papel crucial na privatização da Vale e teria amealhado em propina R$ 15 milhões, segundo a insuspeita revista *Veja*. Adiante veremos o que *Veja* publicou sobre ele.

O economista Ricardo Sérgio ganhou fama durante as privatizações, em especial a da Vale e a do sistema Telebras, negócios que se pode colocar entre os maiores do mundo. E no Capítulo 24, *Dom Antiquixote tenta destruir um sólido moinho: a Era Vargas*, vemos como Ricardo Sérgio confessa que, ao preparar o leilão das teles, agia "no limite da irresponsabilidade".

No dia 8 de fevereiro de 2006, *IstoÉ* publica nota curta que trata de condenações de antigos notáveis do período FHC. Tomou o cuidado de esconder a notinha na seção *A Semana*:

Condenados a 11 anos de prisão pela 12ª Vara Federal do Distrito Federal o ex-presidente do Banco do Brasil Paulo César Ximenes e seis ex-diretores dessa instituição. Eles foram acusados de gestão temerária

devido a irregularidades em empréstimos feitos à construtora Encol entre 1994 e 1995. Na quarta-feira 1.

Aliás, toda a grande imprensa se fez de morta. Os maiorais de São Paulo, *Folha* e *Estadão*, nem deram chamada de primeira página. A *Folha* jogou a nota para o caderno de economia e o *chapéu* (palavrinha que classifica a matéria, em cima do título) era "imóveis"!

Os condenados, entre eles Ricardo Sérgio de Oliveira, formavam a diretoria do Banco do Brasil no primeiro mandato de Fernando II; Ximenes comandava a instituição. Foram condenados, com direito a recorrer em liberdade, por gestão temerária e desvio de crédito, ao emprestar dinheiro para a Encol, que a seguir faliu deixando dezenas de prédios abandonados e lesando milhares de mutuários. Curioso: o juiz absolveu o gerente Jair Bilachi que, de acordo com auditoria do próprio banco, seria o único culpado.

Ricardo Sérgio atuou nas campanhas de José Serra de 1990 a 1996 e de FHC em 1994 e 1998. Além de tudo quanto você possa ver no Capítulo 28, *Um elo perdido entre José Serra e Ricardo Sérgio*, há contra ele denúncias de variegada gama, desde probleminhas com a Receita Federal até uma suposta cobrança de propina de R$ 15 milhões de Benjamin Steinbruch, para favorecer o empresário no leilão da Vale e prejudicar os fundos de pensão dos funcionários de estatais.

As revistas semanais, na segunda semana de maio de 2002, abordam o assunto. *Veja* e *Época* afirmam que foi paga uma parte dos R$ 15 milhões. Confirmam que houve o pagamento ouvindo empresários e membros da administração da Vale, que pediram anonimato. A *Veja* ainda checa a história com dois tucanos. Um trecho da reportagem:

> *Veja conversou com dois empresários que ouviram o relato de Steinbruch. "Ele me disse que se sentia alvo de um achaque", conta um dos empresários. O outro, que trabalha no setor financeiro, diz algo semelhante: "Naquele tempo, Benjamin andava por aí feito barata tonta, sem saber se pagava ou não", afirma. Na semana passada,* Veja *obteve depoimentos formais que confirmam a história.*

PROPINA NA PRIVATIZAÇÃO

veja
REPORTAGEM ESPECIAL

www.veja.com.br

Ricardo Sérgio de Oliveira, o homem dos fundos de pensão, ex-caixa de campanha do tucanato, e a história dos 15 milhões pedidos ao consórcio que comprou a estatal Vale do Rio Doce. Dois ministros confirmam a história

QUINZE MILHÕES NA VALE

O economista Ricardo Sérgio de Oliveira

Veja: *ministros confirmam a cobrança de propina no caso Vale.*

Especial

Ricardo Sérgio, que "falava grosso na Previ", recebe dinheiro de empresário para pôr-lhe a Vale no colo

ze milhões
ale

A história de um pedido de comissão na privatização da Vale e as queixas de Benjamin Steinbruch sobre o comportamento de Ricardo Sérgio, o homem que falava grosso na Previ

Eduardo Gioegos

O governo tucano realizou duas megaprivatizações em seu primeiro mandato. Em 1997, vendeu a Companhia Vale do Rio Doce. O grupo comprador entregou ao governo um cheque de 3,3 bilhões de reais, o maior já assinado no Brasil em todos os tempos. Em 1998, o governo dividiu o sistema Telebrás em doze companhias e vendeu-as em leilão. A operação gerou para o Tesouro Nacional a quantia de 22 bilhões de reais. Foi a terceira maior privatização do mundo na área de telefonia. Como se vê, os dois processos de venda têm em comum uma coleção de números gigantescos. Mas há outras semelhanças. No início do ano passado, o ex-senador Antonio Carlos Magalhães fez uma acusação pesada a respeito da privatização das teles. Segundo ACM, teria havido irregularidade na venda de uma delas. Ele contou que o consórcio Telemar, que explora a telefonia fixa em dezesseis estados, do Rio de Janeiro ao Amazonas, teria feito um acerto para pagamento de 90 milhões de reais para levar o negócio. A acusação nunca foi comprovada. Agora, ficou-se sabendo que pedido semelhante de comissão pode ter ocorrido também no processo de venda da Vale. O valor é menor, 15 milhões, mas a história é igualmente grave. Nos dois casos, as denúncias recaem sobre uma mesma pessoa, o ex-diretor do Banco do Brasil Ricardo Sérgio de Oliveira, que atuou no passado como um dos arrecadadores de fundos do alto tucanato.

A informação do novo pedido de dinheiro tem como origem o empresário que liderou a compra da Vale e se tornou presidente do conselho de administração da companhia, Benjamin Steinbruch, do grupo Vicunha, que hoje controla a Companhia Siderúrgica Nacional, um colosso com faturamento anual de 3,3 bilhões de reais. Depois de arrematar a Vale, Steinbruch andou se queixando do comportamento ético de Ricardo Sérgio e contou a história a mais de um interlocutor. O pedido de dinheiro teria sido a prova cobrada por Ricardo Sérgio, sempre segundo o relato feito por Steinbruch a terceiros, para que fosse isentado em torno dele. Steinbruch, o consórcio que venceu o leilão

BRASIL

A PROPIN

CEPCO
Confemação das
consciencias contra
Ricardo Sérgio

Relato de executivos diz
Benjamin Steinbruch pa
para Ricardo Sérgio aju
a levar a Vale do Rio Do
com dinheiro público

DAVID FRIEDLAND
EXPEDITO FILH

Centro
tateá p
notícia
gamer
nas no
privar
Comp
do Rio Doce, o presider
Henrique Cardoso afirmo
cias do gênero já haviar
"E tudo requentado", di
entrevistas a Veja, o min
cação, Paulo Renato Sou
los Mendonça de Ba
sidia o BNDES

ÉPOCA

A luta de Ronaldo para ficar bom do joelho
A ginástica se aproxima do erotismo
A incrível operação que encontrou US$ 190 milhões sumidos do antigo Nordeste. O dinheiro estava na Eur nos EUA e na Ásia

PRIVATARIA

BASTIDORES DA PRIVATIZAÇÃO
Suspeita na Telemar: troca de ações serviu para pagar propina
Executivos confirmam: foi pago suborno na Vale

Na versão de Época, mais pimenta: a maracutaia foi com dinheiro público.

OI PAGA

...o da Vale, fizeram uma acu-
...víssima. Disseram ter ouvi-
...sário Benjamin Steinbruch
...cardo Sérgio de Oliveira, te-
...campanhas tucanas e di-
...anco do Brasil, de como pro-
...levar à Peru, fundo de pen-
...sionários do banco, para
...o que arrematou a minera-
...Paulo Renato nem Men-
...Barros estavam em condi-
...uer de modo conclusivo se a
...foi paga. Achavam que não,
...do afirmar que sim.
...da semana, ÉPOCA conver-
...xecutivos de bancos, minis-
...sórios que correram com
...as privatizações. Entre eles
...riparam diretamente do pro-
...veda da Vale do Rio Doce,
...ção de R$ 3,3 bilhões. Todos
...pessoas o nome em sigilo,
...seram relatos detalhados do
...mento do submundo das es-
...e estavam sendo repassadas
...na privada, num processo que
...rsão benigna gerou benefí-
...eia o reportagem na pá-
...em seu aspecto maligno
...tizado do privataria
...stigação. ÉPOCA apurou que
...do vitorioso, liderado por Stein-
...chamado a pagar US$ 15 mi-
...cardo Sérgio para que cons-
...apoio da Previ na disputa com
...io Ermírio de Moraes. ÉPOCA
...bém apurou que a maior par-
...dessa quantia foi paga – até
...Steinbruch decidiu suspen-
...der os pagamentos em função
...de um detalhe que dizia res-
...peito ao destinatário. Se-
...gundo o relato de um exe-
...cutivo envolvido direta-
...mente com a privatização

da Vale e que participou de reuniões
fechadas e encontros informais, Steinbruch estava convencido de que Ricardo Sérgio falava em nome do PSDB.
"Ao descobrir que o dinheiro era em-
bolsado por Ricardo Sérgio e seus amigos, decidiu que não pagaria nem mais
um tostão", diz esse executivo.

Procurado por ÉPOCA para dar entrevistas, Benjamin Steinbruch negou-se
a prestar qualquer esclarecimento. Ricardo Sérgio também recusou todo contato que pudesse ser útil para a recuperação integral dos fatos. "Essa história
de propina é uma mentira sórdida. Nunca pedi nada a Benjamin Steinbruch",
disse em nota divulgada na semana passada. "Orgulho-me de minha participação no processo de privatização."

Foi possível apurar que a intenção
inicial do consórcio vitorioso era abrir
o cofre da própria Vale do Rio Doce
para fazer os pagamentos clandes-
tinos. Não deu certo. Houve resistência de diretores da companhia ▶

FONTE SECA Steinbruch (acima)
tentou tirar dinheiro para pagar a
propina do caixa da Vale do Rio
Doce. Diretores, como Gabriel Stoliar
(abaixo), não deixaram

A particularidade desses depoimentos é que eles são dados por expoentes da política brasileira. Um deles é de Luiz Carlos Mendonça de Barros, que presidiu o BNDES durante o processo de venda da Vale, e depois assumiu o Ministério das Comunicações. Acabou perdendo o emprego quando estourou o escândalo das fitas da privatização das teles. A outra autoridade é o ministro da Educação, Paulo Renato de Souza. Ambos são tucanos.

Até 2013, o homem de confiança de Serra e FHC segue blindado

Quem apresentou Ricardo Sérgio a Serra e Fernando Henrique foi Clóvis Carvalho. Em 1990, o homem forte de FHC destacou quatro pessoas para ajudar Serra na coleta de dinheiro para sua campanha a deputado federal, um deles Ricardo Sérgio, que também cavaria dinheiro para as duas campanhas presidenciais de FHC, em 1994 e 1998. Ricardo Sérgio acabou indicado para o Banco do Brasil.

Você já reparou como, ao longo deste livro, as peças vão se encaixando como no joguinho infantil Lego? Ou, se você preferir, como na tabela periódica dos elementos químicos, do cientista russo do século XIX Dmitri Mendeleiev: antes mesmo da descoberta de todos os elementos químicos, Mendeleiev previu que os faltantes existiam na natureza e seria questão de tempo descobri-los e encaixá-los em seu lugar na tabela. Assim, não se aflija caso, em algum ponto da narrativa, você sentir que falta um elemento — ele acabará chegando, como se vê no Capítulo 28, *O elo perdido entre José Serra e Ricardo Sérgio*.

Outro exemplo: Ricardo Sérgio é elo entre o PSDB e o publicitário Marcos Valério Fernandes de Souza, por sua vez elo entre fontes de dinheiro e o esquema do chamado mensalão — o *valerioduto*, como a mídia apelidou. O prédio em que se instalou a agência de Marcos Valério em Belo Horizonte foi Ricardo Sérgio quem comprou por R$ 7,5 milhões em agosto de 1999, época em que o publicitário passou a atuar no Banco do Brasil. O prédio pertencia à Petros, fundo de pensão dos funcionários da Petrobras. No início do segundo mandato de Fernando II, a Petros vendeu o edifício à Planefin — Serviços, Assessoria, Planejamento, Administração e Participações S/C Ltda., de Ricardo Sérgio, que para fazer o negócio escolheu um "laranja", Ronaldo de Souza.

O *valerioduto* começa a funcionar em Minas na década de 1990, quando passa a irrigar campanhas do PMDB, PFL e PSDB. Em 1998, o *valerioduto* deu na vista, na campanha da reeleição de Eduardo Azeredo para o governo de Minas, e Azeredo caiu da presidência nacional do PSDB, depois de arrecadar quase R$ 9 milhões, entre *negócios* com o Tesouro de Minas e estatais mineiras.

A ligação Marcos Valério-Ricardo Sérgio também se estabelece em outra frente. A CPI dos Correios apontou o economista Lúcio Bolonha Funaro como "dono oculto" da Guaranhuns Empreendimentos, que supostamente Marcos Valério usou para repassar R$ 7 milhões ao Partido Liberal (PL) e que teria provocado prejuízo de R$ 100 milhões aos fundos de pensão. O jornal *Estado de Minas*, em 26 de agosto de 2005, aponta Ricardo Sérgio como "sócio oculto" da Guaranhuns. Até quando terminamos este livro em 2013, mantém-se blindado o homem de confiança de Serra e FHC.

Um "negocinho de *web* aí" que custou quase R$ 2 milhões

Em geral, empresários ou executivos de sucesso se recusam a aceitar cargo no governo. Trabalhar no governo para quê? Vão, é quase certo, esquentar a cabeça e receber uma ninharia perto do que costumam ganhar na iniciativa privada. Ricardo Sérgio de Oliveira, diretor da área internacional do Banco do Brasil entre 1995 e 1998, ao contrário, esfriou a cabeça e ganhou, em três anos, muito mais que em três décadas de vida privada.

Ricardo Sérgio havia trabalhado no Banco Crefisul, associado ao Citibank. Chegou a vice-presidente de investimentos do Citi em Nova Iorque. Ao sentar numa mesa da diretoria do Banco do Brasil em 1995, havia amealhado até então 1 milhão e 400 mil reais. Era dono da Planefin e sócio da RMC, corretora de valores. Passou a gerência dos negócios privados para a mulher, Elizabeth, e os sócios Henrique Molinari e José Stefanes Gringo.

Em novembro de 1998, ao deixar o Banco do Brasil enrascado na privatização das teles, Ricardo Sérgio tinha enricado mais ainda: seu patrimônio saltou para 3 milhões e 300 mil. Ganhando pouco mais de 8 mil reais por mês, como se deu isto?

Em primeiro lugar, suas empresas passaram a dar saltos no faturamento. A RMC, de presença discreta no mercado de ações, a partir de 1997 virou outra. De 4 milhões e 200 mil reais que faturava, passou para 12 milhões e 200 mil em 1998 e atingiu quase R$ 22 milhões em 1999. Subiu à sexta posição entre corretoras do país no *ranking* da Bolsa de Mercadorias & Futuros. O faturamento anual da Planefin não passava dos R$ 60 mil e, dois anos depois, batia no primeiro milhão de reais.

Reportagem de Policarpo Junior para *Veja*, edição de 8 de maio de 2002, chama atenção para "a intensidade com que os negócios de suas companhias passaram a se cruzar com os negócios públicos — especialmente com o dinheiro movimentado pelos fundos de pensão, área em que a influência de Ricardo Sérgio era notória". A RMC entrou no mercado imobiliário e, em 1998, associada à construtora Ricci, lançou o projeto de um complexo de edifícios em São Paulo. A Previ, fundo de pensão dos funcionários do Banco do Brasil, comprou logo duas torres por R$ 62 milhões — na planta. Comprou até os terrenos, por mais R$ 10 milhões e 800 mil.

Com salário de 8 mil, juntou patrimônio de mais de 3 milhões.

Ricardo Sérgio tinha força sobre os fundos de pensão, mas finjamos que somos ingênuos e acreditamos que a RMC e a Ricci tenham seduzido a Previ por seus próprios belos olhos. Acontece porém que, como empresário, Ricardo Sérgio tinha um terço da RMC. E a construtora Ricci pertencia a José Stefanes Gringo — seu sócio na RMC.

"Conversei com o Gringo sobre o projeto na condição de amigo, mas não interferi em nada", disse Ricardo Sérgio ao repórter de *Veja*.

Em inquérito, a Comissão de Valores Mobiliários responsabilizou sua corretora de valores por operações fraudulentas, que vitimaram fundos de pensão.

A Planefin conseguiu igualmente bons negócios. Trabalhou para a Operate, subsidiária do grupo La Fonte, que integra a Telemar, aquele consórcio montado por Ricardo Sérgio que arrematou cobiçada parcela das teles. O grupo La Fonte pertence a Carlos Jereissati, amigo de Ricardo Sérgio. A Operate contratou a Planefin para uma consultoria, pela qual Ricardo Sérgio recebeu, descontado o imposto de renda, 1 milhão e 800 mil reais. Ouça o diálogo entre Policarpo Junior e sua fonte:

Repórter – *Que tipo de serviço a Planefin prestou?*
Ricardo – Vou perguntar ao Carlinhos *(Jereissati)*. Se ele me autorizar a dizer, não tem problema.
Repórter – *Que tipo de serviço a Planefin costuma prestar?*
Ricardo – Consultoria financeira.
Repórter – *O contrato com a Operate é para esse fim?*
Ricardo – Era para viabilidade de Internet.
Repórter – *Internet?*
Ricardo – É. Esse negócio de *web*.

CAPÍTULO 19
Bueiro do Rio, calor que provoca arrepio (em pena de tucano)

Que tem a ver explosão de bueiro com privataria? — Chico Buarque desvia do homem da história mal contada — Demitiram quem sabia onde pode explodir! — Louca perversidade — A lógica da expropriação dos indefesos

Em qualquer metrópole do mundo, os cidadãos passam sossegados sobre as tampas de bueiros, nem notam. No Rio de Janeiro, não. Uma reportagem de televisão realizada em meados de 2011, depois de mais de 40 explosões de bueiros a partir de 2005, mostra em primeiro plano duas pernas masculinas vindo na direção da câmera. A voz do repórter narra sobre o temor do carioca de passar sequer perto de um bueiro. As pernas avançam em nossa direção e, quando chegam a três passos do meio-fio, vê-se a tampa de um bueiro na calçada — inocente para qualquer cidadão do mundo, mas sinistra para o carioca. As pernas imediatamente desviam para a direita e preferem caminhar pela rua. A trilha sonora de alguma passagem de filme de Alfred Hitchcock transformaria a cena numa sequência de suspense.

Parece exagero mas não é. Quem exagera é a mídia, que não vai atrás e não faz a reportagem completa. O conjunto de notícias sobre as explosões, caso alguma publicação resolvesse reuni-las todas, causaria arrepios. Uma delas, postada no portal UOL Notícias, em 6 de setembro de 2010, de autoria do repórter Daniel Millazo, é pungente.

Mais de dois meses após acidente, turista atingida por explosão de bueiro no Rio recebe alta

A norte-americana Sarah Nicole Lowry, 28, que teve 80% do corpo queimado após a explosão de um bueiro em Copacabana, recebeu

alta neste domingo (5) da unidade de queimados da clínica São Vicente, na Gávea, zona sul do Rio de Janeiro. Ela estava internada há 67 dias depois de ser atingida no dia 29 de junho.

Segundo informações da assessoria de imprensa do hospital, Sarah deixou a unidade por volta das 18h15 e foi direto para o aeroporto, onde pegou um avião para os Estados Unidos. Ela estava acompanhada de seu marido, David James McLaughlin, e de seus familiares. David também ficou ferido na explosão, mas teve apenas 30% do corpo queimado e recebeu alta no dia 26 de julho [quase um mês internado].

Apesar da extensão dos ferimentos, a assessoria de imprensa ressaltou que a maior parte das queimaduras de Sarah foi superficial — de 1º ou 2º grau. Foi necessário fazer enxertos em um dos braços, parte das costas e nos seios, regiões com queimaduras de 3º grau.

O estado de saúde de Sarah era considerado grave durante praticamente todo o tratamento. De acordo com o médico responsável, Marco Aurélio Pellon, pessoas com 80% do corpo queimado possuem apenas 10% de chances de sobreviver.

O acidente ocorreu no dia 29 de junho. Enquanto atravessavam na faixa de pedestres a rua República do Peru, próximo à avenida Nossa Senhora de Copacabana, ocorreu a explosão de um bueiro da Light — concessionária de energia elétrica. A tampa do bueiro, que pesa mais de 300 quilos, voou a quatro metros do chão. Sarah foi arremessada a oito metros de distância e seu corpo caiu já em chamas na calçada. David se atirou sobre o corpo na tentativa de apagar o fogo.

Segundo a Light, houve um vazamento de óleo e um curto-circuito no transformador da câmara subterrânea próximo ao acidente.

Outras explosões de bueiros assustaram moradores do Rio. Em dez meses, foram nove casos registrados. Após o acidente com os turistas norte-americanos, no mês de julho pelo menos outros dois bueiros explodiram. Um deles no dia 18, em Laranjeiras, e outro no dia 30, em Copacabana.

Quase dois anos depois, em 5 de março de 2012, a *Folha de S. Paulo* publicou:

> **Bueiro explode atrás do Hotel Copacabana Palace**
> *Um bueiro explodiu no início da tarde deste domingo atrás do hotel Copacabana Palace, no Rio de Janeiro. O caso ocorreu na Avenida Nossa Senhora de Copacabana, em Copacabana (zona sul do Rio). Por volta de 12h, labaredas saíram do bueiro, após a explosão. Os moradores acionaram bombeiros do quartel do bairro. Ninguém saiu ferido.*
>
> *Em nota, a Light, concessionária de energia do Rio, afirmou que houve um deslocamento de uma tampa de caixa de inspeção, por onde passam cabos de energia e registros de fumaça...*

... etc. etc. etc., o texto segue o padrão de outras dezenas de notícias, com as "explicações" da Light, que em julho de 2011 tinha assinado um TAC (Termo de Ajustamento de Conduta) com o Ministério Público fluminense, prevendo multa de R$ 100 mil por bueiro explodido que provoque danos patrimoniais ou lesões físicas. Detalhe importante na nota da *Folha*: em cima do título, no *chapéu*, o editor da página usou a palavrinha-chave: **Rotina**.

Mas que diabos tem a ver a explosão dos bueiros do Rio com a privatização promovida durante a Era FHC? Vamos fazer um *flash-back* de 120 anos, quando um grupo de empresários canadenses de Toronto vislumbra oportunidades de bons negócios nas duas principais cidades brasileiras.

Rio de Janeiro: de dia falta água, de noite falta luz

Temos em 1890, logo após a proclamação da República, iluminação pública a gás e bondes puxados a burros; os cidadãos se comunicam por bilhetes levados e trazidos por "moleques de recados". A Light começa ajudando o país a desenvolver-se. Substitui por bondes elétricos os bondes de tração animal; o moleque de recados, pelo telefone; a iluminação a bico de gás, pela lâmpada elétrica — fonte de inspiração para Zeca Bérgami compor *Lampião de Gás*, valsinha nostálgica perpetuada pelo vozeirão de Inezita Barroso:

Lampião de gás, lampião de gás,
Quanta saudade você me traz.

Pura retórica: a valsa é bonitinha, mas quem é que tem saudade do lampião de gás? No começo da década de 1930, a contribuição da Light para o "progresso" merece reconhecimento de Lamartine Babo, genial carioca, na *Canção para Inglês Ver*. Um dos "breques" dessa mistura de samba com *ragtime* diz:

Light and Power companhia limitada, I do.

Mas a Light cresceu, cresceu, acabou virando o *Polvo Canadense*, imagem criada em meados do século XX em alusão aos "tentáculos" da empresa, que passou a dominar inúmeros setores da nossa economia — enveredando pelos ramos imobiliário, hoteleiro, de serviços de engenharia, agropecuária e outros mais.

O dramaturgo pernambucano Nelson Rodrigues dizia que subdesenvolvimento não se improvisa, é obra de séculos. E a Light, que começou ajudando, acabaria sufocando o progresso, como vamos ver. A marchinha de carnaval *Vagalume*, lançada em 1954 pelos Anjos do Inferno, de autoria de Vitor Simon e Fernando Martins, deixou uma notícia:

Rio de Janeiro
Cidade que nos seduz
De dia falta água
De noite falta luz.

Termina assim:

Eu vou pro mato
Ai! Pro mato eu vou,
Vou buscar um vagalume
Pra dar luz ao meu chatô.

Chico: "O senhor não é o homem da história mal contada?"

Em 1954, ano do suicídio de Getúlio, perseguido justamente por sua posição nacionalista, a Light — surgida na passagem do século XIX para o século XX — já apresenta sinais de "fadiga de material". Ela, que substituiu lampiões de gás pelos postes de luz elétrica, que propiciou a chegada do cinema, do telefone, ela que aposentou o bonde puxado a burro, agora cai na boca do povo pela ineficiência.

Como costuma acontecer com multinacionais que sugam um país, a Light encontrou testas de ferro à altura — o maior de todos foi Antonio Gallotti, filho de imigrantes italianos fixados em Santa Catarina, nascido em 1910, dono de uma gargalhada que conquistava as pessoas. Dizia-se dele que, junto com seu amigo Azevedo Antunes, "dono" do Amapá e suas jazidas de manganês, por sua vez testa de ferro da Bethlehem Steel e da Hanna Mining, conseguia juntar toda a burguesia nacional em menos de uma semana. Útil para mobilizar a nata do empresariado na cruzada para derrubar João Goulart em 1964.

O homem da Light foi apontado como o próprio coração da manobra pela qual os adversários do trabalhismo amealharam dólares às dezenas de milhões a fim de, na campanha eleitoral de 1962, eleger poderosa bancada antijanguista para o Congresso.

Foi "uma orgia de dinheiro", diria mais tarde Walter Clark, lembrando que pela TV Rio, que ele dirigia, "recebeu verba equivalente a três vezes o seu faturamento", mesmo não estando alinhada aos golpistas. Estima-se que o IBAD, Instituto Brasileiro de Ação Democrática, despejou naquela campanha US$ 20 milhões. A Light contribuiu com US$ 2 milhões, em mensalidades entre dezembro de 1961 e agosto de 1963. Nada mais natural que o testa de ferro da Light seja na década seguinte contemplado com uma negociata — a inconfidência do próprio Gallotti numa mesa do restaurante carioca Antonio's permite inferir que lhe rendeu US$ 39 milhões.

Estamos em meados de 1979. O jornalista Sebastião Nery é comentarista político na TV Bandeirantes. Antônio Carlos Magalhães, o ACM, político baiano afinado com a ditadura e então presidente da Eletrobras, procura o jornalista:

"Nery, você não fala o que quer? Quero ver se tem coragem de denunciar a compra da Light pelo governo, meses antes do contrato acabar e a Light voltar a ser do país a preço zero. O japonês (Shigeaki Ueki, ministro de Minas e Energia) e o Gallotti estão armando a maior negociata no fim do governo Geisel: comprar a Light, que daqui a poucos meses será do governo de graça, por centenas de milhões de dólares, com uma grande distribuição de comissões."

Diz o Barão de Itararé, jornalista e humorista gaúcho, que negociata é um bom negócio para o qual não fomos convidados. Pelo visto, não convidaram ACM. Sebastião Nery denunciou a trama do "estranho negócio e comissões para comprar por 400 milhões de dólares a Light, cuja concessão estava acabando". Ao que tudo indica, entre os citados só Nery perdeu dinheiro: foi demitido.

Nery está no Antonio's na noite em que Gallotti chega para comemorar o desfecho da negociata com amigos. Na "varanda lírica da República do Leblon, no Rio de Janeiro", atrás de seus copos e pratos, uma plêiade de nomes famosos em suas áreas fecha a noite: atriz Norma Bengell; escritores Otto Lara Resende e Rubem Braga; cineastas Miguel Faria Filho e Arnaldo Jabor — o "rebelde a favor"; publicitário Mauro Salles; jornalista Tarso de Castro; arquiteto e urbanista Paulo Casé; advogado Miguel Lins; a quase unanimidade Chico Buarque.

Faltando cinco minutos para uma da manhã, a porta se abre num repelão e entra o "tufão" Antonio Gallotti, recebido por uma salva de palmas "sarcástica", à qual ele responde com amplo gesto da mão direita e senta-se à mesa de Miguel Lins, Otto Lara Resende e Mauro Salles. Nery, discretamente, anota diálogos dos quais salta o cinismo de Gallotti, que se diz "nacionalista", ao mesmo tempo afirmando que o negócio só foi bom "para os acionistas da Light". No momento em que ele vai ao banheiro, uma mesa canta com a música do hino do Flamengo:

Gallotti, Gallotti, tua glória é lucrar!
Gallotti, Gallotti, campeão de faturar!

O gênio da MPB está saindo quando alguém o chama e apresenta a Gallotti, que elogia seu charme e pergunta "você sabe quem eu sou?" Chico Buarque responde: "sei sim, o senhor não é o homem da história mal contada?" — e cai fora.

Uma lambança que nem é capitalista, é feudal

Uma versão bem humorada, e consistente, da privataria tucana, que explica, enfim, a causa das explosões de bueiros cariocas, está no livro *A Melhor Democracia que o Dinheiro Pode Comprar*, do jornalista americano Greg Palast. Ele escreve para várias publicações europeias, como *The Guardian*. Antes de publicar seu livro em 2002, veio ao Brasil apurar o que a mídia brasileira deixou passar batido. Ele usa da sátira para criticar os males da privatização, mas faz questão de nos mostrar que gostou de nossa bebida nacional:

A pinga me ajuda a entender essa louca mistura de pobreza e riqueza. Assim como um cartão-postal do Rio de Janeiro completamente preto. Os moradores do Rio, a Cidade Luz, enviaram centenas desses cartões escuros aos políticos locais, num protesto contra a Light, a companhia de eletricidade do Rio, hoje apelidada de Dark [escuro em inglês, em contraposição a Light, luz]. Em 1996/7, o governo federal privatizou a Rio Light, vendendo-a para a Electricité de France e a

Houston Industries, do Texas. Os novos proprietários, que haviam prometido melhorar o serviço, rapidamente eliminaram 40 por cento da força de trabalho da empresa. Infelizmente, o sistema elétrico do Rio não está totalmente mapeado. Os funcionários da companhia elétrica guardavam de cabeça a localização dos cabos e transformadores. Quando foram demitidos, levaram consigo os mapas mentais. Quase todos os dias, um novo bairro ficava às escuras. Os proprietários estrangeiros culpavam o clima no Oceano Pacífico. O Rio fica no Atlântico, é claro. Mas, para os proprietários em Paris e no Texas, nem tudo era escuridão. As consequências dos cortes de salários e aumento de tarifas ajudaram os donos estrangeiros a obter dividendos de mil por cento. O preço da ação da Rio Light saltou de 194 para 259 reais.

Eis aí. Quando os mandachuvas da Light dizem que não sabem o que está acontecendo, mentem. O que eles não sabem é onde andam os homens que demitiram e que são os únicos capazes de localizar os bueiros a ponto de explodir, e prevenir as explosões. Greg Palast prossegue e aborda o caso da privatização em São Paulo:

Em 1998, o governo brasileiro pôs em leilão a empresa de eletricidade de São Paulo. Apesar de gritos e processos movidos por organizações de consumidores, a companhia foi ganha pelo único licitante, que pagou o preço mínimo pedido: o mesmo consórcio corrupto Houston/Paris. Imediatamente os novos donos anunciaram um excesso de mil funcionários.

A conclusão do repórter é que essa lambança toda nem é capitalista, é feudal.

CAPÍTULO 20
A lógica da expropriação do mais fraco

Martelos de leilão bateram mais que martelos de carpinteiro — "Cortem as cabeças!" — E compravam com dinheiro nosso, do BNDES — Casos de perversidade na periferia de São Paulo — Choque de gestão é isso: um choque

Histórias mal contadas seguiriam acontecendo, até chegarmos à explosão de bueiros no Rio e blecautes em São Paulo. Menos de vinte anos depois de estatizada, em maio de 1996 a Light volta a ser privatizada, agora por José Serra, ministro do Planejamento de FHC. Eles a entregam ao grupo francês e americano EDF/AES.

Entregaram as elétricas aos belgas, espanhóis, ingleses, americanos...

Mas o que são aqueles leilões? Mãos disputando uma porçãozinha do cabo do martelo, ao menos na mão ou no antebraço do leiloeiro. Sorrisos que rasgam rostos ao meio. Olhos arregalados de euforia. Frenesi. Beijos entre Serra e Elena Landau, diretora do BNDES, a "musa das privatizações".

Antiprivatistas chutando o traseiro de privatistas. Prisões de gente revoltada. E martelos batendo. Bateram uma meia centena de vezes:

- CEEE Distribuição, entregue aos americanos da AES;
- Bandeirante Energia, entregue aos portugueses;
- Celpe, para os espanhóis do grupo Iberdrola;
- Cemar, para os americanos da Ulem Mannagement Company;
- Cesp Tietê, para os americanos da Duke;
- Ceteep, arrematada pelos colombianos da estatal Colombiana SA;
- Coelba, levada pelos espanhóis que levaram a Celpe;
- Comgás, para os ingleses da British Gas/Shell;
- Cosern, para os já citados espanhóis;
- CPFL, arrematada pelo grupo brasileiro VBC;
- Elektro, vendida para os americanos da Enron;
- Eletropaulo para os americanos que levaram a CEEE;
- Escelsa, para os portugueses da GTD Participações, junto com o consórcio Bancos Iven AS;
- Gerasul, levada pelos belgas da Tractebel;
- Light, entregue ao grupo franco-americano EDF/AES;
- RGE, para os mesmos brasileiros do VBC;
- Bamerindus, garfado pelos britânicos do HSBC;
- Banespa, para os espanhóis do Santander;
- Banco Meridional, vendido para o Banco Bozano;
- Banco Real, para o grupo ABN-AMRO, depois sob controle do espanhol Santander;
- Banco do Amazonas SA, vendido ao Bradesco;
- BEG, Banco de Goiás, arrematado pelo Itaú;
- e entregaram a particulares os minérios da Mineração Caraíba, da Vale do Rio Doce;
- e entregaram a Petroquímica União AS.

E martelos batem entregando as empresas de telecomunicação da Telebras:

Embratel, Telesp, Telemig,
Telerg, Telepar, Telegoiás,

Telems, Telemat, Telest,
Telebahia, Telergipe, Telecear,
Telepará, Telpa, Telpe, Telern,
Telma, Teleron, Teleamapá,
Telamazon, Telepisa, Teleacre,
Telaima, Telebrasília, Telasa.

A maioria entregue a grupos internacionais: espanhóis, italianos, mexicanos e, algumas, para algum grupo brasileiro.

O hino da privataria poderia aproveitar a primeira estrofe de *Datemi un martello*, sucesso mundial dos anos 1960, da espevitada italiana Rita Pavone:

Datemi un martello
Che cosa ne vuoi fare?
Lo voglio dare in testa
A chi non mi va, sì sì sì sì,

(Deem-me um martelo,
Que você vai fazer?
Quero dar na testa
De quem eu não gosto, sim sim sim sim)

As privatizações invariavelmente eram seguidas pelo corte de pessoal. Pareciam a rainha de *Alice no País das Maravilhas* — "Cortem as cabeças!"

Já a Eletropaulo, uma das maiores distribuidoras de energia do mundo, mesmo fatiada para ser vendida, sua porção mais cobiçada, que atende a Grande São Paulo com o nome AES Eletropaulo, continua sendo uma das maiores do mundo. A AES Eletropaulo, maior do gênero na América Latina, entregue aos gringos pelo governo Mário Covas-Geraldo Alckmin em 1998/1999, já em 2003 devia 604 milhões de dólares ao BNDES, Banco Nacional de Desenvolvimento Econômico e Social — que aliás havia emprestado aos compradores da Eletropaulo US$ 888 milhões, praticamente a metade do preço de US$ 1 bilhão e 800 mil. Ganharam o benefício de redução de impostos para importar máquinas e equipamentos e direito de aumentar as tarifas anualmente. Não pagavam a dívida para com o BNDES, mas seus acionistas no estrangeiro recebiam bonitinho seus dividendos.

Casos de perversidade inacreditáveis nas nossas periferias

A inépcia da AES Eletropaulo, cujo forte é geração e não distribuição de energia elétrica, não tardará a manifestar-se. Na Grande São Paulo, toda vez que chova ou vente forte, bairros inteiros sofrem cortes de energia. A AES também mostrará habilidade incomparável para levar vantagem, notadamente junto aos mais pobres.

Muitos acreditaram que esta manchete falava a verdade.

Em 30 de julho de 2011, o portal UOL Notícias publica reportagem de Guilherme Balza sobre a rapinagem contra duas comunidades humildes na zona norte da capital paulista, a Favela do Violão e o Jardim Julieta. As contas que ilustram a reportagem mostram que a moradora Michele Bezerra da Silva, que pagou R$ 15,69 em junho de 2005, de repente passa a receber contas como a de julho de 2011: R$ 114,39. Noutro caso, doloroso, a desempregada Vânia Conceição de Souza, morando com pai doente e filha numa casa de três cômodos, recebe conta de R$ 550,20 — mais que a renda mensal da família, de um salário mínimo da aposentaria do pai de Vânia. O consumo registrado no medidor, 1.465 kWh, equivale a sete vezes o consumo médio residencial no estado e dez vezes a média nacional.

Há o caso de um casal cobrado pela dívida de R$ 2.148,00 que a filha deixou ao morrer, de câncer, em dezembro de 2010 — apesar da ilegalidade mais que milenar: o Direito Romano já estabelecia que a morte tudo resolve (*mors omnia solvit*).

Em 2008, dizem os moradores do Jardim Julieta e da Favela do Violão, foi que começou a cobrança abusiva, por reveladora coincidência depois que a AES trocou todos os medidores da região. Contas entre R$ 15 e R$ 20 saltam para R$ 100, R$ 150, R$ 200. Revoltados, os moradores combinam parar de pagar. Ganham mais dor de cabeça, pois a AES passa a régua e passa a cobrar dívidas entre R$ 2 mil e R$ 6 mil, sob pena de cortar a luz e pôr o nome do inadimplente na Serasa Experian, talvez a maior empresa do mundo "em análises e informações para decisões de crédito e apoio a negócios" — em resumo, uma listagem mundial de quem deve.

Informa o repórter Guilherme Balza que, segundo o Tribunal de Contas da União, entre 2002 e 2009, a privataria no setor elétrico causou prejuízo de R$ 7 bilhões aos consumidores "em contas que não correspondiam ao que foi consumido". E a Aneel, Agência Nacional de Energia Elétrica, decidiu que "o montante não seria ressarcido aos consumidores". Isso sim é que é uma agência em defesa dos acionistas — d'além mar.

Dez meses depois, a meu pedido, a repórter Luana Schabib voltou à Favela do Violão e ao Jardim Julieta. Luana viu que persiste a situação narrada por Guilherme Balza e descobriu histórias mais perversas ainda. Vamos ao relato de Luana.

Não é porque se gasta mais que se pode pagar mais

Dia de semana, duas horas para chegar em casa, caminho que termina entre vias estreitas e avenidas, crianças e cachorros correndo nas ruas. Baldeações, trocar de ônibus, andar mais dez minutos. Hoje é domingo, pipas são empinadas por adultos de 20 anos. Aqui não tem geração Y, não tem adolescente de 30 anos. Aos 20, filhos; aos 50, netos.

Encontramos Neide de Oliveira, liderança local, além de militante da Marcha Mundial de Mulheres e de outras marchas. Moradora da rua da Cavalgada, a duas quadras da avenida do Poeta. Uma das mais problemáticas.

É lá que está o terminal de cargas Fernão Dias, onde há roubos de caminhões, roubos a moradores, onde a prostituição convive com crianças. Ao anoitecer, as ruelas vão ficando cada vez mais escuras com a iluminação pública precária. Falta de iluminação, falta de segurança. Neide não sonha mais, ela luta. Não sorri, é tanto problema no meio das estatísticas.

Vamos às ruas. Asfalto fino, buracos, crianças descalças. Ela me apresenta como repórter. Mesmo sendo domingo e hora do almoço, todos se aproximam, com suas contas de luz e suas histórias.

Uma mudança nas regras em 2008 fez com que eles perdessem o direito de pagar a tarifa social.

Neide conta que a AES Eletropaulo fez um trabalho de "reeducação" — para explicar como poderiam mudar alguns hábitos para evitar contas altas. Foram ações dentro de uma igreja e centros comunitários, com apenas parte dos moradores, já que os horários não convinham para quem fica duas horas ou mais no trânsito até chegar em casa depois do expediente.

Algumas pessoas ficaram traumatizadas: dona Odette, da rua dos Arcos, vive no escuro. Depois das "absurdas" contas de R$ 200, passa o dia sentada do lado de fora da casa; e quando entra deixa a luz apagada. Ela tem medo.

Neide relata que famílias chegaram a trocar toda a fiação da casa pensando que resolveria o problema. Talvez signifique isso urbanizar favelas: tirar tarifas sociais, passar uma fina camada de asfalto sem colocar rede de esgoto. É — dizem por aqui — do ex-prefeito Kassab: *Antes não tinha, agora tem.*

Tem histórias como a de Elisangela Cardoso dos Santos, faxineira, vizinha de Neide na rua da Cavalgada. O marido é motorista. Depois que a AES Eletropaulo trocou o relógio da luz, ele não consegue tirar o nome do Serasa. Não há como pagar em dia se de uma hora para outra a conta saiu de R$ 15 para R$ 150. Há dois anos a família não pode fazer crediário por causa disso.

"Eles pedem entrada de 500 reais mais parcelas de 200. Só que a conta vem em 110 reais ou 150 por mês! Ou você come ou paga a luz", diz Elisangela.

É o caso de Luciane Gomes de Assis. Ela trabalha numa escola. No "acordo" feito pela AES a primeira parcela seria de R$ 800 mais seis de R$ 300. Luciene conta:

"A AES veio em março para negociar, em horário comercial: todo o mundo aqui trabalha! Eu não consegui renegociar. Na sequência vieram cortar a energia das pessoas, foram os vizinhos que não deixaram!"

A irmã, Luzia Gomes dos Santos, passa pela rua e completa:

"Eles queriam saber quantos banhos eu tomava por dia, dizendo quantos eu podia tomar. Eu mandei eles embora!"

Reeducação...

Como o consumo é maior do que 200 kWh, as contas são taxadas em 25% pela Lei Estadual 6374/89 — a Lei do ICMS. Hoje, as contas no Jardim Julieta e na Favela do Violão vêm entre R$ 80 e R$ 180. Moradores de zonas de risco, com esgoto a céu aberto, em casas de tábua. Renda familiar de dois a três salários mínimos.

Sem contar a Cosip. Cosip é Contribuição para o Custeio da Iluminação Pública, criada pela Emenda Constitucional 39, de 19 de dezembro de 2002 — no apagar das luzes da Era FHC, mais um presentinho para os pobres, e note o cinismo do nome: "Contribuição para o Custeio da Iluminação Pública". Cobram a Cosip em ruas onde a iluminação pública é precária. Existem alguns postes com pequeninas lâmpadas que às vezes nem funcionam. Os postes acumulam fios.

"Aqui eles trocaram o relógio, mas não trocaram a fiação, vive pegando fogo", afirma Luciane.

Depois que a filha foi assaltada oito vezes, Alessandra Rocha, da rua João Simão de Castro, fica à sua espera no ponto de ônibus. Mas nesta semana assaltaram Alessandra.

"Foi na avenida do Poeta, perto do terminal de cargas. Foi de noite, ninguém vê o que acontece", conta revoltada.

Andando mais 20 minutos, de ruelas, subidas e descidas, na Favela do Violão vejo mais situações disparatadas. Ivanilda Aparecida, desempregada, mora com o marido caminhoneiro e dois filhos, um de 17 que procura trabalho; outra de 12, que vai a pé à escola porque o vale-transporte não ficou pronto. Casa de tábua. Esgoto passa em frente.

"Não dá para aguentar o cheiro", diz a mulher, cansada daquilo.

Com quatro pessoas na casa, antes da troca de relógios em 2008 a família pagava tarifa mínima, condizente com a situação. De R$ 15 chegou a pular para R$ 200 e hoje está em R$ 100, mas para a família que vive com renda de R$ 1.200 fica difícil pagar. Ivanilda recita: micro-ondas, geladeira, chuveiro e tevê.

"Não tem como gastar menos. Ninguém fica em casa e vem tudo isso", reclama.

A tarifa social seria obrigatória aqui. O mais louco nessa sequência de aberrações é que, "enquanto as famílias do Jardim Julieta e da Favela do Violão pagam entre R$ 0,096 e R$ 0,296 pelo kW, multinacionais como a Vale e a Votorantim pagam menos de R$ 0,05".

É a lógica da expropriação do mais fraco.

Enfim, alguém explica por que os bueiros do Rio vivem explodindo

Agora você está em condições de entender melhor por que bueiro explodindo no Rio tem, sim, a ver com a privatização. Os bueiros começam a explodir em 2005 e, em 2012, o sistema Google de busca registra mais de 685 notícias relativas a bueiros do Rio. Um repórter da TV Globo, em 2 de abril de 2011, informa que 420 transformadores da Light precisam ser trocados. Ele cobria uma explosão que, incrivelmente, não matou ninguém. Não era um bueiro comum. A tampa do transformador que explodiu pesava uma tonelada e caiu sobre um táxi, por acaso sem ninguém dentro.

Já o Ministério Público fez um levantamento e concluiu que há quatro mil bueiros sob risco de explodir na Cidade Maravilhosa.

Em duas semanas, entre 20 de junho e 5 de julho de 2011, houve 12 explosões em várias regiões: Tijuca, Laranjeiras, Copacabana, Flamengo,

Centro. Um dono de banca de jornais, Roberto Antonio de Souza, ouvido por um repórter de televisão, usou linguagem de tempo de guerra: a cidade é um campo minado; e, para ele, só não não tem havido mortes em profusão "por sorte". Sua imagem nos leva a sugerir que os jornalistas que cobrem explosões de bueiros equivalem a correspondentes de guerra.

Algumas explosões:

3 DE JUNHO DE 2011 — praça Tiradentes. Antigamente, suas atrações eram as peças de teatro "rebolado", agora é a explosão de bueiro.

4 DE JUNHO DE 2011 — rua da Constituição esquina com Gomes Freire, centro.

28 DE JUNHO DE 2011 — na rua Senador Vergueiro, Flamengo, um cinegrafista amador grava da janela de seu apartamento por mais de dez minutos as labaredas intermináveis, que queimam três orelhões e chamuscam uma árvore. Ouve-se ao fundo uma mulher gritar que o telefone dos Bombeiros só dá ocupado. Uma viatura da Light está parada a uns 15 metros de distância e acaba caindo fora.

5 DE JULHO DE 2011 — seis explosões em 24 horas.

7 DE JULHO DE 2011 — bueiro explode na fronteira Leblon-Ipanema.

18 DE JULHO DE 2011 — bueiro explode em Botafogo.

19 DE AGOSTO DE 2011 — bueiro explode na avenida Vieira Souto, do metro quadrado mais caro do país, de frente para o mar de Ipanema. Vamos convir que os bueiros da Light são democráticos: explodem e lançam suas tampas feito mísseis em bairro pobre ou rico.

1 DE SETEMBRO DE 2011 — centro, no Saara, maior mercado popular a céu aberto da cidade, pela segunda vez um mesmo bueiro explode. Na primeira, em fins de junho, bombeiros interditaram a área por quatro dias; agora, mais um dia pelo menos. Uma comerciante diz que perde diariamente entre R$ 2.500 e R$ 5.000 com isso.

O carioca, talvez o povo mais bem humorado do país, inventou gozações. Sobre o dia 5 de julho de 2011, em que nada menos que seis bueiros explodiram e ficaram lançando chamas, um internauta sugeriu pensar "pelo lado positivo": os moradores da rua podiam fazer comida sem gastar gás, acender o cigarro, fazer churrasquinho, usar como incinerador, "quem sabe até jogar um político no fogaréu". Outro, anônimo, criou e executou um adesivo em formato de estopim aceso, que ele saiu pregando pelas ruas, grudados nos *bueiros-dinamite*.

A Light controla a distribuição, geração e comercialização de serviços de energia em 31 municípios fluminenses. A Aneel, Agência Nacional de Energia Elétrica, anunciou após uma das explosões que iria passar a fiscalizar "todas as ações" da Light. Já a empresa "rebola" para arrumar desculpas para as mais de 40 explosões desde 2005. Ora diz que houve curto-circuito, ora que não sabe quais as causas, ou então — como na explosão da avenida Vieira Souto dos ricaços, culpa a arraia miúda: o roubo de cabos de cobre tem sobrecarregado a rede.

Numa entrevista para a televisão em junho de 2010, o presidente da empresa, Jerson Kelman, enrolou, enrolou e enrolou. Confrontado pela entrevistadora sobre o porquê de explodir um transformador que, segundo Kelman, havia sido trocado recentemente, o homem abriu os braços com as palmas das mãos para o alto, na atitude de quem diz: "Sabe Deus..."

* * *

Cada bueiro que explode no Rio deve ser ainda debitado na conta de alguém que ia escapando de fininho desse imbróglio: o político Aécio Neves, senador enquanto preparamos este livro e, tudo indica, candidato do PSDB ao Palácio do Planalto em 2014. Em dezembro de 2009, o tucano, então governador de Minas, recomprou o controle da Light (que pertencia à empreiteira Andrade Gutierrez, entre outros acionistas privados), por intermédio da Cemig — Companhia Energética de Minas Gerais. Passou a ser, portanto, responsável político pela velocidade dos quelônios com que a empresa se encarrega da manutenção e troca de equipamentos vencidos. O apregoado choque de gestão tucano consiste em privatizar os lucros e mandar a conta dos prejuízos para o contribuinte.

O choque de gestão não passa disso: um choque.

CAPÍTULO 21
Não conseguiram rasgar a segunda bandeira brasileira

Dez estragos no sistema Petrobras — Havia cinco mil fornecedores nacionais: liquidaram com eles — E a Petrobrax? Lembra? — Iam lançar mão até de ato terrorista! — "Houve sabotagem na gestão Reichstul"

FHC deve ter uma frustração predileta como ex-presidente: a Petrobras ele não conseguiu entregar — ou desnacionalizar, como preferem os eufemistas. Bem que tentou, e com afinco. FHC começou a causar-lhe danos já ministro da Fazenda de Itamar, em 1993: cortou-lhe 52% do orçamento, e sem fundamentação nem justificativa técnica; e manejou

O que será que a Petrobras fez a FH para ele querer seu fim?

preços de modo a que, no semestre anterior ao Plano Real, nossa estatal tivesse aumentos mensais dos combustíveis de 8% abaixo da inflação enquanto as empresas norte-americanas do setor os aumentavam 32% acima da média inflacionária. Culminou quebrando o monopólio de exploração e refino, ao sancionar em 1997 a "nova Lei do Petróleo", a 9.478, que revogava a famosa 2.004, sancionada por — adivinhe: Getúlio Vargas. Eis estudo para acadêmicos e outros interessados: como é que o filho e neto de militares nacionalistas vira tão ferrenho entreguista.

No *site* da Associação dos Engenheiros da Petrobras, Aepet, em 11 de agosto de 2009, constam os exemplos acima apontados, e outros, compondo o texto *Dez Estragos Produzidos pelo Governo FHC no Sistema Petrobras*. Seu autor é Fernando Leite Siqueira, presidente da Aepet. Com ele vamos conversar em 5 de junho de 2012 e confirmar que, na Era FHC, houve até terrorismo contra a Petrobras.

Na estatal desde 1971 — onde atuou por 25 anos na área de exploração e produção — ele afirma que teve "a felicidade de trabalhar nos projetos de águas profundas, que gerou tecnologia que é a melhor do mundo, na época áurea da Petrobras, a época dos desafios".

Acompanhou toda a evolução tecnológica. Tinha 34 anos quando o general Ernesto Geisel, ocupando a presidência da República, permitiu a compra de equipamentos no país "até pelo dobro do preço no exterior", o que gerou cinco mil fornecedores nacionais para a Petrobras, e outras empresas, e com tecnologia de ponta.

"Aí veio Collor, deu uma recuada de 30% nas tarifas de importação. Passaram a ter desvantagem em relação a estrangeiros. E FHC jogou a pá de cal: criou um decreto que isenta as empresas brasileiras do imposto de importação. Com isso liquidou cinco mil empresas. Se antes competiam com vantagem contra estrangeiras, passaram a meros escritórios de suas antigas concorrentes. Foi um desastre tecnológico para o país."

Quer dizer que a ditadura foi melhor para a Petrobras do que o governo FHC? — pergunto ao presidente da Aepet, que responde:

"Infinitamente melhor. O governo militar teve erros crassos, na área de direitos humanos. Mas eram nacionalistas. E o Geisel foi presidente da Petrobras. Deu todo apoio à empresa."

FHC quebrou o monopólio, baixou lei que dá 100% do petróleo a quem produz, com obrigação de pagar só os *royalties* em dinheiro e mais uma participação em torno de 11%.

"Ou seja, uma empresa paga 21% ao país e fica com 100% do petróleo, quando na média mundial dos países exportadores a empresa fica com 80% do petróleo."

Ele concorda quando lhe pergunto se Collor foi um ensaio para Fernando II:

"Em 1991, o presidente suíço deu a Collor um plano de privatização da Petrobras. Privatizar as subsidiárias e transformar a *holding* em novas subsidiárias. O Collor privatizou as subsidiárias. Ele caiu, o Itamar interrompeu o processo, e o FHC retomou."

Lembra algo que faltava neste livro, a figura de Henry Kissinger, descendente de judeus alemães que se tornou secretário de Estado — e que por sinal, em relação ao Brasil, disse que os Estados Unidos não tolerariam um novo Japão ao sul do Equador.

"Em 1979, Kissinger fez um discurso dizendo que os países desenvolvidos precisavam dos recursos naturais."

O presidente da Aepet acha que com Lula e Dilma demos "uma segurada" no entreguismo, "mas não total".

"O projeto do Lula retoma para a União. Mas não teve cacife político para acabar com os leilões. Não faz sentido fazer leilões se a Petrobras tem toda a tecnologia. Quem tem petróleo para produzir, tem crédito e todas as condições de obter recursos dando como garantia o petróleo que é bem mais sólido."

E Dilma teria cacife?

"A Dilma sofre pressões terríveis", diz. "Os lobistas são o Instituto Brasileiro de Petróleo, onde as empresas do cartel internacional estão alojadas, a Onip, Organização Nacional da Indústria de Petróleo, e a Fiesp. São lobistas atuando no Congresso, no Executivo e no Legislativo, no STF. É um *lobby* fortíssimo, porque os Estados Unidos não têm petróleo e a Europa também não, então querem o pré-sal. O Lula podia ter acabado com os leilões, mas não teve força para vencer o *lobby*."

A informação sobre este *lobby*, observa, apareceu no WikiLeaks, organização com sede na Suécia que publica de fontes anônimas — documentos, fotos e informações confidenciais, vazadas de governos ou empresas.

O ESTADO DE S. PAULO
Começam as demissões na Petrobrás

Demissões e divisão da empresa em pedaços facilitariam a entrega, aos poucos.

"Presa caminhonete da Globo com explosivos perto de uma refinaria"

Como a gente conseguiu impedir que a Petrobras fosse privatizada no governo FHC?

O esquema era o seguinte: ele dividiu a Petrobras em 40 unidades de negócio, incluiu um artigo 64 na Lei do Petróleo que ele fez, dizendo que a Petrobras poderia transformar essas unidades em subsidiárias, cada refinaria, cada plataforma etc., e privatizá-las. Pela lei vigente, não poderia sem autorização do Congresso.

Era uma por uma?

E começaram pela Refap, Refinaria Alberto Pasqualini, no Rio Grande do Sul. Transformaram em subsidiária junto com a Repsol da Argentina, sendo a Repsol acionista majoritária. Só que fizeram um negócio tão absurdo, que geraram um prejuízo de dois bilhões de dólares para a Petrobras. Nós entramos na justiça e ganhamos liminar suspendendo essa operação. A próxima refinaria já estava escolhida, depois a segunda plataforma.

Era o processo sugerido pelo presidente suíço, porque a Petrobras é empresa emblemática, e privatizar de uma vez gera reações do povo brasileiro.

Como vocês conseguiram brecar isso nas ruas?

Nas ruas chegamos com ajuda do Reichstul (veja verbete *Reichstul, Henri Philippe*, no Capítulo 22, *Melhores maldades dos homens e mulheres de Fernando Henrique*). Um belo dia ele chamou a Aepet no sindicato para comunicar que estava mudando o nome da empresa para Petrobrax. Contratou uma firma de comunicação para esse trabalho, pagou uma boa grana.

Alexandre Machado e companhia.

É, e fez um discurso, que a Petrobras estava sendo internacionalizada e tal, e precisava um nome mais pronunciável para os estrangeiros. Queria dizer "novos proprietários", né? Falei "presidente, queria alertá-lo de que está rasgando a segunda bandeira brasileira". Ele me respondeu: "Eu não chamei vocês aqui para pedir opinião, chamei para comunicar, a decisão já está tomada." Convoquei entrevista coletiva, a repercussão na mídia foi imediata. Ele teve de voltar atrás, que aí o povo sentiu que realmente a Petrobras estava em risco de ser desnacionalizada. E o Reichstul um mês depois foi destituído do cargo.

Durante a greve dos petroleiros, a *Veja* fez uma capa do FHC com capacete militar. Fala-se numa tentativa de atentado naquela época, além de repressão violenta.

O *Jornal do Brasil* noticiou que foi presa uma caminhonete da Globo com explosivos próximo a uma refinaria. Certamente seria um atentado atribuído aos petroleiros. O relatório de um jornalista de Campinas relata. Agora acessei na Internet uma tese de mestrado, jornalista ou economista da Unicamp, e fala disso. No livro dos 50 anos da Aepet no nosso *site* tem as informações [www.aepet.org.br].

Foi uma espécie de atentado frustrado como no Riocentro, não?
Tem um fato que vou falar agora. Descobrimos um relatório do Conselho Nacional do Petróleo, mudou o nome para Departamento Nacional de Combustíveis, DNP: havia mais de 20 dias as empresas não retiravam combustível das bases da Petrobras, com objetivo de faltar para os postos, portanto para os consumidores, e atribuir à greve dos petroleiros. Um jornalista suíço cobrou das empresas jornalísticas brasileiras o estabelecimento da verdade. E a grande mídia não desfez a falsa acusação porque defendia interesse estrangeiro na privatização da Petrobras. A minha ideia é de que seria um atentado terrorista atribuído aos petroleiros. FHC queria desbaratar a resistência às privatizações. Aí o que aconteceu? Todos os demais sindicatos brasileiros perderam a coragem. Passaram a lutar pela subsistência, contra as demissões, porque o FHC começou um processo de privatização e demitiu cerca de 30, 40 por cento dos funcionários. Tudo isso fazia parte de um plano para desnacionalizar a Petrobras. Então a greve dos petroleiros foi um erro nosso. Mas também fizeram todo tipo de armadilha... um processo maquiavélico. FHC enfureceu a categoria, para induzir à greve, fechou todo sindicato petroleiro do Brasil por mais de um ano. Isso fez parte da estratégia de eliminar uma das forças mais capacitadas para impedir a privatização.

Mesmo assim não conseguiram?
Nós botamos na imprensa que a intenção era desnacionalizar. Não só privatizar, era desnacionalizar. Houve aí uma reação da opinião pública, em cima do Petrobrax, e eles recuaram.

"Houve sabotagem na Petrobras na gestão Reichstul"

Para coroar, o naufrágio da plataforma P-36: como entra nessa história?
Na minha visão — não sou dono da verdade —, acho que foi sabotagem. De 1975 a 1998, a Petrobras teve 17 acidentes graves em

23 anos. No período Reichstul, 1999 a 2001, 62: mais de 30 por ano. E um deles na plataforma P-36. Qual era o objetivo? Jogar a Petrobras contra a opinião pública. Teve um derramamento na baía de Guanabara, ficou a noite inteira a válvula funcionando errado, e o operador, com todos os equipamentos eletrônicos, não viu. Depois, no Paraná, o camarada tirou um conjunto de medição e deixou um gatilho lá, inexplicável, e fez com que houvesse um derramamento e criasse uma reação ambientalista contra a Petrobras. Ou seja, esses 62 acidentes, a meu ver, tinham a função de jogar a empresa contra a opinião pública para justificar a desnacionalização.

Mas seriam funcionários vendidos?
Não posso dizer que se venderam. Mas, esse caso do Paraná, quando tiraram o equipamento e deixaram um gatilho lá, tinha uma válvula fechada. E foi encontrada aberta. Então alguém abriu propositalmente. Da mesma forma, na P-36 houve oito erros absurdos, elementares. Imagino que, com a terceirização, possam ter infiltrado um sabotador na equipe. Tinha uma válvula que não podia estar aberta e estava. Esse tanque não tinha estrutura mecânica para suportar pressão, e abriram a via de comunicação com ele.

Você vê possibilidade de presença estrangeira?
Pode ser um sabotador nacional, pode ser prioritariamente um estrangeiro. Porque é especialista nisso, né? Fiz um relatório para a Marinha e outro para o Ministério Público, e nenhum dos dois... o MP teve a ridícula resposta de me dizer que eu estava dando um belo indício da sabotagem, mas não estava dando prova. Puxa! Quem tem que investigar é o MP! O MP fugiu da responsabilidade. A equipe da Bacia de Campos, um dos caras que estava lá é meu conhecido, meu subordinado, ele disse que fizeram um esquema de recuperação da plataforma, chegou a retornar 11 graus da inclinação. A ideia era dar condição de ela ser rebocada até o porto ou estaleiro. Aí a Petrobras trouxe uma empresa, a Red Adair, especia-

lista anglo-americana em desastres ambientais. Chegou e disse: "Agora vocês saiam da rota e deixem comigo." Aplicou o esquema dele e a plataforma afundou. Não posso dizer que foi proposital, mas que foi suspeito, foi.

Você tem algum outro fato importante dentro deste contexto?
Na desnacionalização, a gente teve dois lances que impediram: entrar com a ação suspendendo a troca de ativos no Rio Grande do Sul; e a entrevista coletiva em que a gente denunciou a Petrobrax. E outro fator importante é que eu acho que houve sabotagem na Petrobras na gestão Reichstul.

O xis no fim do logotipo: soaria mais gringo para os gringos.

CAPÍTULO 22
Melhores maldades dos homens e mulheres de Fernando Henrique

Curioso: ao contrário do chefe, francófilo, eram americanófilos — Chegam a emitir comunicado em inglês! — Eram duas turmas: a da PUC do Rio e a dos paulistas afinados com Serra — Ficaram quase todos milionários

Volta e meia temos chamado Collor de Fernando I e FHC de Fernando II. De fato, há dois pontos comuns. Primeiro: no governo esticado de Fernando II figurariam importantes nomes da área econômica que serviram ao governo relâmpago de Fernando I: Pedro Malan, negociador da dívida externa; Marcílio Marques Moreira, ministro da Fazenda; e o próprio FHC só não pertenceu ao governo Collor, como chanceler, porque levou uma bronca de Mário Covas, como vimos no Capítulo 3, *Disparada atrás do quase candidato posto em apuros*. Segundo: após o governo tampão de Itamar (1992-1995), Fernando II retoma Fernando I no ajuste de nossa economia à "nova ordem mundial" comandada pelo FMI, Fundo Monetário Internacional, e Banco Mundial — nos quais quem apita são europeus (um pouco) e americanos (muito).

Mexer numa economia que já figurava entre as dez maiores do planeta requeria, da parte de Fernando II, cercar-se de operadoras e operadores afinados com o projeto de desmonte do estado, entrega de riquezas, setores produtivos estatais inteiros, o que implicaria mudanças da Constituição — papel do estado federativo, direitos sociais adquiridos, sucessão (emenda da reeleição).

Esses operadores disputaram a hegemonia da área econômica (a que mandava mesmo) dispostos em dois grupos: a turma de financistas da PUC-RJ, dos pioneiros Chico Lopes e Edmar Bacha; e a turma dos tucanos paulistas mais afinados com José Serra.

Na reta final da Era FHC, Serra se enfraquece ao cair do Ministério do Planejamento por divergir do ministro da Fazenda Pedro Malan e perder a eleição municipal em São Paulo para o malufista Celso Pitta em 1998. Então, a partir de 2000, domina o grupo da PUC-RJ, traduzido na dupla Pedro Malan na Fazenda e Armínio Fraga no Banco Central. Gente que gestou o Plano Real, ligada à turma do Consenso de Washington, encontro que — em reunião patrocinada pelo Banco Mundial, FMI, BID (Banco Interamericano de Desenvolvimento) e governo americano, em novembro de 1989 — preparou o receituário a seguir, a exemplo do Chile de Augusto Pinochet, dos Estados Unidos de Ronald Reagan, da Inglaterra de Margaret Thatcher.

Devíamos "desregular o mercado" para dar liberdade total aos capitais privados, "abrir" a economia, rever direitos dos trabalhadores, reformar o estado — e privatizar estatais. Malan era diretor do Banco Mundial e Marcílio Marques Moreira, nosso embaixador em Washington — percebe as ligações?

Viraram homens e mulheres ricos, até milionários

A Era FHC já estaria liquidada em fins de 1998, não fosse o governo "compartilhado" com o FMI e o Tesouro dos Estados Unidos (ver Capítulo 24, *Dom Antiquixote...*). Para fazer jus a empréstimo de emergência de US$ 41 bilhões, FHC mandou seus homens das finanças "negociar" — com Stanley Fisher, diretor do FMI, e Lawrence Summers, subsecretário do Tesouro americano — metas fiscais, de inflação, mudanças em nossas leis, inclusive na Constituição, previdência social, direitos dos funcionários públicos e dos aposentados, que FHC chamaria de "vagabundos".

Primeiro removeu-se Chico Lopes do Banco Central — Stanley Fisher o achou meio "inflexível"; Chico Lopes foi substituído por Armínio Fraga. No mesmo dia, 1º de fevereiro de 1999, à noite, Fisher desembarca em Brasília e, após 36 horas de discussões, sai um comunicado sobre o novo acordo com o FMI. Especifica como deve comportar-se o governo para receber os US$ 41 bilhões — dos quais não ficou aqui um cêntimo, investidores e especuladores os tomaram e levaram embora, deixando a dívida para os brasileiros pagar.

Maluquice ou entreguismo explícito: o comunicado estava escrito em inglês! Os rapazes todos e as moças fizeram doutorado nos "Steites":

Berkeley (Pedro Malan, Andrea Calabi);

Harvard (Chico Lopes, Edward Amadeo, Gustavo Franco);

MIT, Massachusetts Institute of Technology (Eliana Cardoso, André Lara Resende, Pérsio Arida);

New School for Social Research de Nova York (Pio Borges);

Princeton (Armínio Fraga, Francisco Gros);

Yale (Edmar Bacha, Geraldo Brindeiro).

Assim, tal como FHC pensa em francês, a rapaziada pensa em inglês.

Nada a estranhar que um Armínio Fraga, no início de outubro de 1999, falando a empresários em Nova Iorque, desaconselhasse investimentos em Minas Gerais. E que um Lara Resende, em novembro de 1998, tenha anunciado que pretendia "mudar-se já" para os Estados Unidos.

"Eles não agem como brasileiros, porque pouco lhes interessa a miséria, a fome e a morte de nossa gente", escreveu no *Correio Braziliense* na época o jornalista Mauro Santayana. "Se ainda continuam aqui, é porque aqui é mais fácil ganhar o dinheiro que investirão em sua pátria de escolha, os Estados Unidos."

Nada a estranhar que um Pedro Malan, em janeiro de 1999, tenha denunciado Minas e Rio Grande do Sul ao Banco Mundial e ao BID porque seus governadores, o gaúcho Olívio Dutra e o mineiro Itamar Franco, questionaram os termos do acordo de suas dívidas com a União. A submissão era tal que, a fim de ajustar as contas para cumprir as exigências, cortaram o dinheiro das cestas básicas para os mais pobres. A *Folha de S. Paulo* noticiou em 19 de setembro de 1999:

> *O Fundo permitiu, na última revisão do programa com o governo brasileiro, um aumento dos gastos sociais como forma de aliviar o custo social agravado pela crise cambial de janeiro.*

Se o FMI "permitiu", não é preciso dizer mais nada sobre a subserviência de FHC e seus homens e mulheres. A minienciclopédia biográfica a seguir reúne 46 nomes e nossa fonte principal é *Os Homens do Presidente* (Viramundo, 2000), do jornalista Luiz Marcos Gomes, que aponta na introdução a improbabilidade de havermos tido na história governo que promoveu tantos "negócios com bens públicos". Nem se viu tanta desenvoltura com que os dois grupos, PUC-Rio e tucanos paulistas, "transitam livre e impunemente entre altos cargos do serviço público e do setor privado, sobretudo o financeiro"; usam informações privilegiadas, favorecendo interesses e, "frequentemente, auferindo vantagens pessoais", bastando ver "quantos se tornaram banqueiros, homens e mulheres ricos, alguns até milionários".

A

Amadeo, Edward Professor de economia na PUC-RJ. Auxiliar de Pedro Malan. Foi ministro do Trabalho de abril a dezembro de 1998 e secretário de Política Econômica da Fazenda de março de 1999 a junho de 2001.

Crueza predileta: "avançar na reforma da legislação trabalhista", isto é, rever direitos sociais, o que pregou abertamente.

Arida, Pérsio Banqueiro, professor da PUC-RJ, presidiu o Banco Central e o BNDES; dirigiu o Banco Opportunity (Oportunidade em português), de Daniel Dantas. Junto com André Lara Resende, foi teórico do Plano Cruzado (governo Sarney). Um texto que os dois apresentaram ao Consenso de Washington é tido como base teórica dos planos de estabilização que vão do Cruzado ao Real.

Crueza exemplar: com a mulher, Elena Landau, agiu na privatização da Telebras em defesa dos consórcios em que o Opportunity participava, usando ligações com Lara Resende e Mendonça de Barros, como mostram as fitas dos "grampos do BNDES".

B

Bacha, Edmar Sócio do Banco BBA e presidente do BBA Securities em Nova Iorque. Professor da PUC-RJ, presidiu o IBGE, Instituto

Brasileiro de Geografia e Estatística. Assessor de FHC na Fazenda com importante papel no Plano Real. Presidiu o BNDES, depois promoveu eventos nos EUA sobre oportunidades de investimentos no Brasil de FHC. Ponte entre economistas brasileiros e o pensamento hegemônico americano, Wall Street, Banco Mundial, FMI, Consenso de Washington.

Crueza-mor: inventou o FEF, Fundo de Estabilização Fiscal, pelo qual o Congresso autorizou o governo a manejar, a seu bel-prazer, 20% do orçamento da União tirados de programas sociais e dos recursos que Brasília deve repassar a estados e municípios — para amparar o Plano Real.

Bier, Amaury Secretário-executivo da Fazenda ligado a Pedro Malan a partir de abril de 1999, em substituição a Pedro Parente, que vai para o Planejamento. No governo desde 1996, vindo do Citibank, chega para chefiar a assessoria econômica do Planejamento a convite de Antonio Kandir, com quem trabalhou no governo Collor — trabalhou também na Kandir & Associados, de consultoria empresarial.

Crueza: cúmplice das políticas de estrangulamento de estados e municípios, demissão de funcionários, cortes nos programas sociais, aumento de impostos, tarifas e combustíveis etc.

Borges, Pio Engenheiro e financista pela PUC-RJ, presidiu o BNDES e dirigiu sua área de desestatização. Casado com norte-americana e ligado ao PFL (DEM), assume em 2000 uma área de investimento no Banco Liberal, controlado pelo Bank of America.

Crueza: abriu os cofres do BNDES e deu à Ford R$ 900 milhões em incentivos para instalar-se na Bahia.

Bornhausen, Jorge Político do PFL (DEM), de família tradicional de empresários e banqueiros catarinenses, chefiou a Casa Civil de Collor. No primeiro governo FHC, embaixador em Portugal. Na crise de janeiro de 1999, queria privatizar tudo: Banco do Brasil, Petrobras, Caixa Econômica Federal, para "recuperar a confiança" de investidores externos.

Crueza frustrada: em fins da década de 1990, apresenta no Senado projeto criando o Código de Defesa do Contribuinte, que segundo tributaristas "inviabilizaria completamente" a fiscalização das empresas.

Bracher, Fernão Banqueiro. No governo Sarney presidiu o Banco Central, que tinha como diretores Arida, Lara Resende e Mendonça de Barros.
Proeza: fundou em 1988 com Pérsio Arida e Beltran Martinez o Banco BBA Creditanstalt, associado ao Creditanstalt AG, grupo austríaco credor do Brasil.

Bresser-Pereira, Luiz Carlos Economista, cofundador do PSDB e seu ideólogo da "reforma do Estado". Executivo do Pão de Açúcar de 1963 a 1998, coordena as finanças da campanha para a reeleição de FHC. Assume o Ministério da Administração e Reforma do Estado, depois o de Ciência e Tecnologia. No governo Sarney, ministro da Fazenda, lança o Plano Bresser. Afastou-se do PSDB.
Crueza: jogou fora as planilhas da contabilidade da campanha da reeleição de FHC em 1998 impedindo qualquer possibilidade de identificar irregularidades como caixa dois.

Brindeiro, Geraldo Pernambucano, formado em Direito no Recife, foi secretário jurídico do Supremo Tribunal Federal. FHC o nomeou em 28 de junho de 1995 procurador-geral da República e o reconduziu três vezes. Admirado pela coleção de gavetas: de 626 inquéritos criminais que recebeu, engavetou 242 e arquivou 217. O engavetador-geral da República causaria constrangimento a FHC ao ser entrevistado em 2007 na BBC de Londres. O âncora questionou FHC sobre o "engavetador" e, quando FH disse que ele era "independente", contestou que quem o nomeou foi ele e que, se não houve "nada de errado" em seu governo, não seria porque Brindeiro "sentou" sobre os processos? Última notícia sobre ele antes de fecharmos este livro, no *Correio Braziliense* de 25 de maio de 2012:

"A quebra de sigilo do contador da quadrilha de Carlinhos Cachoeira mostrou que o escritório particular de Geraldo Brindeiro recebeu R$ 161,2 mil das contas de Geovani Pereira da Silva, procurador de empresas-fantasmas usadas para lavar dinheiro do esquema criminoso desnudado pela Operação Monte Carlo."

Inspirou o jornalista de humor José Simão a adotar para si o título de "esculhambador-geral da República".

C

Calabi, Andrea Consultor, presidiu o Banco do Brasil. Ligado a Serra, no primeiro governo FHC foi secretário-executivo do Planejamento. Sócio da Consemp, de assessoria a grupos paulistas na área de privatização de estatais. Ao assumir o BNDES em julho de 1999, disse que a função do banco era fortalecer empresas nacionais e criar empregos. Identificado com o "neonacionalismo", corrente apoiada pela Fiesp, Federação das Indústrias do Estado de São Paulo, de crítica (branda) à desnacionalização das empresas, acabou substituído por Francisco Gros, mais um ligado aos interesses de Wall Street, em manobra do ministro Alcides Tápias, do Desenvolvimento, aliado a Pedro Malan e Armínio Fraga.

Crueza: no BNDES, financiou, sob protestos de Antonio Ermírio de Morais, o grupo americano AES, que venceu o leilão de privatização da Cesp Tietê derrotando grupos brasileiros.

Caldas Pereira, Eduardo Jorge O cearense EJ, funcionário do Senado em 1983, fica amigo de FHC, que o levará para o Planalto como secretário-geral da Presidência. Vira homem forte.

Eduardo Jorge e FHC seguiam inseparáveis em 2011: EJ dava expediente no Instituto FHC, centro de São Paulo.

Cardoso, Eliana Na Fazenda, secretária de Assuntos Internacionais. Passaria a assessora do Banco Mundial. Foi casada com Edmar Bacha e com Rudiger Dornbusch, consultor internacional. Professora da Fundação Getúlio Vargas em São Paulo. Com Daniel

Dantas, apresentou diagnóstico sobre o Brasil na reunião do Consenso de Washington.

Crueza política inofensiva: enquanto o povo se preparava para eleger Lula em 2002, defendia Serra para uma "mudança sem atropelos" e dizia que votar em Lula era "aposta de alto risco".

Cardoso, Ruth Antropóloga. Para a primeira-dama, FHC criou, por decreto de 12 de janeiro de 1995, o Comunidade Solidária. Na *CartaCapital* de 7 de agosto de 2009, Mauricio Dias, a propósito da CPI da Petrobras, avaliava que ações do Comunidade Solidária podiam causar problemas para FHC. Citava repasses da estatal para projetos da Ação Social pela Música, de Rodolpho Cardoso de Oliveira — num dos papéis das transações contábeis havia a observação à mão: "Primo de FHC". Havia "ligações profissionais de membros da família Cardoso, durante os oito anos do governo", e prestações de contas "coalhadas de falhas".

Em oito contratos, no valor de 3 milhões e 600 mil reais, havia "pecados graves", como, "oito dias antes de o governo FHC acabar, a Universidade Solidária, Unisol, receber da Petrobras R$ 1,2 milhão", com uma única evidência do cumprimento da proposta, "o relatório apresentado pela patrocinada". Sobre o repasse de 1 milhão e meio de reais para a Associação de Apoio ao Programa de Capacitação Solidária, a observação: "Temos problemas de prestação de contas nesse contrato." Em outro, de 1 milhão e 200 mil: "Não há relatórios de atividades e prestações de contas."

Carvalho, Clóvis Empresário paulista, engenheiro, ligado a Sérgio Motta e José Serra, secretário do Planejamento do governo Montoro. Chefe da Casa Civil de 1995 a 1999, quando assume o Ministério do Desenvolvimento, Indústria e Comércio, criado por FHC para simular que toca um governo "desenvolvimentista". Clóvis, em 1999, critica a ênfase em cortes de gastos, o excesso de cautela, e defende mais "ousadia" para promover o desenvolvimento. Fritado, acaba substituído por Alcides Tápias, banqueiro, presidente da Camargo Corrêa.

Covas, Mário Santista, governou São Paulo e se reelegeu em 1998 derrotando um Paulo Maluf favorecido pela "neutralidade" de FHC, em troca de apoio à emenda da reeleição. Propôs quando senador (1989) um "choque de capitalismo" para solucionar nossos problemas. Como governador, manteve relação tensa com o Planalto, pelo impacto negativo das medidas de FHC para as finanças estaduais.

Crueza: abandonou a área social, explodiram os índices de violência, chacinas na periferia paulistana, desespero dos jovens carentes, trancafiados nas unidades da Febem — Fundação Estadual do Bem-Estar do Menor.

D

Dantas, Daniel Baiano, doutorado em economia pelo MIT, banqueiro do Opportunity, fez muitos negócios articulados com estrangeiros: Vale, Cemig, Telebras — neste caso com desenvoltura, junto com Pérsio Arida e Elena Landau, usando para obter informações suas relações com Mendonça de Barros (Comunicações), Lara Resende e Pio Borges (BNDES). Foi professor da FGV-RJ.

Dornelles, Francisco Sobrinho de Tancredo Neves, ligado a Paulo Maluf. Poderoso na ditadura: chefe da Receita. Com FHC, ganha a pasta da Indústria, por acordo com Maluf para aprovar a reeleição. No Trabalho, encomenda estudo para mexer em direitos a pretexto de diminuir o desemprego, o que não aconteceu em países que adotaram as medidas.

Crueza, narrada por Mario Garnero em *Jogo Duro* (Best Seller, 1988): na eleição no Colégio Eleitoral em 1984, Tancredo vs. Maluf, querendo contribuir, Garnero procura Tancredo, que o orienta a entender-se com o assessor José Hugo. Um amigo lhe recomenda procurar Dornelles. Garnero responde que fará como o tio dele recomendou. Conclui Garnero:

"Talvez o sobrinho fosse o administrador de uma caixinha paralela e tenha se magoado."

Tancredo morre, Sarney vira presidente. O Brasilinvest — de Garnero — enfrenta dificuldades. Dornelles, na Fazenda, decreta liquidação extrajudicial do Brasilinvest. E liga para jornalistas pedindo "uma força no assunto". Ainda pede "prisão preventiva" de Garnero — que depois refará seu império.

F

Fraga, Armínio Banqueiro, antes de presidir o Banco Central foi diretor-gerente do Soros Fund, de Wall Street, onde operou com o especulador George Soros ataques especulativos contra moedas do Sudeste Asiático. Diretor da área externa do BC com Collor, criou mecanismos usados por capitais especulativos para entrar no país. Com cidadania dupla, brasileira e americana, doutorou-se em Princeton. Assume o BC em março de 1999, após o acerto com os gringos para a "ajuda" de emergência de US$ 41 bilhões, com a tarefa de "acalmar" o mercado externo: o Brasil iria fazer tudo que seu mestre FMI mandasse. O "efeito Armínio" — queda do dólar de 2,15 para 1,80 — durou até novembro, o dólar subiu, a inflação voltou pressionada pela alta de tarifas públicas e combustíveis.

O coração pendeu mais para Wall Street que para Bovespa em outubro de 1999 e Armínio agiu como verdugo do Brasil. Falando a banqueiros e empresários em Nova Iorque, atacou Itamar Franco, governador mineiro que se rebelou contra medidas entreguistas. Armínio disse que o governo brasileiro estava "muito irritado" com Itamar e aconselhou a plateia a evitar investir em Minas Gerais.

Franco, Gustavo Há uma festa de consumo de importados, viagens a Miami e à Disney, com o real igual ao dólar. Franco, homem forte do governo, está por trás da mágica. Mesmo quando o país já perdeu US$ 40 bilhões, segue nessa política no Banco Central, junto com Malan na Fazenda. Algo em comum com outros homens de Fernando II: trabalhou para Fernando I. Ao deixar o governo, em 2000, foi para a empresa Rio Bravo oferecer consultoria para gringos interessados na privataria.

Não há melhor crueza do que, com a mágica besta de manter o real ao par com o dólar, abrir a economia indiscriminadamente e quebrar setores inteiros de nossa indústria e pôr o desemprego nas alturas.

Fritsch, Winston Presidente do Banco Dresdner Kleinwort Benson do Brasil (controlado pelo Dresdner Bank). Foi secretário de Política Econômica da Fazenda com papel destacado na implementação do Plano Real.

Crueza boa: seu banco foi um dos que FHC contratou para ajudar a esquartejar a Telebras e vender aos pedaços.

G

Gomes dos Santos, Júlio César Diplomata, chefe do Cerimonial do Planalto. Melhorou o visual de FHC: usar meias cobrindo as panturrilhas, evitar terno branco.

Afinal, em 1994, sairia o Sivam. Finalistas: a norte-americana Raytheon e a francesa Thomson. Por envolver R$ 1,5 bilhão as duas entraram em guerra. Especialistas preferiam a Raytheon, que só ganhou a parada quando a Aeronáutica obteve bom financiamento no Eximbank. O primeiro escândalo do governo FHC começa em novembro de 1995. O presidente do Incra, Francisco Graziano, entrega a FHC a transcrição de conversas entre o representante da Raytheon e Júlio César, que alude a possível exigência de propina pelo senador Gilberto Miranda (PFL-AM), relator da comissão que reavalia o projeto. O juiz que autorizou o grampo caiu em cilada: o pedido mencionava investigação de tráfico de drogas. Especulou-se que Graziano e Júlio César eram desafetos. Caíram os dois; caiu o policial que pediu o grampo; caiu o ministro da Aeronáutica Mauro Gandra, por ter-se hospedado na casa do representante da Raytheon. Júlio César seria recompensado em 1997 com cargo em Roma: representante brasileiro na FAO, órgão da ONU para agricultura e alimentação.

O negociador no Eximbank, brigadeiro Marco Antônio de Oliveira, negou que os norte-americanos teriam acesso a dados obtidos pelo Sivam. Soube-se, porém, que ficaria com eles a decodificação dos dados.

Gros, Francisco Sem intermediários: Gros saiu direto de poderosa instituição de Wall Street, o Morgan Stanley — atuante em 52 países, com ativos de US$ 420 bilhões — para o BNDES, com orçamento de R$ 20 bilhões e papel decisivo na privataria, especialmente Telebras. Tinha presidido o BC nos governos Sarney e Collor. Associou-se ao banco BFC, liquidado judicialmente em 1995 por não poder honrar compromissos com clientes. Na véspera de assumir o BNDES em 2 de março de 2000, o deputado petista Aloizio Mercadante sustentou no Ministério Público, inutilmente, que ele não tinha condições legais para exercer o cargo. Paulo Henrique Amorim nos esclareceu melhor:

"Francisco Gros, ele que morreu cedo, é uma mente que se escondeu bem, mas está por trás da tentativa de transformar o BNDES em banco de investimento. Significa privatizar, isso. Não num banco de fomento, mas a serviço dos interesses das empresas e especialmente das operações conturbadas. E aí você veria o que ia acontecer em 2008, o BNDES transformado numa gôndola de saques. Quando presidente da Petrobras, o cérebro dele era fazer o que os mexicanos talvez consigam fazer com a Pemex: fatiar. Picotar em pequenos negócios para facilitar a privatização. Pega a distribuidora e dá pra essa; a petroquímica, dá pr'aquela; exploração do petróleo, pra outra. Quando assumiu, a primeira coisa que fez foi ir à sede de Houston, que a empresa tem uma operação importante lá, no Golfo do México, e fazer um discurso de que iria privatizar a Petrobras. Talvez tenha sido o único tucano que disse isso com clareza."

Grossi, Tereza Economista mineira, fiscal do Banco Central em 1999 quando os bancos quebrados FonteCindam, de Luiz Antônio Gonçalves, e Marka, de Salvatore Cacciola, foram agraciados com a venda de dólares abaixo da cotação oficial, gerando prejuízo de R$ 1 bilhão e 574 milhões ao país — rombo atualizado em 2012 em R$ 25 bilhões. Em 2000, FHC a indica para diretora de Fiscalização. No

Senado, Pedro Simon (PMDB-RS) questiona: ordem "imoral" se deve cumprir?; Roberto Saturnino (PSB-RJ): ela não preenche "o requisito de reputação ilibada"; Heloisa Helena (PT-AL): insistência de FHC em Tereza estaria em "premiar alguém que cumpriu determinações superiores, mas não com as funções de funcionária pública". Tereza foi aprovada, no voto secreto. Absolvida no Rio de Janeiro, foi condenada em Brasília em 2012, recorreu e passaria a responder em liberdade. Grampeado pela Polícia Federal, ouve-se Salvatore Cacciola elogiando Tereza para um interlocutor que pergunta se é a Tereza "da ajuda", e Cacciola confirma.

J

Jereissati, Tasso A família Jereissati é dona de meio Ceará; e Tasso, que presidiu o PSDB, articulou a aliança com o PFL em 1994. Em 1990, tentou com FHC atrelar os tucanos a Collor: foram barrados pelo grupo de Mário Covas. O irmão Carlos, no leilão das teles, abocanhou a Telemar, dona da telefonia fixa do Rio ao Ceará. A família da mulher, Queiroz, é dona da outra metade do Ceará — juntos, dominam as comunicações (TV Globo e TV Bandeirantes), distribuidoras (Coca-cola), a construção civil, a hotelaria, os *shopping centers*.

Tasso não admite contestação. Em outubro de 2010, leva José Serra a Canindé, cidade de turismo religioso. Cabos eleitorais tucanos distribuíram panfleto contra Dilma Rousseff. O frade, incomodado porque a comitiva chegou com a missa em andamento, mostra o panfleto ao final e diz que "ninguém pode falar em nome da Igreja". Tasso quis pegar o padre pra Cristo. Chamando-o de petista, só não o socou porque assessores impediram. A proeza não mereceu sequer nota no *Jornal Nacional*, nem nos grandes jornais e revistas.

K

Kandir, Antonio Economista e político paulista, secretário de Política Econômica no governo Collor e ministro de Planejamento no governo FHC. Mais um que treinou com Fernando I para servir Fernando II, um dos ideólogos das "reformas estruturais".

Certas leis ganham os nomes dos que as criaram, em geral do bem. A Lei Kandir homenageia a proeza. Deputado federal, Kandir criou em 1996 lei que isenta de ICMS, Imposto sobre Circulação de Mercadorias e Serviços, uma cesta de produtos primários ou semimanufaturados.

L

Lafer, Celso Empresário paulista, sócio da Metal Leve, uma das maiores fábricas brasileiras de autopeças, vendida para a alemã Mahle. Professor da Faculdade de Direito da Universidade de São Paulo. Foi chanceler de Fernando I e Fernando II.

Em 31 de janeiro de 2002, mostrou fisicamente a submissão aos Estados Unidos: tirou os sapatos três vezes em aeroportos de Miami, Nova Iorque e Washington. O Ipea, Instituto de Pesquisa Econômica Aplicada, divulgou em 2011 estudo de Carlos Milani, da UFRJ — Universidade Federal do Rio de Janeiro — que acrescenta algo pior: em discursos oficiais, Lafer sugeria que "o Brasil participasse da intervenção no Iraque com base na solidariedade com os Estados Unidos". A proeza é a vergonha que passamos.

Landau, Elena Financista carioca, diretora de desestatização do BNDES, vai para o banco americano Bear Stearns, especializado em privatização, depois o Opportunity, de Daniel Dantas. Os "grampos" do BNDES a mostram ativa em prol do Opportunity na entrega das teles. Nada como um Fernando atrás do outro para os gringos: durante Fernando I, ela já havia se destacado na venda da Usiminas em favor do Bear Stearns.

Lara Resende, André Filho do escritor Otto Lara Resende. Banqueiro, presidiu o BNDES e foi assessor de FHC, para quem elaborou projeto de reforma da Previdência. Cai em 1998 quando "grampos" o mostram ajudando o Opportunity nos leilões das teles.

Lopes, Francisco Financista, consultor, presidia o Banco Central quando da desvalorização descontrolada do real em janeiro de 1999.

Partidário da desvalorização planejada, fracassou e, num só dia, 14 de janeiro, a fuga de dólares atingiu 2 bilhões. Com Malan, ministro da Fazenda, vai aos EUA fechar novo pacote de socorro e cai em desgraça ao mostrar-se pouco flexível perante Stanley Fisher, do FMI.

Envolveu-se no escândalo Marka e FonteCindam, junto com a fiscal do BC Tereza Grossi e outros: acusado de vender, secretamente, dólar a R$ 1,25 quando a cotação estava em R$ 1,30. Condenado à prisão e ressarcimento do prejuízo, tal como Tereza recorreu e respondia em liberdade em 2012.

M

Magalhães, Antônio Carlos (ACM) Médico, empresário e político baiano, déspota esclarecido. Mandava na Bahia desde a ditadura (1964-1985). Mas cercava-se de bons técnicos e papericava artistas. Apelidado Toninho Malvadeza, rompeu com o esquema militar que impunha Maluf em 1985 como presidente eleito pelo Colégio Eleitoral. Em campanha, hospedado num hotel em Salvador, Maluf teve de subir centenas de degraus até seu apartamento: ACM havia cortado a energia no bairro. Nos anos 1950, na Câmara Federal, o alagoano Tenório Cavalcanti acusa o presidente do Banco do Brasil, baiano Clemente Mariani, de desviar verbas. ACM aparteia dizendo que Tenório era "ladrão". O alagoano saca o revólver e faz ACM tremer: "Atira!" Tenório ri, recolhe o revólver e diz: "Só mato homem."

Costurou a aliança PFL-PSDB que elegeu FHC. O jornalista Sebastião Nery dizia que ACM era o presidente noturno e FHC, o primeiro-ministro diurno. O atrito entre os dois precipitou o Proer, programa de salvação do sistema financeiro, em 1995. O banco baiano Econômico entra em crise (mandou para fora mais de US$ 300 milhões e não honrou cheque administrativo de R$ 100 milhões). FHC ia intervir e ACM com sua tropilha ruma para o Alvorada. FHC recua e surge o Proer, "buraco negro" que em 16 meses já havia consumido mais de US$ 40 bilhões.

Moral: diante de ACM, FHC não era Itamar.

Malan, Pedro Ministro da Fazenda na Era FHC, ocupa altos cargos desde Fernando I, quando vira negociador da dívida externa com bancos. Articulado com a banca internacional, FMI, Banco Mundial, fortaleceu-se diante da escolha de FHC de subordinar o Brasil ao mercado financeiro mundial como solução única para salvar o país das crises — chegou a ser cotado como sucessor de FHC. Com a derrocada de julho de 1998 a janeiro de 1999, quando o país perdeu mais de US$ 40 bilhões de reservas, foi o negociador do pacote de US$ 41 bilhões no FMI/Tesouro americano. E virou fiador do "ajuste", garantia de que as condições impostas seriam cumpridas — demitir funcionários, cortar gastos sociais, privatizar mais, aumentar tarifas e combustíveis, cobrar contribuições de servidores inativos.

Se você ainda espera uma crueza a mais, lá vai. Em 1998, preparou discurso ininteligível para FHC pronunciar como candidato à reeleição, comprometendo-se a cumprir exigências do FMI que contrariavam a promessa de acabar com o desemprego. Bendito "grampo" do BNDES: numa gravação, vemos Malan pedir a Lara Resende para submeter o texto à aprovação de Stanley Fisher, mandachuva do FMI.

Marques Moreira, Marcílio Funcionário de banco americano, serviu à GE, à Hoechst, foi diretor do Unibanco, embaixador em Washington (1986-1991). Ministro da Economia de Fernando I, elevou os juros, garantindo superganhos aos investidores externos. Nomeou negociador da dívida Pedro Malan, que fechou acordo para implantar o Plano Real e eleger Fernando II. Em setembro de 1998, mesmo sem cargo no governo, anunciou antes das autoridades que o Brasil negociava novo acordo com o FMI e mostrou seu lado: era contra qualquer medida de controle dos capitais estrangeiros.

Matarazzo, Andrea Empresário paulista, secretário de Energia de Covas. Guindado a Brasília, foi secretário de Comunicação de FHC: em 1999, distribuiu R$ 500 milhões em verbas de publicidade;

com o índice de popularidade de FHC no fundo do poço — 26% de aprovação e 65% de desaprovação — a verba subiu para R$ 650 milhões, mais que o dinheiro destinado à conservação das estradas.

Mendonça de Barros, Luiz Carlos Banqueiro, irmão do economista e consultor José Roberto, ele ligado a FHC e Sérgio Motta, o irmão a Serra; ele ministro das Comunicações, o irmão na Câmara de Comércio Exterior. Os dois, com acesso direto a FHC, cairiam em fins de 1998 quando o "grampo" do BNDES flagrou Luiz Carlos favorecendo o Opportunity, com o detalhe de cumprimentar dirigente do grupo americano MCI, pela "vitória" no leilão da Embratel — que só se daria no dia seguinte.

Motta, Sérgio Empresário paulista, ministro das Comunicações até sua morte em abril de 1998. Na ditadura, militou na Ação Popular e por anos, em sua empresa de consultoria Hidrobrasileira S.A., deu emprego a gente perseguida. Foi quem apresentou Serra a FHC. Quer proeza maior?

O

Ornelas, Waldeck Político baiano da turma de ACM, senador do PFL e ministro da Previdência de FHC. Destaca-se pelo servilismo ao "governo compartilhado" com o FMI-Tesouro americano e truculência na imposição do "ajuste fiscal" na área escolhida pelos financistas como vilã do déficit público, a previdência social.

Crueza? Para dar ideia, José Serra o chamou de sádico: resolveu anular isenção previdenciária de hospitais filantrópicos, que atendem pobre de graça. Foi discutir com americanos uma garfada de R$ 2 bilhões anuais nos proventos de pensionistas e servidores aposentados e, como ministros do Supremo dissessem que era inconstitucional, voltou dizendo aos jornalistas que as declarações foram "danosas para o país". Elege-se senador em 1994 derrotando Waldir Pires por 3 mil votos — eleição ainda em urnas de lona e, até hoje, despertando suspeita de fraude.

P

Padilha, Eliseu Empresário e político gaúcho, do PMDB mais fiel a FHC do que muito tucano, aguerrido para evitar a candidatura Itamar em 1998 (ver Capítulo 10). Balançou mas não caiu à frente do Ministério dos Transportes, apesar de denúncias de corrupção. Teve de prestar contas ao Congresso. Negou tudo, foi absolvido.

Parente, Pedro Chefe da Casa Civil a partir de julho de 1999, ampliando o domínio de financistas no governo — já estavam na Fazenda, BC e Planejamento. Funcionário do BC, tinha atuado já no governo de Fernando I e no de José Sarney.

Proeza: foi, no FMI, um dos negociadores de novos esquemas de receita, como o "confisco" nos proventos dos inativos (ver Ornelas, Waldeck).

Pimenta da Veiga, João Advogado e político mineiro, ministro das Comunicações de FHC com função mais de coordenador político, já que seu ministério se esvaziou após a privatização da Telebras e a criação da Anatel, Agência Nacional de Telecomunicações. Atritado com Itamar, em 1998 apostou tudo na reeleição do tucano Eduardo Azeredo para o governo de Minas. Foi derrotado por Itamar.

Em janeiro de 1999, quando Itamar suspendeu o pagamento da dívida mineira com a União alegando não ter dinheiro para tanto, "queimou" Itamar usando o termo "moratória" para classificar sua atitude — palavrão sacrílego para financistas de toda parte.

R

Reichstul, Henri Philippe Banqueiro de origem francesa, amigo de FHC. Assumiu a Petrobras em março de 1999 em substituição a Joel Rennó, visto pelo Planalto como identificado demais com a estatal — mais um lance para privatizar a "segunda bandeira nacional". No governo Sarney, estava na Secretaria de Controle das Estatais, pioneira no processo de controlar e esvaziar empresas, preparando-as para a entrega.

S

Serra, José Cofundador do PSDB. Eleito FHC, vai para o Planejamento por imposição do empresariado paulista. Em divergência com a área econômica perde força. Perdendo a eleição de 1996 para a prefeitura de São Paulo, volta ao governo federal, na pasta da Saúde. Sanitaristas não lhe perdoam o esvaziamento de órgãos como a Funasa, Fundação Nacional de Saúde, com tradição no combate a endemias. Demitiu em 1999 quase seis mil mata-mosquitos, deixando regiões à mercê da dengue. Em baixa na política partidária em 2013, após perder a eleição para prefeito de São Paulo para Fernando Haddad, do PT.

Souza, Paulo Renato Economista gaúcho, foi professor da Unicamp (Universidade de Campinas). Redator dos programas eleitorais de FHC, saiu da vice-presidência do BID, Banco Interamericano de Desenvolvimento, para o Ministério da Educação. Desgastou-se pela postura tecnocrática e intransigente, responsável por uma das maiores greves de professores e funcionários de universidades federais, em 1998.

Steinbruch, Benjamin Típico empresário da Era FHC, um dos maiores beneficiados pela privataria. É tido como "moderno" e craque em "alavancagens" para fazer negócios, usando facilidades oferecidas pelo governo, associação com estrangeiros. Participou da privatização da Light e, maior ousadia, assumiu o controle da Vale associado ao Nations Bank, do qual obteve 1 bilhão e 200 milhões de dólares para derrotar Antonio Ermírio de Morais, do grupo Votorantim.

T

Tápias, Alcides Banqueiro paulista, depois de 40 anos de Bradesco e três de Camargo Corrêa vira ministro do Desenvolvimento. Entra em setembro de 1999 dizendo que está "determinando" ao BNDES "prioridade para o fortalecimento da empresa nacional", mas em novembro, no leilão da Cesp Tietê, vence o grupo americano AES com financiamento do BNDES — sob protestos de Antonio Ermírio, que disse, com razão, que nos Estados Unidos jamais o governo financiaria um grupo estrangeiro que disputasse uma empresa norte-americana. E Tápias achou normal.

Tavares, Martus Tecnocrata cearense com mestrado em economia pela USP, consultor do FMI, vai para o Planejamento em setembro de 1999; é um dos criadores da Lei de Responsabilidade Fiscal que o Congresso aprovará no início de 2000 — exigência do FMI para reduzir poderes de governadores e prefeitos sobre suas próprias finanças. Grande cortador de gastos sociais.

Em julho de 2000, vira manchete, envolvido no caso de liberação de verbas extras para o Forum Trabalhista de São Paulo, obra coordenada pelo juiz Nicolau dos Santos Neto, o *Lalau*, acusado de desviar R$ 169 milhões. Em nota dura, FHC exige rigor na punição dos envolvidos e afirma que o governo não interferiu na liberação de verbas. Surge na imprensa a exposição de motivos de Martus apresentada a FHC, por FHC acolhida, pedindo mais R$ 25 milhões para o Forum Trabalhista — ao que o porta-voz precisou de muita caradura para dizer que "não cabe ao presidente ler o que assina".

Para não se desmoralizar ainda mais demitindo Martus, o que significaria reconhecer as ilegalidades, FHC o tolerou até abril de 2002.

Z

Zylbersztajn, David Engenheiro paulista, genro de FHC. Secretário de Energia de Covas, coordenou a privataria de São Paulo na energia elétrica. Ao nomeá-lo para a direção da Agência Nacional de Petróleo, FHC sinalizou a pretensão de enterrar mesmo a Era Vargas, privatizando a Petrobras. Zylbersztajn esforçou-se, atraindo grupos estrangeiros para os leilões de licitação de exploração de petróleo, patrocinados na Era FHC.

CAPÍTULO 23
Privatização começa com burrice: pôr teles nas mãos dos gringos

Não há computador que calcule o tamanho do rombo — O sol não pode viver perto da lua — Pelo "telephone" — Guerra à miséria começa com desmonte da Telebras — Entregaram na véspera da revolução que fatalmente viria

O primeiro computador surge em 1946. Pesa 30 toneladas — uns quatro elefantes como aquele que Juan Carlos I de Espanha matou na África em 2012; e ocupa 160 metros quadrados — tamanho de uma casa para uma família de cinco pessoas. Se tivessem fabricado um *laptop* naquele tempo, seriam necessárias 20 pessoas para carregar. Só em 1977 a Apple cria o micro de mesa, mesmo assim uma carroça. Em 2008, o supercomputador construído pela IBM atinge o marco de fazer mais de um quatrilhão de cálculos por segundo.

Apesar de todo o progresso tecnológico do início do século XXI, não há computador que calcule o tamanho dos rombos nas telecomunicações, estradas, energia, metrô paulistano, pedágios e outras áreas, desde 1995 no estado de São Paulo e nos oito anos de FHC no Palácio do Planalto. Quem sabe na era da computação quântica.

Perguntei a nosso amigo Paulo Henrique Amorim se poderia calcular, pois o ex-governador do Paraná e senador Roberto Requião nos havia dito, numa entrevista, que a privataria tucana constituiu "o maior roubo da história do Brasil". E Paulo Henrique Amorim, que estreou na mitológica revista *Realidade* escrevendo, aos 22 anos, *O que é inflação* e prevendo com acerto para aquele ano de 1966 o índice de 45%, ele que teve espaço ainda moço para falar de economia no *Jornal da*

Globo, que trabalhou como editor na revista *Exame*, da Abril, que desde cedo teve queda para economia, respondeu:

"Acho que só o Aloysio Biondi pode fazer esse cálculo, eu não tenho condição."

Item fora do programa, mas tocado com total empenho: a reeleição

Mãos à obra, Brasil! Eis o título do documento básico da campanha eleitoral de FHC, no qual, antes mesmo de as urnas falarem, os tucanos diziam a que viriam: entregar. No segundo capítulo, *A construção do novo país*, subcapítulo *Financiamento do desenvolvimento*, havia um itenzinho, *Fontes de financiamento*, que previa a mobilização de cerca de R$ 100 bilhões para aplicar em infraestrutura. Só na última linha se falava em algo "indispensável", uma política macroeconômica "que compreenda o controle da inflação e do déficit público, a abertura da economia, a desregulamentação e a privatização".

Adiante, no item *Receitas da privatização*, a observação: "o processo de privatização será acelerado", para "investimentos em projetos de infraestrutura". E mãos à obra: o processo apelidado de "privataria" deveria começar já no primeiro semestre de 1995.

Toda empresa que tivesse participação minoritária da União deveria ser vendida, por exemplo, Light e linhas regionais da rede ferroviária. O documento propunha algo que daria o que falar. O governo deveria publicar decreto incluindo, no Programa Nacional de Desestatização, a Companhia Vale do Rio Doce, a Vale. Sua privatização seria classificada dez anos depois pelo senador gaúcho Pedro Simon como "maior escândalo do século" (ver Capítulo 29, *Vamos ao que vale a Vale e ao que valia para tucanos: nada*).

Sobre o *Mãos à obra*, debruçaram-se as 22 pessoas que formavam a espinha dorsal do entreguismo. Entre outros:

1. Andrea Calabi, futuro secretário-executivo do Ministério do Planejamento, no governo José Serra, depois presidente do Banco do Brasil e do BNDES;

2. José Roberto Mendonça de Barros, futuro secretário de Comércio Exterior do Ministério da Fazenda;
3. Luiz Carlos Mendonça de Barros, presidente do BNDES e ministro das Comunicações após a morte de Sérgio Motta;
4. Luiz Carlos Bresser-Pereira, ministro da Administração e, mais tarde, de Ciência e Tecnologia;
5. David Zylbersztajn, genro de FHC, que iria para a Agência Nacional do Petróleo;
6. José Arthur Gianotti, filósofo e velho amigo de FHC, que preferiu, depois desta função, não assumir cargo executivo algum.

O sol não pode viver perto da lua, escreveu o poeta Guilherme de Brito, e Nelson Cavaquinho cantou. Claro, a lua, perto do sol, desaparece. Sérgio Motta pretendia o cargo que em nosso sistema, na prática, equivale ao segundo posto em poder, logo após o presidente: a Casa Civil. FH ali põe Clóvis Carvalho, trabalhador, obediente, e apagado como a lua perto do sol. O sol de Sérgio Motta que vá brilhar em outra freguesia. FH o põe no Ministério das Comunicações.

Mas quem tem o bicho carpinteiro no corpo não sossega. Serjão apita em tudo. No dia 24 de janeiro de 1995, no *Bom Dia Brasil* da Rede Globo, dá como líquida e certa a quebra do monopólio do Sistema Telebras via reforma da Constituição. E em 6 de fevereiro, a emenda constitucional que "abre" as telecomunicações sai do Ministério das Comunicações para o Palácio do Planalto. O *Estadão* festeja na manchete de primeira página:

AS REFORMAS COMEÇAM PELAS TELECOMUNICAÇÕES

Dez dias depois, a proposta de emenda chega à mesa do novo presidente da Câmara Federal, Luís Eduardo Magalhães, filho de Antônio Carlos, o ACM, parceiro de FHC na governabilidade.

Era dizer uma coisa e fazer outra. Fernando Henrique tinha dito à revista *Playboy*, uma década antes, 1984, que o PMDB, então seu partido, devia "fazer uma clara guerra à miséria", e emendou, "e uma guerra à miséria não vai ser feita de boas intenções, vai ter de quebrar o pau, vai ter de mudar a carga tributária, enfim vai ter de tirar de alguns". E ele começa a "guerra à miséria" com o desmonte do Sistema Telebras, o que, como se verá adiante, vai penalizar justamente os mais pobres.

O plano geral de entrega seguirá em meio a escândalos. E uma coisa já vem ocupando obsessivamente a cabeça de FHC e de seus auxiliares mais chegados: a reeleição. O item não fazia parte do *Mãos à obra*, mas, como as privatizações, será tocado imediatamente e com igual empenho. E envolve mais escândalo, adiante veremos.

Uma ligação de São Paulo para o Recife demorava três dias

O telefone chega ao Brasil em 1877, um ano depois da Exposição Universal de Filadélfia, na Pensilvânia, onde foi lançado por Graham Bell. O escocês-americano havia comprado um protótipo do ítalo-americano Antonio Meucci, mais de um século depois reconhecido como o verdadeiro inventor, por ato do Congresso dos Estados Unidos, de 11 de junho de 2002.

A Western and Brazilian Telegraph Company fabricou o primeiro aparelho a pedido de Pedro II, que o instalou na Quinta da Boa Vista, no Palácio Imperial de São Cristóvão, Rio de Janeiro, ligando-o ao QG do Exército. Em poucos anos, já havia na capital imperial alguns milheiros de telefones. Vindo a República, a ligação da telefonia com a cultura popular tem um ponto alto em 1917, quando o violonista e compositor Ernesto Joaquim Maria dos Santos, o *Donga*, grava pela primeira vez um "samba":

O chefe da polícia
Pelo telefone
Mandou avisar
Que na Carioca
Tem uma roleta
Para se jogar

No disco, o título vem grafado *Pelo telephone*, antes da reforma que, duas décadas mais tarde, transformaria o "ph" em "f".

Em janeiro de 1923, a Rio de Janeiro and São Paulo Telephone Company, de Toronto, Canadá, muda o nome para Brazilian Telephone Company e permite o uso do nome em português. Surge então a Companhia Telephonica Brasileira, CTB. Não existe ainda telefone automático, as telefonistas atendem pedindo:

"Número, faz favor."

Você dava o número e elas "completavam" a ligação. Em filmes de época vemos: cada telefonista tem diante de si uma "central", com painel cheio de orifícios redondinhos; ela puxa o *plug* do orifício de onde vem o pedido e enfia em outro orifício, correspondente ao número pedido.

Os primeiros automáticos surgem em 1929, mas as telefonistas terão trabalho por mais algumas décadas, a fim de completar ligações interurbanas e internacionais.

Mais uma década passa e Noel Rosa, o "poeta da vila", escreve em 1933 para a música de Ismael Silva a letra de *Não tem tradução*. Equivale a um tratado sociológico sobre o momento em que o telefone, associado ao "cinema falado" (em inglês), representa o progresso, mas não vamos exagerar, vamos falar "brasileiro":

Tudo aquilo que o malandro pronuncia
Com voz macia é brasileiro, já passou de português.
Amor lá no morro é amor pra chuchu.
As rimas do samba não são I love you.
E esse negócio de alô, alô boy e alô Johnny
Só pode ser conversa de telefone.

Contudo, pela razão de sempre — falta de investimento — o progresso se arrasta. Faltam novas linhas e há fila para se comprar uma, cujo custo pode atingir o preço de um carro popular. Há o problema de conseguir ligação local. Tirar o fone do gancho e ouvir sinal de discar é coisa de filme americano.

Na década de 1960, ligação de São Paulo para alguma cidade do Nordeste, como o Recife, podia levar três dias. E você precisava contar com a sorte de "não haver boi na linha", ou seja, ouvir com nitidez o interlocutor.

Em dez anos um salto de 1,4 milhão para quase 6 milhões de telefones

Estamos na Era JK. Diante da ineficiência, que atinge também o setor de energia elétrica, um jovem governador gaúcho, eleito pelo PTB getulista em 1958 aos 36 anos, encampa a empresa Bond & Share, do grupo American Power Foreign, causando rebuliço mundial. Para resumir, digamos que o negócio a que se dedicava esse braço gaúcho da empresa americana era fabricar escuridão.

Leonel Brizola, eis o nome do atrevido governador. Em 15 de fevereiro de 1962, ele volta à carga, desapropriando a ITT, International Telephone & Telegraph Corporation. O equivalente ao Google de nossos dias. Um Google que só funcionava na terra dos gringos. A telefonia gaúcha não diferia da calamidade geral. Mas a imprensa norte-americana se sentiu ultrajada e se pôs a favor da inepta ITT, em manchetes como estas:

BRASIL E SUA CAPITAL ESTÃO AMEAÇADOS PELA PODRIDÃO

VISITA DO PRESIDENTE GOULART AOS EUA DEVE SERVIR PARA
CONVERSAÇÕES BRUTALMENTE FRANCAS ENTRE DEVEDOR E CREDOR

BRASIL ESTÁ SE DESMORALIZANDO

BRASÍLIA ESTÁ EM PERIGO E PODE SE CONVERTER
NA RUÍNA MAIS FORMOSA DESTE SÉCULO

BRASIL ESTÁ EM PERIGOSA INCLINAÇÃO
PARA UM ARDENTE NACIONALISMO

Isto em publicações como *Newsweek*, *Time*, *Washington Post*, e rádios, e tevês. Tão fora de propósito, que *O Estado de S. Paulo*, que então chama os Estados Unidos de "aliado do norte", pondera em 4 de março de 1962:

> *Os jornais americanos, demonstrando lamentável ignorância do ambiente político, lançaram-se a uma perigosa campanha que pode resultar na alienação da opinião pública dos Estados Unidos com vistas para a Aliança para o Progresso e fazer exatamente o que os comunistas procuram alcançar.*

Brizola é celebrado como defensor de nossa soberania e bom gestor público. Outros governadores, às voltas com os mesmos problemas com a ITT, ameaçam seguir seus passos, inclusive Carlos Lacerda, americanófilo e líder da oposição a João Goulart, o Jango. Lacerda é governador da Guanabara, estado que se resume ao município do Rio de Janeiro, onde o progresso da telefonia igualmente se arrasta. Para se ter ideia, em 1922 o Rio tinha apenas 30 mil telefones para 1 milhão e 200 mil habitantes.

Em 2 de abril de 1962, um mês depois do feito de Brizola, Jango parte para os Estados Unidos, em viagem previamente agendada. Em Nova Iorque, desfila sob papel picado na Broadway e, em Washington, John Kennedy o recebe na Casa Branca. Por baixo do pano, porém, a ITT e o governo brasileiro negociam a bolada de 7 milhões e 300 mil dólares de indenização pela companhia que Brizola encampou. Quase 20 vezes o valor arbitrado pelo governo e pela Justiça do Rio Grande do Sul. Brizola vai à televisão denunciar o acordo. Dada a repercussão, Jango reforma o ministério e suspende as negociações com os norte-americanos.

Na sequência, Jango promove a encampação de todas as multinacionais de telefonia e de energia elétrica, o que resultará na materialização da Eletrobras — criada "no papel" por Getúlio em 1954 (ver Capítulo 24, *Dom Antiquixote tenta destruir um sólido moinho: a Era Vargas*).

Justiça se faça a Jango, em geral pintado pela mídia como "estancieiro", "bronco", "frouxo", "populista". É ele quem afinal instala a Eletrobras, que contribuirá decisivamente para ampliar a geração e fornecimento de energia; e cria a Embratel — mais tarde, no governo militar, braço forte da *holding* Telebras.

Damos o nome de *holding* à empresa "mãe", aquela que detém a maioria das ações de si mesma e de outra ou outras (*hold* em inglês: segurar). A Telebras, criada em 1972, torna-se *holding* de um sistema composto por 27 operadoras estaduais e de uma operadora de longa distância; dois centros de treinamento (Recife e Brasília); e um Centro de Pesquisa e de Desenvolvimento — responsável, a *holding*, por mais de 95% dos serviços públicos de telecomunicações no Brasil.

Na primeira década de operação da Telebras, saltamos de 1 milhão e 400 mil telefones em pouco mais de duas mil localidades para 5 milhões e 800 mil em mais de seis mil localidades.

A marcha, década por década, rumo à privataria tucana

Até os anos de **1950**, os governos federal, estaduais e municipais distribuíam as concessões de serviços de telefonia a esmo. Operadoras surgiam e se expandiam desordenadamente, prestando serviços caros e de baixa qualidade. Havia umas mil companhias telefônicas, com dificuldades de operação e de interligação.

É então que, no início da década de **1960**, o governo João Goulart dá o grande passo para o desenvolvimento ordenado, incitado por seu cunhado Leonel Brizola — o governador gaúcho era casado com uma irmã do presidente, Neusa Goulart. Jango conseguiu do Congresso Nacional, em 27 de agosto de 1962, a aprovação da Lei 4.117, instituindo o Código Brasileiro de Telecomunicações, CBT, que disciplinou os serviços e os pôs sob controle do governo federal. O CBT definiu a política básica — além do quê:

- ✓ criou o Conselho Nacional de Telecomunicações;

- ✓ autorizou a criação da Embratel, Empresa Brasileira de Telecomunicações S/A, a fim de implantar o sistema de comunicações a distância;
- ✓ instituiu o FNT — Fundo Nacional de Telecomunicações, para financiar a Embratel.

Os militares golpistas de 1964 criariam em 1967 o Ministério das Comunicações.

Em **1970**, tínhamos já bom serviço de telefonia de longa distância, mas uma telefonia urbana capenga. Nasce em 1972 a Telecomunicações Brasileiras S/A — Telebras, para implantar e operar o SNT, Sistema Nacional de Telecomunicações, aquele previsto por Jango em 1962. A Telebras institui em cada estado uma empresa-polo e incorpora as telefônicas existentes. Implanta em Campinas, estado de São Paulo, o Centro de Pesquisa e Desenvolvimento, para o avanço tecnológico do setor; e estabelece uma política para consolidar o parque industrial brasileiro — a privatização vai acabar com isso tudo 30 anos depois, conforme já veremos.

A Telebras entra na década de **1980** responsável pela operação de mais de 95% de nossos terminais telefônicos — apenas cinco empresas que não pertencem ao sistema Telebras operam os 5% restantes.

O ponto alto é o lançamento dos satélites BrasilSat-I em 1985 e o BrasilSat-II em 1986. Dá-se a plena integração do território nacional, pela telefonia, telegrafia e televisão.

E chega a fatídica década de **1990**. Num contexto em que a Telebras retoma o crescimento da qualidade na prestação dos serviços, faz parceria com universidades e indústrias para desenvolver produtos com tecnologias de vanguarda (centrais de comutação digital, fibra óptica, sistema de comunicação de dados e textos), em 24 de maio de 1995 a Câmara dos Deputados aprova a mudança constitucional que põe fim ao monopólio estatal das telecomunicações. Ali vinha a privatização das teles.

Aos 25 anos de idade em 1997, a Telebras havia instalado mais de 17 milhões de telefones, com tecnologia própria, mundialmente reconhecida como de vanguarda. Alcançaria em 1998 a cifra de 18 milhões e 200 mil terminais instalados e 4 milhões e 600 mil telefones celulares, em quase 23 mil localidades.

Em julho de 1998, o governo FHC retalha e vende o sistema Telebras. Na véspera de uma revolução tecnológica que, entregando ou não a telefonia ao controle estrangeiro, chegaria fatalmente ao Brasil, como a qualquer outro lugar.

Outro engodo: entregar a telefonia significava tarifas mais baratas e serviços "de primeiro mundo".

CAPÍTULO 24
Dom antiquixote tenta destruir um sólido moinho: a Era Vargas

Começamos entregando pau-brasil: 70 milhões de árvores — Farquhar, o recolonizador — Pôr fim à Era Vargas, a missão — "Só falta deixar o mastro e levar a bandeira" — Como foi que Mr. Rubin virou nosso presidente

Basta um idiota para desonrar uma nação
Voltaire

O Brasil chega à Era FHC aos trancos e barrancos, para usar a expressão popular bem brasileira — expressão que intitula conciso e penetrante livro de história do Brasil, escrito por um antropólogo: *Aos Trancos e Barrancos — Como o Brasil deu no que deu*, de Darcy Ribeiro. Que o Brasil vinha assim: colônia de Portugal, "protegido" pela Inglaterra, namorou firme com a França e caiu nos braços de Tio Sam, de cujos "laços de amizade que unem os dois países" e nos sufocam tem lutado para se livrar.

Cabe o *flash-back*, uma volta ao passado do país que principia tirando seu nome de uma árvore que seria quase extinta — o Brasil passa pela Independência em 1822 e chega ao meio do século XIX com cidades, onde havia a Mata Atlântica, sem um só pau-brasil num raio de centenas de quilômetros — calcula-se que os europeus levaram 70 milhões de árvores de 1500 a 1859; e nos mais de três séculos de predação nem sequer o processamento da madeira e a extração do corante se davam na colônia, para agregar valor ao pau-brasil e gerar empregos para os já brasileiros.

Vista por esta lente, a História do Brasil é uma história de "veias abertas", de governantes — com raríssimas exceções — funcionando como testas de ferro de empresas ou entidades estrangeiras, e rebeldias exemplarmente castigadas, como a Inconfidência Mineira de 1789, com um alferes mulato enforcado e esquartejado; a Revolta dos Alfaiates em Salvador, 1799, com quatro do povo enforcados e desmembrados; a Cabanagem, revolta popular no Norte por melhores condições de vida, sufocada à custa de 30 mil mortos entre 1835 e 1840; a própria ditadura militar, no século XX, contra o clamor pela reforma agrária, a lei para controlar a sangria da remessa de lucros de empresas estrangeiras, a reforma urbana — desta vez puseram o povo inteiro de castigo por 21 anos, de 1964 a 1985.

A Guerra do Contestado, não tão perto de nós, constitui episódio pouco citado, mas bem típico de aliança do capital estrangeiro com nossas autoridades máximas e até forças armadas em defesa da rapinagem e contra o povo.

A trampa se arma em 1904, quando chega ao Brasil o empresário americano Percival Farquhar — "herói da modernização recolonizadora", na definição irônica de Darcy Ribeiro —, associado ao advogado Alexander Mackenzie, gestor de interesses canadenses em São Paulo e cofundador da Light do Rio de Janeiro.

Farquhar compra e constrói ferrovias, obtém concessões que lhe garantem latifúndios e "direitos" sobre nossas maiores jazidas de minérios — só as recuperaríamos em 1942, na Era Vargas, mas ainda lhe sobraria alguma coisa, que Jango tomará em 1962 e Castelo Branco, o primeiro general de plantão, devolverá aos gringos.

Esse Farquhar tinha conseguido do governo brasileiro autorização para sua empresa Brazil Railway Company construir uma ferrovia São Paulo-Rio Grande do Sul. E desapropriou uma faixa de terra de 30 quilômetros de largura, que atravessava Paraná e Santa Catarina. Terra de não acabar mais. Outra empresa do magnata, Southern Brazil Lumber and Colonization Company, se encarregaria de rapinar nossa madeira, especialmente peroba, tudo levado para os Estados Unidos.

Note que Farquhar não se preocupa em adotar nome brasileiro para suas empresas, tal e qual décadas depois uma companhia espanhola aqui se instalaria com seu nome espanhol, Telefonica — em vez de Telefônica.

Terminadas as obras, os trabalhadores, na maioria migrantes, ficam na pindaíba, e também os posseiros expulsos de terras que ocupavam havia anos — o governo brasileiro, chefiado agora por Hermes da Fonseca, no contrato com a Brazil Railway havia declarado a área como "devoluta": sem ninguém em cima. A essa gente se juntam pequenos madeireiros, acachapados e arruinados pelo domínio da Lumber sobre as florestas.

Em 1912, surge na região o elemento catalisador que falta: um monge, por nome José Maria, que une a todos os prejudicados em torno de si, com uma pregação messiânica na qual associa os problemas à República. O engano custará a união de latifundiários, membros da Igreja Católica e autoridades estaduais e federais contra aquela gente mal armada, mal vestida e mal nutrida. Suas vitórias iniciais graças ao maior conhecimento do terreno só fazem aumentar o número de militares enviados e a truculência dos homens do Exército e das polícias dos dois estados. Pela primeira vez no Brasil, para tristeza de Santos Dumont, se usa avião para fins bélicos. Vitimados ainda por tifo, atacados sem piedade, os revoltosos são derrotados em agosto de 1916, quando prendem o último líder que resta vivo: Deodato Manuel Ramos. Exemplar matança: em quatro anos, 20 mil mortos, quando éramos cerca de 25 milhões, o que proporcionalmente seria como exterminar 150 mil brasileiros cem anos depois.

Fujimori está preso, Salinas exilado; e FHC é o Príncipe: "peculiar"

Não se vá medir a Era FHC com a mesma régua com que se mediram as carnificinas acima citadas, quase sempre acompanhadas ainda de anos de prisão dos líderes revoltosos.

"Não prendi ninguém", gabou-se o presidente certa vez.

Impossível, porém, criar réguas para mensurar o estrago das bombas de fome e doenças criadas por políticas erradas, vidas arruinadas, desemprego, violência social, migração e emigração forçadas, autoexílio em busca de dias melhores; e os rombos de bilhões e bilhões que significam menos escolas, hospitais, ambulâncias, casas populares, saneamento básico. Um colega de ofício de FHC, Gilberto Felisberto Vasconcellos, em *O Príncipe da Moeda* (Espaço e Tempo, RJ, 1997), escreve:

> O governo entreguista do sociólogo FHC poderá no futuro ser visto como um novo marco que aprofundou o golpe de 1964, apesar da vigência do sistema representativo e da ausência de presos políticos.

FOLHA DE S. PAULO
Maior leilão da história vende a Telebrás por R$ 22 bilhões

O ESTADO DE S. PAULO
STJ autoriza privatização da Vale

O GLOBO
Santander compra Banespa por R$ 7 bi

Para enterrar a Era Vargas precisava enterrar o país junto?

Em 1998, fim do primeiro mandato de FHC, estamos, em retrospecto, ainda na Era Vargas. Ela começa 68 anos antes, um ano antes de Fernando Henrique Cardoso nascer, quando o gaúcho Getúlio Vargas lidera a Revolução de 1930, sepultando a Velha República, iniciada com o golpe militar que derrubou Pedro II em 15 de novembro de 1889.

Com Vargas 15 anos no poder, temos o voto secreto; o direito de voto às mulheres; o início de nossa indústria de base com Volta Redonda e sua CSN, Companhia Siderúrgica Nacional; a carteira de trabalho, a proteção aos trabalhadores, com as garantias trazidas pela CLT, Consolidação das Leis do Trabalho.

Derrubado em 1945, eleito em 1950, volta Getúlio Vargas ao poder "nos braços do povo". E se dá um tiro no peito em 1954 derrotando, com seu sangue derramado, os inimigos que tentavam "pôr fim à Era Vargas" pela força das armas. Deixa Carta Testamento em que escreve:

> A campanha subterrânea dos grupos internacionais aliou-se à dos grupos nacionais revoltados contra o regime de garantia do trabalho. A lei de lucros extraordinários foi detida no Congresso. Contra a justiça da revisão do salário mínimo se desencadearam os ódios. Quis criar liberdade nacional na potencialização das nossas riquezas através da Petrobras e, mal começa esta a funcionar, a onda de agitação se avoluma. A Eletrobras foi obstaculada até o desespero. Não querem que o trabalhador seja livre. Não querem que o povo seja independente.

E agora, temos em 1998 um Brasil em "estado de calamidade econômica e moral", após os primeiros quatro dos oito anos da Era FHC, comandada por quem, eleito presidente em 1994, proclamou justamente que sua missão era "pôr fim à Era Vargas".

E, junto com a Era Vargas, está disposto a pôr fim ao que de melhor a representa: as garantias dos trabalhadores, mediante a "flexibilização das leis trabalhistas"; e a entrega de nossas riquezas, mediante as privatizações: a CSN, a telefonia, a Eletrobras, a Vale do Rio Doce, a ponto do "criador" de FHC, Itamar Franco, declarar em 2006:

"Houve um momento no governo Fernando Henrique de chegarmos a imaginar o seguinte: só falta deixar o mastro e levar a bandeira!"

Itamar privatizou a Cosipa, por dar prejuízo de quase 1 milhão de dólares por dia, e mais tarde se penitenciaria por "erros", na citada entrevista para *Caros Amigos*. Sobre a entrega da Companhia Siderúrgica Nacional, conta:

"O governador Brizola foi lá falar comigo, 'Itamar, segura a privatização da CSN, você tem a obrigação, todo o seu passado trabalhista', falei: 'Olha, a pressão está muito forte, mas dou um mês para o senhor arranjar um meio da gente não privatizar, ou, se privatizar, entregar ao grupo que o senhor quer.'"

Itamar diz que havia pressões dentro de seu próprio governo:

"Banco do Brasil, todo o setor elétrico, a Usiminas, a Petrobras, eles queriam privatizar tudo."

Itamar dá um nome dentre os fanáticos para privatizar: Pérsio Arida.

Eles quem? Itamar dá um nome:

"Ele é mestre de falar que é mentira, mas tenho testemunhas. O senhor Pérsio Arida queria privatizar todo o setor elétrico."

E se penitencia por ter influído decisivamente na escolha de FHC como sucessor dele:

"Pois é, a gente não é perfeito, né? Se fosse naquela época em que a professora colocava o menino ajoelhado no milho, acho que eu tinha que ajoelhar no milho."

E o "trágico", como se refere na época Aloysio Biondi, é que as empresas jornalísticas estão "fechadas" com o governo FHC, "não só pela onda neoliberal, mas também por causa da privatização das telecomunicações". De olho na multimídia, que virá a ser o futuro das publicações, os grandes grupos jornalísticos entram todos na concorrência. E, não por acaso, é a privatização das "teles" o primeiro prato servido; o *hors d'oeuvre* na língua preferida de FHC, o francês — literalmente "fora do trabalho", para nós o aperitivo, as entradas. Servia para promover a abertura do apetite e assanhamento geral para vender tudo.

Colunista que escreve em português acaba caindo em desgraça

Foi pela década de 1960 que as publicações passaram a buscar jornalistas de economia que evitassem o "economês", escrevessem de modo que todos entendessem. Porém, vem a ditadura militar e nem sempre se pode dizer tudo às claras. No início da década de 1970, por exemplo, trabalhando na *Veja* como editor de mercado de capitais, Aloysio Biondi é convidado pelo diretor da Abril Roberto Civita para assumir também a editoria de economia. Estamos na época do "milagre econômico" apregoado pelos militares golpistas de 1964, milagre favorecido pelo petróleo baratinho e o arrocho salarial. Aloysio responde:

"Não vai dar certo, porque não vou falar que tem milagre, vou escrever em português."

Com os colegas, Aloysio brinca que a sorte dos ministros e dos donos de revista e jornal "é que o povo não entende o que está escrito" nas seções de economia. Como Roberto Civita insiste, Aloysio assume a editoria e, tão logo escreve sobre um assunto delicado "em português", leva bronca. O Banco Mundial negou empréstimo para o grupo de mineração Hanna construir um ramal no porto de Sepetiba, no Rio de Janeiro — "uma tragédia, porque totalmente antieconômico", na opinião do editor. E o governo brasileiro libera o dinheiro para a empresa americana, por meio da mais que centenária EFCB, Estrada de Ferro Central do Brasil. Biondi escreve na *Veja*:

A Central do Brasil vai ter prejuízo para a Hanna ter lucro.

Na segunda-feira, Roberto Civita o chama:

"Será que toda semana tenho de abrir a revista e me irritar?"

E Aloysio se queimou e voltou a escrever apenas sobre mercado de capitais. Na década seguinte, anos de 1980, Paulo Henrique Amorim passará por situações semelhantes, trabalhando na Rede Globo como editor de Economia. Ele dá um furo anunciando o nome do novo presidente da Petrobras. O chefão Roberto Marinho o chama:

"Aqui não se pode dar esse tipo de informação sem que eu saiba e autorize."

Passa um tempo, no *Jornal da Globo*, Paulo Henrique anuncia:

"As expectativas são de que a inflação irá a 49% na próxima semana."

Novo chamado, e desta vez o dono da Rede Globo e de *O Globo* dá uma "lição" de como não se incomodar mais. Roberto Marinho lhe diz que, em altas horas da noite, o cidadão não tem mais como "ligar para o gerente, o diretor financeiro, e dar uma ordem, vende, compra". Então Roberto Marinho lhe recomenda:

"Você não faça mais previsões. Trabalhe com o passado."

Uma década mais tarde, na época em questão neste capítulo, a "tragédia" não é apenas a linguagem hermética, mas principalmente o atrelamento do jornalismo econômico ao governo. Vale a pena recordar como a mídia em geral se comportava diante do andamento de nossa economia, paulatinamente rumo ao abismo.

Havia manipulação pura: cortavam informações até

Só se fala em bolsa no governo FHC. Os países asiáticos escancararam seus mercados, tiveram saldo negativo na balança comercial — compraram mais de outros países do que venderam. Subiram os juros para atrair dinheiro estrangeiro, e chega um momento em que não há mais o que fazer. É o momento em que o investidor tem medo de calote e sai correndo com seu dinheiro. E a bolsa cai. Mas quando a bolsa cai, é porque a vaca já foi para o brejo. A bolsa é o último sinal, mas as colunas e reportagens de economia ficaram durante o processo todo falando em bolsa mas não "avisavam" que a casa estava para cair.

Antes de a bolsa cair, há sinais pelo percurso. No caso do Brasil, em maio de 1998 saem US$ 400 milhões; em junho, US$ 800 milhões, só da bolsa. Em julho temos resultado positivo, mas em razão da privatização da Telebras.

E há outros indicadores de aproximação de crise no mercado financeiro — como a alta da taxa de juros para o Brasil tomar dinheiro emprestado lá fora; o mercado futuro do dólar ou de juros, eis outros indicadores do grau de confiança no país. Mas como os colunistas em geral estão mancomunados com o governo FHC, as informações negativas não aparecem nos títulos das matérias ou com destaque.

Suponhamos que o título diga *A bolsa subiu*. Só no meio do texto vem a informação de que dólares caíram fora ou que os juros estão para subir. Na verdade, o Brasil estava quebrado desde o fim de maio de 1998, quando não conseguia mais vender títulos. Mas, dos jornalões paulistas, só a *Folha* deu algo; o *Estadão*, nada. A *Folha* pôs na manchete:

GOVERNO CEDE AO MERCADO E ADOTA JUROS PÓS-FIXADOS

Ao contrário do título pré-fixado, você só sabe de quanto serão os juros ao pagar (pré-fixado: você já sabe, no ato, quanto pagará). Note que, mesmo assim, o leigo em economia, que é o grosso do povo, não entendeu a manchete da *Folha*. Mas por que aconteceu aquilo que a manchete tentou dizer aos leitores? Porque fazia três semanas que o governo tentava vender seus títulos para "rolar" a dívida, mas os operadores do mercado não queriam mais saber de títulos do Brasil. Os operadores eram mauzinhos? Não. Apenas bem informados. Queriam escapar ao prejuízo. Sabiam que o governo teria de elevar os juros novamente, que a situação era crítica. Todo mês vinham vencendo US$ 22 bilhões ou até US$ 23 bilhões da dívida interna do governo; chega outubro, mês da reeleição de FHC: vencem, do Tesouro, US$ 47 bilhões e, do Banco Central, mais US$ 8 bilhões.

E todo o mundo nesse momento sabe. Estamos quebrados. Devia ser manchete dos jornais, dos telejornais. Ainda nos mencionados anos de 1960, tinha virado moda nas redações aplicar os ensinamentos do jornalista americano Frank Fraser Bond, em *Introdução ao Jornalismo*, de 1959. Frank ajudava a pôr uma pá de cal no nariz de cera, aquele começo de matéria *d'antanho*, arte de encher linguiça ou de começar a notícia embolando as informações a fim de engambelar leitores. Fraser Bond explicava que o lide — a cabeça, logo depois do título — devia dar o fundamental em primeiro lugar, atendendo a seis pontos: quem, o que, quando, onde, como, por quê. E dispostas as informações em forma de pirâmide invertida: no topo a "base", a essência; o resto em ordem de importância, sempre.

Os jornalistas atrelados ao governo FHC voltam no tempo, eliminam a hierarquia das informações, passam a dar o principal no meio, ou no fim, quando não cancelam simplesmente o principal e ficam com o secundário. O cientista político Wanderley Guilherme dos Santos anotará mais tarde que "nenhum candidato do PSDB leva FHC para o palanque" e concluirá que ele deixou de pertencer ao partido:

"Ele é presidente do Partido da Mídia, do PM."

Ninguém noticiou claramente que, de julho a setembro de 1998, o Brasil teve de rolar US$ 105 bilhões da dívida interna; e, da externa, US$ 40 bilhões a US$ 50 bilhões. Quando a fuga de dólares começou, não dava mais para esconder. Mas bem antes havia os sintomas citados, sem falar que começaram a disparar os juros das linhas de crédito de importação e exportação. Empresas nossas que haviam tomado lá fora dinheiro emprestado foram renovar os empréstimos e não conseguiram; credores chegavam a pedir 8% acima da taxa de juros. E tudo vinha no meio dos textos sob algum título relativo à Bolsa de Valores.

Antes mesmo do segundo mandato, sinais de degringolada.

Um jornalista claramente não atrelado, caso de Aloysio Biondi, narra que no *DCI, Diário do Comércio e Indústria*, recebia o noticiário da Agência Estado, do *Estadão*, e veio, no miolo da matéria, o começo da fuga de dólares, a pressão sobre os juros, e ele deu na manchete:

AOS POUCOS OS CONTORNOS DE UMA NOVA CRISE CAMBIAL

"No dia seguinte", contará Biondi em uma entrevista, que "na coluna que eu tinha recebido, no *Estadão* — não é que não estava no título da página — tinha sido simplesmente cortada a informação."
Era manipulação desabrida.
Colunistas famosos, com altos conhecimentos técnicos, vinham desde 1995, primeiro ano do governo FHC, falando de tudo menos de problemas reais do país. Incompetência? Jamais. Era para esconder mesmo.

Sua excelência Robert Rubin, presidente do Brasil

Em julho de 1998, alarmado com o quadro brasileiro, o FMI remete ao Brasil um de seus diretores, o economista italiano Vito Tanzi. Ele esquece os elogios que o "mercado" vem fazendo ao governo FHC e adverte que o país está quebrado: o rombo do setor público, perto dos 7% do PIB em abril, é insustentável, pode assustar os bancos estrangeiros e provocar incontrolável fuga de dólares, disparando uma crise total, como na Coreia do Sul e Indonésia. É preciso um novo pacote, receita Tanzi. Sob o título *Tarde demais*, Aloysio Biondi publica em 23 de julho em sua coluna — agora na *Folha de S. Paulo*:

Como explicar que o FMI coloque a nu a deterioração da economia brasileira, puxando o tapete de FHC em plena campanha eleitoral? Não custa lembrar, como explicação, que o FMI foi duramente criticado após a "crise asiática", por não ter alertado o mercado financeiro, antecipadamente, sobre a real situação da Coreia, Indonésia etc.

> *O alerta de Tanzi, assim, pode ser interpretado como uma providência que não podia mais ser adiada, diante do agravamento das "contas" do Brasil. Note-se bem: até hoje, o governo FHC divulgou somente o "rombo" de abril — e já estamos em julho... Daquele mês em diante, a situação somente se agravou, por causa dos gastos com juros e menor arrecadação — que sofrerá novas contrações neste semestre por força da recessão. Basta ver o que está acontecendo com as vendas de automóveis e eletroeletrônicos.*

De fato. Naquele julho de 1998, já há férias coletivas na indústria automobilística, enquanto o governo tenta convencer incautos de que tudo acabará bem:

"O PIB vai crescer."

Como? Se as vendas da indústria eletroeletrônica, por exemplo, haviam encolhido 30% na comparação com o ano anterior? Se a indústria automobilística estava vendendo 60 mil veículos a menos? E a agricultura quebrada por causa da TR (taxa referencial de juros), que chegou a ficar 40 pontos acima da inflação; e o desemprego, o congelamento de vencimentos do funcionalismo público...

Estávamos caindo na recessão e, três anos antes, em outubro de 1995, FHC havia declarado à imprensa:

"Quando alguém me fala de recessão, eu tenho vontade de dar uma gargalhada."

Como é que FHC sairá dessa? A resposta fomos encontrar, não na interpretação de algum jornalista brasileiro que haja investigado aquele período tumultuado, mas na reportagem de quase quatrocentas páginas que compõem o livro *A Melhor Democracia que o Dinheiro Pode Comprar*, do norte-americano Greg Palast. Ele expõe histórias sobre a globalização, as grandes corporações, os honoráveis bandidos de colarinho branco nos Estados Unidos, no Brasil, em outros países, contando o que — tal como acontece por aqui — a grande imprensa não conta. Na segunda edição, de junho de 2004, Greg Palast acrescentou um novo primeiro capítulo, com sugestivo título: *Sua Excelência Robert Rubin, Presidente do Brasil*. E, apesar de ter histórias arrepiantes sobre inúmeros países, o autor escolheu o "Capítulo brasileiro" para abrir seu livro.

O Brasil caía no precipício em câmera lenta

Mas quem diabos vem a ser esse tal de Robert Rubin? "Quando era menino, o secretário do Tesouro dos Estados Unidos, Robert Rubin, sonhava ser presidente do Brasil. E em 1999, o sonho se realizou. É claro que, como tem endereço em Washington e nacionalidade americana, Rubin conquistou o controle do Brasil da única maneira que podia: por intermédio de um golpe brilhante", começa Greg Palast.

Relembra que o "presidente nominal" Fernando Henrique Cardoso será reeleito em outubro de 1998 graças a um motivo: tinha estabilizado o valor do real e contido a inflação. "Na verdade, não tinha", diz, pois o real "estava ridiculamente supervalorizado" e o alto valor do real diante do dólar "desafiava a lei da gravidade", milagre que levou FHC à vitória já no primeiro turno com 54% dos votos.

"Mas não existem milagres", prossegue Greg.

O real despenca duas semanas depois de FHC iniciar seu segundo mandato. Cai à metade do valor que tinha no dia da eleição em outubro de 1998. A carestia subia e a economia caía. Caía como o índice de aprovação de FHC — ele chegará ao fundo do poço no meio de 2000: 8%. Significa que somente 2 em cada 25 brasileiros estão gostando do que ele faz. Mas aí ele já havia reconquistado a presidência.

"Quer dizer, mais ou menos", escreve Greg Palast. "Não restava muito da presidência de Cardoso além do título. Todas as políticas importantes, do orçamento ao emprego, são ditadas pelo Fundo Monetário Internacional e seu órgão irmão, o Banco Mundial. E por trás deles, dando as cartas, estava o secretário do Tesouro, Rubin, que governou de fato como presidente do Brasil sem precisar perder uma única festa em Manhattan. Mas esse é o preço que Cardoso pagou pelos serviços de Rubin na campanha eleitoral. Pois foi o secretário do Tesouro quem, junto com o FMI, manteve a moeda brasileira alta."

O PRÍNCIPE DA PRIVATARIA

Rubin tinha suas razões ao ajudar FHC e manter o real forte. Sabendo que nossa moeda seria "destroçada" após a reeleição de FHC, o chefe do Tesouro americano permitiu aos bancos de seu país tirar seu dinheiro daqui em "condições favoráveis". E ainda houve quem reclamasse de Lula por falar em herança maldita: de julho de 2002 à posse do novo governo em 1º de janeiro de 2003, "as reservas em dólar do Brasil caíram de US$ 70 bilhões para US$ 26 bilhões, "sinal de que os banqueiros pegaram seu dinheiro e fugiram". No meio de seu segundo mandato, o Brasil de Lula estaria com US$ 250 bilhões de dólares em reservas — um recorde.

Segundo mandato: ninguém tem saudades.

Mas a moeda se manteve em alta antes da reeleição de FHC, pontua Greg Palast, "porque os Estados Unidos deixaram clara sua intenção de substituir as reservas perdidas por um pacote de empréstimos do FMI". Reeleito Fernando Henrique, um mês depois o FMI oferece um crédito de US$ 41 bilhões. Palast:

"O Brasil não ficou com nada disso, é claro. Qualquer parcela que tenha realmente pingado no país embarcou no primeiro avião com os investidores e especuladores que o abandonaram. Agora, os brasileiros têm de pagar a dívida."

O povo ia pagar. Greg Palast foi ouvir Jeffrey Sachs, da Universidade de Harvard, conselheiro econômico de vários governos na América Latina, Leste Europeu, Ásia e África. Ele é lembrado, observa o repórter norte-americano, "como a Mary Tifoide do neoliberalismo, que disseminou teoremas do mercado livre e a depressão econômica pela extinta União Soviética". Sachs disse que se podia ver a economia brasileira caindo no precipício:

"Foi em câmera lenta. Mas, em vez de evitar a queda pela desvalorização controlada, Washington e o FMI incentivaram vigorosamente taxas de juros acima de 50%. Washington queria a reeleição de FHC."

E Washington, disse Sachs, deu seis meses aos financistas norte-americanos para vender os títulos e moeda do Brasil em condições favoráveis. E FHC? Culpou Rubin por nossos problemas? FHC sabia que de nada adiantava:

"Em vez disso, com a ajuda de uma imprensa de direita, ele e o FMI atribuem o colapso econômico a vilões conhecidos: funcionários públicos, aposentados e sindicatos. São acusados de estourar os orçamentos do governo."

Palast ouviu mais de Sachs: o semeador de depressões disse-lhe que "o FMI falhou" porque os juros altos provocaram crise no Brasil. Análise furada, observa Palast, porque a crise era "um elemento deliberado do plano", ela tem sua utilidade:

"Somente em caso de pânico econômico, Rubin e o FMI podem soltar os Quatro Cavaleiros da Reforma: eliminar os gastos sociais, cortar a folha de pagamentos do governo, quebrar os sindicatos e, o verdadeiro prêmio, privatizar empresas públicas lucrativas."

E assim se passarão mais quatro anos de entrega de nosso patrimônio. Mas sua missão, de desmontar o legado da Era Vargas, ele não conseguirá realizar.

CAPÍTULO 25
A maior estupidez político- -estratégica que se fez no país

Estatais davam *show*, com engenheiros brasileiros — Dinheiro não seria problema: telecomunicação é o melhor negócio que há — Trágico: privataria acabou com nossa indústria — Rendição e cegueira por trás de tudo

Da boca de meus entrevistados, ouvi que a privataria foi a maior roubalheira da história. Ouvi gente dizer que viu amigo chorar ao recordar o desmonte de centros de pesquisas provocado pela venda das teles — caso do setentão Ricardo José Ferreira, conhecido como Neto na família e na roda de amigos.

Neto mora perto da PUC, Pontifícia Universidade Católica, nas Perdizes, bairro tradicional da capital paulista. Tem piano na sala, com partitura aberta, para tocar peças clássicas. Ele me recebe em tarde de sol em meados de 2010 para uma conversa na qual expõe, com eloquência, "a maior estupidez que se fez no país".

Simpático, chega à indignação quando fala da privatização das teles, na condição de quem trabalhou no ramo, na Telesp e na Embratel, de 1969 a 1987. De olhos brilhantes, cheio de energia, usa óculos de lentes grossas e aro tipo tartaruga. Seu depoimento:

O Brasil deu um *show* de competência

A privatização das telecomunicações foi baseada numa série de premissas falhas. A primeira, de que o estado não era competente. Se for verdade, contraria fatos históricos. No golpe de 1964, as telecomunicações eram operadas pela iniciativa privada, que tinha Rio, São

Paulo, Minas e um monte de pequenas empresas, e os militares chegaram à conclusão que, de tão precário, era um gargalo insuportável para o desenvolvimento do país. No Rio de Janeiro e em São Paulo se pagava um *office boy* esperando linha no telefone. São Paulo-Porto Alegre: o pessoal tinha que passar telegrama, não se conseguia falar!

Por volta de 1975, o Brasil já tinha um dos melhores sistemas, feito pelo estado. O governo cria uma estatal em cada estado: Telepar no Paraná; CRT no Rio Grande do Sul etc. Foi o maior avanço em 10 anos. Uma revolução tecnológica. Darei um exemplo.

Coube a mim montar a Embratel em Ribeirão Preto. Inauguramos no final de 1971; o que havia antes eram seis circuitos para São Paulo, a 300 quilômetros, onde uma chamada demorava oito horas. Instalamos 200 circuitos de DDD (Discagem Direta a Distância). Uma revolução!

Quem se lembra sabe que o que a Embratel e as estatais fizeram foi como tirar o Brasil da idade da pedra para mundo moderno. E isso foi feito só por empresas estatais, com engenheiros brasileiros do ITA, o Instituto Tecnológico de Aeronáutica, da Poli. O Brasil, com apoio de empresas brasileiras como Promon, Hidroservice, deu um *show* de competência e tecnologia.

Revolução de 1964 foi nas telecomunicações

E diz que o telefone não funcionava. Não funcionava no tempo da CTB! Quando inaugurei a Telesp em Ribeirão Preto, o Duarte Nogueira, prefeito de lá, me disse: Você virou herói, podia ser candidato a prefeito aqui. Porque o que os militares fizeram em telecomunicação foi uma revolução. A gente esquece que viu a Copa de 1970 por televisão via satélite! Um país que, cinco anos antes, levava 12 horas para falar daqui para o Rio.

Dinheiro tinha: é receita absolutamente segura

Outra discussão era que não havia dinheiro. Se alguém queria um telefone só tinha para daqui dois anos, não por problema técnico. O investimento em telefonia fixa, na época, era feito por autofinanciamento, uma das coisas mais democráticas neste país. Ninguém compra telefone, comprava ações da empresa, e comprando certo volume, mais ou menos 70% do investimento para gerar um telefone, a empresa tinha dinheiro para aquele telefone. Você vai perguntar: mas todo o mundo queria telefone, por que o dinheiro não dava?

Porque, de acordo com as informações que tenho, na época, o FMI considerava o investimento das estatais como investimento do Tesouro Nacional. Então tinha uma limitação de fora. O FMI colocava para o Governo Federal, e o Governo Federal colocava para as telecomunicações.

A explicação técnica para o dinheiro não ser problema é a seguinte: telecomunicação é o melhor negócio do mundo, porque tem a chamada liquidez dinâmica: você tem um milhão de assinantes que pagam todo mês a conta, senão cortam sua linha. As telecomunicações têm calote zero. Todo mundo paga! É receita absolutamente segura, porque além de não ter inadimplência, até quando tem crise econômica a receita média sobe, porque se telefona mais. Então, não existia problema de obter recursos para investir.

Eu fui o diretor da Telesp! Eu sei! O *American Express*, o *Citibank*, qualquer banco oferecia o dinheiro que você quisesse. É um negócio que não quebra. Então, se você consegue financiamento para coisas arriscadas, se não tiver risco não tem problema de limite de empréstimo, você empresta o que quiser! E o que corria na época — não tenho prova material — é que não se pode investir porque o FMI diz que teria que haver superávit fiscal, que o governo não poderia gastar mais do que xis. Sou testemunha porque, quando era diretor da Telesp, conversava com o sistema financeiro. Dinheiro tinha aos montes!

Havia uma imposição política de não poder crescer

Veja que a história precisa ser mais bem conhecida: além de você ter uma empresa com liquidez dinâmica, monopolista, segurança de receita, o que abre os créditos, ainda tinha o autofinanciamento, que é maravilhoso! Você quer um telefone? É só ficar sócio da companhia!

E ninguém conta que, quando você comprava as ações e recebia o telefone, podia vender as ações! E outra coisa que a mídia nunca esclareceu: a Telesp nunca vendeu telefone; ela te dava o direito de usar um número telefônico, direito de uso, porque você tinha comprado xis ações, era uma combinação. De um lado, você está financiando a empresa, democratizando o capital da empresa, por meio do autofinanciamento; e, por outro lado, esse autofinanciamento dá o direito de usar uma linha gerada com aquele dinheiro que você deu.

E vou dizer mais. Se tinha tanta demanda e se tinha o autofinanciamento, por que não podia passar 10 milhões de telefones? Pelo seguinte: o autofinanciamento financiava 70%, então eu precisava do dinheiro a mais. Mas eu estava proibido de investir pelo Tesouro. Proibido de crescer! Era uma imposição; não havia problema técnico ou econômico. Havia uma imposição política de não poder crescer.

Vender o negócio na véspera de uma transformação?

Já falei de competência, do dinheiro e agora vou falar de uma terceira coisa. Ouço muito falar que depois que privatizou todo o mundo tem celular. Levanto outra questão: o celular é melhor que o fixo como negócio. Até você, que não é técnico, vai entender que uma tecnologia que te dá o telefone transportado, que não precisa de central telefônica, rede na rua, rede de dutos, de cabos telefônicos, que é cobre, e tudo mais: se fixo já era bom negócio, imagine sem as despesas de infraestrutura! E o celular estourou no mundo inteiro. O *boom* não foi no Brasil depois que privatizou: foi no mundo inteiro! Seja estatal, privado etc.

Pergunto: por que privatizou antes do *boom*? Não é estranho? Imagine que você tem um negócio e percebe que vem uma revolução tecnológica, que vai ficar uma maravilha. Você vende? Privatizar na véspera da maior revolução tecnológica e econômica na esfera de telecomunicações?

E a Telesp Celular existia! Quando a Vivo comprou, ela já tinha dois anos. Com engenharia nacional, já tinha instalado centenas de milhares de celulares. A gente esquece isso! E meus amigos da Telesp morriam de rir: é uma baba, coloco uma antena em cima de um prédio e instalo 10 mil telefones num dia! É o melhor negócio do mundo!

É isso que foi vendido. É isso que foi privatizado. É mais uma dúvida que ponho no ar: por que privatizar um negócio que vai sofrer uma grande transformação? Se você falasse que ia vender sua fábrica de chapéu, tudo bem, daqui a pouco ninguém mais vai usar. Mas vender um negócio que vai virar isso que virou!

Diziam: a tarifa vai baixar; deu-se o contrário

O que vou te falar ouvi do Sérgio Motta. Eu participei, como convidado, em algumas discussões sobre privatização. E era dito que, com a privatização, vai haver competição e os preços vão cair. Ora, li no jornal: é hoje o serviço mais caro do mundo! E o pessoal fala que o telefone custava R$ 2 mil. Hoje, qualquer conta telefônica é R$ 300 por mês! O que é isso?!

E "vai haver competição". Deu-se exatamente o contrário. Quem tem alguma noção sabe que oligopólio (grupinho de empresas que dominam um setor) não compete. Mesmo que haja competição, vão combinar preço. E o governo fez uma coisa mais louca ainda: um tarifaço na véspera da privatização. Diziam: precisa tornar atrativo, senão ninguém compra. Dizia um amigo meu: o único erro da privatização é que nós não compramos. A gente deveria ter comprado! Até sem dinheiro!

É trágico: mataram a política industrial

Com a privatização vem um *boom* na indústria de telecomunicações. E mais: ouvi pessoas do Ministério dizendo que ia dobrar emprego na área. E aí, um pouco de história. Existe mais ou menos o seguinte: tecnologia virou *commodity*: se você tiver dinheiro, vai aos Estados Unidos, à Europa, compra uma fábrica de alta tecnologia e produz no Brasil. Contrata engenheiros, técnicos. Você tem que usar o poder do dinheiro para ter a tecnologia.

A Telebras fazia várias coisas, como centros de pesquisa, mas o principal era que havia dois grupos de fornecedores de equipamentos: o multinacional — Ericsson, Siemens, NEC; e o grupo nacional — Construtel, Setac. Pouca gente sabe, mas o Brasil, na véspera da privatização, já fazia centrais telefônicas eletrônicas. Era mais difícil fazer uma central antiga, mecânica. Hoje qualquer jovem faz um invento na garagem de casa.

Então a Telebras chamava a NEC, a Ericsson: "Você quer fornecer para a Telesp? Para a Embratel? Primeiro: tem que fabricar no Brasil. Segundo: tem que ter uma taxa de nacionalização." Quando foram privatizadas as teles, a maioria das fábricas já estava com taxa de nacionalização acima de 90%. A indústria brasileira era fantástica, vendia para a Argentina, Chile, África. Nós tínhamos uma indústria de telecomunicações.

Foi um desmonte total. Hoje, acho que 90% é importado. Porque, além de privatizada, a Telesp é vendida para uma empresa espanhola. Ela não compra os equipamentos aqui. Compraram na Espanha, sabe-se lá por qual preço. O sistema dá muito dinheiro. Por que a França não privatiza a France Telecom? Porque a France Telecom é que sustenta a Alcatel! Por que a Alemanha não privatiza a dela? Uma das funções básicas da operadora é, com o dinheiro desses milhões que pagam a assinatura, viabilizar a indústria. Nos Estados Unidos é assim.

Uma das coisas mais importantes agregadas ao sistema era a política industrial, coordenada pela Telebras, pela Telesp, com apoio do Centro de Pesquisa de Campinas.

O Brasil já fabricava centrais telefônicas com 95% de nacionalização, cabos de fibra óptica — toda a cabeação era fabricada no Brasil.

Hoje, quando a Telesp compra um equipamento central do telefone celular, compra na Espanha, na Coreia, não tem obrigação alguma de comprar aqui. Uma das coisas mais trágicas da privatização é que acabou a política industrial de telecomunicações.

Conversa de gente burra que pensa que somos burros

Havia um discurso: não vamos privatizar para criar um monopólio privado, então vamos fazer várias empresas para elas competirem entre si. Até você que não é engenheiro vai concordar: alguém fala "a Telefonica precisa ter concorrente, vamos fazer outra empresa, que vai abrir um buraco de novo, vai passar cabo, entrar nos prédios... Isso não existe! É da natureza do serviço de telecomunicações, e do serviço de água, esgoto, luz, que seja uma empresa só. O celular, como não gasta dinheiro, você ainda pode ter duas ou três empresas. Mas o modelo nosso era o do mundo inteiro. Você tem uma empresa de telefonia fixa em São Paulo. Para quê duas? Você vai entrar em todos os prédios do país para quebrar as paredes e fazer nova fiação, para o cara poder dizer "não quero mais a Telesp, vou fazer com outra"? Se uma empresa manda naquele estado, tá bom, vamos controlar, vamos estatizar, mas não dá para colocar outra para competir.

Mandaram US$ 500 milhões para a Espanha: consultoria!

Outra coisa: a privatização acabou com a engenharia nacional. Tínhamos empresas poderosíssimas, como a Embratel, com áreas de engenharia da maior competência. Na iniciativa privada, a Promom. Na rua Iperoig, nas Perdizes, tinha uma sede da Telesp, com professor dando aula de engenharia, logística, telecomunicações. Outro dia conversei com um técnico, que chorou, porque acabou tudo! Acabaram os centros de pesquisa, o que era um investimento em cultura, técnica, isso tudo acabou. E existem outros problemas. Por exemplo, quando a Telesp foi privatizada, tinha 25 mil empregados. Hoje tem 10 mil. E se dizia que a privatização iria gerar emprego abundantemente.

Essas empresas terceirizaram tudo. A telefonista, que trabalhava para a Telesp, hoje está num emprego terceirizado. Você vai dizer "ah, mas a terceirização pode funcionar". Pode, só que é curioso: que empresa é essa que a Telesp terceirizou? Até onde sei, são empresas espanholas que, por não serem concessionárias, não têm os custos controlados. Pergunto: "estão pagando preço justo?" Porque empresas de telecomunicações, aquelas que viviam na rua fazendo um serviço aqui outro ali, acabaram. Acabou tudo. Na Argentina foi assim — são empresas espanholas. Quando era estatal, o governo queria contratar empresas nacionais. Hoje a Telefonica contrata quem quiser. Neoliberalismo total.

Sem contar que o lucro da Telesp hoje vai para fora. E outra coisa que me deixa estarrecido: o valor pago pelas empresas. Merecia um estudo.

Vou dar exemplo de uma coisa que quase quebrou a Argentina. Quando privatizaram a telefonia — e quem comprou foi a mesma espanhola que comprou a Telesp — foi tão mal feito, que não havia limite para a Telefonica de lá pagar coisas para a Telefonica da Espanha.

E teve um ano em que mandaram 500 milhões de dólares para a Espanha, a título de consultoria. Entendeu? Pode tudo. Sem limites.

É descontrole mesmo.

Contradições: um diz que vai melhorar, outro diz que governo "dá mais do que ganha".

A maior estupidez político-estratégica que se fez

Na época houve a discussão de que o Brasil tinha condições de transformar a Telebras e suas empresas em empresa de economia mista, como a Petrobras, e ser uma das maiores do mundo. É esse o ponto. O país perdeu.

E o pior é que perdeu não só uma coisa que poderia começar a fazer, como uma coisa que já tinha feito. Jogou fora o que tinha feito. Se eu fosse dono de 10 empresas e uma delas fosse a Telebras, eu venderia qualquer uma menos essa. Porque era um grande negócio. Vender a Embratel para mexicano na véspera do *boom* do celular, da Internet, meu amigo, parece piada de gente burra! É como diz o outro: ou muita burrice ou muita sacanagem.

Os portugueses entraram também. Depois misturou tudo, português, espanhol, mexicano.

Agora veja: quem comprou a Embratel é o cara mais rico do mundo, o mexicano Carlos Slim.

E vai dizer que o Brasil não tem competência? A Petrobras é considerada a mais competente do mundo em petróleo! E mais: a Embraer é uma das mais competentes em fazer avião! Não conheço nenhum setor tão estratégico como telecomunicações, do ponto de vista econômico, tecnológico, financeiro.

Nós não vendemos empresas para grupo estrangeiro — ou nacional que seja. Vendemos o mercado. Em 2010, o Brasil tinha 120 milhões de telefones celulares — é isso que foi vendido! Não só a Telebras podia ter feito, como eu ou você. Só precisaríamos de dinheiro. E o surpreendente é que todo esse patrimônio foi vendido por US$ 40 bilhões! É o superávit comercial, em 2010, de um semestre no Brasil. É nada. Foi vendido tudo por menos de US$ 50 bilhões.

É uma história terrível.

Preste atenção: eu não citei trambique nenhum. Não sei se teve trambique com o Daniel Dantas, com o ministro. Isso é quase o de menos. O dramático é a rendição. A rendição e a cegueira estratégica por trás disso! Vou até dar um crédito de que essas privatizações foram absolutamente honestas. Mas foi a maior estupidez político-estratégica que se fez neste país.

Maníaco do martelo
ataca a marteladas

"Um puta erro! No mesmo período, a Coreia do Sul investiu vinte bilhões de dólares para fazer a banda larga. Ou seja, nós investindo em linha de cobre, que estava morrendo, e a Coreia vai no novo. E duas décadas depois das privatizações, nós nem chegamos perto da Coreia."

O companheiro de antigas lides parece que ouviu Neto e, concordando, nos dá o exemplo de não estupidez da Coreia. Rubens Glasberg recebe a mim e a Mylton Severiano na tarde de 2 de maio de 2012, sentado atrás da mesa de onde preside sua Converge Comunicações, que se dedica a mídias digitais, telecomunicações, tecnologia da informação, análise de mercado, feiras e congressos.

Com impressionante memória, Rubens Glasberg, 69 anos, recorda algo pouco divulgado: ainda tivemos de pagar pequena fortuna a uma empresa norte-americana que aqui veio preparar o bote nas nossas telecomunicações, a McKinsey & Company, líder mundial no mercado de consultoria empresarial. Primeiro retiraram subsídios que barateavam o telefone, e foram aumentando as tarifas — para atrair compradores.

"Depois", pontua, "grande parte dos caras da McKinsey foi trabalhar nas privatizadas."

E inventaram a "assinatura básica" — você paga mesmo que não faça uma só ligação no período.

"Eles não precisavam fazer nada. Era só mandar as faturas todo mês."

Dividiram o país em quatro áreas e leiloaram. Leilão de cartas marcadas, o que não impediu que houvesse rasteiras entre os convivas. A Telefonica, por exemplo, "furou a fila" e, deixando para trás seus futuros sócios, entre eles a RBS, que domina as comunicações em Santa Catarina e Rio Grande do Sul. Arrematou sozinha uma das joias da coroa: a Telesp, Telecomunicações do Estado de São Paulo. Entre os compromissos que as "telegangs" assumiram, estava a competição, para obedecer a um dos sagrados pilares do capitalismo.

"Nunca competiram", diz Glasberg.

Na verdade, formaram cartéis. Na telefonia celular, começou-se com 13 empresas, depois foram se concentrando, até que cada companhia de telefonia fixa passou a ter seu braço "móvel".

E assistimos àquele espetáculo cívico antinacional em que se destacou o leiloeiro José Serra. No primeiro leilão, que não foi de uma tele, mas de uma companhia de eletricidade, a capixaba Escelsa, lá está Serra, martelando junto com o presidente da Bolsa do Rio, Fernando Opitz, observado por um divertido Marcelo Alencar, governador fluminense recém-aninhado no PSDB. Estamos em junho de 1995 —

apenas cinco meses depois de começar a Era FHC. Dali em diante, Serra seguiria de martelo em punho e leiloando.

Esse pessoal pelo menos reinveste uma parte dos lucros na melhoria dos serviços? Resposta de Rubens Glasberg:

"Os espanhóis passaram a distribuir 100% dos lucros em forma de dividendos. Tinham 80% das ações (20% na Bolsa), e ainda mandavam mais 10% ou 20% a título de consultorias — mandam 110% ou 120%. E não reinvestem! É muito pouco investimento, só para ir tocando."

Não querem fazer banda larga, observa, "querem cobrar a assinatura e as ligações". E, para arrematar nossas teles, conforme a expressão de nosso velho amigo, "essa turma não pôs um tusta do bolso".

"Só mais uma coisa, Glasberg", perguntamos nós: "no tal de primeiro mundo algum país admite estrangeiro tomando conta de suas telecomunicações?"

"Não", diz ele dando um exemplo: "o Rupert Murdoch, que é australiano, para comprar o *Wall Street Journal*, a Fox News, teve de se naturalizar americano. Aqui, qualquer decisão da Telefonica é tomada na Espanha."

O Brasil da Era FHC tinha a espinha mais flexível que a do chanceler da ditadura militar Juracy Magalhães, autor da clássica frase do entreguismo:

"O que é bom para os Estados Unidos, é bom para o Brasil."

Triste é que toda essa lambança com nossa telefonia, de tarifas siderais, que não democratiza a banda larga, em que empresas estrangeiras mandam todo o lucro para suas matrizes e reinvestem uma migalha, tenha sido apregoada como "fim do atraso" e início da "modernidade". E que Sérgio Motta tenha armado uma caravana para percorrer Japão, Estados Unidos, Europa, com efeitos especiais a cargo da agência DM9, do publicitário Nizan Guanaes, e grande elenco, para chamar os piratas a vir tomar conta de nosso mercado interno em permanente expansão. Vamos acompanhar essa pantomima, desatada logo no início do segundo ano do primeiro mandato de FHC.

CAPÍTULO 26
"Só um bobo dá a telefonia para estrangeiros"
Bresser-Pereira

Piratas modernos não correm os riscos de um Cavendish — Sérgio Motta sai em caravana de entrega em domicílio — Surgem acusações: tem gente levando propina nas privatizações — Conteúdo de gravações "é constrangedor"

O neologismo nasceu na cabeça do jornalista ítalo-brasileiro mais ítalo que brasileiro Elio Gaspari. Não está nos dicionários, mas já merecia ter entrado. Mistura *privatização* com *pirataria* e se refere ao esquema adotado na Era FHC para entregar, em mãos privadas, empresas estatais — ou seja, do governo, por extensão do povo brasileiro; e isto, a pulso, reprimindo manifestantes contrários; cooptando a mídia em peso; vendendo empresa por preço menor do que o dinheiro que ela tinha em caixa; pondo dinheiro do BNDES na mão do comprador, ou seja, "pagando" para o estrangeiro "comprar"; com indícios e mesmo provas de que rolaram desvios na casa dos bilhões, e de que muita gente ficou com as chaves de cofres em paraísos fiscais que guardam fortunas.

O pirata moderno, como no samba de Chico Buarque, tem retrato na coluna social. Em geral bem apessoado, alguns com pinta de galã de cinema. Vemos um deles nos jornais, loirão, dentes bons, sorriso simpático, nome de artista: Luca Luciani. Presidente da TIM Brasil desde 2009. Terno impecável, gravata azul sobre camisa azul-claro. Pois é, estamos em 6 de maio de 2012, e a mídia dá esta notícia: Luca Luciani acaba de ser demitido pela matriz, a Telecom Italia. Está enrolado num esquema de falsificação de *chips*. Diz Lauro Jardim na *Veja*:

Os motivos da demissão estão relacionados com fraudes que há alguns anos são investigadas pela promotoria de Milão, como a falsificação de

2 milhões de chips para telefones pré-pagos emitidos entre 2005 e 2007, na Itália; e com algumas operações feitas por Luciani já no Brasil.

Piratas. Os modernos não correm riscos físicos, como os do tempo das navegações; se hoje vão para a coluna social, outrora recebiam comendas reais — e, se os antigos corriam riscos físicos, levavam vida bem mais cheia de aventuras na pirataria.

Cavendish, por exemplo. Thomas Cavendish, nascido de família rica em 1560, tinha 15 anos ao entrar no Corpus Christi College, de Cambridge. Foi membro do Parlamento até 1586, quando, aos 26 anos, fez-se ao mar para tentar reaver a fortuna que o pai lhe deixou e ele dissipou em luxo e luxúria.

No barco *Desire* (Desejo), que mandou construir, parte em 27 de junho de 1586 com pequena frota e um ano depois chega ao Estreito de Magalhães. Explora a costa sul-americana do Pacífico, saqueando vilas dos espanhóis e queimando seus navios. Em fins de 1587, captura um galeão a serviço de suas majestades os reis de Espanha. Navio de 600 toneladas que faz a rota México-Filipinas. Rota cobiçada. Passam carregamentos de prata dos Andes, sementes, tabaco, cacau, batata, uva, figo; na mão contrária, vêm tecidos e objetos de seda chineses, pólvora; tapetes persas; algodão indiano; leques, porta-joias laqueados, porcelanas e biombos japoneses; do Oriente Médio, lã de camelo, cera, marfim lavrado, jade, âmbar, pedras preciosas.

Cavendish se apropria do tesouro espanhol mais rico a cair em mãos inglesas — é um corsário, ou seja, deve obediência à coroa. Sem homens para tripular o galeão, queima-o. O barco afunda com o que sobrou do saque.

Em 9 de setembro de 1588, Cavendish aporta de volta na Inglaterra, com apenas o *Desire*, mas com carga milionária. E, como só podia ser naquele tempo, traz pessoalmente uma "remessa de lucros" especial para o tesouro de sua majestade Elizabeth I. Tem apenas 28 anos. A rainha o condecoraria.

Empreende nova expedição em agosto de 1591 e, quatro séculos antes da chegada dos piratas de terno e gravata ao Brasil de FHC, ataca nossa costa. As coroas de Portugal e Espanha estão unidas então sob mando espanhol (1580-1640). Cavendish usa Ilhabela, no litoral de São Paulo, para se reabastecer e tocaiar. Saqueia Santos e São Vicente e destrói a tentativa de produção canavieira dos paulistas — se você gosta de história ao vivo, visite as ruínas do Engenho dos Erasmos e do Outeiro de Santa Catarina na Baixada Santista, estão lá.

Indo para o norte, Cavendish entra pela baía de Vitória. Cai numa emboscada e perde parte de seus homens em batalha contra portugueses e capixabas. Gravemente ferido, escapa pelo Atlântico e morre ao largo da ilha de Ascensão.

Seu companheiro de pirataria John Davis torna ao sul e, antes de voltar à pátria desfalcado da maioria da tripulação, morta de fome e doenças, crava a bandeira britânica nas Ilhas Malvinas, que a Argentina reivindica até hoje. Mas aí é outra história, de pirataria moderna, como a que deu origem ao neologismo privataria.

Os piratas modernos não passam pelos perigos que Cavendish passou. Alguns, bem ao contrário, têm a grata surpresa de receber em domicílio o convite para saquear. Quer ver?

Surgem denúncias de que tem gente levando propina

Em novembro de 1995, com FHC na plateia, seu ministro Sérgio Motta promove no Itamaraty apresentação do que imagina ser a "revolução nas telecomunicações". É um treino para sair em espetáculo itinerante — um *road show* — pelas principais capitais do mundo. Vai demonstrar no exterior como é bom comprar uma estatal no Brasil. Quer juntar cinco apresentações numa só viagem: Tóquio, Frankfurt, Paris, Londres e Nova Iorque. Os piratas japoneses, alemães, franceses, britânicos e americanos não iriam acreditar no que estariam vendo: "essa gente vem entregar em domicílio?"

Yeah, delivery. Antes de raiar 1996, o cronograma de entrega está pronto. A agência DM9 se encarregará dos efeitos especiais: transparências (mais de cem); luzes; som; vídeos.

Desembarca a trupe no Japão em 12 de março de 1996. Enquanto FHC cumpre o programa oficial, recebido pelo casal imperial, Serjão vai ao mercado vender o peixe. No Export-Import Bank, nono andar do edifício Takebashi Godo, no distrito de Chiyoda, acompanhado de José Serra, ministro do Planejamento, e Dorothéa Werneck, da Indústria e Comércio, o ministro das Comunicações fala por duas horas, animado por projeções de vídeos em telão e sistema *power-point.*

Três dias depois, a Caravana Delivery voa para Nova Iorque. No *terrace room* do Plaza Hotel, Serjão palestra para mais de 300 executivos, repetindo o que havia dito em Tóquio, numa fala em que se ouve a cada passagem a palavra chamariz: "desestatização".

Mas o que deixa os engravatados piratas acesos é o aceno de Serjão para a limpeza que o governo FHC vem promovendo no cipoal de leis regulatórias, de modo que os presentes ali podem imaginar como vão lucrar sem grandes entraves de ordem legal. E não só na telefonia, mas também nas áreas de

energia elétrica!

exploração de petróleo!

ferrovias!

rodovias!

siderurgia! — e a plateia ruge em *stand ovation*, como os de língua inglesa se referem ao momento em que todos se levantam em ovação, tal como acontece ali ao lado, no teatro da Broadway, perto do Plaza. Os gringos têm razão para demonstrar tanta euforia.

Nos dois anos seguintes, Sérgio Motta arruma a casa para receber os piratas. O Brasil injeta R$ 21 bilhões no sistema Telebras (ver Capítulo 16, *Como se cria a tal de herança maldita*). E arrecada apenas pouco mais de R$ 22 bilhões. E mais, como observa Aloysio Biondi, "o governo vendeu tudo por uma *entrada* de R$ 8,8 bilhões, ou menos — porque financiou metade da *entrada* para grupos brasileiros".

Uma das figuras centrais na privatização das teles foi Ricardo Sérgio de Oliveira, diretor da área internacional do Banco do Brasil e ex-funcionário do Citibank.

Passam a pipocar acusações de que tem gente levando propina nas transações. Uma das acusações contra Ricardo Sérgio refere-se a negociações que levaram o grupo do cearense Carlos Jereissati a dominar a telefonia do Rio de Janeiro ao Amazonas. Em cena, o senador baiano Antônio Carlos Magalhães, o ACM, padrinho de Daniel Dantas e seu Banco Opportunity — que já havia arrematado a telefonia do centro-sul e, portanto, pelas regras da privataria não poderia pegar outro setor. ACM acusa Ricardo Sérgio de cobrar R$ 90 milhões para financiar o consórcio de Jereissati, que não tem dinheiro para tanto. O senador afirma que há inclusive prova testemunhal. Ricardo Sérgio processa ACM.

Fato é que Ricardo Sérgio estava lavando a égua. Na privatização da Vale do Rio Doce, concluída em maio de 1997, dois ministros de FHC — Luiz Carlos Mendonça de Barros, que substituiu Sérgio Motta nas Comunicações; e Paulo Renato Souza, da Educação, em várias ocasiões ouvem o empresário Benjamin Steinbruch queixar-se. Reclama que o diretor do Banco do Brasil lhe cobra comissões em troca de ensinamentos para descobrir o caminho das pedras, tal qual ensinou o caminho dos paraísos para alguns amigos tucanos — já veremos no capítulo sobre a entrega da Vale.

Nada revela mais as tramoias do que o resultado dos grampos nas conversas entre os personagens.

"Na hora que der merda, estamos juntos desde o início"

Um dos melhores relatos daquele momento vem dos repórteres José Casado e Vanda Célia, de Brasília, escrevendo na revista *Época* de 11 de setembro de 1998.

"O presidente Fernando Henrique Cardoso tem em mãos uma fita com gravações de conversas telefônicas grampeadas de dois de seus principais auxiliares, o ministro das Comunicações, Luiz Carlos Mendonça de Barros; e o presidente do BNDES, André Lara Resende", começam eles.

Os próprios auxiliares entregaram as fitas a um FHC "perplexo" com a rede de espionagem e chantagens que envolvia auxiliares do governo que ele tinha como amigos. São conversas gravadas em vésperas da privatização da Telebras, em julho daquele 1998. Os jornalistas dizem que o conteúdo "é constrangedor":

Há conversas técnicas, segredos de governo, termos chulos, palavrões, piadas, confidências pessoais... material suficiente para causar embaraços ao governo. Até onde se sabe não há nada que comprometa o programa de privatização do governo ou a conduta do BNDES no processo. Não era esse o objetivo das gravações. Os chantagistas querem atingir Luiz Carlos Mendonça de Barros e inviabilizar o poderoso Ministério da Produção — que vai ser criado e o terá como ministro, de acordo com o Planalto.

E conseguiram atingir Mendonça. Ele já ocupava o lugar que havia sido do trator Motta e, num Ministério da Produção, viraria superministro. Cortaram-lhe as asas. A desconfiança se volta inicialmente para graduados do próprio BNDES e Banco do Brasil e dois de seus braços, Previ e Brasilseguridade, pois o BNDES e um pedaço do Banco do Brasil fariam parte do novo ministério.
Típica briga de poder.
Foram informantes da Abin, Agência Brasileira de Inteligência, que primeiro puseram a mão em duas das fitas. Mendonça de Barros chama Lara Resende e José Pio Borges, vice-presidente do BNDES — também grampeado — e pergunta se haveria alguma gravidade nas conversas. Concluem que "não há nada a temer".
Em uma fita, Mendonça chama o consórcio Telemar (que arrematou a Tele Norte Leste) de "telegangue" e seus integrantes de "rataiada".
Como? Não havia "nada a temer"? Só se julgassem que estavam acima do bem e do mal. Nos diálogos grampeados, nota-se a promiscuidade entre público e privado, com Pérsio Arida tratando de negócios com Lara Resende — Pérsio Arida do banco privado Opportunity e Lara Resende do estatal BNDES. O ministro Mendonça de Barros quer convencer Jair

Grampo derruba irmãos Mendonça de Barros, André Lara Resende e Pio Borges

★ Presidente cede à pressão da base política e aceita pedidos de demissão
★ Ministro sai criticando o PFL e o PMDB, partidos aliados ao governo

Briga entre irmãos na tucanidade: um grampeia o outro, que grampeia o outro.

O ESTADO DE S. PAULO

Grampo cria insegurança no Palácio

Bilachi, presidente da Previ, a pôr dinheiro no consórcio do Opportunity, do banqueiro Daniel Dantas. O fundo de pensão dos funcionários do Banco do Brasil não é pouca coisa: chegaria em 2011 ao 24º lugar entre os fundos de pensão do mundo, com patrimônio de US$ 92 bilhões. E um diálogo confirma a promiscuidade; Mendonça diz a Jair:

"Estamos aqui eu, André, Pérsio, Pio..." — este último é Pio Borges, vice-presidente do BNDES.

Tudo em casa. Mendonça de Barros, em telefonema para Ricardo Sérgio, do Banco do Brasil, diz que o Opportunity, para participar do leilão das teles, está com "um problema de fiança". Pergunta:

"Não dá para o Banco do Brasil dar?"

Responde Ricardo Sérgio rápido no gatilho:

"Acabei de dar."

O consórcio de Daniel Dantas teve o aporte de R$ 874 milhões. Ricardo Sérgio então acrescenta frases reveladoras:

"Nós estamos no limite da nossa irresponsabilidade... Na hora que der merda, estamos juntos desde o início."

Na verdade, mesmo não estando acima do bem e do mal, podem contar com a mídia para assim sentir-se. "Estamos com o quadro praticamente fechado", diz Mendonça de Barros quando FHC lhe telefona para saber como andam os preparativos para o leilão das teles. E comentam o tom elogioso com que os meios de comunicação tratam as privatizações. Diz Mendonça:

veja

ano 31 · nº 47 · R$ 3,80
25 de novembro de 1998

...ao Opportunity
...se uma ONG para
...campanha publicitária

FISGADO PELA BOCA

...itas deixa Mendonça de Barros com um pé fora do governo

Mendonça: "A imprensa está favorável"; FH: "Até demais".

HISTÓRIA AGORA

"A imprensa está muito favorável, com editoriais."

"Está até demais, né?", responde FHC rindo, "estão exagerando até."

De como a Tele Norte Leste caiu no colo do consórcio Telemar

Um ano depois, na mesma revista *Época*, Alexandre Medeiros assina matéria — *Um trio de suspeitos* — na qual dá conta de que o delegado Rubens Grandini, responsável pelo inquérito sobre os grampos no BNDES do Rio, prepara o relatório final e, "caso não surja nenhum fato novo", dirá que os grampeadores pertencem ao próprio governo federal, é gente da SSI (Subsecretaria de Inteligência).

Mas quem enviou as fitas ao Planalto? O principal suspeito, soube-se na época e a revista confirma, era Carlos Jereissati, do Telemar.

Raciocinemos. Como alguém teria as fitas se não as tivesse encomendado? Os grampos, concluía o delegado Grandini, teriam sido instalados por Temilson Antônio Barreto de Resende, analista de informações do escritório da SSI do Rio. Um araponga.

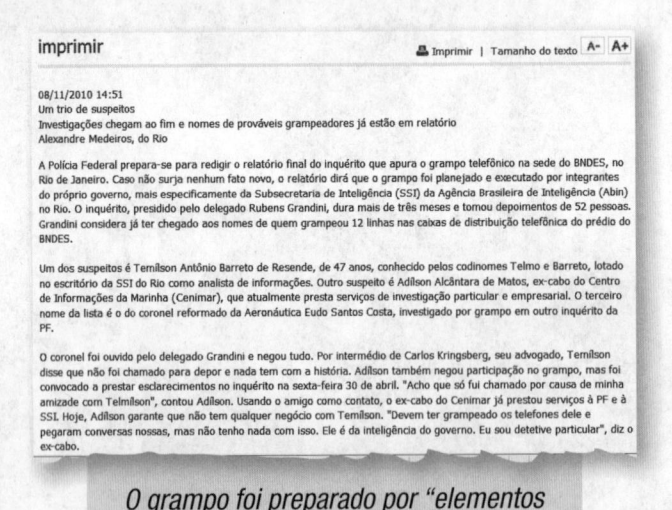

imprimir   Imprimir | Tamanho do texto A- A+

08/11/2010 14:51
Um trio de suspeitos
Investigações chegam ao fim e nomes de prováveis grampeadores já estão em relatório
Alexandre Medeiros, do Rio

A Polícia Federal prepara-se para redigir o relatório final do inquérito que apura o grampo telefônico na sede do BNDES, no Rio de Janeiro. Caso não surja nenhum fato novo, o relatório dirá que o grampo foi planejado e executado por integrantes do próprio governo, mais especificamente da Subsecretaria de Inteligência (SSI) da Agência Brasileira de Inteligência (Abin) no Rio. O inquérito, presidido pelo delegado Rubens Grandini, dura mais de três meses e tomou depoimentos de 52 pessoas. Grandini considera já ter chegado aos nomes de quem grampeou 12 linhas nas caixas de distribuição telefônica do prédio do BNDES.

Um dos suspeitos é Temilson Antônio Barreto de Resende, de 47 anos, conhecido pelos codinomes Telmo e Barreto, lotado no escritório da SSI do Rio como analista de informações. Outro suspeito é Adilson Alcântara de Matos, ex-cabo do Centro de Informações da Marinha (Cenimar), que atualmente presta serviços de investigação particular e empresarial. O terceiro nome da lista é o do coronel reformado da Aeronáutica Eudo Santos Costa, investigado por grampo em outro inquérito da PF.

O coronel foi ouvido pelo delegado Grandini e negou tudo. Por intermédio de Carlos Kringsberg, seu advogado, Temilson disse que não foi chamado para depor e nada tem com a história. Adilson também negou participação no grampo, mas foi convocado a prestar esclarecimentos no inquérito na sexta-feira 30 de abril. "Acho que só fui chamado por causa de minha amizade com Telmilson", contou Adilson. Usando o amigo como contato, o ex-cabo do Cenimar já prestou serviços à PF e à SSI. Hoje, Adilson garante que não tem qualquer negócio com Temilson. "Devem ter grampeado os telefones dele e pegaram conversas nossas, mas não tenho nada com isso. Ele é da inteligência do governo. Eu sou detetive particular", diz o ex-cabo.

O grampo foi preparado por "elementos do próprio governo", dirá a PF.

Um segundo suspeito, Adílson Alcântara de Matos, é ex-cabo do Centro de Informações da Marinha, o Cenimar, que na ditadura ganhou fama de cruel antro de tortura de prisioneiros. O terceiro homem da lista, coronel reformado da Aeronáutica Eudo Santos Costa, já foi investigado por grampo em outro inquérito da Polícia Federal. Difícil, quase impossível acreditar que um analista, um ex-cabo do Cenimar e um coronel reformado da Aeronáutica resolveram grampear altas autoridades monetárias do país só para se divertir.

Os grampos no BNDES ocorriam desde a privatização da Vale em abril-maio de 1997, em que a Previ estava, bem como estava na privatização da Tele Norte Leste. (Um dos principais nomes nas duas privatizações é o de Ricardo Sérgio de Oliveira.)

No caso da venda de 25% do BNDESpar na Tele Norte Leste, a divergência entre Jereissati e Mendonça de Barros fica clara. Jereissati é contra a entrada de novos sócios. Certo dia, Mendonça chega da Europa trazendo carta da Telecom Italia com a proposta de compra dos tais 25%, e "Carlos Jereissati disparou artilharia pesada". Em entrevista ao *Estadão*, diz que espera que "as relações do ministro com a Telecom Italia sejam diferentes das que ele mantém na Espanha". Ferina indireta: a Telefonica da Espanha, conforme a *Folha de S. Paulo* publicou, pagou a hospedagem de Mendonça num hotel de Madri.

Os grampos do BNDES constituem um capítulo da pinimba entre o banco estatal e o consórcio Telemar, que comprou a Tele Norte Leste. Era "o patinho feio" da Telebras. Custou 3 bilhões e 400 milhões de reais ao consórcio formado na última hora pela empreiteira Andrade Gutierrez, a Previ, ex-sócios do Banco Garantia, o grupo La Fonte (de Jereissati) e o Macal (de *Toninho* Dias Leite, filho de Antonio Dias Leite, ministro de Minas e Energia no governo Médici). Quem montou o consórcio foi Ricardo Sérgio, e o Telemar arremata a Tele Norte Leste por acaso.

A combinação inicial era a americana BellSouth, de Atlanta, ficar com a Telesp; os espanhóis da Telefonica e o grupo RBS, com a Tele Centro Sul; os italianos da Telecom Italia e o Opportunity, com a Tele Norte Leste. Como vimos, os espanhóis deixaram a RBS chupando o dedo e levaram a Telesp; a Centro Sul foi para os italianos; e a Tele Norte Leste sobrou para o consórcio Telemar.

O BNDES, porém, não confiou na capacidade do consórcio levantar dinheiro. Exigiu uma mudança societária e ficou com 25% do Telemar. O banco queria entregar o naco para um sócio estrangeiro. Os italianos acabaram não entrando na história, mas sim os portugueses. São estrangeiros, de todo modo, os maiores acionistas do Telemar: os gringos da Portugal Telecom.

Luiz Carlos Bresser-Pereira, na época tucano, dirá mais tarde:

"Só um bobo dá a estrangeiros serviços públicos como as telefonias fixa e móvel."

CAPÍTULO 27
Um morto comanda os vivos

Pastor oferece dossiê por US$ 500 mil — Viúva nervosa ante o repórter — Intrigante: deceparam o cabeçalho do fax — "A divulgação disso, Chelotti, será politicamente um desastre" — Chelotti cai mas vira intocável

Brasília. Começo de outubro de 1998. O aparelho de fax no gabinete do ministro da Saúde do Brasil emite seu característico ruído, tzzzz-tzzzzzzz-tzzz... Alertado, o ministro José Serra lê o cabeçalho. O fax vem de um hotel parisiense:
Hôtel Pavillon de La Reine

O ministro conhece. Fica intrigado. É hotel de luxo em Paris, perto das estações de metrô *République* e *Bastille*. Pega o fax e dá uma olhada. Trata-se de um documento. Dando uma lida apressada, bate com os olhos nos nomes dele mesmo e de seus grandes amigos Mário Covas, Fernando Henrique e Sérgio Motta — este morto havia seis meses. Mais detidamente, percebe que ele e os demais estão sendo acusados, ali, de desviar US$ 368 milhões para uma empresa situada em uma ilha do mar do Caribe.

Não pode ser mais delicado o momento, do ponto de vista político. A eleição para presidente, governadores e prefeitos dá-se a seguir, 4 de outubro de 1998, com segundo turno marcado para 25 de novembro. Naqueles dias, o documento chegou também ao governador Mário Covas, candidato à reeleição para o governo paulista, dentro de um envelope com o timbre do mesmo *Hôtel Pavillon de La Reine*.

O Partido dos Trabalhadores, que disputa o governo paulista com Marta Suplicy e a presidência da República com Lula, já conhece o documento. O pastor evangélico Caio Fábio d'Araújo, amigo do também evangélico Anthony Garotinho, ex-governador fluminense, havia visitado próceres do PT. Dizia-se intermediário de outro amigo, de Miami, que pedia US$ 500 mil à vista em troca da documentação. O PT não embarcou nessa canoa e Caio Fábio tenta empurrar o pacote para o PPS do presidenciável Ciro Gomes, com um adendo: por US$ 1 milhão terá acesso aos originais.

Passado o primeiro turno, em que FHC se reelegeu, vão para o segundo turno, em São Paulo, Mário Covas e Paulo Maluf — que comprou o documento, achando que a divulgação causará escândalo suficiente para impedir sua derrota em 25 de novembro.

Maluf passa muita aflição. Os dias correm. Com apoio de Marta, terceira colocada na eleição em primeiro turno, Covas sobe nas pesquisas. E Maluf não encontra quem divulgue o documento, chamado ora de *Dossiê Cayman*, ora de *Dossiê Caribe*. Tenta Lula, que só dará um passo à frente caso seu futuro ministro da Justiça Márcio Thomaz Bastos examine aquilo e, como esteja em Santa Maria, Rio Grande do Sul, Maluf paga do bolso um jatinho para buscá-lo. Bastos olhou, olhou, e disse a Lula: "Sai dessa. É fria. Não vi nenhum original desses papéis, não posso garantir nada."

Corre Maluf em busca de Marta Suplicy, enviando em 24 de outubro filha e nora com os papéis à casa da adversária petista, que ouve as moças e, delicadamente, mostra-lhes a porta de saída. Marta pega o telefone e liga para três pessoas: Lula, Márcio Thomaz Bastos e José Serra. Descobre, espantada, que não revela novidade alguma. O Dossiê Cayman virou o novo segredo de polichinelo.

Na mídia, sai na frente a revista *Época*. Na edição que circula no domingo, 8 de novembro, Luís Costa Pinto, o Lula, e Guilherme Barros assinam matéria sobre o dossiê.

Desespero, aproxima-se o segundo turno. Maluf vai em busca de outro derrotado em 4 de outubro, Orestes Quércia, dono do *Diário Popular*, em vão.

Um único político tinha topado ajudar Maluf: Fernando Collor. O ex-presidente, ainda em vésperas do primeiro turno, passa a bola para seu conterrâneo Djalma Falcão, senador pelo PMDB alagoano, tio de seu ex-líder na Câmara Cleto Falcão durante os quase três anos de República das Alagoas (1990-1992). Collor diz a Djalma Falcão que conhecia a suposta sociedade dos tucanos nas Ilhas Cayman e pede que ele faça a denúncia na tribuna do Senado. O senador promete denunciar e cumpre no dia 10 de novembro. De nada adianta. Maluf levou uma surra de Covas no segundo turno.

Mas o barulho provocado pelo discurso de Djalma Falcão acorda o Dossiê Cayman que dormita há mais de mês no Palácio do Planalto.

"Você devia ter vergonha de me perguntar essas coisas"

O repórter Leandro Fortes acompanharia o caso e quatro anos depois publicaria *Cayman — O dossiê do medo*. Para os lances rocambolescos da história que segue servimo-nos deste livro, verdadeiro argumento para um *thriller* de ganhar Palma de Ouro e Oscar, se o cinema brasileiro fosse argentino. Está no livro de Leandro o episódio que resultou na primeira reportagem publicada, na revista *Época*.

Noite de 3 de novembro de 1998. O repórter Luís Costa Pinto, o Lula, recebe para o jantar, em seu apartamento em São Paulo, seu xará e futuro presidente, acompanhado do deputado federal José Dirceu, então presidente do PT. Depois de um frango com *funghi* e vinhos de boa cepa, fumando um puro cubano, Luiz Inácio conta para o anfitrião sobre um dossiê que está na área.

Luís Costa Pinto vai dormir em altas horas, mas oito e meia da manhã já liga para Osvaldo Martins, assessor de imprensa do governador Covas, que ao perguntar qual é o assunto, ouve:

"Diga a ele que é para falar sobre Cayman. Eu já sei da história toda."

Quatro horas depois, Lula, o repórter, almoça em palácio com Covas. "Como você soube?", pergunta o governador. "Soube pelo Lula, e ele me autorizou a revelar", responde o jornalista. Com sua conhecida carranca, Covas diz:

"Olha, estou muito indignado com isso. Mandei o Fernando investigar que merda é essa, porque nem eu, nem o Fernando nem o Serra temos dinheiro no exterior", Covas conclui aos brados, e se corrige: "E o Serjão, duvido que tenha."

Publicada a reportagem na *Época*, outros veículos saem atrás do assunto. Em 24 de novembro de 1998, véspera das eleições em segundo turno, Fernando Rodrigues relata na *Folha* que dois agentes da Polícia Federal procuraram Vilma Motta, viúva de Serjão, em sua casa de São Paulo. A empregada disse que não estava autorizada a dar informações do paradeiro da patroa. Em seguida, a moça atende a um telefonema e, desligando, diz aos policiais que uma pessoa está chegando para "resolver o problema". Nunca mais a polícia procurou a viúva de Serjão.

Outro jornalista, Moisés Rabinovitch, correspondente de *Época* na Europa, localiza Vilma em Paris, onde ela se encontra com a filha Fernanda. Envia reportagem da qual transcrevemos este diálogo em que, segundo Rabinovitch, Vilma se mostrou "nervosa e confusa":

Época — Seu marido tinha conta no Caribe com Fernando Henrique?

Vilma — Olha, eu não sei como você conseguiu o telefone da Fernanda. Mas lhe pediria discrição com isso. Essas questões devem ser tratadas lá no Brasil.

Época — A senhora não deveria responder logo?, para preservar a memória de seu marido?

Vilma — Você deveria ter vergonha de estar me perguntando essas coisas.

Época — Se eu não perguntar para a senhora, vou perguntar para quem?

Vilma — Tenho direito de ser preservada. Procurei colaborar com o país. Acho que dei minha colaboração para a eleição de Covas. Fiquei feliz. Senti que, para aqueles que não viveram a história política, o Sérgio era um ícone.

Época — Por que a senhora acha que esta denúncia está sendo trazida à tona?

Vilma — Você deve saber que a luta pelo poder é muito grande. As pessoas vão usar todas as armas, e já se está usando, pela própria legislatura.

Pelo estado de espírito de Vilma e por certas nuanças de suas respostas — "pediria discrição com isso", "essas questões devem ser tratadas lá no Brasil", "tenho direito de ser preservada" — percebe-se que há algo no ar. O dossiê vai pairar como um espectro a assombrar os tucanos. Para se ter ideia, mais de dois anos depois, em 15 de março de 2001, lemos no *Painel* da *Folha de S. Paulo* nota com o título *Anjo da guarda*, que alerta:

> *A viúva Vilma Motta mandou um recado explícito ontem ao alto tucanato. Não vai aceitar calada a ideia de jogar a culpa em Sérgio Motta por eventuais desdobramentos do Dossiê Caribe que envolvam o governo.*

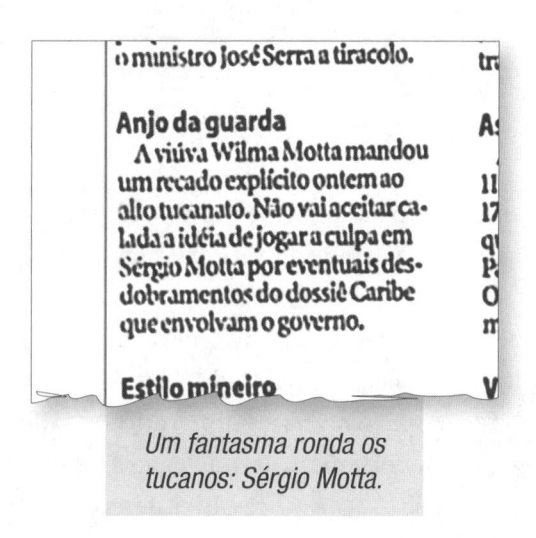

Um fantasma ronda os tucanos: Sérgio Motta.

Dois meses e meio depois, em 2 de junho de 2001, coincidentemente ou não, Vilma é nomeada conselheira da Coordenação Geral do Secretariado Estadual de Mulheres do Partido da Social Democracia Brasileira em São Paulo. Um título honorífico com 18 palavras. Antes, já havia participado da criação do Instituto Sérgio Motta e do Prêmio Cultural Sérgio Motta, iniciativas voltadas para a área de tecnologia.

"Não há condição de isto _não_ ser usado no inquérito?", diz Serra

Claro que, lá em princípios de outubro de 1998, depois de ouvir o zumbido do fax e ler o documento, Serra pede a FHC para pôr a Polícia Federal no encalço dos responsáveis pelo dossiê. E, principalmente depois que o assunto ganha público maior ao sair na imprensa, alguma providência precisa ser tomada. Mas o governo está paralisado, como quem de fato viu fantasma à meia-noite.

Só no dia 11 de novembro de 1998 a Casa Militar, comandada pelo general Alberto Cardoso, põe a documentação à disposição do chefe da Polícia Federal, Vicente Chelotti. Não esqueçamos que, na véspera, o senador Djalma Falcão denunciou o dossiê no Senado. Não podem mais adiar. No mesmo momento, jornais publicam a reação do governo, pela voz do próprio presidente. Estressado, Fernando Henrique, em evidente recado a Collor, refere-se às pessoas envolvidas com a papelada nestes termos:

"Farsantes, falsários, pessoas que o Brasil custou a expulsar da vida pública."

E, numa prova de total falta de bestunto, acrescenta que a denúncia é "chantagem" e seus idealizadores são "chantagistas". Ora, só há chantagem e chantagistas se os fatos denunciados são verdadeiros.

De cara, Chelotti nota um fato intrigante: alguém decepou a cabeça do fax, onde constaria a procedência, _Hôtel Pavillon de La Reine_; e sumiu o envelope no qual o material tinha sido enviado ao governador paulista Mário Covas; nele, pensou o delegado, poderia haver — e de fato sabemos que havia — o timbre ou endereço do remetente. Mais tarde, Chelotti reclamaria que, se não tivessem feito isso, a primeira coisa que providenciaria era enviar seus homens ao tal hotel em Paris e partir dali as investigações, de saída prejudicadas.

Mais estranho ainda: o papelório lhe chega sem passar pelo ministro da Justiça, Renan Calheiros, seu superior e ligação entre governo e Polícia Federal. O negócio, feito um foguete de São João, subiu do Palácio do Planalto, passou por cima do Ministério da Justiça e aterrisou direto na escrivaninha do perplexo delegado. Se você acha que estamos fazendo comédia, aguarde, que é cômico mesmo.

O delegado a quem Chelotti encarrega de tocar o inquérito, Paulo de Tarso Teixeira, da Divisão de Crime Organizado e Investigações Especiais, acautela-se — está num governo traumatizado pelo escândalo Sivam logo no início (já falaremos do Sivam) e pelos grampos do BNDES, Banco Nacional de Desenvolvimento Econômico e Social. Procura lugar mais seguro e discreto do que a sede da Superintendência da Polícia Federal em São Paulo. Instala-se na avenida Prestes Maia, 700, continuação do Vale do Anhangabaú, perto da secular Estação da Luz.

Imagine o que acontecerá: logo depois de aberto o inquérito, agentes da PF detectam um grampo no prédio. O delegado está grampeado.

Lá pela semana anterior às eleições do segundo turno, que se darão em 25 de novembro de 1998, a *Veja*, em reportagem de Expedito Filho, conta que Fernando Henrique está cabreiro com José Serra. Acha que foi ele quem vazou o dossiê. Pistas não faltam. Serra não esconde seus planos. Dentro do Ministério da Saúde montaria uma estrutura digna de candidato a presidente.

A imprensa, a essa altura, passa à frente do governo em matéria de investigação. A *Folha*, por exemplo, já obteve em um cartório de Nassau, Bahamas, no Caribe, certidão que prova a existência da empresa CH, J&T — citada no dossiê. É aí que a *Folha* passa a chamar o *Dossiê Cayman* de *Dossiê Caribe*. Especulações beiram a galhofa: C de Covas, H de Henrique, J de José e T de Terrence — este vem a ser certo Ray Terrence, um dos diretores da empresa. E Sérgio Motta? Por que não aparece? Ah, porque é o verdadeiro dono e, muito esperto, não pôs inicial alguma de seu nome na sigla... Essas versões contribuem para a conclusão de que o dossiê é falso. Mas não de que Serjão seja inocente. A dúvida perseguiria o governo dali em diante.

Na primeira investida, mais para o fim de novembro, o governo envia dois agentes a Washington e Nassau, para descobrir a origem dos papéis: Washington Mello, chefe da Interpol no Brasil; e Angela Mardegon, agente federal. Prepararion terreno para a atuação do grampeado delegado Paulo de Tarso Teixeira. Em Nassau a dupla é recebida por Emerick Knowles, advogado da Trident, firma especializada em organizar empresas em paraísos fiscais. O objetivo principal dos agentes brasileiros é saber se a CH, J&T tem algo a ver com "los quatro amigos", FHC, Serjão Motta, José Serra e Mário Covas. Alegando seu direito de não falar de clientes, Knowles nega-se a responder. E os agentes voltam sem informação nova alguma.

Uma semana passa. Agora é o aparelho de fax de Chelotti que tzzzzz-tzzzz-tzzzzzzz... Mensagem de Emerick Knowles, endereçada ao delegado Washington Mello. Livra a cara dos vivos, mas não a do morto, sobre o qual o fax da Trident nada diz. Pânico no Planalto.

Entra em cena um gaúcho muito articulado, braço direito de Nelson Jobim quando este outro gaúcho foi ministro da Justiça de FHC entre 1995 e 1997: Milton Seligman, ali presidente do Instituto Nacional de Colonização e Reforma Agrária, Incra. Milton liga para seu conterrâneo Chelotti e o convida a comparecer no Palácio da Alvorada para discutir o caso Cayman. Ao chegar à casa de Milton, Chelotti encontra Fernando Henrique e José Serra. Os três, narra Leandro Fortes, "o aguardavam como um corpo de jurados ante as provas do promotor".

Você pergunta se lá estava o ministro da Justiça Renan Calheiros? Negativo. Ali estão, na residência oficial do presidente da República: um subordinado do titular da Justiça, Chelotti; uma autoridade de mesma estatura, o ministro Serra; e um funcionário de estatura hierárquica inferior, Milton Seligman, presidente de um instituto que rigorosamente nada tem a ver com a questão. E vão tratar de assunto da alçada do Ministério da Justiça. De novo, Renan Calheiros é posto para escanteio. Esquisito, não?

Chelotti tinha ido às Bahamas, encontrou-se com o advogado Emerick Knowles no mesmo escritório luxuoso da Trident, ouviu a mesma lenga-lenga e voltou a Brasília com apenas um aceno — quem sabe, mediante uma carta rogatória, a justiça brasileira pudesse obter uma informação sobre a participação de Serjão na CH, J&T. Não seria uma pista, quem sabe, aquele "s" maiúsculo manuscrito invertido entre o "J" e o "T"? A única coisa concreta que Chelotti trazia era o fax que livrava a cara dos vivos, mas não do morto. A decepção geral quem traduziu foi José Serra:

"A divulgação disso, Chelotti, será politicamente um desastre."

Óbvio. Serra traduz o que se instala na cabeça de todos os presentes: se a Trident não livra a cara de Serjão, e ele era o "operador" do grupo... Serra então pergunta:

"Não há condição de isto **não** ser usado no inquérito?"

Mais uma vez, o óbvio. O dossiê é falso. Mas fica a dúvida: será que esse Serjão não teria mesmo aberto essa tal de CH, J&T?

A dúvida remoerá no espírito dos tucanos até que descubram: a CH, J&T não pertencia a Serjão, mas a Honor Rodrigues da Silva, cérebro da "Turminha de Miami". Honor tinha comprado a empresa, naquele mesmo ano de 1998, por 3 mil e 500 dólares. Chelotti, desprestigiado, será encostado e, depois de uma briga interna entre governistas, substituído pelo delegado João Batista Campelo.

Chelotti cai, mas vira intocável, por ter ficado com as fitas dos grampos do BNDES, de 44 a 51 conforme a fonte consultada, das quais apenas duas divulgadas. Insuspeito, o deputado federal Jair Bolsonaro (PP-RJ), dirá em discurso em 22 de janeiro de 1999:

"O cabo da guarda, nosso querido Vicente Chelotti, continua intocável até hoje. Ninguém mexe com ele, porque carrega embaixo do braço fitas com gravações de conversas escusas do senhor Fernando Henrique Cardoso."

De todo o desfecho dessa história — é bom destacar — ficam lances dignos de admiração. Impensável que um presidente, ou uma presidente da República, atraia à casa do presidente do Incra o chefe da Polícia Federal, passando por cima de seu superior, o ministro da Justiça, e que lá o aguarde o ministro da Saúde. E, como se estivessem num esconderijo, passem a tratar do que fazer diante de um dossiê que, embora classificado como falso, os faz tremer nas bases.

CAPÍTULO 28
O elo perdido entre José Serra e Ricardo Sérgio

Informação que vale ouro em pó — Empresa falida é comprada por mais de US$ 3 milhões — Ou sobra de campanha ou operação mais escandalosa ainda — Entra em cena a "Turminha de Miami" — O segredo da conta acéfala

Agosto de 1998. Um transatlântico que leva turistas em cruzeiro pelo Caribe. No convés, um homem gordo, de bigodões. Brasileiro. Oscar Peregrini de Barros, designado pela relações-públicas da companhia de turismo para distrair turistas. Hora do almoço.

O gordo, de bermudas e em mangas de camisa, senta-se a uma mesa cheia de norte-americanos, ao lado de um sujeito falante e bom de copo. Passam a conversar sobre bebidas e charutos. Ao saber da nacionalidade de Peregrini de Barros, o sujeito diz que é advogado e cuida de uma conta do interesse do governo brasileiro para onde chega uma dinheirama. Lamenta que havia quatro meses, em abril daquele ano de 1998, morreu o procurador da conta, por nome Sérgio Motta, mas já tem substituto, um financista chamado Ricardo Sérgio de Oliveira.

A cabeça de Barros delira. E a cabeça do advogado também, quando Barros, no dia seguinte, lhe faz ver que a informação, na mão de um brasileiro, como ele, pode valer ouro em pó, vendida para adversários do governo do Brasil. Após uma semana de troca de ideias, o gringo topa fornecer a localização da conta em troca de 1 milhão e 200 mil dólares, depositados numa conta na Suíça. Oscar Peregrini de

Barros passa a bola para certa "Turminha de Miami", três chegados seus, que combinam encontro com um emissário do advogado num hotel em Nova Iorque. Recebem do emissário um papel onde está escrito o código da suposta conta de Sérgio Motta.

Aí é outra comédia. Não é possível encontrar tal conta. Mas eles também haviam pago com cheque falsificado. Adiante abriremos parêntese para contar mais sobre a "Turminha de Miami".

Leandro Fortes encerra seu *Cayman — O dossiê do medo* com a história levantada pela repórter Lilian Christofoletti. Em 11 de agosto de 2001, um mês antes do ataque às Torres Gêmeas de Nova Iorque, Lilian publicou reportagem na *Folha de S. Paulo* na qual conta o que segue.

Uma empresa chamada PDI, Project Development International Corporation, com sede no Grão-Ducado de Luxemburgo, foi criada apenas para possibilitar a compra da Hidrobrasileira S.A., que durante quase 30 anos esteve sob o comando do ex-ministro das Comunicações Sérgio Motta. A PDI nasce em 25 de setembro de 1996 e apenas 15 dias depois compra a empresa de Serjão com empréstimo de 3 milhões e 700 mil dólares da Albion Development Incorporation — na Internet há uma Albion em Illinois, Estados Unidos, que se apresenta como não lucrativa, dedicada a socorro médico na África. Segundo reportagem da *IstoÉ*, de 29 de maio de 2002, há uma Albion em Luxemburgo. O dinheiro emprestado em 1996 teria de ser devolvido sete anos depois, em 25 de setembro de 2003, com juros de 4% ao ano — taxa inferior às do mercado luxemburguês, de 10% a 11% ao ano. A PDI comprou títulos da Hidrobrasileira S.A. pelo valor de face, apesar do valor inferior no mercado brasileiro.

Questionado sobre por que a PDI comprou uma empresa em estado falimentar, como a Hidrobrasileira, o empresário Plínio Xavier Mendonça Filho, ligado a Serjão Motta, desconversou com este primor de dissimulação:

"Esta reportagem é um desrespeito à memória do ministro."

Mendonça Filho havia sido braço direito de Sérgio Motta no Ministério durante as privatizações e presidiu a Telebras. A PDI era uma fachada, não se sabe do quê. A repórter Lilian Christofoletti foi ao endereço conseguido na repartição competente de Luxemburgo. Havia um centro comercial de quatro andares, na rua Sainte Zithe. Muitas placas de escritório. Nenhuma da PDI.

Esse Serjão...

O *Jornal do Brasil* também divulgou a compra da Hidrobrasileira, que deu um prejuízo de 4 milhões e 600 mil dólares à PDI em 1998. Pois a empresa de Luxemburgo usou o empréstimo da Albion para comprar títulos da Hidrobrasileira S.A. pelo valor de face, embora — como vimos — valessem bem menos no mercado brasileiro.

Raposas mineiras dizem que jabuti não sobe em árvore, portanto se ele estiver no alto de um galho é porque alguém o pôs lá. Como é que uma empresa de primeiríssimo mundo vai comprar de uma empresa do terceiro mundo, em estado falimentar, títulos pelo preço que eles exibem se, lá no país de origem, não valem nada? Uma hipótese nos ocorre ao ler na *IstoÉ*, de 29 de maio de 2002, reportagem de Amaury Ribeiro Jr., autor do já citado *A Privataria Tucana*, que leva este cabeçalho:

O elo perdido

Ex-sócio de Serra, Vladimir Rioli foi responsável por operações fraudulentas em parceria com Ricardo Sérgio.

Elo perdido porque Rioli, graças à CPI do Banespa, surge como elo entre figuras que aparentemente nada têm a ver entre si, e entre si e certos escândalos que precisamos, devemos reconstituir.

ISTOÉ

EXCLUSIVO

Vladimir Rioli — Ricardo Sérgio

OPERAÇÃO ABAFA

Por que o PSDB quer evitar o depoimento do economista Ricardo Sérgio na CPI que investiga operações irregulares no Banespa. Surge um novo personagem: Vladimir Rioli, ex-vice-presidente ... cio de José Serra entre 1986 e 1995

IstoÉ *localiza um elo perdido entre Serra e Ricardo Sérgio.*

CAPA

O ELO PERDIDO

Ex-sócio de Serra, Vladimir Rioli foi responsável por operações fraudulentas em parceria com Ricardo Sérgio

AMAURY RIBEIRO JR.

Integrantes da tropa de choque que investiga irregularidades no Banespa, os deputados Robson Tuma (PFL-SP), Luiz Antônio Fleury (PTB-SP) e Ricardo Berzoini (PT-SP) ficaram revoltados com a operação abafa montada pela base governista para evitar o depoimento do economista Ricardo Sérgio de Oliveira na CPI que investiga operações podres nos tempos em que o banco era estatal. "Levamos um gol de mão aos 46 minutos do segundo tempo", comparou Fleury. Os deputados passaram a última semana intrigados com o nervosismo demonstrado pelo Palácio do Planalto e pela cúpula do PSDB com a convocação. Caixa de campanha dos tucanos, Ricardo Sérgio estava intimado a comparecer à Assembléia Legislativa de São Paulo na quarta-feira 22, onde seria realizada a reunião da CPI. Diante das câmeras de televisão, o ex-diretor da área internacional do Banco do Brasil deveria explicar uma operação montada por ele em parceria com o Banespa em 1992, que trouxe de volta ao País US$ 3 milhões sem procedência justificada investidos nas Ilhas Cayman, um conhecido paraíso fiscal no Caribe.

Receosos de que Ricardo Sérgio faltasse ao depoimento, os deputados Tuma e Fleury chegaram a acionar a Polícia Federal. Num [...] da PF em São Paulo, delegado [...] os deputados receberam a garantia de [...] o economista até a Assembléia [...]. Mas nada disso foi preciso. Uma

CONSULTORIA José Serra, com 10% das [...] e Rioli foram sócios da empresa de março de [...] a março de 1995

Vladimir Rioli, ex-sócio de José Serra, operou com Ricardo Sérgio para trazer ao país 3 milhões de dólares sem origem justificada.

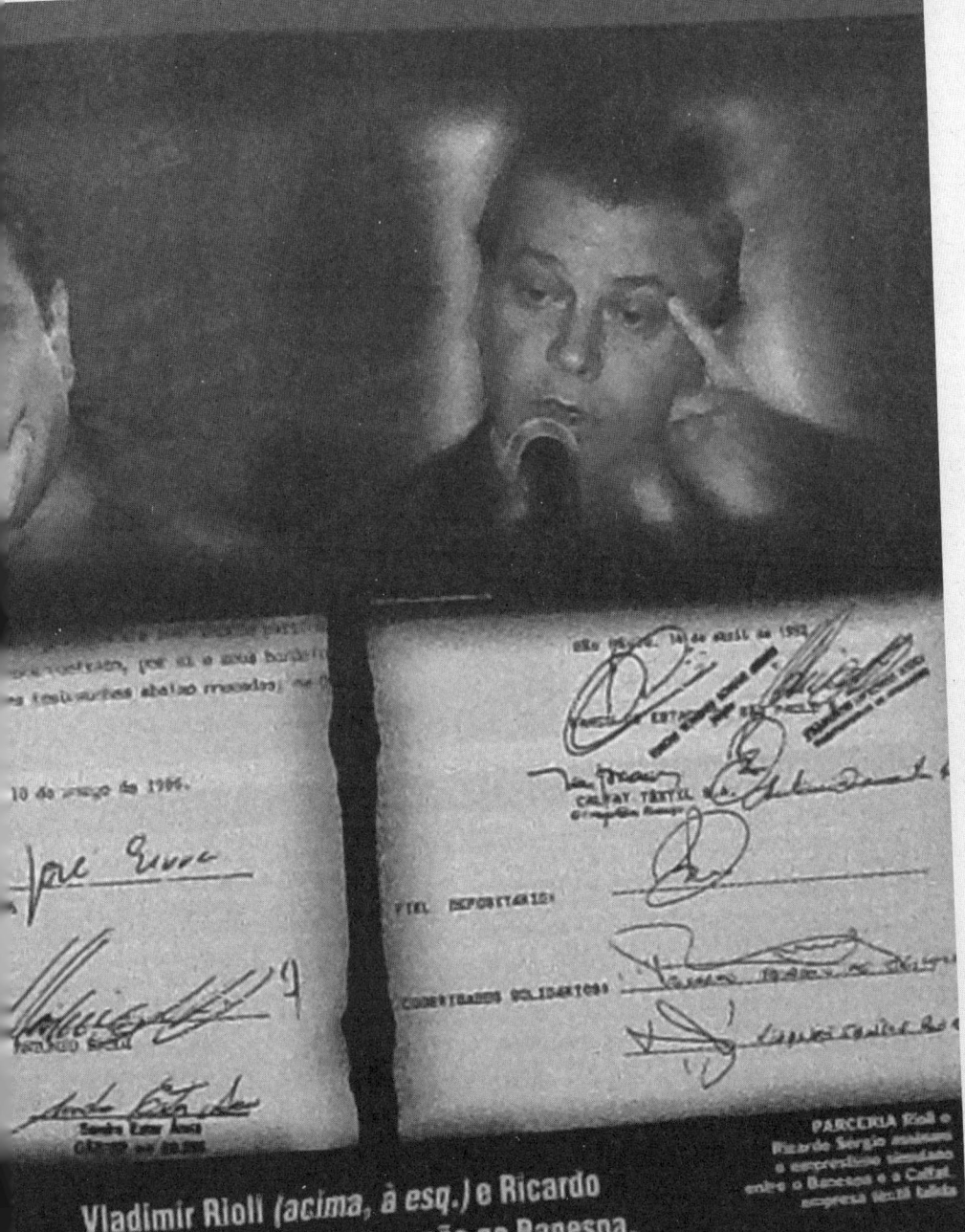

Vladimir Rioli *(acima, à esq.)* e Ricardo Sérgio montaram uma operação no Banespa, em 1992, para trazer de volta ao Brasil US$ 3 milhões sem origem justificada. O dinheiro veio de contas do banco no Caribe

PARCERIA Rioli e Ricardo Sérgio montaram o empréstimo simulado entre o Banespa e a Calfat, empresa têxtil falida

HISTÓRIA AGORA

Como um papel frio viaja ao exterior e volta quentinho, quentinho

Vladimir Antônio Rioli, ex-vice-presidente de operações do Banespa — Banco do Estado de São Paulo —, foi quem aprovou operação que ajudou Ricardo Sérgio a "internar" US$ 3 milhões (internar: trazer dinheiro de paraísos fiscais). O então senador tucano José Serra era sócio de Rioli, com 10% das cotas da Consultoria Econômica e Financeira Ltda. Os dois haviam sido, na década de 1960, companheiros de Sérgio Motta na esquerdista Ação Popular, AP.

Rioli comandava as reuniões do comitê de crédito do Banespa e autorizou transações de Ricardo Sérgio com a Calfat, indústria têxtil paulista. Em setembro de 1992, liberou à empresa, sem garantia alguma, empréstimo no valor equivalente a 1 milhão e 700 mil reais. Autorizou o Banespa a tocar operações que permitiram a Ricardo Sérgio e à Calfat trazer outros recursos do estrangeiro, lesando o banco estatal em cifras desconhecidas. Advogados do banco retiraram o processo de cobrança da 5ª Vara Cível do Fórum de Santo Amaro, em São Paulo, e misteriosamente o processo desapareceu em 1995 — primeiro ano do governo de Fernando II.

A sociedade com Rioli data de 10 de março de 1986, quando Serra deixava a Secretaria de Planejamento, no governo Franco Montoro, para disputar a primeira eleição a deputado federal. A consultoria financeira de Serra e Rioli fechou em março de 1995.

A ficha de Rioli não prima pela limpeza. O empréstimo que liberou a uma empresa com títulos protestados lhe custou em 1999 condenação a quatro anos de prisão — convertidos em prestação de serviços e pagamento de indenização. Foi acusado pelo TCU, Tribunal de Contas da União, de arquitetar operação que causou à Cosipa (ainda estatal) prejuízo de US$ 14 milhões — um contrato sem correção monetária em tempo de inflação galopante, fechado em 1986.

Sua parceria com Ricardo Sérgio na Operação Banespa é a que nos interessa como hipótese de explicar por que a Albion financiou a PDI para comprar a Hidrobrasileira. Quatro investidores e banqueiros examinaram documentos obtidos pela *IstoÉ*. A voz da experiência classificou a operação Calfat como "engenhosa simulação de empréstimo com o único propósito de produzir um pretexto legal para trazer milhões de dólares de volta ao País", com aval do Banespa.

"Os documentos são assustadores. Mostram que Rioli era mais ligado a Serra do que o próprio Ricardo Sérgio. É surpreendente saber que os tucanos conseguiram usar o Banespa para internar dinheiro durante o meu governo", disse o presidente da CPI do Banespa, instalada em 22 de agosto de 2001, deputado Luiz Antônio Fleury Filho, que governou São Paulo entre 1991 e 1994.

Ricardo Sérgio conseguiu vender no exterior títulos de uma empresa falida — como o era também a Hidrobrasileira, de Sérgio Motta. O instrumento para realizar a transação leva o nome técnico de Contrato Particular de Emissão e Colocação de Pagamento e Títulos no Exterior (*Fixe Rate Notes*).

Operação "internação de dólares" é sofisticada e exige empresas do porte de uma Petrobras ou... um Banespa.

Especialistas explicaram a Ribeiro Jr., então na *IstoÉ*, que, "de tão sofisticada", a operação é exclusiva de empresas do porte de uma Petrobras, "com credibilidade e estrutura para obter empréstimos a juros baixos no exterior por meio da emissão de títulos". Ao banco intermediário só cabe a responsabilidade de operar os recursos obtidos com a venda dos títulos e convertê-los em moeda nacional. Na época, porém, "o Banespa não tinha nenhuma condição para realizar transação desse tipo", metido que estava em escândalos, e sem estrutura no exterior. E a Calfat, têxtil de médio porte à beira da liquidação, não tinha condição de atrair investidores lá fora. Mesmo assim, o dinheiro foi transferido das contas do Banespa nas Ilhas Cayman para a conta da Calfat, na agência do banco em Campinas.

Em 1993, Rioli beneficiou com empréstimo de R$ 21 milhões o empresário Gregório Marin Preciado, casado com uma prima de Serra e ex-sócio dele em terreno no Morumbi, área nobre de São Paulo. O empréstimo, sem nenhuma garantia legal, foi concedido às empresas Gremafer e Aceto, de Preciado, que estavam em processo de liquidação, e até a data da reportagem, maio de 2002, não quitado.

A CPI e o Ministério Público suspeitaram que a "operação Banespa" resgatou dinheiro de caixa dois de campanha eleitoral, pois Ricardo Sérgio e Vladimir Rioli trabalhavam como arrecadadores. Um banqueiro manifestou sua suspeita de que a Calfat emitiu títulos podres no exterior, "resgatados a valores superfaturados pela própria empresa ou empresas amigas", permitindo o retorno do dinheiro, "provavelmente sobra de campanha, que estava sem procedência no exterior". Caso contrário, observou, "significa que o Banespa assumiu todos os riscos de uma operação com uma empresa falida, escândalo ainda maior".

O jurista Heleno Torres explicou à revista *IstoÉ* que negócios daquele tipo eram cada vez mais comuns: uma empresa compra no Brasil títulos podres e, em operações fajutas, "vende" no exterior a preços astronômicos. Na verdade, é a própria empresa que recompra os papéis: a diferença entre os valores de compra e os do resgate corresponde à dinheirama "internada" — e "esquentada" — no país.

Se fosse filme, poderia ganhar Oscar e Emmy

Ah, se Juan José Campanella descobre a "Turma de Miami". O cineasta argentino de *O Segredo de Seus Olhos*, ganhador do Oscar de melhor filme estrangeiro em 2010, e premiado com dois Emmy, faria outra obra-prima se tomasse o caso Cayman como motivo e agregasse a ele a história que se narra a seguir, com assessoria do colega Leandro Fortes.

Vamos puxar o fio da narrativa do ponto em que o advogado norte-americano e o *bon vivant* brasileiro Oscar Peregrini de Barros se encontram navegando no mar do Caribe e combinam negociar o acesso ao código de uma conta em paraíso fiscal de um cliente seu, "um político brasileiro", morto em abril de 1998: Sérgio Motta. Barros passou a bola, você se lembra, para três amigos brasileiros, a "Turminha de Miami". E eles iriam atrás daquela conta, na qual, segundo um advogado canadense que os três conheceriam, haveria cerca de US$ 500 milhões.

* * *

O cérebro da turma chama-se Honor da Silva. Bronzeado, brinquinho de ouro na orelha, 1,67m de altura, paulista de Ribeirão Preto criado no popular bairro paulistano do Bixiga, estudou no Colégio Objetivo e enveredou pela medicina. Sem "estômago" para tal profissão, monta uma empresa de medicina de grupo, a Amesp, logo engolida pelas gigantes do ramo.

Abre clínica de cirurgia plástica, pioneira em atender a baixo custo. Inova anunciando na tevê em programas femininos, como o de Hebe Camargo, mediante o testemunho de artistas que ganham cachês para elogiar sua clínica: Helô Pinheiro — inspiradora da *Garota de Ipanema*, de Tom e Vinicius; e Monique Evans, Márcia Porto, Helena Ramos, Nicole Puzzi, Maitê Proença, Sandra Bréa — que ele namoraria.

Com dois filhos de um desfeito primeiro casamento, desposa Claudia Rivieri, apresentadora do SBT, Sistema Brasileiro de Televisão, na década de 1980. Com Claudia irá viver em Miami depois de enriquecer com outro pioneirismo: venda por telefone de produtos de beleza importados e anunciados na TV. Obrigou-se a parar com o esquema em 1995, quando Fernando II fez uma mudança, taxando importados abaixo de US$ 50, até então livres de impostos. Era seu primeiro embate com FHC. Decide então ir para um país com regras econômicas mais estáveis.

* * *

João Barusco, o segundo da turminha, exibe um bigodão de revolucionário mexicano do início do século XX, estilo Pancho Villa. Paulista de Bebedouro, aos 16 anos vai trabalhar no Bradesco, onde chegará a subchefe da carteira agrícola. Depois da vida de bancário cheia de sobressaltos, casado com Débora desde os 20 anos, já com filhos, monta um bar inspirado no Pinguim, choperia ribeirão-pretana de fama nacional.

Em 1990, entra água no chope de Barusco, com o confisco da poupança promovida por Zélia Cardoso de Mello, ministra da Fazenda de Collor — o Fernando I. Quase falido, tem um estalo. Veste a fantasia de sitiante: *jeans*, camisa de manga curta, boné. Visita um Carrefour, diz que é citricultor; e consegue contrato verbal para entregar 2.500 sacos de laranja num dos hipermercados da rede dali a três dias. Jamais havia plantado uma só laranjeira. Procura um amigo citricultor, que lhe fornece a carga no prazo. Em sete meses estava arrumado.

Sai Zélia Cardoso de Mello do cargo e seu substituto, para conter a inflação, joga os juros de 7% para 30% ao mês. Barusco e família rumam para o buraco de novo, com dívida de US$ 25 mil no Banco do Brasil — jamais esquecerá o nome daquele ministro de Fernando I: Marcílio Marques Moreira. Dá "uma banana" para o BB e, com outro amigo, monta pioneira escola de ensino de informática — e entra no promissor ramo de muambas eletrônicas.

Estamos em 1995, quando Fernando II mantém o dólar ao par com o real, artificialmente. Barusco vai para Miami várias vezes ao ano fazer compras. Junta uma bolada e anuncia à família que vão viver em Miami. É um sucesso na cidade. Sua foto sai até na coluna social. E o destino de Barusco cruza indiretamente com o destino de Ricardo Sérgio, diretor da área internacional do Banco do Brasil — enquanto um lucra com o BB, outro leva na cabeça. O gerente do BB em Bebedouro vê a foto do bigodudo caloteiro na coluna social e o localiza para cobrar a dívida.

Os US$ 25 mil que devia viraram US$ 40 mil e Barusco fica reduzido a apenas US$ 10 mil para instalar-se com mulher e quatro filhos em terra estranha, sem saber por onde começar vida nova. Arranja-se mexendo com a novidade: computadores, celulares, geringonças eletrônicas, que compra em Miami e manda para o Brasil. Ganha bom dinheiro e fica rico outra vez ao entrar no ramo de imóveis.

* * *

Ney Lemos dos Santos, o terceiro homem dessa narrativa, é quem irá unir os dois primeiros a si próprio, formando a "Turma de Miami" que infernizará a vida do governo FHC e partirá em busca de uma miragem: a conta de Sérgio Motta.

Paulista como os outros dois, garoto ainda entra para a Bovespa, Bolsa de Valores de São Paulo. Trabalha 12 anos. Faz girar fortunas. Casado, dois filhos, vai trabalhar com o sogro em Nova Iorque. Abre empresa de táxi, não dá certo. Hábil com tintas e pincéis, vira pintor. Quando contamos esta história já tinha vendido mais de 400 quadros, por preços que oscilam entre US$ 100 e US$ 200.

A trinca acaba se encontrando na comunidade brasileira de Miami. E se une quando Ney Lemos dos Santos leva João Barusco até Honor da Silva. Barusco quer alguém que se interesse por um tônico capilar que está vendendo.

Honor da Silva encontra-se em seu escritório acompanhado de Luiz Cláudio Ferraz. Vem a ser o homem que, do *Hôtel Pavillon de La Reine em Paris*, transmitiu aquele fax que deixou em pé os cabelos até de José Serra, que já não os tinha. Mais tarde, Ferraz seria preso nos Estados

Unidos por envolvimento com o narcotráfico, tal como Oscar Peregrini de Barros, que se encontrava em 2002 numa penitenciária da Flórida pelo mesmo motivo.

Um milhão de dólares por ano para gastar durante 135 anos

Certa rara manhã de sol em Londres, em 2001, Honor da Silva vai se encontrar com o advogado Antônio Carlos de Almeida Castro, de apelido *Kakay*. Está preocupado com as investigações sobre o *Dossiê Cayman*, mas *Kakay* o tranquiliza: a justiça brasileira não pode pedir sua prisão preventiva nem sua extradição para o Brasil porque, pela lei da extraterritorialidade, só poderia sofrer tais constrangimentos se tivesse pisado em sua pátria natal menos de um ano depois de estourar o episódio.

Honor telefona para seu advogado em Miami, Frank Rubino, e pede que lhe envie documento que deixou sob sua guarda: uma folha com dados e números bancários, uma conta no Dresdner Bank, de Luxemburgo — aquela do começo da história, que um advogado norte-americano mencionou em alto-mar, como sendo do falecido Sérgio Motta, posta sob os cuidados de Ricardo Sérgio de Oliveira depois da morte do ministro.

No *réveillon* de 2000, em Miami, Honor da Silva havia conhecido o canadense Mikhael Spiegman, dono de uma empresa de gerenciamento de capitais e ex-diretor do Dresdner Bank, de Luxemburgo. Quem sabe é nele que mais pensa ao voltar ao continente europeu no Eurostar, um dos mais velozes trens do mundo, que atravessa o Canal da Mancha sob o mar.

Paris. Praça Madeleine, restaurante Lucas Carton. Um Mercedes-Benz a serviço do Hotel George V estaciona e o motorista Olivier Lafayet abre a porta para Honor saltar. Uma curiosidade: Olivier Lafayet ficou famoso depois que Lady Di morreu, em 31 de agosto de 1997, junto com o noivo, o milionário egípcio Dodi Al-Fayed. Na época,

Olivier Lafayet era motorista do Hotel Ritz, da família do noivo. Ele declarou à imprensa mundial que, dias antes do acidente que matou o casal, avisou à direção do Ritz que o Mercedes que ele dirigia, e que servia ao casal, estava com problemas no freio — foi demitido por isso. Agora no George V, acaba de deixar o passageiro do Brasil na praça Madeleine.

Numa mesa do Lucas Carton, Honor da Silva discute com Mikhael Spiegman como chegar ao dinheiro na conta do Dresdner de Luxemburgo. Uma conta "acéfala, apócrifa e inativa havia mais de três anos", segundo informa Spiegman. Ou seja, conta parada desde 1998, ano em que Sérgio Motta morreu. Spiegman garante que consegue fazer um levantamento geral na conta. Também mantém contato com as fontes certas para obter informações sigilosas do sistema bancário europeu. São pessoas, adverte o financista, que "jamais aceitariam a criação de um novo procurador habilitado a fazer transferências ou remoções de valores — a menos, é claro, que o volume de dinheiro da negociação fosse irrecusável".

Olivier Lafayet abre a porta para a dupla e ruma em velocidade moderada pelas ruas de Paris. Ganham a autoestrada e, horas depois, atravessam Bruxelas, capital da Bélgica. Spiegman cochila de olhos protegidos por óculos escuros. Rumam para Luxemburgo, ou Grão--Ducado de Luxemburgo, um pingo no mapa-múndi, com seus 2.586 quilômetros quadrados — apenas mil a mais que o município de São Paulo — e menos de 500 mil habitantes. Nesse berço de paraísos fiscais, que caberia 3 mil vezes no território do Brasil, Honor da Silva fechará um acordo, quem sabe seu mais bem-sucedido golpe, para pôr a mão em 27% do dinheiro que há na conta "acéfala, apócrifa e inativa" desde a morte de Sérgio Motta. Um naco apreciável dos US$ 500 milhões que ali o espera, conforme lhe havia informado o canadense: US$ 135 milhões. Mikhael Spiegman iria fechar negócio só depois de conferir com suas fontes em Luxemburgo se o dono da conta era alguém que jamais a reclamaria. Tudo indicava que sim. Honor da Silva passaria o resto da vida sem pensar mais em dinheiro. Neste momento, pode estar em *Saint Barth*, como os íntimos chamam a ilha caribenha de Saint Barthélemy, duplamente paradisíaca — paraíso fiscal e paraíso geográfico. Imaginamos que com uma loira à esquerda, uma morena à direita. Ele haverá de pensar: que bom se eu vivesse assim mais 135 anos, com US$ 1 milhão por ano para gastar neste Eldorado de prazeres...

CAPÍTULO 29
Eldorado existe, o descobridor também: Breno, o geólogo

Até os índios sabiam — Vale lucra US$ 30 bilhões num ano: nove vezes o recebido na privataria — Marabá explode ao saber da siderúrgica da Vale — Índio oferece jabuti pela sósia de Jackie Kennedy — Toque de Japão

Até 1967, os brasileiros ignoravam que, no coração do país, jazia a maior província mineral do mundo. O estudo mais recente que existia, realizado durante o governo JK, entre 1955 e 1961, dava a área como sem valor econômico algum — "puro calcário". Lembra outra história daqueles tempos, quando por aqui apareceu certo *Mister Link*, técnico da Standard Oil, que decretou:

"No Brasil não existe petróleo."

Até os índios sabiam que Pindorama tinha muita riqueza no solo. O brasileiro que descobriu aquela monumental jazida, nas memórias narradas para o Museu da Pessoa, conta a lenda da Serra dos Martírios. Ela era já conhecida dos bandeirantes. Quando subiram para Piratininga cinco séculos antes, os índios lhes contaram...

"... que no centro do continente havia um grande lago com muita riqueza, e daí as bandeiras começaram a ir para o Araguaia".

Era a lenda de Paraopava — como os portugueses chamavam o futuro Araguaia. A primeira citação ao descobridor de tamanha riqueza, que FHC entregaria duas décadas mais tarde, surge na revista *Realidade* de outubro de 1971. Lá trabalhamos, e nos conhecemos, Mylton Severiano e eu, na feitura de um número especial sobre a Amazônia. Nesse momento, o nome do descobridor sequer é citado — é apenas "um geólogo brasileiro". Faz cinco anos que, a partir de 1966, helicópteros da US Steel,

United States Steel, gigante americana do aço, voam entre os rios Xingu, Tocantins e Araguaia, procurando manganês. A revista *Realidade* conta:

> *Os voos misteriosos foram amplamente compensadores. Na área "sem valor econômico", desceu em julho de 1967 o helicóptero de um geólogo brasileiro da US Steel. Para saber que estava diante de uma jazida de ferro, ele teve apenas o trabalho de saltar do aparelho e olhar as pedras cinzento-avermelhadas do platô. E, para saber que estava diante de uma incrível jazida de ferro, teve ainda de sobrevoar os morros idênticos que se amontoavam ao lado do primeiro. E, finalmente, para tentar garantir a posse da mina para a US Steel, teve somente mais um trabalho: chamar seus chefes.*

O geólogo brasileiro, que havia recém-comemorado seus 27 anos, chama-se Breno Augusto dos Santos. Ficaríamos amigos. Nós nos conhecemos em 2008 no aeroporto de Belém, a caminho de Marabá e dos filmetes de propaganda para a Vale privatizada — veremos a seguir. Ele agora aos 68 anos, alto, esguio. Sempre de calça e camisa *jeans* azuis. Levamos uma hora até Parauapebas, mais uns vinte minutos de *van* até Carajás. Um rasgão de asfalto sem acostamento, e floresta encostada na pista dos dois lados. Ele não parou um segundo de falar. Naquele depoimento para o Museu da Pessoa, ele se apresenta assim:

> *Nasci no dia 1º de julho de 1940, na cidade de Olímpia, que fica ao norte de São Paulo, entre Barretos e Rio Preto. Em questão de menos de um ano mudei para São Paulo, e daí morei em São Paulo até os 23 anos.*

Descendente de portugueses e italianos, ele descobriu Carajás em 1967.

Os gringos caem fora e vão para a Venezuela

A US Steel estava mais interessada em manganês, me contaria Breno 40 anos mais tarde. E a descoberta da jazida de ferro, que se estende numa área de 100 por 35 quilômetros, ficou escondida por um tempo. Mas era preciso registrar, para não perder os direitos sobre a exploração. O governo exigia em primeiro lugar a entrega do pedido ao Ministério de Minas e Energia. Ao mesmo tempo, portanto, o candidato "entregava" a existência da incalculável riqueza.

Os índios tinham razão. O Eldorado existia, não só pejado de ouro, como se veria, mas de ferro, tungstênio, cobre. Zinco também tem. Sem falar em prata, bauxita, níquel, estanho, até o manganês que a US Steel queria.

Na reportagem *Amazônia*, da edição de outubro de 1971 de *Realidade*, surge um americano loirinho, magro, de gestos suaves e fala bondosa, chefe dos trabalhos no acampamento da US Steel, na Serra dos Carajás, John Trimaine, que conta:

"A lei brasileira só permitia que obtivéssemos cinco mil hectares de concessões. Uma área de cinco por dez quilômetros. E a jazida se estendia por 160 mil hectares."

Os gringos pediram então a área permitida em nome da subsidiária Meridional de Mineração, mais 31 em nome de diretores e funcionários da US Steel.

"O governo brasileiro parece que ficou espantado com a quantidade de pedidos", narra Trimaine, "e só deu a concessão dos cinco mil hectares da Meridional."

O resto ficou "em estudos". Mas, no decorrer das negociações, o governo resolve mudar as regras, senão ninguém viria explorar aquilo. Aumentam a área limite para 50 mil hectares, permitem à US Steel abrir uma subsidiária com 30 mil hectares, totalizando 80 mil; os outros 80 mil ficam para a estatal Companhia Vale do Rio Doce, CVRD, criada em 1942 por Getúlio Vargas, que exigiu 51 por cento das ações para a estatal — cinco décadas antes de FHC vendê-la transformada numa das maiores mineradoras do mundo, maior empresa do ramo no continente latino-americano e maior exportadora do Brasil.

A US Steel cairia fora em 1977, por divergências com a Vale. A US Steel queria segurar a produção porque possuía outra boa jazida na Venezuela. A Vale não lamentou.

Um minério ainda mais puro que o de Itabira

É a partir de 1942 mesmo que a Vale passa a explorar minério, na Itabira natal do poeta Carlos Drummond de Andrade, no Vale do Rio Doce, que ela ajudou a devastar. A montanha ferrosa emitia um brilho azul, que os bandeirantes já conheciam em 1720 — "ita bira", chamavam os índios: "pedra empinada, pedra alta".

O que a Vale já fez em Carajás, 550 quilômetros a sudeste de Belém, ainda não encontra similar quando nos debruçamos sobre o desmonte de vários dos picos semelhantes ao Cauê, espalhados por uma das regiões mais belas do Brasil, do ponto de vista histórico ou cultural — as antigas Minas Gerais. Drummond trabalhou de 1934 a 1945 no Ministério da Educação a convite do ministro Gustavo Capanema, seu amigo mineiro. Soube de dentro do governo que se preparava o desmonte da montanha de minério de ferro que avistava desde a infância. Seu *Sentimento do Mundo*, de 1940, anteviu no poema *Confidência do Itabirano* que a paisagem viraria um retrato na parede:

Alguns anos vivi em Itabira.
Principalmente nasci em Itabira.
Por isso sou triste, orgulhoso: de ferro.
Noventa por cento de ferro nas calçadas.
Oitenta por cento de ferro nas almas.

O ferro que se vai transforma-se mundo afora em vigas, pontes, armamento, automóveis, navios, ferramentas. Sobrará uma cratera, destino de Carajás.

Tive ouro, tive gado, tive fazendas.
Hoje sou funcionário público.
Itabira é apenas uma fotografia na parede.
Mas como dói!

O trem da estrada de Minas ao Espírito Santo, até o porto de Tubarão em Vitória, com 150 vagões, não dá metade do trem de Carajás, ao qual cedeu o título de maior do mundo. E o novo minério, mais rico da crosta terrestre, é ainda mais puro que o de Itabira.

Em 2011, a produção bateu recorde: 110 milhões de toneladas. As jazidas deveriam durar 400 anos, mas talvez não deem para um século mais. A produção prometia dobrar em quatro anos. Bom para a Vale, que teve lucro de US$ 30 bilhões em 2011, quase dez vezes o valor que o Brasil levou com a privatização. Bom para o Pará? Bom para o Brasil? Já vamos avaliar isso.

FOLHA DE S.PARULO
CSN compra Vale por R$ 3,3 bi, mas batalha judicial continua

Venda da Vale foi boa para o Brasil?
Quem sabe para o Pará?

Meio Maracanã de minério navegando entre São Luís e Rotterdam

Explosões. Perfuratrizes roem, motoniveladoras e tratores rugem. Começou o dia na maior mina a céu aberto do mundo. Entram em ação 15 pás-carregadeiras e 19 escavadeiras que, a cada expediente, movimentam 800 mil toneladas de rocha. Do total, suficiente para encher o estádio do Maracanã, entre 50 e 60 por cento têm utilidade e vão para caminhões "fora de estrada". São 105, com capacidade para até 400 toneladas cada um — a capacidade de um Boeing 747 para 415 passageiros. Cada carga vai para a britagem, em três padrões:

✓ granulado, até 5 centímetros, que pode ser jogado direto nos altos-fornos para produzir ferro;

- ✓ *sinter-feed*, até 6 milímetros, que antes passa por um processo de aglomeração;
- ✓ *pellet-feed*, minério em pó, que também precisa sofrer aglomeração, em pelotas.

Correias levam e empilham o minério nos pátios de estocagem. São cinco, cada um com 1 quilômetro de extensão e 60 metros de largura.

A mina possui uma malha de 85 quilômetros de correias transportadoras, quase a distância entre São Paulo e Campinas.

Equipamentos chamados "recuperadoras" retiram o minério das pilhas e o colocam em novas correias que levam aos silos, responsáveis por encher, em apenas duas horas e meia, 330 vagões — um trem de quatro quilômetros de comprimento. Ele vai percorrer 892 quilômetros até São Luís do Maranhão.

Os "viradores de vagões" esperam pelo comboio. São quatro. Eles literalmente viram os vagões em 180 graus e os descarregam em novos silos, que direcionam o minério para correias, que o conduzem e empilham em pátios, agora à beira-mar, antes de embarcar no terminal marítimo da Ponta da Madeira, do porto de Itaqui, na Baía de São Marcos — em cujas margens surgiu em 1612 a velha São Luís, única capital brasileira fundada por franceses.

As "recuperadoras" recolhem o minério e dispõem nas correias que o levam para os porões de cada navio que atraca, a fim de ganhar o mundo e alimentar altos-fornos em 30 países.

Um navio se destaca: o *Berge Stahl*, maior do mundo, construído em 1986 para a Vale fornecer minério à Holanda e à Alemanha. Só faz a rota Rotterdam-São Luís-Rotterdam, 10 viagens anuais. A carga dele pode encher o estádio do Maracanã em duas viagens.

Cacique não queria riqueza material, mas a beleza da mulher

Quando ali estive pela primeira vez em 1970, a Serra dos Carajás só se comunicava com o mundo por avião. Os gringos já haviam preparado uma pista — de terra, mas com possibilidade de pouso de aviões grandes, num daqueles montes de cocorutos achatados, planos, com quilômetros de extensão. Nos aviões, chegariam tratores, escavadeiras, caminhões, material de construção, bestas de carga; e, certa vez, uma bola de futebol para a primeira partida em Carajás, lançada de um helicóptero, que veio só para aquilo e se foi, sob aplausos e vivas.

Cheguei de helicóptero grande, a um vale de floresta cerrada, pegando carona do chefão da US Steel em Belém, Arthur Ruff, aos 48 anos, doutor em geologia, navegador de bordo dos B-24 da II Guerra, com 33 missões de bombardeio sobre a Alemanha. Queria mostrar à filha Jacqueline, antropóloga, uma frente de atração dos paracanãs, por onde passaria a Transamazônica — no traçado e imediações havia 13 tribos com cerca de cinco mil índios. E eu, aos 19 anos, mais o fotógrafo Rubens Onetti, faríamos uma reportagem para o falecido jornal *A Província do Pará*, publicada com o título *Encontro com os índios brancos* — "brancos" porque viviam em mata fechada, pegavam pouco sol.

Ao pousar na clareira longe daqueles montes, não estava ainda atrás de minério, mas dos índios. E eles vieram atrás de nós. Batiam as mãos no helicóptero dizendo "arara, arara". O "choque de civilizações" provocou lágrimas.

Um dos índios, com jeito de cacique, aparece sozinho depois que a turba saqueou alegremente nossas provisões e petrechos. Excitado, traz um jabuti nas mãos. O sertanista João Carvalho parlamenta. Percebemos que a conversa é tensa, ao fim da qual o sertanista dá o último facão que nos resta ao índio, que se conforma e volta à mata com o jabuti. O paracanã queria trocar o jabuti pela filha de Ruff, bela, parecidíssima com a xará Jacqueline Kennedy — inclusive com aquele maxilar que é a marca de Jackie Kennedy. Como seus antepassados de Piratininga, não estava interessado em ferro, ouro, prata, manganês, preciosidades de branco; estava fascinado pela beleza daquela mulher.

A exploração do ferro de Carajás, que até hoje rende fábulas de dinheiro à Vale, levaria os paracanãs quase à extinção, numa época em que interesses brancos convergiam para aquele pedaço do planeta chamado Pará:

- ✓ Volkswagen;
- ✓ Suiá-Missu, dos Ometto, industriais do açúcar e álcool em São Paulo;
- ✓ bancos paulistas;
- ✓ consórcio Swift-Armour-King's Ranch — três dos maiores grupos mundiais da carne;
- ✓ Tamakavy, do Grupo Silvio Santos — estes primeiros citados rasgando mata virgem para transformar em pasto; mais:
- ✓ Georgia Pacific e US Steel, grupos madeireiros;
- ✓ Alcoa e Alcan atrás de ferro, alumínio, manganês;
- ✓ posseiros e garimpeiros na luta pela sobrevivência; e mais:
- ✓ Daniel Keith Ludwig, o magnata americano com seu plano de fornecer papel e arroz da Amazônia para o mundo;
- ✓ o Incra pretendendo promover um êxodo semelhante ao do povo hebreu para ocupar a região; e até:
- ✓ guerrilheiros se instalando no Araguaia com o sonho de imitar Mao Tsé-Tung e marchar do campo para as cidades.

Terras sem fim seriam expropriadas, com a expulsão de posseiros e pequenos proprietários que jamais receberam um tostão de ajuda oficial, enquanto os expropriadores recebiam incentivos fiscais, para o ajuste do Brasil à dinâmica das multinacionais, previamente acordado com os golpistas de 1964.

A área envolvida inicialmente equivalia a meio Maranhão. Ou um terço da França. Ou duas Áustrias.

Há uma cidade explodindo em volta de uma miragem

Num anúncio de jornal em 24 de maio de 2012, a Vale se vangloria de ser a empresa que mais contribui para equilibrar nossa balança comercial. Ela fica no Pará, estado que poderia lucrar mais com a presença da gigante, mas não. Entre 1997 — ano de sua privatização no primeiro mandato de FHC — e 2001, contribuiu para o erário paraense com menos de R$ 6 milhões em impostos sobre minério exportado. Mais incrível ainda, revoltante mesmo, tão logo a Vale é vendida, entra em vigor a Lei Kandir — coincidência?

Este ex-ministro de Fernando I e um dos elaboradores do desastroso Plano Collor, quando deputado federal tucano — eleito em 1994 — criou a lei colonialista: livra de pagamento de impostos quem exporta produtos primários e semimanufaturados. Então, o Pará recebeu da Vale privatizada, em 1997, de ICMS — Imposto de Circulação sobre Mercadorias e Serviços — R$ 18.828,00. Qualquer mercadinho de bairro paga mais do que isso de ICMS. E todo o sistema norte de mineração da Vale rendeu ao Pará, nos 14 anos que vão de 1998 a 2012, cerca de 1 bilhão e 300 mil reais em ICMS, média de menos de R$ 100 milhões por ano. Em 2011, a Vale exportou — de Carajás — 97 milhões de toneladas de minério de ferro. Faturou R$ 20 bilhões, que renderam em ICMS apenas R$ 30 milhões: 0,15%. Ninharia de achincalhar o erário e manter o povo na fronteira da pobreza.

Tal qual uma veia aberta, segundo a imagem criada pelo uruguaio Eduardo Galeano, a Vale escoa para o estrangeiro uma sangria de riquezas finitas, sem que fabrique em nosso território sequer um prego.

A conta simples mostra o tamanho da insensatez. O Brasil compra da China trilhos fabricados a 16.500 quilômetros de distância, pagando US$ 850 dólares por tonelada; a China compra do Brasil minério de ferro necessário para cada tonelada de trilho pagando entre US$ 136 e US$ 144. E o Brasil precisando expandir suas ferrovias!

Pergunta óbvia: por que não fabricar os trilhos ali ao lado de Carajás?

Foi este questionamento do então presidente Lula que levou à queda de braço com a Vale, do que resultou em 2010 o projeto Alpa — Aços Laminados do Pará, siderúrgica em construção em Marabá, a 150 quilômetros de Carajás, sem prazo definido de conclusão — suas obras foram suspensas.

A notícia correu mundo e a mesma linha de trem que leva nosso minério para gringos de olhos azuis arredondados ou olhos pretos puxados, é a mesma que três vezes por semana traz centenas de migrantes para Marabá. A cidade explode: deve passar de 200 mil para mais de 300 mil habitantes até 2014. Galgou o posto de mais violenta do Brasil, com taxa anual de homicídios de 133 por 100 mil habitantes — é mais que o dobro de Honduras, país mais violento do planeta, com 60 assassinatos por 100 mil habitantes.

Ao mesmo tempo, pipocam condomínios de luxo e ergue-se o primeiro edifício, com apartamentos de 300 metros quadrados a mais de R$ 1 milhão, rodeados por uma massa humana onde o tráfico de *crack* se mescla à esperança de melhores dias quando a siderúrgica deixar de ser apenas uma miragem e abrir 16 mil vagas para funcionários próprios e criar outros 14 mil empregos indiretos.

Mas isto é outro filme argentino.

Herança japonesa ficou no hospital de Parauapebas

Perto do acampamento que conheci nasceria o núcleo de Carajás, com cinema, zoológico; casinhas amarelas sem cerca, para os funcionários da Vale; a Escola Pitágoras; nomes de ruas em homenagem a tribos indígenas e pássaros amazônicos. Eu a visitaria 40 anos depois, em 2008, dirigindo uma equipe de tevê com cinco pessoas, a fim de produzir filmetes de propaganda da Vale, para a agência Galvão Publicidade, de Belém.

Numa das viagens, acompanhava-me Breno Augusto dos Santos, que reviveria as cenas de sua fabulosa descoberta: a bordo de um helicóptero "abelhinha", para dois tripulantes, seguir o curso do rio, descer num dos platôs de Carajás, apanhar uma pedra, bater com o mesmo martelo de cabo de carbono e olhar em volta admirado — descoberta só possível graças ao helicóptero, pois ali não se chegaria por nenhum outro meio, nem mesmo a pé.

Um herói de Carajás. Por onde Breno Augusto dos Santos passa, as pessoas o tratam com carinho. Chegou a ser citado como candidato a presidente da empresa. Presidiu a Docegeo, onde informalmente tinha ascendência hierárquica sobre a Vale. Comandou um exército de dois mil homens, parte em Belém, parte cuidando daquele formigueiro humano de Serra Pelada, maior garimpo a céu aberto do planeta, escavado a muque, de onde na década de 1980 mais de 60 mil homens retiraram 60 toneladas de ouro.

Era inimaginável o que se vê agora. Buracões onde somem escavadeiras da altura de prédios de três andares; os caminhões de pneus que fazem um homem parecer anãozinho perto deles; o aeroporto com 15 pousos diários.

A 900 metros de altitude, Carajás é vizinha de Parauapebas, lá embaixo, perto do rio de mesmo nome. Talvez seja, como Marabá, outra cidade que mais cresce. Já passa dos 150 mil habitantes.

De Carajás-Parauapebas parte o trem que entrega para China, Japão e o mundo cerca de 100 milhões de toneladas de ferro por ano. Os japoneses diminuíram a participação. Os chineses tomaram a frente a partir de 2001. Passaram a comprar 60% da produção de Carajás, contra 20% dos japoneses.

Os orientais do País do Sol Nascente, muitos reconhecem, fizeram bem à empresa. Quem primeiro entrou em contato com eles, ao presidir a Vale entre 1961 e 1964, foi Eliezer Batista, pai de Eike e avô de Thor. Seu sucessor em 1964, José de Lima Vieira, consolidou o relacionamento com os japoneses.

A estudiosa Marta Zorzal e Silva, professora da UFES, Universidade Federal do Espírito Santo, concluiu num trabalho que houve "forte influência dos japoneses e de seu modelo de desenvolvimento" sobre a Vale. Eles dão ênfase à pesquisa e educação para superar obstáculos, e contribuíram para firmar a empresa em boa posição no mercado internacional.

José de Lima Vieira, mineiro de Ouro Preto, conta que recebeu presidentes das siderúrgicas japonesas, "que vieram verificar se a Vale estava cumprindo compromissos, de fazer um porto novo com calado mais profundo", aquele de Tubarão, além de outras providências, "uma das razões do crescimento da Vale do Rio Doce".

HISTÓRIA AGORA

Os japoneses deixaram marca visível, materializada no hospital de Carajás-Parauapebas. Chama-se Hospital Yutaka Takeda, nome do chefão da Mitsui, maior compradora de minério de ferro de Carajás nos velhos tempos.

CAPÍTULO 30
Vamos ao que vale a Vale e ao que valia para tucanos: nada

E tudo se foi em 12 minutos — "Sinceramente, não sei como sobrevivi" — Como confiar a Amazônia a quem não liga para ela? — A Vale entregue como fábrica de botão — FHC, o bom menino dos banqueiros internacionais

Maio de 1997, dia 6. Em frente da Bolsa do Rio de Janeiro se concentra meio milheiro de pessoas. Quase meio-dia, vai começar o leilão para a entrega da maior mineradora das Américas.

A privataria não transcorreu como um passeio de coche pelas aleias de um parque. Houve gritaria, houve pontapés nos traseiros dos engravatados privatistas, houve palavras de ordem coléricas. E logo no início daquela tarde, quando metade das pessoas ali concentradas tentam invadir a Bolsa em protesto contra o "leilão" de cartas marcadas, são atacadas a balas de borracha e bombas de gás. Até cachorros a Polícia Militar atiça em cima — só faltou gás de pimenta e arma que dispara choque elétrico, porque a PM ainda não dispunha dos modernos aparelhinhos. Em São Paulo, os dois maiores jornais traduzem o que veem pela óptica financeiro-judicial. Manchete do *Estadão*:

VALE É VENDIDA COM ÁGIO DE 20%

A *Folha*:

CSN COMPRA VALE POR R$ 3,3 BI,
MAS BATALHA JUDICIAL CONTINUA

Os dois jornais puseram no alto da primeira página a foto em que o ministro do Planejamento, Antonio Kandir, bate o martelo "ajudado" por Pio Borges, do BNDES, e Fernando Opitz, da Bolsa. Não há fotos de repressão nem de protestos. A *Folha* escolheu entre os sete feridos no "confronto" entre militares e manifestantes um cabo da PM que levou uma pedrada. Relatou:

Na maior privatização feita no país, a União vendeu, em 12 minutos, 41,73% das ações com direito a voto.

Notável no *Estadão* é a imagem abaixo da foto principal: dois cidadãos na sacada de um prédio, tendo ao fundo uma rua arborizada no centro de São Paulo. Diz a legenda que o microempresário falido Marcos B. voltou a morar em apartamento, depois de ser personagem de reportagem sobre classes médias, desempregados que tiveram de ir morar na rua. O alemão Bernhard Rauscher, ao lado dele na foto, condoído, abrigou Marcos até ele arrumar trabalho.

A Era FHC mal passava da metade do primeiro mandato e já se sentia o desemprego. Uma anedota surgiu — anedota de época, datada, passado aquele sufoco não faria mais sentido. O engenheiro desempregado consegue vaga num circo. Deve saltar de uma plataforma no alto do mastro principal e mergulhar numa grande tina d'água cercada de leões. Ele hesita, sua frio, faz que vai mas não vai, então um dos leões arranca a própria cabeça, aparece de sob ela a cabeça de um cidadão que grita para o sujeito lá no alto:

"Pula logo, que aqui é tudo engenheiro, mecânico, médico, professor..."

* * *

Um dos argumentos para entregar as riquezas do país era que o dinheiro arrecadado com privatizações pagaria dívidas, geraria empregos, e tudo ficaria melhor. Ouça, porém, este desabafo:

"O maior escândalo do século, a Vale do Rio Doce! Não me passa pela cabeça alguém privatizar por 3 bilhões de dólares — 3 BILHÕES! — a segunda maior mineradora do mundo! E entregar não só a mineradora, mas entregar os estudos: *Em lugar tal tem uma mina assim, assim... Aquilo é nosso!"*

Sete anos depois, o senador peemedebista gaúcho Pedro Simon se exalta diante de nós que o entrevistamos na redação da revista *Caros Amigos* em agosto de 2004, ao relembrar a privatização da segunda maior mineradora do mundo, só atrás da australiana BHP Billiton.

Atenção, que o senador cita dólares, fala em US$ 3 bilhões, quando a venda foi anunciada por R$ 3 bilhões (e uns quebrados). Acontece que, na época, o real estava ao par com o dólar, ou seja, "desafiava a lei da gravidade", como você pode entender melhor no Capítulo 24, *Dom Antiquixote tenta destruir um sólido moinho: a Era Vargas*.

"Só os estrategistas de FHC não percebiam isso"

A revolta de Simon, diante da audácia de FHC, é compartilhada por milhões de compatriotas ao tomar conhecimento do que se poderia classificar como ato de lesa-pátria. Barbosa Lima Sobrinho, advogado, historiador, jornalista e várias vezes presidente da ABI, Associação Brasileira de Imprensa, também se estarreceu. Aos 102 anos, Lima Sobrinho não havia perdido a capacidade de se indignar. A extinta revista semanal *Bundas*, editada no Rio pelo cartunista e jornalista Ziraldo, entrevista o presidente da ABI no número de 18 de junho de 1999, e a primeira pergunta é:

"Em 1968 o senhor teve um infarto por causa do marechal Castelo Branco, que estava entregando nossas riquezas ao estrangeiro. Como é que o senhor conseguiu sobreviver a Fernando Henrique, que está entregando tudo de mão beijada?"

"Sinceramente, não sei como sobrevivi", responde Barbosa Lima Sobrinho, e narra o seguinte, para explicar por que considera FHC uma desonra para o país:

O pai de Fernando Henrique, general Leônidas Cardoso, e o tio, general Felicíssimo Cardoso, eram nacionalistas. Seu pai, eleito deputado federal com o apoio dos comunistas — que estavam na ilegalidade

— desempenhou seu mandato na Câmara inspirado em ideais nacionalistas. O filho, atual presidente da República, não honrou o nome do pai nem a tradição da família. Empregou o genro numa agência empenhada numa política declaradamente antiPetrobras.

Gostaria de contar uma história: em 1968 houve uma reunião da Campanha Nacional de Defesa da Amazônia na casa do general Felicíssimo Cardoso, presidente da comissão, tio do atual presidente. Participavam Henrique Miranda, hoje diretor da ABI, o general Carlos Hesse de Melo, os professores Alvércio Gomes e Orlando Valverde e a geógrafa Irene Garrido. Todos foram testemunhas. Discutia-se a redação de um documento de defesa da Amazônia e Henrique Miranda sugeriu que se mandasse o texto para Fernando Henrique, em São Paulo, para que ele o divulgasse e colhesse mais assinaturas. Aí o general Felicíssimo disse: "Pode mandar, Miranda, mas este meu sobrinho não é de confiança." Concordo com a opinião dele.

Há mais peso em tal avaliação quando vem de quem aos 40 anos já entrava para a Academia Brasileira de Letras em 1937, de quem atravessou o século XX lutando em todas as causas de interesse do povo brasileiro, contra a ditadura militar, a favor das Diretas Já, líder do movimento pelo *impeachment* de Fernando Collor, opositor das privatizações. De fato, tio Felicíssimo conhecia bem o sobrinho: seria inútil confiar um manifesto em defesa da Amazônia a quem, mal tomou posse na presidência da República em 1995, já entregava aos americanos o controle aéreo da metade norte do Brasil. Mais uma vez, citemos Pedro Simon, agora indignado porque Fernando Henrique, entre outras CPIs, barrou aquela que investigaria o Sivam, Sistema de Vigilância da Amazônia, "um escândalo sob todos os ângulos que você analisar". Diz Simon:

"Tínhamos que entregar aquele processo de fiscalização aérea da Amazônia para uma empresa francesa, que era mais barata, que era mais lógica, mais racional, e fomos entregar pros americanos. Aliás, da tribuna eu disse: 'Se as duas são iguais, fico com o francês, porque de francês eu não tenho medo.' Não me passa pela cabeça que a França vá querer nos roubar a Amazônia. Os americanos eu tenho certeza de que estão com o olho arregalado ali, não é verdade?"

Veja, sobre Sivam, o verbete *Gomes dos Santos, Júlio César*, no divertido Capítulo 22, *Melhores maldades dos homens e mulheres de Fernando Henrique*.

As privatizações, para Breno Augusto dos Santos, o descobridor das riquezas de Carajás, constituíram "um processo açodado e no momento errado". A começar pelo motivo maior de revolta do senador gaúcho:

"O preço não foi justo e nada democrático. Além disso, muitos países ainda mantêm empresas estatais em setores estratégicos, como mineração, metalurgia e energia — o Chile com a Codelco (mineração de cobre), a Noruega com a Norsk Hydro (mineração e metalurgia de alumínio)."

Esta conversa se deu por *e-mails* em fins da década de 2000. A Vale, recorda ele, foi avaliada pelo BNDES e consultores "como se fosse apenas uma fábrica de parafusos e botões, sem levar em consideração o valor estratégico". Quanto aos R$ 3 bilhões que recebemos pela Vale, o que levou Simon ao paroxismo da exaltação, parece que vejo o geólogo dando seu sorriso maroto:

"Hoje, qualquer jazidazinha de itabirito, minério de ferro de baixo teor, é negociada no mercado por vários bilhões de dólares. O Eike Batista sabe muito bem disso. Só Carajás valeria bem mais que a Vale."

Para ele, a Vale era a última prioridade de privatização.

"Então FHC pirou?", provoco.

"Não. Ele queria se comportar como bom menino, fazendo a lição de casa dada pelos banqueiros internacionais."

A mensagem para o mercado era clara:

"Se até a Vale está sendo privatizada, é porque o processo de privatização do governo é *sério*."

O geólogo lembra o tititi na estatal na época.

"A determinação de FHC era tão grande, que todos os dirigentes e empregados da Vale foram proibidos de qualquer manifestação pública ou pela imprensa. Quando da implantação de Carajás, em pleno governo Figueiredo e em plena ditadura, houve liberdade total para a discussão do projeto."

E o ex-presidente, num programa *Roda Viva* da TV Cultura de São Paulo, em dezembro de 2011, se intitulou um "autêntico democrata". Santos ressalta:

"Como a economia tem seus ciclos, a Vale foi privatizada no momento errado, quando as economias tradicionais — americana e europeia — começam a dar sinais de exaustão. E a economia chinesa (estatista) começava a dar sinais de vitalidade."

E agrega:

"Só os estrategistas de FHC não percebiam isso."

Senador chamou a entrega da vigilância da Amazônia aos americanos de "um escândalo".

CAPÍTULO 31
De como FHC entra na história como vende-pátria

Internacional Santayana nos põe no clima da era — Privatizar a Vale é pior que a Petrobras — FHC e Serra não se gostam e os dois não gostam do povo — FHC não é só FHC, é um conjunto de interesses contra a nação

Nós temos o termo entreguista. Os de língua espanhola usam sinônimo que, de tão bom, vamos adotar ao dizer que não poderia haver mais qualificado personagem do que Mauro Santayana para vergastar FHC, o vende-pátria. Jornalista desde 1953, quando tinha 21 anos, Santayana passou por inúmeros jornais e revistas. Nascido gaúcho em 1932, se fez em Minas e rodou mundo, obrigado ao exílio pelos golpistas de 1964: Uruguai, México, Cuba, Tchecoslováquia, em cuja capital, Praga, testemunhou em 1968 a invasão das tropas do Pacto de Varsóvia. Correspondente do *Jornal do Brasil* na Alemanha Ocidental, cobriu a guerra civil da Irlanda; entrevistou personalidades mundiais.

De volta ao Brasil, trabalha em nossos principais jornais e passa a assessorar Tancredo Neves, tornando-se secretário-geral da Comissão de Estudos Constitucionais. O anteprojeto apresentado alimentará dispositivos que asseguram direitos e garantias na Constituição de 1988.

Adido cultural em Roma, pede demissão ao saber que Collor venceu as eleições de 1989. Com a queda de Collor, passa a assessorar Itamar Franco — foi um dos raros colaboradores do novo presidente contrário à escolha de FHC para a sucessão. E quando FHC decide entregar a Vale do Rio Doce, redige manifesto contra, assinado por personalidades como Barbosa Lima Sobrinho e até José Sarney.

Dentre seus quatro livros, destacamos *Mar Negro*, coletânea de textos publicados durante o primeiro mandato de FHC (André Quicé, Brasília, 2000): nos põe no clima da Era FHC: irrespirável, pela tirania do pensamento único, o triunfo de medíocres. E eram anos vistos por FHC como "novo Renascimento" — ao que o douto Santayana lembra que, na Renascença, o espírito do tempo era a arte e os príncipes chamavam como assessores homens "d'ingegno" como Leonardo Da Vinci; e na Era FHC, "na qual o mundo é só um Mercado, os governantes cercam-se de guarda-livros pretensiosos".

O fecho do texto *Os Patos da Dinamarca* — mordaz crítica ao deslumbramento dos endinheirados a comprar, graças ao real ficticiamente igualado ao dólar, todo tipo de acepipes e bugigangas estrangeiras — resume aquela "burra nova abertura dos portos" iniciada por Fernando I e escancarada por Fernando II:

> *Quando a cooptação é a dos pobres nacionais, a coisa é grave, mas é muitíssimo mais grave quando a cooptação dos pobres e ricos nacionais é feita pelos ricos estrangeiros. Pobre de um povo que é induzido, pelo próprio governo, a trocar a sua soberania por mais cavalos de força nos carros, chocolates belgas, mel argentino e patos congelados da Dinamarca.*

Por que não vai publicar nada sobre o segundo mandato? "Ele não tinha mais nada pra fazer; a sacanagem mais brutal, o estupro, tinha sido no primeiro."

Fixou-se em Brasília, de onde nos falou por telefone em 1º de junho de 2012, a três meses de comemorar 80 anos de vida. Estava ao lado da mulher, Wania, cuja voz ouvíamos ao fundo acrescentando aspectos que completavam a narrativa. Ligamos o viva-voz e fiz a primeira pergunta:

A gente hoje tem os Brics. Mas se o Serra tivesse ganhado a eleição em 2002, teríamos os Brics ou apenas os Rics?

Se ele seguisse, mais do que a orientação do partido dele, a do Fernando Henrique, é provável que hoje estaríamos dependendo da orientação dos grandes do mundo, do Euro-americanismo, vamos dizer assim. Não vejo como ele pudesse fugir disso, sempre foi patrocinado pelos bens econômicos de São Paulo, sobretudo a burguesia financeira. Como Fernando Henrique, Serra seria um delegado dos interesses de São Paulo.

O Serra reveria o esquema do pré-sal, entregaria aos gringos, segundo o WikiLeaks (organização com sede na Suécia que publica, de fontes anônimas, documentos, fotos e informações confidenciais, vazadas de governos ou empresas).
De acordo com essa revelação, sim. Ele iria agir dessa forma.

Na Era FHC, preparavam a entrega inclusive da Petrobras, não?
Sim. Agora vou dizer uma coisa. O Sarney escreveu uma carta para o Fernando Henrique quando se falou na privatização da Vale, dizendo que estava contra etc. E disse o seguinte: "Privatizar a Vale é pior do que a Petrobras." Não que estivesse a favor da privatização da Petrobras. Mas mostrava a gravidade. Porque a Vale não é só a empresa. Fui eu que redigi o manifesto contra a privatização da Vale, foi assinado pelo Barbosa Lima Sobrinho, Sarney e uma série de autoridades. Não se estava privatizando uma empresa e um setor. Estavam privatizando o solo brasileiro. Fernando Henrique queria dar 400 e tantos mil hectares pra eles, felizmente isso foi vetado. O melhor do subsolo nacional foi pra Vale. O que sobrou está sendo entregue ao Eike Batista.

Queremos saber também se havia do FHC a intenção de estender seu reinado.
Ah, não tem dúvida nenhuma. Se não tivesse havido fracassos que tiveram no segundo mandato, alguns de ordem econômica também, se a discussão sobre neoliberalismo não tivesse crescido, e se o Lula não tivesse sido hábil, tenho a impressão de que ele queria tentar continuar. Mas a ideia dele é que ele continuaria com Serra. Eles tinham quase certeza disso.

Um exercício: países que nem estavam mal, até compraram estatais nossas, estão numa enrascada. Nós estaríamos também se tivéssemos ficado naquela política que falamos no começo da entrevista?

Sim, se continuasse aquela política do FHC, se não tivesse o Lula no meio — que também cometeu erros, não podemos passar a mão na cabeça, e mais: o PT não é um partido nacionalista a rigor. O que restou do nacionalismo brasileiro, muito bem representado pelo Brizola, está no PDT. Alguma coisa. E como a Dilma vem do PDT, acredito no nacionalismo da Dilma. Ela tem feito isso com clareza. O Lula defendeu os interesses brasileiros, mas o PT não é um partido nacionalista, tem alas. O Lula chegou a dizer que as multinacionais são melhores empregadoras que as empresas nacionais. Podia até ter razão do ponto de vista de salário, direitos trabalhistas etc. Mas a coisa de fundo é a soberania nacional, o nacionalismo. Concordo com Arnold Toynbee que a ideologia do século XX foi a do nacionalismo. Tanto que a União Soviética... a revolução [russa] de 1917 foi nacional, de identificação e afirmação nacional, que se valeu do marxismo diria até como doutrina de empréstimo. Depois o país todo forte, nunca teve nenhum interesse em afastar o socialismo, porque serviu para construir uma grande nação. O nacionalismo explica para o bem ou para o mal. Se o seu nacionalismo é apenas para defender a sociedade nacional, você é uma coisa. Quando quer que os outros países do mundo se tornem a nação dos "nacionalistas", é outra coisa. Mas para o bem e para o mal, o nacionalismo dirigiu todo o pensamento político do século XX. E continua. Quando a coisa aperta, você está vendo a Europa: francês vira francês e alemão vira alemão! Italiano vira italiano e espanhol vira espanhol. Não tem outro jeito. Grego vira grego.

Quais foram as grandes maldades de FHC no segundo mandato?

Ele não tinha mais nada pra fazer, a sacanagem mais brutal, o estupro, tinha sido no primeiro. Começou com a reeleição. E vem o problema gravíssimo: foi imposição dos Estados Unidos, queriam da América Latina a continuidade de garantia do capital estrangeiro. Foi modelo importado, aconteceu aqui, no Peru. Era uma das receitas que ele adotou prazerosamente, violando um contrato que era da primeira Constituição republicana. Depois, fez de tudo para eleger o sucessor. Diga-se uma coisa: Serra e FHC, não digo que são inimigos, mas adversários sempre foram. FHC não gosta do Serra e vice-versa. Mas ambos gostam do planalto paulista, do neoliberalismo, ambos desgostam do povo brasileiro.

O FHC ficou, no segundo mandato principalmente, refém dos EUA, quem mandava? O Citibank?

Olha, era a OMC, Organização Mundial de Comércio. O neoliberalismo tentou meter goela abaixo um acordo mundial de investimentos. Acabava com a soberania de qualquer estado nacional. Primeiro criava um tribunal para decidir qualquer problema. Segundo: onde a legislação interna contrariasse o acordo, acabava a legislação interna. Tinha que se submeter aos legisladores da OMC. O Fernando Henrique não teve a coragem de assinar o acordo, mas assumiu muitos pontos. Foi denunciado pela imprensa e houve uma reação mundial. Mas com esse acordo quem ia perder? Obviamente os países periféricos. Uma vez entrevistei o ministro de Relações Exteriores de Portugal, Franco Nogueira. Ele me definiu as relações internacionais, é muito atual: "Se houver crise entre um país grande e um pequeno, intervier a ONU, acaba-se o país pequeno. Se houver crise entre dois países pequenos e vier a ONU, acaba-se a crise. E se for entre dois grandes países, acaba-se a ONU!" A ONU sempre foi dominada pelo interesse dos mais fortes. Veja uma coisa: até hoje Israel não cumpriu uma só das resoluções da ONU. Ignora. Porque quem domina Israel são os judeus americanos mediante o governo dos Estados Unidos. Por isso defendo nossa soberania. Nós temos de nos armar, os Brics, para defender nossa liberdade, nossa forma de ser no mundo. Não podemos contar com ninguém. O Mao dizia bem: "O poder emana da boca de um fuzil." A política real diz o seguinte: arme-se para defender sua liberdade e seu território.

Você está pensando no pré-sal quando fala isso?

Também. E na Amazônia. Nós descuidamos demais. Devíamos criar uma grande empresa para cuidar da Amazônia como foi a SPVEA (Superintendência do Plano de Valorização Econômica da

Amazônia), criada por Getúlio em 1953. Uma empresa brasileira podia até ter capital estrangeiro, mas tinha que haver pleno controle do estado brasileiro para desenvolver a Amazônia. Com sustentabilidade, só o estado pode fazer. O privado não fará isso nunca. O capitalismo não busca nada sem ser o lucro, por isso o mundo está caminhando pra essa tragédia toda aí.

Acabamos todos.

O que temos que ficar atentos é que o FHC não é só o FHC. É todo um grupo, um conjunto de interesses contra a nação brasileira. E que agora está mudando o discurso. Um sujeito que dizia que o neoliberalismo era "o novo renascimento". Agora vem e diz que não é bem assim. Mas não adianta, o mal está feito.

* * *

Em seu Título VII — Da Ordem Econômica e Financeira — nossa Constituição abre o Capítulo I, *Dos princípios gerais da atividade econômica*, assim:

Art. 170. A ordem econômica, fundada na valorização do trabalho humano e na livre iniciativa, tem por fim assegurar a todos existência digna, conforme os ditames da justiça social, observados os seguintes princípios:

I - soberania nacional;
II - propriedade privada;
III - função social da propriedade;
IV - livre concorrência;
V - defesa do consumidor;

Vemos que nossos constituintes de 1988 fundaram a ordem econômica no princípio da "soberania nacional" em primeiríssimo lugar. Como vimos, FHC e sua turma estavam pouco se lixando para isso de soberania nacional.

CAPÍTULO 32
A reportagem que mexeu com a mídia brasileira

Proer da imprensa, eis uma tese para doutorado — Por que Lula sim e não FHC? — Um a um, os editores vão dando suas desculpas — "Suposto, não! É do Fernando Henrique. Ela não te contou? É a cara do presidente!"

Tal como houve um Proer "real", o Proer dos bancos, Programa de Estímulo à Reestruturação e ao Sistema Financeiro Nacional, houve o chamado Proer da imprensa. Dinheiro oficial e mesmo privado, em montante jamais calculado, rolou para, principalmente, comprar o silêncio da mídia sobre "o filho de Miriam Dutra Schmidt com Fernando Henrique Cardoso". Quase todos os veículos de comunicação investigaram o caso, mas não publicaram nada. Alegavam que era para ter e usar apenas se um concorrente os "furasse". Isto lembra o "arsenal dissuasório". Há bombas nucleares estocadas suficientes para destruir o planeta meia centena de vezes, mas não é para usar — é para ter, "olha que eu tenho a bomba". E as publicações tinham, cada uma, sua matéria sobre "o filho da Miriam com o FHC". Não era para usar, era para ter — "olha que eu tenho".

Acontecem então fatos curiosos. Mônica Bergamo, da *Folha*, volta e meia publica um mexerico sobre Tomás na Europa. O grosso dos leitores fica no ar, se perguntando mas que raio de menino é esse que aparece de vez em quando na coluna mais lida do país? Coube-lhe a glória de dar o furo do reconhecimento da paternidade, em 2009, quando o garoto completava 18 anos, com chances de pretender juridicamente lugar na partilha da herança de FHC — mais sobre isso veremos no último Capítulo, o 36, *Diálogo perfeito para fechar a história do amor desfeito.*

A reportagem que começou com a foto proibida

Um único órgão da imprensa quebrou tal silêncio, com reportagem histórica. Saiu no número 37 da *Caros Amigos*, de abril de 2000, e mais de 12 anos passados, quando escrevemos este capítulo, segue atual, pois quase nada mudou no modo como a grande mídia trata os poderosos de sua predileção. A reportagem marca o 3º aniversário da revista, que vendia 19 mil exemplares por mês e salta para mais que o dobro: 40 mil. A chamada na capa pergunta:

Por que a imprensa esconde o filho de 8 anos de FHC com a jornalista da Globo?

Sob o título *Um fato jornalístico* (ver na página 27), derrama-se ao longo de seis páginas a reportagem assinada por Palmério Dória, João Rocha (de Barcelona), Marina Amaral, Mylton Severiano, José Arbex Jr e Sérgio de Souza — que escreveu o texto final, de singular simplicidade. Começou assim:

Esta reportagem começou assim: o jornalista Palmério Dória ofereceu para Caros Amigos *um artigo cujo título era "Presidente, assuma!", referindo-se ao filho gerado do romance entre Fernando Henrique Cardoso e a jornalista Miriam Dutra quando o atual presidente da República era senador. A jornalista trabalhava, e trabalha ainda, para a Rede Globo, na ocasião como repórter em Brasília, hoje como correspondente em Barcelona, Espanha.*

Sérgio de Souza prosseguia com fatos já descritos no começo deste livro, "quando a estrela do senador começava a brilhar na política, projetando contornos para uma candidatura à presidência da República". Então, ao seguir minha sugestão de ilustrar o texto com uma foto de Miriam Dutra, "as coisas passaram a tomar outro rumo": o Departamento de Documentação da Editora Abril, Dedoc, depois de aceitar o pedido, volta atrás e recusa-se a vender a única foto da mãe de Tomás de que se tem notícia, da *Veja*, "que em 1994 preparava reportagem sobre o caso Miriam Dutra/FHC", e para isso "tinha enviado a repórter Mônica Bergamo a Lisboa". O funcionário do Dedoc alegou que a foto envolvia a Globo "e, assim, estava bloqueada".

O fotógrafo, agora no *Correio Braziliense*, não tinha direitos sobre a foto, tirada de uma reportagem exibida pela TV Globo. É a única foto que o Google exibe e deve ser a única pública. Mônica Bergamo entregou à *Veja* relatório com a entrevista de Miriam, "que não quis revelar o nome do pai, disse que o pai não merecia aquele filho, deu detalhes do parto etc. e a matéria foi para a gaveta". As contradições, escreveu Sérgio, pediam uma "investigação" sobre "como são, a partir de fatos, as relações entre o presidente da República e a mídia", e prossegue:

> *Antes de qualquer coisa, precisaríamos ouvir Miriam Dutra, procurar confirmar o "segredo de polichinelo", como dizem jornalistas que conhecem a história. E praticamente todos os diretores de redação à época das eleições de 1994 a conhecem, embora muitos — iríamos pedir a palavra de todos eles — fossem argumentar que não publicaram a matéria porque a mãe da criança não havia procurado a imprensa nem a Justiça e só nessas circunstâncias as normas internas admitem a publicação.*

O que não é verdade. Exemplo célebre deu-se na campanha de 1989. Envolvia Lurian, filha do candidato Lula, fato trazido a público por um repórter do *Jornal do Brasil* que investigou a história não porque algum dos envolvidos tivesse procurado a imprensa ou a Justiça.

Então, por que Lula e não Fernando Henrique?

"Eu não sou da sua laia, leve sua calhordice até o fim"

A revista recorre ao jornalista João Rocha, que mora em Barcelona e consegue com um porteiro o número de telefone de Miriam. Seu relato:

"Alô", eu ouvi, tomando um susto tremendo, e então perguntei em espanhol se era da casa de Miriam Dutra. "Sí, un momento." E ao longe: "Mããăe!" Era ele, Tomás.

Com "o coração disparado", João explica-se, e faz-se tal silêncio que ele acha que Miriam vai desligar-lhe o telefone na cara, mas não:

"Olha, João, eu não vou falar nada sobre essa história. Eu não sou uma pessoa pública. Se vocês têm algo para perguntar, não é para mim. Perguntem para a pessoa pública."

A afirmação "removia de vez a argumentação de jornalistas que não contam o que sabem escudando-se em manuais de redação", prossegue Sérgio. A sugestão de procurar "a pessoa pública" será seguida, depois de ouvirmos todos os diretores de redação da época, 1994, a começar por *Veja*, dirigida então por Mario Sergio Conti. Palmério Dória liga de pé atrás, pois fez em *Caros Amigos* uma brincadeira, comparação entre famosos do passado e do presente — *Portrait du Brésil: décadence avec désélegance* [Retrato do Brasil: decadência com deselegância]. Entre as comparações (JK/FHC, bossa nova/pagode, Marta Rocha/Adriane Galisteu), havia esta: David Nasser/Mario Sergio Conti. Espera animosidade, mas não tempestade:

Palmério, você acha que eu vou mover uma agulha por você? (contendo a fúria) Você me comparou com o... David Nasser...

Tento argumentar, estou "ligando para o cargo", pois Conti é diretor de redação, mas ele interrompe aos berros:

Eu não sou da sua laia! Leve a sua calhordice até o fim!

E desligou. Procuro mais três colegas. Augusto Nunes, agora na *Época*, em 1994 diretor do gaúcho *Zero Hora*. Alega que nem investigaram, "pois era diferente do caso Lula em 1989, quando quem o acusou foi a própria ex-mulher dele, Miriam Cordeiro, e no caso de FHC, Miriam Dutra não fala que Fernando Henrique é o pai".

Aluízio Maranhão, de *O Globo*, em 1994 dirigia a redação do *Estadão*. Garante que nada fizeram:

Havia um obstáculo intransponível: ela nega. Você tem que ter provas e testemunhas com um mínimo de credibilidade. O site do PDT fez circular uma matéria do Diário de Notícias, *de Portugal, com a história. Foi malandragem com interesses político-partidários e decidimos não noticiar.*

Hélio Campos Mello, na chefia da revista *Brasileiros*, era diretor de redação da *IstoÉ*. Sempre efusivo, foi seco e objetivo:

Não tenho uma história, não tenho a certidão de nascimento, não tenho uma mãe dizendo que o garoto é filho dele...

O colega diz que fala em nome de Miriam, que diz: nem tem o telefone dele

Narra Sérgio de Souza que, "obviamente", a notícia sobre nosso trabalho acaba "nos corredores do poder federal"; e um colega tenta "comprar" o silêncio da revista:

Combinamos um jantar, numa churrascaria em São Paulo, com um jornalista que está trabalhando para o governo.

Ele disse que havia uma preocupação com a matéria nos altos escalões, amigavelmente desaconselhando-nos a publicá-la. Fez ver que a editora, caso Caros Amigos *saísse com a reportagem, podia enterrar a pretensão de conquistar anúncios ou qualquer serviço editorial da área governamental, que abertamente havíamos pleiteado com ele como pleiteamos junto a todo tipo de empresas institucionais. Ao contrário, acenou, não saindo a matéria eram muito boas as chances de obtermos no futuro algum tipo de serviço editorial para órgãos públicos.*

Com tal jornalista trabalhamos no *Jornal da Tarde*, aonde ele chegou vindo de Minas. Era agora braço direito de um publicitário que havia conquistado a confiança do secretário de Comunicação de FHC — e homem das verbas publicitárias, portanto: o embaixador Sérgio Amaral, porta-voz da Presidência, que o colunista José Simão chamava de "porta-joia", sempre com pose de "nojo de nóis". Depois de quase três anos de seca, desde seu primeiro número em abril de 1997, *Caros Amigos* enfim recebia um aceno de anúncios federais, mas em troca de calar-se. Diante da irredutibilidade de Sérgio, o jornalista levantou-se da mesa e andou de um lado a outro, murmurando "não é possível" e outras expressões de inconformismo.

Haverá outras interferências: num almoço, eu receberia, de um amigo jornalista, convite para trabalhar na Petrobras, no Rio. Quem convidou? O amigo deu o nome do lobista aparentado de Miriam Dutra. Sérgio conclui:

Os lobbies *em favor do silêncio começavam a convergir.*

O amigo, com quem também trabalhamos várias vezes, acenava com cerca de R$ 20 mil de salário em valores de 2012. Já o lobista aparentado de Miriam se chamava Fernando Lemos — morreria no começo de 2012.

Surpresa: um deputado federal do PT procura José Arbex na *Caros Amigos*, "para dar um toque": conversando com alguém ligado ao governo, soube que "o pessoal está preocupado". Arbex diz que "não é sobre a vida do FHC, mas sim sobre a relação da mídia com FHC". Despedem-se, e o deputado repisa:

"Os caras estão muito preocupados, rapaz."

É o cearense José Genoino, deputado petista por São Paulo, ex-guerrilheiro do Araguaia. Fui o primeiro a entrevistá-lo depois de libertado, ele foi dos primeiros guerrilheiros a cair preso, saiu da cadeia em 1977. Estranhei que intercedesse por FHC. Mas havia mais gente aflita a nos surpreender.

Liga para Sérgio o diretor de redação da revista *Imprensa*, Tão Gomes Pinto. Fala "em nome de Miriam", que lhe telefonou de Barcelona "preocupada". Diz que qualquer dia fará uma visita. Não passa meia hora, Tão chega à redação. Repete que Miriam está preocupadíssima — mente, já veremos.

Sérgio, sabendo que Tão e o lobista aparentado de Miriam "esgrimiam um *lobby* junto a uma empresa", pergunta se ele conhece Fernando Lemos. Tão olha para o alto, fingindo buscar na memória, até que, "no *timing* certinho", diz que sim, mas não vê o homem faz mais de ano. Tão se despede. Sérgio aciona o repórter de Barcelona, que envia *e-mail*:

Na fila do restaurante, falávamos nosso portuguesinho despreocupado quando uma moça me cutucou: Vocês são brasileiros, não? Me chamo Tânia, estou fazendo doutorado... Me deu o estalo e, com aquele tipo de palavras que você não sente sair da boca, perguntei: Você é amiga da Miriam Dutra, não? E ela, surpresa: Ah, sou, como você sabe? E eu: Ela me falou de você, que estava procurando apartamento. E a moça: Não, imagina! Como eu, ela também fazia doutorado, e resolvo puxar o assunto do suposto caso, que Miriam supostamente teria tido com o presidente, do qual teria nascido um suposto filho... Suposto?, interrompe a moça. Suposto, não! É do Fernando Henrique. Ela não te contou? É a cara do presidente!

Ligo para Miriam. Tomás: Mãããããnhê! Tão Gomes Pinto ela diz conhecer apenas profissionalmente, como jornalista respeitado, e que não tem nem sequer o telefone dele.

Não falamos que Tão mentiu? João encerra:

Comenta o contrato dela com a Globo, anual, de prestação de serviços no exterior, "como há uns quarenta mais", acrescentando que veio por razões profissionais e por sua própria conta. Fala, em tom ameaçador mas brando: "Se a revista publica uma coisa dessas, vai ter que provar." E, enfim, saiu: "Tomás Dutra Schmidt, nascido no dia 26 de setembro de 1991, à zero hora e quinze minutos em uma maternidade de Brasília, batizado pela avó materna e registrado na mesma cidade somente no nome da progenitora." Leva portanto sobrenomes iguais aos dela.

Para a Globo, povo deve saber tudo dos homens públicos, menos de FHC

Marina Amaral vai a Brasília pedir audiência com a "pessoa pública", obter cópia da certidão de nascimento de Tomás e ouvir gente dos grandes veículos. A telefonista da Rede TV! passa a ligação para Alberico Souza Cruz, que atende com simpatia:

"Oi, Marina, tudo bem? É o Alberico."
"Que bom, nem pensei que seria tão fácil falar com você..."
"Com prazer, pode falar."
"É um assunto meio delicado, mas, como vamos dar a reportagem na próxima edição, tenho de perguntar. A reportagem fala do filho da Miriam Dutra com..."
"Me desculpe, mas sobre esse assunto eu não falo."
"Mas a reportagem até diz que você é o padrinho do menino..."
"É, mas sobre esse assunto eu realmente não falo. Me desculpe. Até logo."

O sucessor de Alberico no jornalismo da TV Globo é Evandro Carlos de Andrade. Dirigiu *O Globo* de 1972 a 1996, e na TV fica até sua morte aos 69 anos, em 2001. Seria depoimento importante: na gestão dele *O Globo* publicou o editorial *O direito de saber*, na primeira página, coisa rara. Naquele dia, 14 de dezembro de 1989, a TV Globo transmitirá, à noite, o debate que decidiria a eleição presidencial em favor de Collor contra Lula. Principais pontos do editorial:

- ✓ *A prática da Democracia recomenda que o povo saiba tudo o que for possível saber sobre seus homens públicos, para poder julgar melhor na hora de elegê-los.*
- ✓ *Na presente campanha, ninguém negará que, em todo o seu desenrolar, houve uma obsessiva preocupação dos responsáveis pelo programa do horário eleitoral gratuito da Frente Brasil Popular de esquadrinhar o passado do candidato Fernando Collor de Mello.*
- ✓ *Anteontem à noite surgiu nas telas, no horário do PRN, a figura da ex-mulher de Lula, Miriam Cordeiro, acusando o candidato de ter tentado induzi-la a abortar uma criança filha de ambos, para isso oferecendo-lhe dinheiro, e também de alimentar preconceitos contra a raça negra.*
- ✓ *É chocante mesmo, é lamentável que o confronto desça a esse nível, mas nem por isso deve-se deixar de perguntar se é verdadeiro. E se for verdadeiro, cabe indagar se o eleitor deve ou não receber um testemunho que concorre para aprofundar seu conhecimento sobre aquela personalidade que lhe pede o voto para eleger-se presidente da República, o mais alto posto da Nação.*
- ✓ *A sensibilidade do eleitor poderá ajudá-lo a discernir onde está a verdade — e se ela deve influenciar-lhe o voto, domingo próximo, quando estiver consultando apenas a sua consciência.*

O Globo, ignorando que o povo não estava "acostumado à prática da democracia" justamente por passar mais de duas décadas sob uma ditadura militar (1964-1985) que o próprio jornal ajudou a implantar e sustentar, argumenta que o povo precisa saber o possível sobre o candidato a presidente. Mas, como veremos, isto não vale quando o candidato é de sua preferência: não se interessou em apurar o caso Miriam Dutra para o povo poder "julgar melhor" FHC.

A secretária do diretor de jornalismo da Globo informa que ele só responde perguntas por escrito. Marina envia quatro:

1. *O Globo*, durante a campanha eleitoral de 1994, soube que grandes veículos preparavam matéria sobre o filho gerado de um romance entre FHC e Miriam Dutra?
2. O jornal discutiu o assunto?
3. Cogitou de preparar matéria a respeito?
4. "O direito de saber" foi escrito por Evandro?

Resposta por fax, manuscrita e assinada:

1. Não chegou ao meu conhecimento. As perguntas 2 e 3 estão prejudicadas. 4. Não me recordo — provavelmente não fui eu o autor, uma vez que escrevi poucos editoriais durante minha permanência no Globo.

Presume-se que: Evandro só ficou sabendo do caso FHC-Miriam pelas perguntas enviadas por Marina — um caso que envolvia a repórter do próprio grupo em que ele exercia cargo abaixo apenas do patrão; e confessa que não se lembra se foi quem escreveu um dos editoriais mais importantes na história do jornal. Sem comentários.

FHC ligou a Mino Carta pessoalmente, pedindo reserva

Por telefone, Marina procura outro diretor de redação, Otávio Frias Filho, da *Folha de S. Paulo*. Diálogo entre Marina e Frias Filho, depois dele dizer que a *Folha* não considera o assunto "de interesse público", nem publica assuntos de ordem afetiva enquanto pelo menos uma das partes não se manifestar:

"Mas e o caso da namorada do Pitta, que vocês publicaram recentemente? Havia interesse público?"

"*A Folha não publica assuntos de ordem afetiva enquanto uma das partes não toma alguma providência jurídica ou não se manifesta publicamente, quando consideramos que o assunto não tem interesse jornalístico. No caso dessa moça que você está citando, não lembro o nome dela...*"

"*Marlene Beteguelli, a secretária. E a Marina de Sabrit, que vocês também publicaram, com ela desmentindo...*"

Marlene Beteghelli era secretária particular do prefeito paulistano Celso Pitta; Marina de Sabrit, *socialite*.

"*Pois é. Houve insinuações, mas não publicamos nada até que ela própria [Sabrit] deu uma entrevista ao* Jornal do Brasil, *se deixou fotografar.*"

"*Mas a notícia do filho do Fernando Henrique é verdadeira pelas investigações que fizemos. Inclusive falamos com a moça, que nos aconselhou a procurar a pessoa pública dessa história.*"

"*Se você está me dizendo que é verdade, acredito, porque não tenho motivo para duvidar de você.*"

"*Independente (sic) desse, você acha que a mídia tem tratado o presidente Fernando Henrique Cardoso com, digamos, condescendência?*"

"*Independentemente disso? Sim.*"

Mylton Severiano vai conversar com Mino Carta na redação de *CartaCapital*. Mino diz que "a questão é pertinente" e lembra um episódio, quando ele dirigia *IstoÉ*:

"*O Fernando Henrique me liga na redação: Olha, Mino, está correndo uma história cabeluda, que enxovalha a mim e a minha família, por favor, se isto chegar aí, não dá nada, não publica, não. Eu disse 'tá bom', que esse tipo de coisa não me interessava mesmo. Eu nem sabia o que era.*"

Conta Mino que perguntou na redação e lhe disseram que vários ali tinham visto "os dois" no Piantella, em outros restaurantes, às vezes em turma, às vezes a sós. Acrescenta que ele, "Mino jornalista", não gosta do tema:

> "Mas, em relação a Pelé, Lula... Jesus Cristo, é legítimo, é pertinente propor a questão. Pelo fato em si. O caso do Lula era diferente. Estava viúvo, solteiro. E o Fernando Henrique é casado."

Mylton cita o editorial do *Globo* sobre o "direito de saber". E Mino:

> "Uma das obrigações da mídia é fiscalizar o poder, inclusive vida privada, particular. O perfil: tantos anos, é homossexual; se é grosseiro, quero saber. Se espancou a mulher, quero saber. Agora, eu, como repórter, não me sinto bem com esse tipo de assunto."

Por que Mino acha pertinente a questão que *Caros Amigos* investiga?

> "Sendo verdade, é pertinente querer saber por que não publicam. Como foi possível levantar aquela do Lula? Aquilo foi terrível. Completamente diferente. Ele viúvo, saía com a moça e, naturalmente, quando um homem sai com uma mulher, acabam fazendo o que todos sabemos. Ele não queria o filho. Foi uma desgraça. Agora, por que Lula e não Fernando Henrique? Por que Pelé e não Fernando Henrique? Existe? Então, por que não falar? Se é figura pública e dá em cima das mulheres, não sabe se portar. Vai envergonhar o país mais cedo ou mais tarde, se se torna figura representativa do país dele. Eu não estou falando dele, estou falando de qualquer um."

Mylton telefonaria para outros dois colegas. Conversas velozes. Celso Kinjô, editor-chefe do *Jornal da Tarde*, disse que a posição da "casa" é não tocar em assuntos pessoais. Marcelo Pontes fazia o *Informe JB* no *Jornal do Brasil*. Trabalhava em 2000 no gabinete do Ministério da Fazenda. Mylton conta:

> Foi perceptível seu desconforto quando anunciei o assunto. Ficou repetindo: "94, 94, quê que eu fazia no JB? 94..." Lembrou-se então do Informe. E o jornal?, fez matéria?

Marcelo diz que havia boatos, aí se lembra:

"Ah, me parece que o JB *publicou algo sim, feito pelo Maklouf. Tá bom?"* (Louco para se livrar de Mylton, que agradece e desliga.)

Curioso anticlímax: assessor manda a repórter se virar

Em março de 2000, fui ao Rio tratar de outros assuntos com colegas. Um colunista quis saber se Miriam Dutra "abriu ou não abriu" (sobre a paternidade do menino). Contei-lhe algumas coisas e ele disse que daria uma nota em sua coluna no fim de semana. Procurei sábado, domingo e segunda. Nada. Segunda, nos encontramos para nova reunião. Ele chegou falando:

"Em dez anos de coluna, nunca passei por uma situação como essa!"

Alguém do alto escalão foi até ele com a nota na mão dizendo que só poderia sair com autorização do primeiro homem da empresa. O colunista era Ricardo Boechat. O jornal onde trabalhava era *O Globo*.

Faltavam poucos nomes, antes de Marina pedir audiência com a "pessoa pública". Mylton liga para Miranda Jordão, agora no carioca *O Dia*. Ele, que estava no *Diário Popular*, encerra o papo em menos de um minuto:

"Mas você sabe da história, não?"
"Não, nunca soube de nada. (Cortante.)"
"Que interessante. Bom, se você nunca soube de nada, está bem. Obrigado."

Marina vai a Brasília em 22 de março de 2000, precisamos fechar a matéria. Ligou antes para Ana Tavares, assessora da Presidência da República. Atendeu Geraldo Moura: não haveria problema e daria retorno. Não deu. No cartório Marcelo Ribas, Marina tira a cópia da certidão de nascimento de Tomás, paga R$ 1,90.

Por telefone entrevista Josias de Souza. Ele e seu colega de *Folha* Gilberto Dimenstein escreveram *A História Real — Trama de uma Sucessão*, que menciona o caso Miriam-FHC. Josias diz que já abordou o assunto na própria *Folha*, em 1998, depois que o PDT o explorou "de forma eleitoreira". Comparou a outros casos de chefes de Estado, como Mitterrand, da França, e com "a cultura jornalística brasileira, mais evoluída nessa matéria". O fim da conversa é revelador:

"No caso da Miriam Dutra, vocês investigaram?, falaram com ela?"
"Falamos com várias pessoas que tinham relação com o fato. Para nós era relevante checar a veracidade da história."
"E vocês conseguiram apurar?"
"Isso foi apurado, sim."

Note: Otávio Frias Filho acaba de ser desmentido por seu funcionário. Disse a Marina que episódios "de ordem afetiva não é nossa política investigar", e mais, "não consideramos esse um assunto jornalístico". E Josias diz que "foi apurado, sim". Ele continua na *Folha* no momento em que escrevo, 12 anos depois. Serve ao jornal. No fim de 2000, ano da publicação da reportagem em *Caros Amigos*, fez trabalho que criminalizava o MST, Movimento dos Trabalhadores Rurais Sem Terra. Acusou-os de "cobrar pedágio" de companheiros. Recebeu, para tanto, orientação técnica do governo federal e até veículos do Incra, o Instituto Nacional de Colonização e Reforma Agrária.

Marina só consegue falar com Ricardo Noblat na volta a São Paulo. Ele diz que, quando assumiu a direção do *Correio Braziliense* em fevereiro de 1994, "ouviu falar de um filho de Fernando Henrique fora do casamento". Mas, "como não tinha prova, não tinha por que apurar". Discorre:

"Aqui em Brasília, um jornal evita muito entrar na vida pessoal, a não ser que vire um fato supercomentado. A gente não publica nem fitas, aqui temos um código de ética muito rigoroso."

A conversa acaba após Marina perguntar se "acha que o fato de um presidente ter um filho fora do casamento é assunto jornalístico":

"Não, eu não posso responder isso em tese porque sei de que tese você está partindo. Não posso falar de um fato que eu não apurei, não que esteja duvidando de você, mas aí eu não posso."
"Está bom, Noblat, muito obrigada."
"Obrigado, eu. Boa noite."

Em 22 de março, mais uma vez Geraldo Moura atende Marina e, informado sobre qual, afinal de contas, é o assunto, eis o curioso anticlímax:

Ele responde, efusivo: "Não, nem tem problema, essa história surge periodicamente desde 1983." Pondero que em 1983 o garoto nem tinha nascido. Ele corrige: "Não, 1993, desde que entrei aqui. Nós temos uma orientação sobre isso, mas nesse caso vou falar com o presidente e depois telefono para você", diz, simpático.

Uma hora depois ele me liga, o tom de voz completamente mudado. Bastante seco, diz: "Nós desconhecemos esse assunto." Pergunto se essa é a resposta da assessoria ou do presidente. Ele: "Não se pode falar com o presidente sobre esses assuntos através da assessoria porque a assessoria só trata de assuntos institucionais da presidência." Pergunto então com quem devo falar para que minha pergunta chegue ao presidente. A resposta: "Cabe a você, como repórter, encontrar uma maneira de falar com o presidente. Até logo."

Ou seja: vá lamber sabão.

CAPÍTULO 33
A última exilada e o presidente de última categoria

"Uma das grandes culpadas das condições do país é nossa imprensa" — Romance FHC-Miriam incendeia simpósio sobre imprensa e Judiciário — Arquivos implacáveis do Juiz Saraiva — Jovens advogados se sentiram "traídos"

Com o tempo, uma imprensa cínica, mercenária, demagógica e corrupta formará um público tão vil como ela mesma.
Joseph Pulitzer (1847-1911)

O blogueiro que assina Juiz Saraiva enfeita suas postagens com frases como esta, acima, do jornalista e fundador de jornais, norte-americano de origem húngara, que dá nome a um dos mais importantes prêmios para literatura, drama, música — e jornalismo. Também posta esta, de Millôr Fernandes, que em 2006 ecoou Lima Barreto:

Acho que uma das grandes culpadas das condições do País, mais do que as forças que o dominam politicamente, é nossa imprensa. Repito, apesar de toda a evolução, nossa imprensa é lamentavelmente ruim. E não quero falar da televisão, que já nasceu pusilânime.

Juiz aposentado, fluminense de Guapimirim, Saraiva encerrou carreira no 5º Juizado Especial Cível de Copacabana, Rio de Janeiro. Em seu blog, em 15 de novembro de 2009, mostra sua queda para humorista, a começar pelo título do texto:

CADÊ A *PLAYBOY* DA MIRIAM DUTRA?

Refere-se ao caso da jornalista Mônica Veloso, também da televisão, que teve um caso com o senador Renan Calheiros, do qual resultou igualmente uma gravidez. O ex-governador do Paraná, senador Roberto Requião, havia perguntado aos jornalistas qual era a diferença entre a Rede Globo e a empreiteira Mendes Júnior. A Globo, explicou Requião, vinha pagando as contas de Miriam Dutra e Tomás; a empreiteira pagava as de Mônica Veloso e sua cria. E depois do escândalo que levou Renan Calheiros a renunciar, Mônica fechou contrato com a revista masculina e posou nua. Daí a brincadeira do Juiz Saraiva a perguntar pela *Playboy* com Miriam Dutra, ela que naqueles dias ia chegar ao Brasil, numa de suas visitas regulares de última exilada.

O blogueiro recorda o *Seminário Democracia, Imprensa e Judiciário*, promovido pela Escola de Magistratura do Rio de Janeiro no início da década de 2000, sobre o qual puxa de seus arquivos este registro:

"O assunto que rendeu mais controvérsia no Seminário foi a forma como a imprensa brasileira era condescendente com o presidente da República. A questão entrou em pauta quando um jurista citou como exemplo de conivência jornalística o romance do presidente Fernando Henrique Cardoso com a jornalista da TV Globo Miriam Dutra. Muitos advogados presentes ao evento não sabiam do fato e reagiram com surpresa e indignação quando um jornalista afirmou que toda a imprensa brasileira sabe disso. E naqueles oito anos de governo ninguém tocou no assunto. Muito antes de ser presidente, Fernando Henrique sempre foi um conhecido sedutor. As mulheres sempre ficaram encantadas com seu charme e sua pose de "estadista".

Os advogados, relembra Saraiva, ficaram boquiabertos: mas como é que, com exceção de uma revista mensal de São Paulo, nenhum órgão da imprensa noticiou o caso? As questões levantadas pelos participantes "incendiaram a discussão sobre Democracia, Imprensa e Judiciário", recorda Saraiva, "nos corredores do fórum e nos bares do centro da cidade".

"Nem na época da ditadura militar a TV Globo foi tão favorecida pelo governo quanto na era Fernando Henrique", comentava um "jornalista importante" ali presente. Os jovens advogados presentes, bombardeados com tanta informação a que julgavam ter direito de conhecer, sentiam-se "traídos pela imprensa".

No blog do Juiz Saraiva encontramos a única menção à presença de Miriam Dutra na posse de Lula, quando FHC lhe passou a faixa presidencial e, logo, seguiu para a Europa.

CAPÍTULO 34
Uma contribuição para a história universal da infâmia

Um cachorrinho mais popular que FHC — A incrível história da Petrobrecht — Paulo Henrique Amorim: nalguns casos, será bom reestatizar — O julgamento de três políticos: "ruim"; "roubômetro não avalia"; "traidor"

> *Em cinco anos, o governo Fernando Henrique Cardoso não destruiu apenas a economia nacional, tornando-a dependente do exterior. Seu crime mais hediondo foi destruir a Alma Nacional, o sonho coletivo.*
> **Aloysio Biondi**

Toda manhã, passeia pela rua Rio de Janeiro e redondezas uma dama do cachorrinho. Quase nada tem a ver com aquela Ana e seu lulu da Pomerânia do conto de Anton Tchekhov. Amazônida como Nayda, a mãe de Fernando Henrique, esta se chama Rosa. É governanta de alguma família de Higienópolis, bairro mais grã-fino de São Paulo. O cachorrinho da raça *yorkshire*, marrom-escuro atende pelo nome de Docinho.

Por vezes, nossa dama do cachorrinho cruza com um octogenário em sua caminhada matinal. Ele não chama atenção de ninguém, ao contrário de *Docinho*, que muitos passantes cumprimentam, festejam, acariciam, de modo que Rosa precisa parar a cada passo para atender aos rapapés, enquanto o circunspecto senhor segue seu destino de ex--presidente da República.

Um editor da *Rich & Famous* — revista americana sobre ricos e famosos — disse que milionário sem excentricidade não é milionário. Lee Iacocca, herói do capitalismo por ter salvado a Chrysler, tinha pavor de morrer de fome. Howard Hughes, engenheiro, construtor de aviões, diretor de cinema, lavava compulsivamente as mãos com medo de "contaminação". Fernando Henrique Cardoso gosta de se fazer passar por pobre e indiferente a honrarias.

Um decênio depois de encerrada sua erazinha de oito anos, FHC faz um balanço e constata que, a cada campanha eleitoral, os candidatos de seu partido e de partidos coligados cada vez mais tratam de manter distância dele. José Serra, candidato à Presidência em 2010, chegou ao cúmulo de abrir sua campanha na televisão mostrando cenas em que aparecia ao lado do então presidente Lula, que defendia outra candidatura e cujo governo sempre criticou. Sorridente, José Serra dizia no vídeo:

"Eu sou o Zé, que vai continuar a obra de Lula."

E nada de FHC. Ora, quem tinha vindo para enterrar uma era e dar início a outra, de progresso e modernidade, devia merecer a honra de ser obrigado a evitar sair às ruas para não se ver cercado por multidões ávidas por abraçá-lo, tocá-lo, receber um autógrafo, um afago, uma palavrinha. Ele pediu certa vez que esquecêssemos o que escreveu. Não pediu que o povo brasileiro o esquecesse, mas o povo parece que prefere não se lembrar mais de Fernando Henrique Cardoso. Por certo se ressente ao constatar que, comparado ao *yorkshire* Docinho, sua popularidade no próprio bairro em que mora é zero à esquerda. Por quê?

Vira-lata até para privatizar: cadê os inventários?

Puseram um sujeito com complexo de vira-lata à testa da nação. Eis a impressão que nos fica ao ouvir uma das mil histórias vividas pelo afiado, humoradíssimo narrador Paulo Henrique Amorim, de cujo repertório salta mais um episódio para o rol das infâmias da Era FHC, intitulado Petrobrecht por ele mesmo, Paulo Henrique. "Complexo de vira-lata" é criação do nunca assaz citado Nelson Rodrigues, quando a seleção brasileira, já jogando o melhor futebol do mundo, tremia na hora agá.

Marcamos quatro da tarde no fim de abril de 2012 e, cinco minutos antes, tocamos a campainha do apartamento em Higienópolis, a não mais de dez quadras do quase xará Fernando Henrique. Recebe-nos

Georgia, jornalista como nós. Com extrema simpatia nos põe à vontade no escritório e vai chamar o marido, quem com mais cinco minutos entra de pijama, aos abraços e reprimendas:

"Vocês chegaram adiantado, estragaram minha sesta!"

Impossível ficar constrangidos, nos sentimos em casa. Por ser segunda-feira, devia precisar da sesta, pois tem fins de semana longos, conduzindo na TV Record seu *Domingo Espetacular*. Ademais, à noite vai receber em jantar uma vintena de "blogueiros sujos" como ele, entre os quais José Dirceu, ex-ministro da Casa Civil de Lula. "Blogueiros sujos" é como José Serra se referiu aos críticos da atuação da mídia durante a campanha eleitoral de 2010 — e Serra é especial "freguês" de Paulo Henrique, que só lhe grafa o nome com "C", Cerra.

Temos a primeira pergunta no gatilho, sobre bueiros que explodem, apagões a cada temporal em São Paulo, problemas na telefonia — será reflexo da privataria? Ele, com mais de mês de antecedência, canta a bola do que se vai dar na Argentina e do que se tornará necessário fazer aqui também:

"Existe a possibilidade de haver uma reestatização da YPF argentina. A Cristina (Kirchner) já está considerando isso. Acho que no caso da energia, em alguns pontos talvez seja necessário, como agora no Pará que quebrou uma empresa, a Celpa; é possível que em alguns casos seja preciso reestatizar."

No caso da telefonia, ele cita o amigo comum Rubens Glasberg, "maior especialista na parte de tele", a dizer a Paulo Henrique o que nos dirá no dia seguinte (falamos com Glasberg no Capítulo 25, *Maior estupidez político-estratégica que se fez no país*):

"Não tem mais um executivo que decida aqui. É tudo lá fora, planos de investimento, estratégias de publicidade. Hoje temos três grandes grupos: o mexicano, o da espanhola Telefonica e o dos portugueses. Houve uma desnacionalização completa."

* * *

Paulo Henrique ressalta que a obra mais importante da Era Lula — talvez mais até do que a inclusão de milhões de famílias pobres à classe média, "considerada sua grande obra e da qual ele se orgulha"

— foi preservar a Petrobras, "do ponto de vista da economia, a longo prazo, tem impacto incomparável". E a tarefa número um do PFL de Jorge Bornhausen, afirma nosso amigo, era privatizar a Petrobras. Não tiveram peito para tal. Mas chegaram perto.

Em 2000, narra Paulo Henrique, seis empresas estrangeiras passaram mais de ano no 12º andar da sede da Petrobras, "fazendo desfilar o gerente com todas as informações que quisessem, analisando todos os dados estratégicos". Henri Reichstul, o presidente da empresa, "em grande encenação, como se fosse preciso algum *marketing*, levou o Pelé para a Bolsa de Nova Iorque". Objetivo: a venda de ações da Petrobras, em duas etapas. Paulo Henrique:

"Foram vendidos 36% das ações por US$ 5 bilhões, quando valiam 15 vezes esse valor, sem contar as reservas do pré-sal a que esses acionistas passaram a ter direito sem nada ter pago por elas. É uma doação do patrimônio potencial do Brasil, até então país que entregou o que já foi ou está sendo produzido. Passou-se a entregar o que ainda será produzido. Um caso típico de entrega hereditária."

Cita o geólogo Guilherme Estrella que, em entrevista ao *Estadão,* se saiu com esta:

"Imagine você: de uma hora pra outra, um país que tem a massa continental que o Brasil tem, a população que o Brasil tem, o processo de inclusão social que hoje ocorre no Brasil, de repente descobre o pré-sal! O que as nações hegemônicas não estarão pensando?"

O mesmo que dizia o já citado Henry Kissinger, e o mesmo que pensa FHC e sua turma: os recursos naturais dos "dependentes" pertencem "aos países desenvolvidos".

A outra tentativa de se livrar da Petrobras é, no dizer de nosso amigo, uma "ideia mirabolante".

Inacreditável caso: a Petrobras ia "se vender" à Odebrecht

Paulo Henrique era editor-chefe do *Jornal da Band* quando denunciou a operação que apelidou de Petrobrecht e que ele nos conta "em primeira mão". Certo dia, Rafael de Almeida Magalhães, que foi ministro da Previdência no governo Sarney, advogado, lacerdista que "migrou para a centro-esquerda", mostra-lhe um contrato: a Petrobras, isso no governo FHC, ia financiar a Odebrecht, para a Odebrecht comprar a Petrobras. O autor da "ideia mirabolante" era Joel Rennó, presidente da empresa, cargo que, nos governos Sarney, Fernando I e Fernando II, era privativo do PFL. E Rennó era do PFL.

Paulo Henrique mostra o contrato a um diretor da Band, o advogado Carlos Maluf (sem parentesco com Paulo Maluf). Maluf lê aquilo "e diz que também queria". Quem não quer comprar uma Petrobras com dinheiro da própria Petrobras?

No ar, Paulo Henrique denuncia a jogada e "a primeira consequência foi a Petrobras tirar o patrocínio do *Jornal da Band*". Ao mandachuva da Odebrecht, que pediu uma audiência, Maluf disse brandindo o contrato:

"Vocês vão fazer isso aqui sem o Congresso Nacional? A Petrobras financiar a Odebrecht para a Odebrecht comprar a Petrobras!"

A Petrobras ia se vender para a Odebrecht?

"Isso mesmo, se vender! Essa foi uma história bonita."

Para Paulo Henrique, a privataria "é a maior roubalheira em matéria de privatização, maior que qualquer uma da América Latina". Entregaram nossa telefonia, com algumas das maiores empresas do ramo no mundo. E os serviços que prestam?

"Aqui é isso, vocês falaram: chove, não tem Internet. Tenho uma traquitana, são 800 motores, parece a Nasa. Caiu um puto de um pingo-d'água aqui, aquilo para."

Fernando Henrique lhe explicou certa vez em Nova Iorque a tese dele, de que nós não sabemos administrar, não temos *know how*. Ele lembra o que lhe contou um amigo, que era amigo de Ruth Cardoso, e o casal o convidou para passar um feriado na Gávea Pequena, bairro carioca, numa casa cedida à Presidência da República.

"O Fernando Henrique descreveu pra ele como funcionava aquela casa, e isso me fez ter ideia do raciocínio dele: a janela não fechava, as cortinas não desciam, o ar-condicionado quebrado, mandou buscar o amigo no carro oficial e o motorista não chegou. E dizia: é assim que funciona o estado brasileiro. O estado brasileiro é essa casa."

Complexo de vira-lata. Teoria da dependência. Só cresceremos encoleirados, atrelados aos "Steites". Mas quem tem complexo de vira-lata não será vira-lata? Prova é que, por sentir-se assim, entregam tudo a "quem sabe administrar" e sequer competência para entregar têm. Durante a privatização, explana Paulo Henrique, "ficou estabelecido que, todo patrimônio das estatais que privatizassem, teriam que ressarcir o estado — a cadeira, o fio elétrico, o penico..." Mas entregaram sem fazer o levantamento dos bens:

"Não há em nenhum lugar do Brasil um só inventário dos bens vendidos."

E essa privatização na prática é financiada pelo Brasil, né? — perguntamos.

"Sim! Pelo Brasil. Os números do Biondi são indiscutíveis."

Os gringos compraram, e pagaram com o nosso próprio dinheiro. É o caso de perguntar: o que foi que o Brasil fez para Fernando Henrique?

Dormia/A nossa pátria mãe tão distraída/Sem perceber que era subtraída/Em tenebrosas transações.

Assim cantou o poeta Chico Buarque. Mas qual dessas transações teria sido a mais tenebrosa? Com a palavra Paulo Henrique Amorim:

"Houve várias. Não se pode cometer o equívoco de dizer que houve uma. A privatização da telefonia foi montada naquele grande momento, no governo FHC, quando o Ricardo Sérgio de Oliveira, num telefonema para o Luiz Carlos Mendonça de Barros, então ministro das Comunicações, disse: 'Chegamos no limite da irresponsabilidade.' (Capítulo 18, *Uma questão de elos perdidos que acham outros elos.*) A privatização no México foi feita pelo presidente Carlos Salinas, ele pegou toda a telefonia do México e entregou para um empresário, o Carlos Slim, hoje o homem mais rico do mundo. Aqui dividiram em três: Brasil Telecom, Telemar e Telefonica. A privatização no Peru foi feita pelo Alberto Fujimori. A privatização na Argentina foi feita pelo Carlos Menem. A privatização no Brasil foi feita pelo Fernando Henrique Cardoso. O Carlos Salinas é refugiado político na Irlanda. Alberto Fujimori está preso no Peru. Carlos Menem corre do camburão da polícia mais do que aquele jamaicano que bateu o recorde dos 100 metros rasos. E o Fernando Henrique Cardoso é o cérebro, o príncipe dos sociólogos brasileiros. É um país muito peculiar."

De fato, trata-se de um país de peculiaridades. Como se explica que, na opinião pública, haja derretido a imagem de FHC enquanto que, na opinião publicada, cada vez ela se torne mais resplandecente? Simultaneamente, o inverso acontece com seu sucessor.

Aliás, Lula não gostou do legado do Príncipe dos Sociólogos. Uma desfeita, já se vê. Típica de quem não soube apreciar a formosura daquele mandato e elegância daquele mandatário. Chamou-o "herança maldita". Expressão que nunca desceu pela garganta de Fernando II. Tanto que se viu obrigado a regurgitá-la.

"Herança pesada" foi o título de seu artigo que os jornalões publicaram em 2 de setembro de 2012. Fustigou Lula, acusando-o de deixar para Dilma Rousseff um espólio indigesto. Descascou o sucessor centrando fogo em dois pontos: 1) o aspecto moral, leia-se Mensalão; e 2) a crise econômica.

O partido de Lula e de Dilma, enfatiza, tem uma "obsessão por formar maiorias hegemônicas", o que diagnostica como "enfermidade petista incurável". Adiante, pontifica que "desviar dinheiro é crime, tanto para caixa dois como para comprar apoio político no Congresso Nacional". É de se perguntar a quem nos lê: não soa familiar "formar maiorias hegemônicas" e "comprar apoio político"?

FHC reclama que Lula deixou de "fazer as reformas" — expressão que muita gente, ao ouvir, intuitivamente encosta as costas na parede mais próxima. Queixa-se de que o petista não flexibilizou a legislação trabalhista para estimular o trabalho formal. Torpedeia a indústria naval em ascensão. Acha ruim e caro estaleiros nacionais construir no Brasil navios e plataformas de petróleo antes importados. Bate na "expansão ilimitada de carros", causa de congestionamentos e de poluição. Critica a "desorientação da política energética". E, como é de seu estilo, encerra de modo tonitruante, considerando "pesada como chumbo" a herança desse "estilo bombástico de governar que esconde males morais e prejuízos materiais sensíveis para o futuro da Nação".

Sem querer querendo, FHC projeta um discurso interessante para o PSDB em 2014: 1) Flexibilizar a legislação trabalhista; 2) Fechar a indústria naval, dispensar os milhares de trabalhadores do segmento e voltar a importar plataformas e cargueiros; 3) Nova política energética (similar, quem sabe, àquela que provocou o apagão em seu mandato); 4) Acabar com os consórcios e aumentar o IPI sobre automóveis de modo a reduzir os congestionamentos e a poluição. Parece perfeito.

Talvez essa plataforma empolgue de tal maneira o eleitorado, que ele deixe cair no esquecimento e na irrelevância aquilo que o Príncipe dos Sociólogos com seu *savoir-faire* classificaria de "aspecto moral" de seus oito anos de monarquia republicana. Além de eventos como a privatização e o suborno de parlamentares para aprovar a reeleição, são dignos de menção mais alguns contratempos da Era Gloriosa, a saber: rombo de R$ 2 bilhões na Sudam, a Superintendência de Desenvolvimento da Amazônia; desvio de R$ 1 bilhão e 400 milhões na Sudene, Superintendência de Desenvolvimento do Nordeste; escândalos Marka-FonteCindam, Sivam e Proer; denúncias de uso de caixa dois nas campanhas presidenciais de 1994 e de 1998; desvio de R$ 4 milhões e 500 mil do FAT, Fundo de Amparo ao Trabalhador; "apagão" em 2001, resultado da queda de investimentos na produção de energia elétrica; "apagão" nas telecomunicações em julho de 1999; escalada da dengue após a demissão de seis mil mata-mosquitos.

Quanto à questão "econômica" contida no libelo contra outro ex-presidente, a matemática será mais útil para nos trazer a verdade do que a retórica. É ela que vai nos esclarecer sobre quem leva a melhor nesse cabo de guerra entre o príncipe e o metalúrgico. Recorremos aos dados da 14ª edição de Economia Brasileira em Perspectiva, informe de fevereiro de 2012, do Ministério da Fazenda. Que flagra que alguma coisa mudou no Brasil entre 2002 e 2012. Números também falam:

1) PRODUTO INTERNO BRUTO	
2002	US$ 500 bilhões
2012	US$ 2,6 trilhões

2) PIB PER CAPITA	
2002	US$ 2,8 mil
2012	US$ 13,3 mil

3) PRODUÇÃO DE AUTOMÓVEIS

2002	1,8 milhão de unidades
2011	3,4 milhões de unidades

4) SAFRA DE GRÃOS

2002	96,8 milhões de toneladas
2011	163 milhões de toneladas

5) TAXA DE INVESTIMENTO SOBRE O PIB

2002	16,4%
2011	20,8%

6) INVESTIMENTO ESTRANGEIRO DIRETO

2002	US$ 16,5 milhões
2011	US$ 66,6 bilhões

7) INFLAÇÃO — IPCA

2002	12,5%
2012	4,7%

8) DESEMPREGO

2002	12,9%
2011	4,7%

9) FORMALIZAÇÃO DO TRABALHO

2002	45,5%
2011	53,2%

10) SALÁRIO MÍNIMO NOMINAL

2002	R$ 200
2012	R$ 622

11) COEFICIENTE DE GINI (mede a desigualdade de renda: quanto mais perto de 1, pior)

2002	0,589
2012	0,541

12) TAXA DE POBREZA
(Classe E no total da população)

2002	26,7%
2012	12,8%

13) CLASSE C SOBRE TOTAL DA POPULAÇÃO

2002	37%
2012	50%

14) NÚMERO DE MATRÍCULAS NO ENSINO PROFISSIONAL

2002	565 mil
2012	924 mil

15) PERCENTUAL DA FORÇA DE TRABALHO COM 11 ANOS OU MAIS DE ESTUDO

2002	44,7%
2012	60,5%

16) BOLSAS DE MESTRADO E DOUTORADO (Capes e CNPq)

2002	35 mil
2010	74 mil
2013	105 mil

17) TÍTULOS EM DOUTORADO	
2002	6.894
2011	13.304

18) DÍVIDA EXTERNA	
2002	US$ 165 bilhões
2011	US$ 79,1 bilhões

19) RESERVAS INTERNACIONAIS	
2002	US$ 36 bilhões
2012	US$ 353 bilhões

20) EXPORTAÇÕES	
2002	US$ 60 bilhões
2011	US$ 256 bilhões

21) JUROS — TAXA SELIC	
2002	25% aa
2012 (31 janeiro)	10,5%

22) DÍVIDA DO SETOR PÚBLICO SOBRE O PIB	
2002	60,4%
2012	36,9%

23) DESPESAS DE PESSOAL	
2002	4,8% do PIB
2012	4,4% do PIB

Três políticos, três julgamentos implacáveis

Ciro Gomes, governador do Ceará aos 33 anos, após ministro da Fazenda de Itamar Franco substituindo Fernando Henrique, na *Caros Amigos* de maio de 2006 reprovou a Era FHC avaliada "em números". Disse de um só jorro:

"Fernando Henrique e Serra, para mim, são coisas muito ruins, nada pessoal, mas pelo que eles fizeram com o país concretamente, em números. Acaba o governo Itamar, o governo Cardoso tomou posse, eu ainda ministro da Fazenda e passo o Ministério para o Malan. O Brasil tinha os seguintes números: 500 anos de história, uma dívida pública equivalente a algo equivalente a 30% do PIB. A carga tributária 27% do PIB. Oito anos depois, a dívida que era de 30% passou a 58% do PIB, a carga tributária, que é a receita, passou de 27% para 36% do PIB. E o patrimônio, 100 bilhões de dólares, foi vendido.

"Aumentou dramaticamente a arrecadação, a ponto de introduzir ineficiências grandes no processo produtivo brasileiro e injustiça regressiva no sistema tributário para trabalhadores de classe média.

"Explodiu a dívida pública de maneira absolutamente ensandecida: em oito anos, o dobro do que se fez em 500 anos para financiar uma infraestrutura impressionante, a décima primeira do planeta. E a privatização aportou mais o que equivaleria a 220, 215 bilhões de reais — ato contínuo, perdemos um terço dos mestres e doutores das universidades públicas no período, como sintoma da destruição do estado.

"Recebeu Lula a Presidência da República com 5 mil homens operacionais na Polícia Federal, o órgão encarregado de dar combate à corrupção, aos crimes contra a administração pública, ao narcotráfico, contrabando de armas, segurança de dignitários, guarda da fronteira... Os 37 mil quilômetros de estradas outrora asfaltadas, destruídas. E um apagão no setor elétrico. Só pra ser econômico aqui. Isso é a dupla Serra-Fernando Henrique."

* * *

Não podia haver mais significativo desfecho para a Era FHC do que o apagão. Ocorre em 1º de julho de 2001, domingo, e outro em 27 de setembro de 2002, sexta-feira. A falta de chuvas deu uma força à falta de planejamento e investimentos em geração de energia — mais uma obra da privataria. Segundo cálculos de Delfim Netto, cada brasileiro perdeu R$ 320 com o apagão. Auditoria do Tribunal de Contas da União, TCU, publicada em 15 de julho de 2009, calculou prejuízo ao Tesouro de 45 bilhões e 200 milhões de reais.

Maria Luíza Curti, psicóloga na capital matogrossense e colaboradora do *Diário de Cuiabá*, chamou FHC de *Príncipe das Trevas*, depois de uma viagem à capital paulista, que encontrou imersa na escuridão.

FOLHA DE S.PAULO

Blecaute atinge dez Estados

O ESTADO DE S. PAULO

Raio em Bauru foi a causa do blecaute

Ao apagar das luzes de seu governo, FHC enfrenta ainda um apagar das luzes real. O príncipe das trevas, qualificou uma jornalista cuiabana.

* * *

Outro entrevistado nosso, Roberto Requião, instado a comparar dois governos, assim respondeu:

"A gente não precisa nem de um roubômetro para avaliar isso. O Fernando Henrique com a privataria roubou 10 mil vezes mais do que qualquer possibilidade de desvio do governo Lula."

E Mauro Santayana, falando para este livro, reservou para o fim da entrevista o julgamento de José Aparecido de Oliveira, político mineiro, ministro da Cultura de Sarney, testemunhado por Wilson Figueiredo, jornalista como nós. Contou-nos Santayana:

"O Zé Aparecido, pouco antes de morrer, falou comigo e com o Wilson Figueiredo: O presidente Fernando Henrique não ficará bem na história; ele ficará como traidor do Brasil."

CAPÍTULO 35
Instituto de FH, iFHC, se fez numa história sórdido-tragicômica

Última ceia: FH passa o chapéu para montar seu instituto — Depositou a dinheirama no banco de Daniel Dantas — Um salto: de *status* de classe média alta a *status* de banqueiro — "E o Joãozito? Por que fez aquilo?"

João Borges, o Joãozito, sempre amparou os negócios com sua simpatia e o sobrenome de 500 anos. Médio empresário, sócio de várias firmas, jogador de pôquer e *cachelet*, vive agarrado na orelha da sorte em mesas de carteado nos salões da plutocracia paulista. Nacional Club, entre milicos da reserva, numerários da Opus Dei e aristocratas desocupados; São Paulo Clube, no coração de Higienópolis em vetusto casarão da família Prado, comprado pelo banqueiro Gastão Vidigal, financiador da Oban, Operação Bandeirantes, máquina de desaparecer pessoas na ditadura militar. Fugas para Punta del Este e Las Vegas.

Nisso iam ficando os caraminguás já escassos do empresário decadente. Depois de perder uma diretoria do Banco Finasa, de Gastão Vidigal, Joãozito encontrou subsistência como espécie de dirigente nômade da elite paulistana. Na Sociedade Harmonia de Tênis, onde não é bem-vinda gente de pele sequer morena, sem sobrenome importante, ou com sobrenome judaico ou árabe, João Borges será longevo presidente a cativar convivas nos restaurantes, nas quadras de tênis, nas saunas ou no carteado, mas por trás brindado com invectivas e desconfianças.

"A água mineral aqui é mais cara que no Plaza Athénée de Paris."

Torna-se presidente do Automóvel Clube. Certa sócia, filha de um dos maiores latifundiários de São Paulo, que herdou do pai o título do clube, recorda:

"Lá não se entrava sem gravata. Juscelino, Jango, Jânio, Adhemar e Lacerda passaram por aqueles salões. Todos os talheres de prata. Os garçons conheciam nossas predileções."

O Automóvel Clube é deslumbrante cripta no centro de São Paulo, ao lado da Votorantim e atrás do Theatro Municipal. Numa mesa o senador José Ermírio de Moraes devora seu filé Chateaubriand e bate papo com os garçons, que o adoram.

"A gente comia vendo o Viaduto do Chá e o Mappin. Mamãe mandava buscar pato assado para o jantar. Era uma extensão da nossa casa. Todos os sócios eram ricos. E vem o Joãozito em 2002 e diz que o clube está quebrado porque ninguém pagava mensalidade", reclama aquela herdeira, aqui menos saudosa e mais revoltada.

Metade dos sócios chocados, metade dando gargalhadas.

"Mas o mentiroso nos roubou o clube", opina.

O que narra a elegante senhora — que tem fazendas em muitos estados, foi educada em colégio na Suíça e viaja em avião particular — é uma história sórdido-tragicômica.

Um jantar de gala
para FHC passar o chapéu

Começo de novembro, 2002. Planalto Central. O crepúsculo é de um lilás melancólico, ao qual Jânio Quadros chegou a creditar sua renúncia. Fernando Henrique está a menos de dois meses de despedir-se do segundo e último mandato.

Uns oito jatinhos repousam nos hangares do terminal 2 do aeroporto Presidente Juscelino Kubitschek, em Brasília: David *Suzano* Feffer, Emílio *Empreiteira* Odebrecht, Jorge *Grupo* Gerdau, Katy *Banco Icatu* Almeida Braga, Lázaro *Bradesco* Brandão, Luiz *Empreiteira Camargo Corrêa* Nascimento, Márcio *Bradesco* Cypriano, Pedro *Klabin*

Piva, Ricardo *Grupo Espírito Santo* do Espírito Santo, Sérgio *Empreiteira* Andrade Gutierrez e outros sentam-se à mesa para jantar no Palácio da Alvorada.

É noite de gala, como descreverá Gerson Camarotti na revista *Época*: jantar "regado a vinho francês Château Pavie" de US$ 150 a garrafa, assinado pela *chef* francesa Roberta Sudbrack — ravióli de aspargos, *foie gras*, perdiz com *penne* e alcachofra, rabanada de frutas vermelhas.

Quem selecionou e convidou os empresários foi velho amigo da família Cardoso, Jovelino Mineiro, que está à mesa, sócio dos filhos do presidente na fazenda de Buritis, Minas Gerais — e de quem vamos tratar melhor daqui a um minuto.

Na conversa, Fernando Henrique diz que pretende ter uma base em Paris. "Nada mal!", exclama. Boa parte dos maiores empresários brasileiros terminam a Era FHC em situação melhor do que quando começaram. E FHC aproveita para "passar o chapéu" a fim de angariar dinheiro para a ong iFHC, Instituto Fernando Henrique Cardoso. As doações foram tratadas tão sigilosamente, que vários dos presentes só ficam sabendo da facada agora, na hora do jantar. Já contribuíram com R$ 1 milhão e 200 mil para comprar a sede, um andar no Edifício Esplanada, com 1.600 metros quadrados, onde funcionava havia meio século o Automóvel Clube de São Paulo.

Os comensais, após rápida e desconfortável negociação, fecham negócio: 12 deles doarão R$ 7 milhões para um fundo que financiará palestras, cursos, viagens do futuro ex-presidente, e trará convidados estrangeiros. Jovelino Mineiro sugere que cada um convide mais dois parceiros para dividir os gastos.

Assim, à custa do filé do capitalismo brasileiro, FHC financiou seu instituto.

* * *

Na verdade, é escritório, depósito de documentos e presentes recebidos, mais fotos do *Príncipe dos Sociólogos*, que ele manuseia, uma por uma, motivo de piada entre assessores.

O iFHC encontraria na sede do Automóvel Clube o endereço para instalar-se; e, no endividado João Borges, a habilidade para driblar centenas de sócios que chiam, mas não irão à justiça contra o esbulho. FHC escolhe o Banco Opportunity, para administrar os milhões que arrancou dos magnatas naquela noite.

Joãozito, sem a concordância de um sócio sequer, acertou com FHC e sua corte o repasse da suntuosa sede. Da intermediação participou, também, o esperto Jovelino Mineiro.

Amigo desde 1994 conseguiu a suntuosa sede para o iFHC

Genro de Roberto Abreu Sodré, cacique da reacionária UDN e governador biônico de São Paulo na ditadura militar, Jovelino Mineiro não passa despercebido ao observador atento.

"Quando esse cara casou com a filha do Sodré", conta-me um informante, "ele era duro. Depois que ficou sócio do Fernando Henrique, se tornou muito mais rico do que a família da Carmo."

A mulher de Jovelino, Carmo, não é apenas filha de ex-governador, ex-chanceler, pecuarista e cafeicultor. Seu avô materno foi João Mellão, banqueiro, fazendeiro, industrial, um dos homens mais ricos do Brasil.

Chegado aos Cardosos desde a eleição de 1994, foi numa fazenda herdada pela mulher de Jovelino Mineiro que FHC e família descansaram depois da campanha.

Realizará sonhos. Compra a fazenda de Unaí, Minas Gerais, aquela que os sem-terra invadiram.

Jovelino foi quem encontrou o endereço que Fernando Henrique procurava, o Automóvel Clube, no edifício Esplanada, distante apenas dois quilômetros de seu apartamento em Higienópolis, na rua Rio de Janeiro, cobertura no Edifício Chopin, a 150 metros do antigo apartamento na rua Maranhão. FHC vivia em belo apartamento de classe média-alta. Na Rio de Janeiro, passa a habitar cobertura de banqueiro. Apartamento com *pedigree*: o ex-proprietário é Edmund Safdié, ex-Banco Cidade.

* * *

João Borges, mergulhado em dívidas, com amigos poderosos, se derreteu diante de um presidente que o tratava pelo mesmo diminutivo que a paulistada do Harmonia: Joãozito. Jovelino Mineiro era coberto de gentilezas por membros do alto escalão do governo. Flanava pelos ambientes sofisticados. Vida resolvida. Problemas financeiros? Broncas públicas? Coisa do passado.

Joãozito chegava ao núcleo do poder tucano. Na conservadora São Paulo, a menção ao Instituto Fernando Henrique Cardoso inibia o protesto público dos sócios. Em particular o chamavam de traidor. Não importava. Joãozito chegou a ir ao Automóvel Clube no papel de mestre de obras, discutir com pedreiros, eletricistas.

O iFHC ficou pronto. Na mesma proporção em que os sócios logrados passam a evitá-lo, os intermediários tucanos, antes gentis, nunca mais atendem um mero telefonema do ansioso Joãozito. Só o procuram os credores. Bem podia ter-se espelhado em Esopo, *A Gralha e os Pavões*.

A gralha, querendo se achar, cobriu o corpo com penas de pavão. Durante um tempo, os pavões a aceitaram e até a trataram como igual. Por fim, irritados, a atacaram a bicadas, lhe arrancaram as penas e a enxotaram, por pretender ser o que não era.

João Borges sucumbiu. Morreu do coração, dizem oficialmente. Mas no Harmonia, entre um *Dry Martini* e um *Bloody Mary*, velhotas se perguntam ainda hoje:

"E o Joãozito? Por que fez aquilo? Do que morreu Joãozito?"

CAPÍTULO 36
Diálogo perfeito para fechar a história do amor desfeito

Pai e filho combinam algo sem contar à mãe — "Nunca passou pela cabeça de FHC que não fosse filho dele" — Nada neste mundo, em que se vende até a mãe, que não se resolva com dinheiro — Uma visita melancólica

FHC e Tomás desenvolveram ao cabo certa cumplicidade. Quando o garoto morava na Espanha com mãe e tia, viam-se ao menos duas vezes por ano. No fim de 2011, Tomás vem ao Brasil, a mãe também. Por pressão dos três filhos que teve com Ruth e, a contragosto, havia combinado com Tomás algo que não contaram a Miriam: fizeram — Tomás em Nova Iorque, FHC em São Paulo — exame de DNA. Amigos perguntam: por que nunca fez antes? Resposta de Fernando Henrique:

"Porque não era moda."

Segundo minha fonte, esses amigos comentam que nunca passou pela cabeça de FHC que Tomás não fosse filho dele.

Mônica Bergamo, que em sua coluna social na *Folha de S. Paulo* volta e meia publicava mexerico sobre o filho da "última exilada"; contou da facada que levou de um coleguinha adolescente; sempre sem citar FHC. E cada vez mais intrigando seus leitores sobre a razão de citar tanto o tal menino? Coube-lhe a primazia de dar o furo do reconhecimento da paternidade, em 2009, quando Tomás completava 18 anos, com chances de pretender juridicamente lugar na partilha da herança. Depois, repercutiu informação de Lauro Jardim na seção *Radar* da *Veja*:

Filho de repórter da Globo não é de FHC, revela DNA
MÔNICA BERGAMO
COLUNISTA DA FOLHA

> *Dois testes de DNA, feitos em São Paulo e em Nova Iorque, revelaram que Tomás Dutra Schmidt, filho da jornalista Miriam Dutra, da TV Globo, não é filho do ex-presidente Fernando Henrique Cardoso.*
>
> *Em 2009, FHC reconheceu Tomás como filho num cartório em Madri, na Espanha.*
>
> *O jovem, que hoje tem 18 anos, pode usar o documento a qualquer momento para colocar o nome do ex-presidente em sua certidão, segundo interlocutores de FHC. A informação sobre os testes foi publicada na coluna Radar, da revista* Veja.
>
> *Depois que o documento já estava pronto, os três filhos do tucano com Ruth Cardoso — Paulo Henrique, Beatriz e Luciana — pediram ao pai que fizesse um exame que comprovasse que Tomás era mesmo filho dele.*
>
> *O ex-presidente concordou, imaginando com isso colocar fim a qualquer possibilidade de desentendimento entre os irmãos e Tomás.*
>
> *O primeiro teste foi feito no fim do ano passado, em São Paulo. A saliva de FHC foi recolhida em São Paulo, e a de Tomás, em Washington, nos EUA, onde estuda, por meio do representante do escritório do advogado brasileiro Sergio Bermudes, que cuidou tanto do reconhecimento quanto dos testes feitos.*

O primeiro exame deu negativo. FHC decidiu então se encontrar com Tomás em Nova Iorque para um novo teste, que também deu negativo.

Qual Fernando Henrique encontramos quando ele chega à octagenariedade? Marginalizado por sua grei, deu uma guinada à esquerda em matéria de comportamento e passou a defender a regulamentação de drogas proibidas. Participou inclusive de um filme, *Quebrando o Tabu*, que trata dessa temática. Contudo, quando Governo de São Paulo e Prefeitura da capital paulista patrocinaram, no final de 2011, o desumano tratamento dado a consumidores de *crack* e outras drogas lícitas e ilícitas, na conhecida Cracolândia paulistana, com PMs batendo, atirando com balas de borracha, jogando bombas de efeito moral, *spray* de pimenta, cadê FHC? O colunista Wálter Fanganiello Maierovitch, que foi nosso "czar" das drogas, escreveu em *CartaCapital* que aquela truculência "contou com o silêncio solidário de Fernando Henrique Cardoso" — prova, segundo Maierovitch, da "atuação farsante própria de oportunistas".

* * *

Aproveitando que, naquele final de 2011, Miriam Dutra se encontrava em São Paulo, hospedada num *flat* do Morumbi, FHC fez-lhe uma visita. Levou o exame de DNA. Antes de se despedir, conforme reportagem assinada por Bela Megale e Ines Garçoni na revista *Poder*, de Joyce Pascowitch, travaram o seguinte diálogo:

Fernando Henrique — O Tomás não é meu filho.
Miriam Dutra — Então, de quem é?

FIM

Linha do tempo

Retrato do Brasil na Era FHC

1930
Somos 37 milhões e meio de brasileiros. José Sarney nasce em 24 de abril. No início da primavera, o capitão Leônidas Cardoso e sua mulher, Nayda, geram o primeiro filho, a nascer no bairro carioca de Botafogo: Fernando Henrique.

Crack de 1929 em Wall Street atinge nossa economia alicerçada no café, preço despenca. Salários caem à metade. Desespero, suicídios. Saímos das garras inglesas para as americanas.

Aliança Liberal lança o gaúcho Getúlio Vargas à presidência com o paraibano João Pessoa de vice, contra o paulista Júlio Prestes, que vence à base da fraude, detonando a Revolução de 1930 e dando início à Era Vargas, nacionalista e paternalista — que FHC pretenderia "enterrar" 64 anos depois. Com o Manifesto de Maio, Luis Carlos Prestes prega insurreição popular. Surgem os integralistas, inspirados no fascismo, sob liderança de Plínio Salgado.

Em 19 de setembro nasce Ruth Correia Leite, futura Ruth Cardoso.

Oswald de Andrade e Patrícia Galvão, a Pagu, casam e entram para o Partido Comunista. Fundadas no Rio as empresas de cinema Cinédia e Brasil Vita. Cravado no Corcovado o Cristo Redentor. Carmen Miranda brilha com Taí, de Joubert de Carvalho. Noel Rosa, aos 20, gênio: lança o samba Com que Roupa.

Em 3 de novembro, vence o movimento detonado em 3 de outubro contra a República Velha; Getúlio assume a presidência.

1931
No Rio, em 18 de junho nasce Fernando Henrique Cardoso e, em 1º de outubro, Jorge Bornhausen. Inaugurado em Nova Iorque o Empire State, mais alto edifício do mundo com 102 andares: 443 metros, três vezes e meia os 130 metros do paulistano Martinelli (1929).

Getúlio herda dívida de 267 milhões de libras, decreta moratória e Oswaldo Aranha negociará condições de pagar. Cria os Ministérios do Trabalho e da Educação. Reconhece sindicatos e passa a promulgar leis de proteção aos assalariados, como a Lei da Sindicalização. Anísio Teixeira inicia no Rio reformas na educação.

Baiano Oscar Cordeiro cava em Lobato um poço e encontra petróleo. Lobato lança Escândalo do Petróleo, munição para a campanha O Petróleo é Nosso.

Batista Luzardo, chefe de polícia do Rio, traz técnicos de Nova Iorque para implantar um policiamento "antissubversivo" — leia-se "anticomunista".

Seca dizima gado e mata gente no Nordeste, socorrido pelo paraibano José Américo, ministro da Viação, autor de A Bagaceira.

Getúlio se curva à "valorização do café", queima milhões de sacas para forçar a alta, ressarcindo fazendeiros com dinheiro público: socialização de prejuízos, ou capitalismo à brasileira: o povo paga.

Baiano Jorge Amado estreia com País do Carnaval e gaúcho "amazonizado" Raul Bopp lança o "brasílico" Cobra Norato. Mineiro Chico Xavier lança Parnaso, primeiro de mais de cem livros psicografados. Astrojildo Pereira sai do Partido Comunista, descontente com o obreirismo — culto do trabalhador braçal.

Transição da vassalagem cultural à França para os Estados Unidos: ensino de inglês obrigatório no curso secundário.

1932
Lamartine Babo campeão do carnaval com Teu Cabelo Não Nega: Mulata, mulatinha, meu amor/Fui nomeado seu tenente interventor. Mulata na moda, e interventores: tenentes que Getúlio nomeia governadores dos estados.

Movimento galvaniza a elite paulista pela "reconstitucionalização". Movem-se os carcomidos de 1930 querendo retomar o poder. Em 9 de julho, explode a Revolução Constitucionalista, derrotada; há milhares de mortos, e prisões, deportações: Austregésilo de Athayde, Prudente de Morais, Euclydes Figueiredo (pai do futuro general João Batista), Júlio de Mesquita. Para entender a derrota, a elite paulista funda a Escola Livre de Sociologia e Política, americanófila, oposta à da USP, francófila.

Villa-Lobos apresenta Bachianas Brasileiras nº 1, ponto alto de nossa música erudita.

Plínio Salgado lança a Ação Integralista Brasileira, que atrai classes médias, clero e oficiais pelo lema Deus, Pátria e Família.

São Paulo reprime com violência greve de ferroviários.

Paraibano José Lins do Rego publica Menino de Engenho e série de romances sobre nordestinos; alagoano Graciliano Ramos lança Caetés, seguido das obras-primas Angústia e Vidas Secas; gaúcho Érico Verissimo inicia com Fantoches obra que culminará com Incidente em Antares.

Getúlio cria carteira de trabalho; decreta jornada de oito horas, salário igual para trabalho igual, licença de um mês para gravidez e parto; voto secreto, Justiça Eleitoral, voto da mulher.

Físico inglês James Chadwick "pega" mais uma partícula do núcleo do átomo, o nêutron.

FHC começa a andar e já fala papá e mamã.

HISTÓRIA AGORA

1933

Em *Casa Grande & Senzala*, Gilberto Freyre desconcerta a esquerda e irrita a direita — ao recordar hábito brasileiro de jurar "pelos pentelhos da Virgem"; Afonso Arinos escreve que CG&S é mais pornográfico que sociológico. Heitor dos Prazeres, sambista e pintor, lança o "samba do ano", *Mulher de Malandro*, mas o carnaval é de Noel, *Fita Amarela*: *Quando eu morrer/ Não quero choro nem vela*. Oswald de Andrade e Pagu publicam romances proletários que merecem revisita: *Serafim Ponte Grande*, dele; *Parque Industrial*, dela.

Getúlio regulamenta férias para comerciários e bancários, depois industriários e portuários. Revoga atos de ex-governadores que entregavam terras da Amazônia a gringos americanos e canadenses.

Catarinense Antonio Galotti vira advogado da Light contra interesses brasileiros, a enganar fiscais e obter empréstimos de favor, até a façanha-mor: vender a Light a Geisel por bilhões em vésperas de vencer a concessão e a empresa voltar ao país de graça.

Voa o primeiro Boeing nos Estados Unidos.

1934

Quem Foi que Inventou o Brasil de Babo é o sucesso do ano, cantada por Almirante.

Movimento estudantil fica entre a Federação Vermelha (comunista), de Mário Lago, e o Clube da Reforma, de Carlos Lacerda. Integralistas marcham pelas cidades de camisas verdes, mãos à moda nazista, gritando *anauê!* (tupi: eis-me aqui); publicam livros, conspiram nos quartéis.

Criada a USP, Universidade de São Paulo; na direção, Teodoro Sampaio com assessoria de Paulo Duarte; trazem professores franceses, italianos, alemães e portugueses.

Assembleia Nacional Constituinte promulga nova Constituição, consagrando o nacionalismo no capítulo *Da Ordem Econômica e Social*; mas não é laica: obedece à Igreja Católica pondo Deus no preâmbulo e instituindo o casamento "indissolúvel". JK, o *Nonô*, futuro presidente, elege-se deputado.

Editor José Olympio instala-se no Rio.

1935

Orlando Silva, cobrador de ônibus de 20 anos, revela-se com *Última Estrofe* nosso cantor-mor. Sucesso no carnaval, *Cidade Maravilhosa*, de André Filho, vai virar Hino do Rio.

Literatura amadurece com *Os Ratos*, do gaúcho Dionélio Machado; *Jubiabá*, de Jorge Amado; *São Bernardo*, de Graciliano Ramos; *Moleque Ricardo*, de Lins do Rego; *Calunga*, do alagoano Jorge de Lima.

Intelectuais se opõem. De um lado, antifascistas e antirracistas, como Mário de Andrade, Gilberto Freyre, Anísio Teixeira; socialistas, como Hermes Lima, Sérgio Buarque de Holanda; e comunistas. De outro lado, fascistas, integralistas e reacionários católicos, como Alceu Amoroso Lima, San Thiago Dantas, Vicente Rao, Chico Campos.

Inaugurada a Rádio Nacional. Getúlio cria a *Voz do Brasil*, programa governista.

Freyre nos dá outra obra-prima: *Sobrados e Mucambos*, sobre a decadência rural e ascensão do bacharel; lança o mito do "amarelinho", herói pequenino, magrinho, feiosinho: Dumont, Ruy, Euclides.

Lei garante estabilidade no emprego, com indenização a demissão sem justa causa, proscrita pela ditadura militar a serviço das multinacionais.

Austríaco Ferdinand Porsche apresenta o Volkswagen — "carro do povo".

Em 23 de novembro eclode em Natal e, logo, no Rio, a Intentona Comunista, grande equívoco das esquerdas, promovida por militares da ANL, Aliança Nacional Libertadora, liderada por Prestes. Resulta em perseguição a comunistas e afins, torturados barbaramente pela polícia de Filinto Müller. Preso, Graciliano Ramos deixará precioso testemunho em *Memórias do Cárcere*.

1936

Sucesso do carnaval é *Pierrô Apaixonado*, de Noel e Heitor dos Prazeres.

Aderem ao integralismo futuros arrependidos, na ilusão de uma via nacionalista: Abdias Nascimento, Roland Corbisier, Gerardo Mello Mourão. Na Espanha, Franco derruba o governo republicano; brigadas internacionais rumam para lá, mas o fascismo vence.

Anísio Teixeira, *filobolchevista* segundo conservadores, publica *Educação para a Democracia*; e Sérgio Buarque de Holanda, *Raízes do Brasil*. Sílvio Caldas lança o clássico *Chão de Estrelas*, de Orestes Barbosa. Gustavo Capanema reúne mentes privilegiadas para tocar projetos: Rodrigo de Melo e Franco, Drummond, Mário de Andrade, Lúcio Costa, Niemeyer, Portinari, Villa-Lobos, Cecília Meirelles, Manuel Bandeira. Carmen Miranda grava de Ari Barroso *No Tabuleiro da Baiana*.

Berta Lutz, bióloga, pioneira do movimento feminista, elege-se deputada.

Chaplin lança *Tempos Modernos*, sátira aos desvarios do capitalismo.

1937

Em 4 de maio, vai-se Noel aos 26 anos.

Policiais, jagunços e soldados exterminam o Caldeirão, comunidade cearense de fiéis do Padim Ciço liderada pelo Beato Lourenço; usam até canhões e aviões na chacina de mais de 500 romeiros.

O povo duvida que Getúlio promova eleições e canta a marchinha de Nássara — *Na hora agá/ Quem vai ficar é seu Gegê*. Roberto Simonsen reúne textos de cursos que ministrou e publica *História Econômica do Brasil: 1500-1820*. Jorge Amado se impõe com *Capitães da Areia*. Solano Trindade cria, no Rio, o Centro de Cultura Afro-Brasileira. Getúlio decreta: lutar ou jogar capoeira não é mais crime.

Orlando Silva remancheia mas grava *Carinhoso*, letra de João de Barro, que Pixinguinha guardava desde 1910 com medo da reação dos patrulheiros, que o acusavam de francesista.

Em 10 de novembro, Getúlio cria o autogolpe — "única resposta para a crise criada pela iminência da guerra civil"

— e funda o Estado Novo, que começa como ditadura fascista, vira neutralista e acaba, na II Guerra, alinhando-se às democracias contra o nazifascismo.

Húngaro Lazló Biró inventa a caneta esferográfica.

1938

O povo canta *Yes, nós temos banana/ Banana pra dar e vender*, de João de Barro e Alberto Ribeiro.

Hitler anexa a Áustria e é aclamado em Viena. Em 10 de maio, integralistas assaltam de madrugada o Palácio Guanabara, a família Vargas se defende com alguns revólveres até chegar socorro: fuzilam oito integralistas. Entre presos e deportados, figuram liberais que apoiavam os golpistas: Otávio Mangabeira, Júlio de Mesquita Filho, Armando de Sales Oliveira, Flores da Cunha.

Prestes é enjaulado e passa a leite e pão com salada — mais que matá-lo, o chefe da polícia Filinto Müller queria enlouquecê-lo. Fracassou. Polícia alagoana cerca Lampião e degola dez, inclusive Maria Bonita. Na Grota do Angico, 80 anos depois surgirá um monumento.

Getúlio põe Adhemar de Barros como interventor de São Paulo. Populista: apela ao povo, ganha seu voto e governa para as elites. Estimulava o lema: "rouba mas faz".

Samuel Wainer lança a revista *Diretrizes*, voz democrática em meio a um coro fascista, fechada em 1940. Nosso teatro, que falava português lusitano, fala brasileiro de sotaque carioca com *Romeu e Julieta* no Teatro do Estudante, fundado por Paschoal Carlos Magno. Érico Verissimo publica *Olhai os Lírios do Campo* e Graciliano Ramos, *Vidas Secas*.

Getúlio cria o Departamento Administrativo do Serviço Público, Dasp, modernizador da administração pública e o Estatuto dos Funcionários Civis da União, que regulamenta concursos.

FHC, aos sete aninhos, se alfabetiza.

1939

Philco britânica cria o rádio portátil, a pilha.

Hitler invade a Polônia, detonando a II Guerra Mundial. Efeito positivo: intelectuais europeus aportam no Brasil: Otto Maria Carpeaux (escritor austríaco), Anatol Rosenfeld (crítico alemão), Paulo Rónai (crítico e tradutor húngaro), Zbigniew Ziembinsky (diretor de teatro polonês). A estupidez reinante impede a vinda de outros gênios, como Thomas Mann e cientistas.

Baiano Oscar Cordeiro vibra ao ver petróleo manar da boca de seu poço, agora com 240 metros de fundura. Americano Percival Farquhar reúne testas de ferro e funda empresa para incorporar a *Itabira Iron* a novas negociatas, que a II Guerra Mundial proporcionará.

Inaugurada a Rio-Bahia — estrada de terra.

FHC, aos oito anos, muda para São Paulo com a família.

1940

Quinto censo: agora somos 41 milhões e meio. Média de filhos por casal: seis. Em 1º de julho nasce em Olímpia o paulista Breno Augusto dos Santos, descobridor do minério de ferro de Carajás. Em *Confidência do Itabirano*, Drummond sofre com o fim da montanha de ferro que a Vale fará desaparecer: *Itabira é apenas uma fotografia na parede. Mas como dói!* Estreia do poeta gaúcho Mario Quintana, com *Rua dos Cataventos*.

Mulheres adotam meias de náilon, invento do químico americano Wallace Carothers em 1935.

Getúlio "é" o órgão planejador. Planeja com assessores como enfrentar patrões, banqueiros, multinacionais e testas de ferro, para fazê-los aceitar um capitalismo de estado que viabilize infraestrutura industrial de base. Na inauguração de Goiânia, lança a Marcha para o Oeste, para entregar a milhões de lavradores "os fundos" do Brasil, mas quem marcha para lá são latifundiários, que expulsam os pequenos.

Preso no Rio o Comitê Central do PC. Novo Código Penal parece escrito pela Igreja: quatro anos de cadeia para quem realizar aborto e três para a mulher.

Com a Orquestra Sinfônica Brasileira, surge o movimento Música Viva, orientados pelo maestro alemão Koellreutter, que influenciará gerações — Tom Zé, Gil, Tom Jobim; e surge a Associação de Canto Coral, dirigida por Villa-Lobos, que promove corais com milhões de alunos de escolas públicas. Nasce a Atlântida, lançadora de musicais, comédias e da chanchada, que diverte com o talento da dupla Oscarito e Grande Otelo.

1941

Ingleses constroem o primeiro avião a jato.

Duas musas animam o carnaval: de Roberto Roberti e Mário Lago, *Se você fosse sincera/ Ôôôô, Aurora*; e de Antônio de Almeida e Constantino Silva, *Eu ontem cheguei em casa, Helena/ Te procurei, não te encontrei/ Fiquei tristonho a chorar*.

Getúlio inaugura a Justiça do Trabalho em 1º de Maio, no estádio de São Januário, Rio, com corais e músicas regidos por Villa-Lobos.

Editora Globo, de Porto Alegre, lidera expansão editorial com direção de Érico Verissimo e convoca tradutores; o brasileiro comum conhece Balzac, Proust, Thomas Mann, Dreiser, Pirandello, Faulkner, Tolstoi.

I Congresso Umbandista pede legalização do culto afro-brasileiro que já é abraçado por milhões.

Civil Joaquim Salgado Filho implanta o Ministério da Aeronáutica, cria a FAB, Força Aérea Brasileira, e o CAN, Correio Aéreo Nacional. Lobato acusa general Horta Barbosa de bloquear a iniciativa privada na exploração do petróleo: é preso.

Getúlio implanta o DIP, Departamento de Imprensa e Propaganda; conta com publicações no Rio e em São Paulo, mas principalmente a Rádio Nacional, onde brilham Lamartine Babo, Ari Barroso e outros astros; e põe no ar a primeira radionovela brasileira, *Em Busca da Felicidade*.

1942

Abertura da avenida Presidente Vargas, para dar acesso aos subúrbios, ameaça o palco dos carnavalescos e o sucesso é de Herivelto Martins: *Vão acabar com a Praça Onze/ Não vai haver mais escolas de samba, não vai.*

Alemães nos afundam navios e o Brasil declara guerra ao Eixo (Alemanha-Itália-Japão), em apoio aos Aliados. Manifestações pela democratização; a tensão diminui com a demissão de fascistas como o ministro de Justiça Chico Campos e o chefe de polícia Filinto Müller. Getúlio permite bases americanas em Belém, Recife e Natal, fornece borracha e minério de ferro; em troca, recupera dos ingleses jazidas de Minas e a ferrovia do Rio Doce, mais o principal: os americanos constroem a siderúrgica de Volta Redonda, CSN, a Companhia Siderúrgica Nacional, embrião de nossa indústria de base, privatizada 51 anos depois na Era FHC.

Criado o Serviço Nacional de Aprendizado Industrial, Senai, no Ministério do Trabalho.

No Movimento Música Viva despontam valores como Cláudio Santoro, Edino Krieger, Guerra Peixe. A poesia eleva-se com *José*, de Drummond, *Pedra do Sono*, de João Cabral de Melo Neto e, de Cecília Meireles, *Vaga Música*: *Eu ando sozinha,/ ao longo da noite./ Mas a estrela é minha*. Caio Prado publica *Formação do Brasil Contemporâneo: Colônia*.

Chega a Coca-Cola graças a decreto que permite marcas com "ingredientes secretos".

1943

O povo ridiculariza Hitler no carnaval, cantando de Haroldo Lobo e Roberto Roberti *Que Passo é Esse, Adolfo?* Inaugurado o Ministério da Educação, projetado por Le Corbusier, detalhado por brasileiros como Niemeyer, sob chefia de Lúcio Costa. Saint-Exupéry escreve *O Pequeno Príncipe*. Niemeyer, aos 35 anos, é contratado por JK, prefeito de Belo Horizonte, para projetar a Pampulha: late Clube, igreja, cassino, casa de baile; a virada na arquitetura moderna, de funcional para estética: o abrigo humano também deve ser belo.

Getúlio cria: Fábrica Nacional de Motores, FNM, vencendo a resistência dos entreguistas; imposto sobre lucros extraordinários, sob grita geral; Expedição Roncador-Xingu, na Marcha para o Oeste, que funda cidades e abre o "fundo do Brasil" aos latifundiários.

Juarez Távora denuncia abusos da Light: infração a normas, descumprimento de contratos, desvio de documentos etc. Uma CPI não dá em nada.

Paulista Roberto Simonsen tenta criar banco de incentivo à indústria, mas esbarra na oposição de antinacionalistas como Eugênio Gudin e Gastão Vidigal.

Getúlio promulga a Consolidação das Leis do Trabalho, CLT, exemplo de avanço no tratamento da questão social.

O samba se enriquece com *Falsa Baiana*, de Geraldo Pereira, na voz de Ciro Monteiro; e *Atire a Primeira Pedra*, de Ataulfo Alves, na voz de Orlando Silva. Modernismo chega à Bahia, com o Movimento Vanguardista de Mário Cravo e Genaro de Carvalho. Vida nova no teatro, a patinar na mesmice das comédias de costumes: estreia *Véu de Noiva*, de Nelson Rodrigues, direção de Ziembinsky e cenografia de Santa Rosa. Surge, com *Perto do Coração Selvagem*, nossa primeira grande escritora, a ucraniana Clarice Lispector, aqui chegada aos dois anos.

1944

Brasil vai à guerra enviando 23 mil homens à Itália e aqui estala a campanha pela anistia: há presos políticos desde 1935. Prestes lança da prisão manifesto de apoio à guerra contra o nazismo e ao governo, e por "esforços de ampliação do mercado interno".

Irmãos Villas Bôas assumem Expedição Roncador-Xingu, paralisada diante do Rio das Mortes. Cláudio, Orlando e Leonardo se fixam no Xingu — salvação dos índios da região.

Inaugurada a avenida Presidente Vargas, com quatro quilômetros de extensão e 80 m de largura, espinha dorsal do Rio.

Brasil assina acordo de Bretton Woods, que cria FMI (Fundo Monetário Internacional) e Bird (Banco Internacional para Reconstrução e Desenvolvimento), servidão difícil da gente se livrar.

Herbert Moses inaugura edifício da ABI, Associação Brasileira de Imprensa, no Rio. Instituto Técnico de Alimentação é fundado por Josué de Castro, para quem a humanidade se divide entre "os que não dormem com medo dos que não comem e os que não dormem porque não comem". Leôncio Basbaum cria Editora Vitória, para publicar obras marxistas e afins.

1945

Nasce novo ritmo, criado por Luis Gonzaga e Humberto Teixeira: *Eu vou mostrar a vocês/ Como se dança um baião*. Festa na volta dos pracinhas; oficiais voltam americanizados e propensos ao golpismo; americanos pressionam para que suas empresas dominem nosso mercado interno; a industrialização regride. Companhia Siderúrgica Nacional passa a funcionar, sob protestos de figuras como Eugênio Gudin que lança campanha: "Volta Redonda é grande demais". Getúlio promulga Lei Antitruste: provoca tal revolta dos testas de ferro — chegam a pedir intervenção do Exército — que a lei não pega (será retomada por Jango: Lei de Remessa de Lucros).

Surge o DNOCS, Departamento Nacional de Obras Contra as Secas, fonte de rapinagem de políticos nordestinos — a "indústria da seca".

Fundada a Confederação Geral dos Trabalhadores do Brasil, em congresso com 1.752 delegados. Centenas de milhares de nordestinos chegam ao Norte do Paraná, atraídos pela colonização impulsionada pelos cafezais.

Abdias Nascimento funda o Teatro Experimental do Negro. Criado o Instituto Rio Branco, para treinar diplomatas, profícuo trabalho que a ditadura militar vai aviltar.

Anistiados mais de 1.500 presos — mas os militares não podem voltar à tropa. Prestes apoia a constituinte com Getúlio, o PCB salta de 2 mil para 150 mil membros. Nascem partidos: UDN, União Democrática Nacional, à direita; Getúlio cria, com a mão direita, o PSD, Partido Social De-

O PRÍNCIPE DA PRIVATARIA

mocrático, dos ricos, e com a esquerda o PTB, Partido Trabalhista Brasileiro, do povo trabalhador. Com apoio de Getúlio — deposto por militares — o general Gaspar Dutra se elege presidente; e Getúlio, senador pelo Rio Grande e por São Paulo com mais de 1 milhão de votos.

Em 27 de outubro nasce em Garanhuns, Pernambuco, Luiz Inácio da Silva.

1946

No carnaval, o povo zomba dos eternos bajuladores cantando, de Roberto Martins e Trajat: *Lá vem o cordão dos puxa-sacos/ Dando vivas aos seus maiorais/ Quem tá na frente vai passando para trás/ E o cordão dos puxa-sacos cada vez aumenta mais.*

Sai nova constituição, pouco sensível a responsabilidades do estado para com as necessidades do povo.

Restrições a importações durante a guerra permitem agora pagar a dívida e fazer reserva de mais de 1 bilhão de dólares; política imposta por multinacionais e seguida pelos financistas Bulhões e Gudin favorece empresas estrangeiras, facilitando importação de quinquilharias e negociatas como a compra de velhas empresas inglesas: 80% das reservas se esgotam.

Colônia nipo-brasileira se arrepia com a seita Shindo Remei, de fanáticos a matar friamente líderes da colônia que admitem a derrota do Japão na guerra.

Dutra, que — dizia-se — nunca foi visto sorrindo, proíbe o jogo e fecha cassinos. Criado o Partido Socialista, de Hermes Lima, não-marxista. Dutra suprime o direito de greve; arrocha salários congelados desde 1942.

Do Ceará despontam os artistas Antônio Bandeira e Aldemir Martins. Josué de Castro publica *Geografia da Fome*, clássico ensaio sobre subdesenvolvimento.

1947

Dutra cria a Comissão de Investimentos a cargo de entreguistas como Juarez, Gudin, Bulhões, que não conseguem um tostão lá fora, mas propõem privatizar empresas públicas. Correa e Castro, ministro da Fazenda, diz que é isso mesmo: temos de exportar matéria-prima e alimentos, e importar produtos industrializados e enlatados. Pereira Lyra, advogado da Light e chefe da Casa Civil, consegue empréstimo de US$ 90 milhões para... a Light.

Dutra consegue no Supremo Tribunal Federal e no Congresso carta branca para cassar comunistas; fecha a Confederação Geral dos Trabalhadores e 146 sindicatos. Brasil rompe com a URSS, União das Repúblicas Socialistas Soviéticas.

Evandro Lins e Silva propõe tribunais de pequenas causas para desobstruir a Justiça — esperaríamos até 1986 pelos Juizados de Pequenas Causas.

Jacob do Bandolim grava o choro *Flamengo*, de Bonfiglio de Oliveira, e consegue a proeza de vender 100 mil discos. Burle Marx funda o paisagismo brasileiro, pondo plantas tropicais nos jardins do mundo.

Aeronáutica cria o ITA, Instituto Tecnológico de Aeronáutica, nossa maior escola de tecnologia, em São José dos Campos.

1948

É com Esse que eu Vou, de Pedro Caetano, arrasa no carnaval.

Fundada a SBPC, Sociedade Brasileira para o Progresso da Ciência, no ano célebre pelo feito de César Lattes: isolou o méson, partícula do átomo. Em 4 de julho morre aos 66 Monteiro Lobato.

PCB guina à esquerda, pede a renúncia de Dutra e exige reforma agrária até pela luta armada: implanta guerrilhas camponesas em Porecatu, Paraná, e Formoso, Goiás.

Ruth Cardoso deixa Araraquara e vai estudar em São Paulo, no Des Oiseaux, só para meninas grã-finas.

1949

Chiquita Bacana de João de Barro e Alberto Ribeiro é o sucesso, mas a crítica social é de Wilson Batista e Roberto Martins: *Você conhece o pedreiro Valdemar?/ Não conhece? Mas eu vou lhe apresentar./ De madrugada toma o trem da Circular/ Faz tanta casa e não tem casa pra morar./ Leva a marmita embrulhada no jornal/ Se tem almoço, nem sempre tem jantar./ O Valdemar, que é mestre no ofício,/ Constrói um edifício e depois não pode entrar.*

Getúlio, entrevistado por Samuel Wainer em sua fazenda de Itu, Rio Grande, diz: "Sim, eu voltarei, não como líder político, mas como líder de massa." Funciona no Rio a ESG, Escola Superior de Guerra, no modelo americano espalhado pela América Latina, segundo a doutrina da "segurança nacional", subversiva, que põe os militares prontos a golpear a democracia em nome da "ameaça comunista".

Nasce em São Paulo a companhia de cinema Vera Cruz, rival da carioca Atlântida.

Em Caxias, Baixada Fluminense, a FNM produz motor de avião, caminhão diesel, automóvel, até 1968, quando é vendida à italiana Alfa Romeo e logo fechada.

1950

Sexto censo: somos 51 milhões; curiosidade: 5 mil brasileiras tiveram mais de vinte e cinco filhos.

Com apoio da *Tribuna da Imprensa* de Lacerda, *Estadão* dos Mesquita e *O Globo* dos Marinho, a Banda de Música da UDN opõe-se no Congresso a Getúlio, ao aumento do salário mínimo, à posse de JK, às reformas de base.

Vedete Elvira Pagã eleita Rainha do Carnaval no Municipal enquanto o povo canta, de João de Barro e José Maria de Abreu, *Ai, Gegê!/ Ai, Gegê, que saudades,/ Que nós temos de você*. Despontam na pintura Djanira, que "tinha a ciência do povo nas mãos" segundo Jorge Amado; e o paisagista Pancetti. Victor Civita põe a Editora Abril nas bancas, com a infantil *Pato Donald*.

Em 10 de setembro, transmissão experimental da TV Tupi, com filme em que Getúlio anuncia retorno à vida política; estreia dia 18 em 200 televisores que Assis Chateaubriand espalhou por lugares paulistanos "estratégicos".

Getúlio vence as eleições, para alegria do povo e luto das elites; monta ministério nacionalista com nesgas de entreguismo. Herda reservas esgotadas por Dutra.

HISTÓRIA AGORA

1951

"Tomara que chova", cantam nos salões a marchinha de Paquito e Romeu Gentil gravada por Emilinha, e a politizada *Retrato do Velho*, de Haroldo Lobo e Marino Pinto por Francisco Alves: *Bota o retrato do velho, outra vez/ Bota no mesmo lugar/ O sorriso do velhinho/ Faz a gente trabalhar*. A mensagem de Getúlio ao Congresso é peça de alta competência, diagnostica e oferece soluções para problemas da agricultura, abastecimento, infraestrutura, indústrias, área social — inspirou o Programa de Metas de JK.

Inaugurada a Hidrelétrica de São Francisco, pondo a cachoeira de Paulo Afonso a serviço do desenvolvimento. Getúlio promulga Lei Afonso Arinos, que proíbe discriminação racial em hotéis e restaurantes.

I Bienal de São Paulo apresenta 1.800 trabalhos de vinte e um países, com sete quilômetros de percurso. Wainer põe nas ruas o diário *Última Hora*, popular de alta qualidade, fechado pela ditadura deixando lacuna até hoje não preenchida.

Descobrimos que temos areia monazítica, "terra rara", ao descobrir que metade do areal de Guarapari foi contrabandeado por gringos.

Renovação literária com o curitibano Dalton Trevisan e suas *Novelas Nada Exemplares*. Dalva de Oliveira eleita Rainha do Rádio.

Na Faculdade de Filosofia da famosa rua Maria Antônia, FH e Ruth se conhecem.

1952

Sucesso de carnaval, de Arnaldo Cavalcanti e K. Caldas gravada por Blecaute, brinca com o apadrinhamento político: *Maria Candelária/ É alta funcionária/ Saltou de paraquedas/ Caiu na letra Ó/ Ó Ó Ó Ó!*

Criado o BNDE, Banco Nacional de Desenvolvimento Econômico, para investir em estatais de transporte, energia, siderurgia etc. Getúlio cria o Plano Geral de Industrialização, dirigido à infraestrutura e produção de bens de consumo. Campanha O *Petróleo É Nosso* ganha as ruas. Dean Acheson, "ministro das colônias", visita Getúlio e mostra preocupação com a regulamentação da remessa de lucros; a Banda de Música da UDN começa a denunciar corrupção; a *Time* publica artigo favorável à derrubada de Getúlio. Generais Zenóbio, Canrobert e Cordeiro de Farias promovem campanha eleitoral antigetulista para o Clube Militar e vencem.

Zeferino Vaz cria a Faculdade de Medicina de Ribeirão Preto, renovadora da pesquisa; implantado o Conselho Nacional de Pesquisas, CNPq.

Criada a Conferência Nacional dos Bispos do Brasil, CNBB.

Ademar Ferreira da Silva, medalha de ouro em salto triplo nas Olimpíadas de Helsinque.

Comoção nacional: desastre de automóvel mata Francisco Alves, o Chico Viola ou Rei da Voz, lançador do samba-exaltação *Aquarela do Brasil*, de Ari Barroso.

Sucesso: *Tico-tico no Fubá*, sobre a vida de Zequinha de Abreu, direção de Adolfo Celi, com Tônia Carrero e Anselmo Duarte. Lançada *Manchete*, da editora Bloch, rival de *O Cruzeiro*, dos Diários Associados. Firma-se o samba-canção com *Ninguém me Ama*, de Fernando Lobo e Antônio Maria, na voz de Nora Ney.

Pernambucanos Aristides Inácio da Silva e Eurídice Ferreira de Mello rumam com oito filhos, de pau de arara, para São Paulo; instalam-se em Vicente de Carvalho; o penúltimo filho, aos sete anos, vende amendoim e tapioca nas ruas, seu nome é Luiz, mas o chamam de Lula.

1953

Getúlio implanta a Petrobras, com monopólio total da extração e parcial do refino. Cresce a conspiração. Ao propor a Lei de Lucros Extraordinários, provoca reação na imprensa nacional e estrangeira ligadas às multinacionais; governo americano lança declarações hostis e Getúlio reage revelando que em dezoito meses tivemos prejuízo de US$ 250 milhões só no "subfaturamento" das exportações. Eisenhower suprime a Comissão Mista Brasil- -Estados Unidos em represália.

Lacerda, Chateaubriand e Roberto Marinho se juntam a parlamentares de direita em campanha contra a *Última Hora*, de Wainer, único jornal que apoia Getúlio; acusam Samuel de "estrangeiro" e receber empréstimo "de favor" do Banco do Brasil (bizarro: *O Globo* e *O Jornal* receberam empréstimos maiores da mesma fonte e nas mesmas condições); o objetivo é atingir Getúlio.

II Bienal, organizada por Sergio Milliet, deslumbra com cubismo francês, futurismo italiano, Klee e 80 Picassos, inclusive *Guernica*. Literatura a mil: Cecília Meireles saúda os revoltosos mineiros em *Romanceiro da Inconfidência*; Graciliano, em *Memórias do Cárcere*, narra o que passaram presos políticos no Estado Novo; Edmundo Donato, irmão de dois Donatos escritores (Mário e Hernani), vira Marcos Rey e lança *Um Gato no Triângulo*, que prenuncia o grande cronista da vida urbana paulista com *O Enterro da Cafetina*, *Memórias de um Gigolô*.

FH casa com Ruth Correia Leite.

1954

Em 25 de janeiro, festa do quarto centenário de São Paulo, com destaque para a inauguração do Parque do Ibirapuera, projetado por Niemeyer. É sucesso carnavalesco *Saca-Rolha*, de Zé e Zilda.

Golpismo cresce: 48 coronéis assinam manifesto contra aumento de 100% do salário mínimo proposto pelo ministro do Trabalho João Goulart, "aberrante subversão do comunismo solerte". Golbery e Bizarria Mamede, golpistas de 1964, lideram. Vargas demite Jango, e o ministro da Guerra que lhe levou o manifesto, e concede o aumento. Envia ao Congresso proposta de criação da Eletrobras. Na *Tribuna da Imprensa*, Lacerda acusa Getúlio de mancomunar-se com Perón para implantar aqui uma "república sindicalista".

Baiana Martha Rocha perde o título de Miss Universo por ter duas polegadas "a mais" nos quadris de brasileira mestiça. Carlos Manga filma paródia do getulismo, *Nem Sansão nem Dalila*, com Oscarito e Grande Otelo.

O PRÍNCIPE DA PRIVATARIA

Em 5 de agosto, atentado contra Lacerda mata seu guarda-costas, oficial da Aeronáutica; incriminado como mandante um membro da guarda presidencial, Getúlio a dissolve. Instala-se na base aérea do Rio a chamada República do Galeão, onde se tortura à vontade para obter-se uma confissão de que Getúlio foi o mandante; a imprensa, menos *Última Hora*, oposição e oficiais exigem a renúncia. Em 24 de agosto, Getúlio se mata às oito e meia da manhã, cumprindo o prometido em manchete da *Última Hora*: "Só morto sairei do Catete". Na Carta Testamento, acusa de se desencadear sobre ele "forças e interesses contra o povo", grupos nacionais e internacionais "revoltados contra o regime de garantia do trabalho", a Eletrobras, a Petrobras, a lei de remessa de lucros; "saio da vida para entrar na história", encerra.

A oposição desaparece, apavorada, populares atacam jornais, embaixada e consulados americanos, sedes da Standard Oil e da Light. Um milhão nas ruas do Rio na despedida do caixão, que segue para São Borja. Getúlio deixa uma fazenda de 46 hectares e um apartamento em construção.

Advogado Francisco Julião cria em Pernambuco a primeira das Ligas Camponesas, que se multiplicariam e seriam massacradas pelos golpistas de 1964.

Nasce Paulo Henrique, primogênito de FH e Ruth.

1955

Viva o cinema novo: Nelson Pereira dos Santos lança *Rio 40 Graus*, em que se destaca Zé Kéti: *Eu sou o samba/ A voz do morro/ Sou eu mesmo, sim senhor.*

Lacerda divulga a Carta Brandi, falsa, com calúnias contra Jango, vice na chapa de JK, tentando impedir a eleição presidencial de novembro.

O locutor Cesar de Alencar reúne 20 mil ouvintes no Maracanãzinho: auge da Rádio Nacional, que mantém 500 artistas, radialistas e funcionários, três orquestras, cinquenta cantores e dez maestros. Dois nordestinos se alçam: João Cabral de Melo Neto, com *Morte e Vida Severina*, e Ariano Suassuna, com *Auto da Compadecida*.

Nasce a indústria automobilística com a Romi-Isetta, para quatro pessoas, velocidade máxima 80 km/h, consumo de 1 litro para vinte e cinco quilômetros, educado demais para nossa era: em 1961 acabou.

Eleito JK com 36% dos votos, a direita militar e a UDN conspiram às claras: alegam que JK não teve maioria absoluta — a Constituição prevê apenas maioria dos votos. Lacerda escreve que JK e Jango não podem tomar posse. Café Filho, que assumiu por ser vice de Getúlio, simula ataque cardíaco e entrega o governo ao udenista Carlos Luz, que demite Lott, ministro da Guerra. Na calada da noite, Lott convoca seus liderados e dá o contragolpe. Luz, Lacerda, almirante Pena Boto e outros golpistas fogem amontoados num automóvel.

1956

JK toma posse em janeiro prometendo fazer o Brasil avançar cinquenta anos em cinco. Consolidará a democracia. Cria a Novacap, construtora de Brasília, obra a concluir em três anos. No Plano de Metas planifica o desenvolvimento. Lança grupos executivos — da indústria automobilística, da construção naval etc.

Sobe o nível da literatura com *Grande Sertão: Veredas*, de Guimarães Rosa. Ano da Mangueira. Ângela Maria vai de Mirabeau: *Fala, Mangueira, fala/ Mostra a força da tua tradição*. Jamelão, de Enéas Silva: *Mangueira, teu cenário é uma beleza/ Que a natureza criou, ô — ô.*

Azevedo Antunes associa-se à Bethlehem Steel na mineradora Icomi e entrega aos Estados Unidos uma montanha de manganês do Amapá.

Crise ideológica entre os comunistas: o *Estadão* publica o Relatório Kruchev, de críticas aos "crimes de Stalin".

Seis anos depois de estrear, a televisão chega a 260 mil aparelhos em São Paulo, Rio e Belo Horizonte.

1957

Russos lançam satélite artificial, Sputnik, em outubro, no 40º aniversário da Revolução Russa de 1917. Surgem os supermercados, o *rock'n roll*, a poesia concreta. Caymmi faz sucesso no carnaval com *Maracangalha*.

Crise no SPI, Serviço de Proteção aos Índios, com o afastamento de Darcy Ribeiro, mais o avanço de latifundiários sobre tribos isoladas. JK suspende a exportação de tório e rádio para os Estados Unidos.

Anísio Teixeira assume o Instituto Nacional de Estudos Pedagógicos e publica *Educação Não é Privilégio*. Imprensa diária já foi melhor: *Estadão* e *Jornal do Brasil* publicam páginas culturais com colaborações de Otto Maria Carpeaux, Antonio Candido, Paulo Rónai, Lívio Xavier, Drummond, Lígia Fagundes Telles, Paulo Emílio Salles Gomes, Wilson Martins, Décio de Almeida Prado; desenhos de Renina Katz, Marcelo Grassmann, Fernando Lemos, Portinari, Di Cavalcanti, Lívio Abramo, Flávio de Carvalho. Golbery publica *Aspectos Geopolíticos do Brasil*, propõe aos americanos trocar o controle da Amazônia pela hegemonia brasileira sobre o Atlântico Sul.

1958

Nasce a bossa-nova com *Canção do Amor Demais* de Elizeth Cardoso cantando Tom Jobim, inclusive *Chega de Saudade*, acompanhada pelo violão inovador de João Gilberto. Somos campeões do mundo na Suécia, com Didi, Garrincha e Pelé "dando seu baile de bola".

Brizola, governador gaúcho, encampa Bond & Share e ITT. Estado-Maior das Forças Armadas aprova a doutrina de segurança nacional — o inimigo é "interno": os comunistas (na verdade, quem se opuser à política dos EUA). Após as denúncias dos "crimes de Stalin", dá-se um racha no Partido Comunista Brasileiro, PCB, de linha soviética e antistalinista; surge o PC do Brasil, PCdoB, de linha chinesa e stalinista. A "indústria da seca" prospera; frentes de trabalho financiadas pelo governo atendem latifundiários.

Jorge Amado publica *Gabriela Cravo e Canela*. O paulistano elege vereador o rinoceronte do zoo Cacareco, zombando dos políticos. Nasce Luciana, segunda filha de FH e Ruth.

1959

Em 1º de janeiro, Fidel Castro, Che Guevara e todos os barbudos entram em Havana, os vitoriosos da Revolução Cubana.

Militares e civis de direita fundam o Ibad, Instituto Brasileiro de Ação Democrática; financiará com dinheiro multinacional atividades antinacionais e golpistas. JK rompe com o FMI, que condiciona empréstimo de US$ 300 milhões ao abandono do Plano de Metas. Cria a Sudene, Superintendência do Desenvolvimento do Nordeste, sob direção de Celso Furtado, que publica *Formação Econômica do Brasil*.

Pernambucano Abelardo Barbosa, o Chacrinha, estreia na TV Tupi do Rio: "quem não se comunica, se estrumbica", ensina. A bossa-nova brilha com *Desafinado* e *Samba de Uma Nota Só*.

1960

Sétimo censo: somos 71 milhões. JK inaugura Brasília e encarrega Darcy Ribeiro de planejar a Universidade, UnB.

Plínio Correia de Oliveira funda a TFP, Tradição Família e Propriedade, para "salvar" o Brasil do comunismo. Jânio, ator histriônico, faz a UDN chegar ao Planalto pelo voto; nos EUA, elege-se John Kennedy. Vergonhoso: Otávio Mangabeira, líder da UDN, beija a mão do presidente americano Eisenhower, que visita a Câmara dos Deputados.

FH e Ruth têm Beatriz. Em 25 de março, nasce em Florianópolis, capital catarinense, Miriam Dutra Schmidt.

1961

Agosto: Jânio renuncia com sete meses de mandato, enfrenta "forças terríveis". Golpistas querem impedir a posse do vice, Jango, que visita a China. Solução: parlamentarismo, a toque de caixa; Jango assume, mas quem governa é um primeiro-ministro. Kennedy, assustado com a Revolução Cubana, lança a Aliança para o Progresso: é mais barato subornar políticos do que invadir países.

Editora Abril lança a feminina *Claudia*, para mulheres modernas. Glauber, "com uma câmera na mão e uma ideia na cabeça", estreia com *Barravento*. Ideólogos, empresários e ativistas de direita fundam o Ipes, Instituto de Pesquisas e Estudos Sociais: mais esforços e dinheiro para derrubar Jango e nos inserir no sistema mundial a reboque do império; jornalões e tevês estão nessa, com costas quentes: Estados Unidos.

Miriam Dutra e Beatriz Cardoso fazem um aninho.

1962

Brasil bicampeão no Chile, sem Pelé, machucado, mas com Garrincha, endiabrado. Tom e Vinicius compõem *Garota de Ipanema*, uma das músicas mais gravadas e tocadas no mundo. Empresários Octavio Frias de Oliveira e Carlos Caldeira Filho compram a *Folha de S. Paulo*.

Jango cancela registro de jazidas de minério de ferro em Minas, concedidas fraudulentamente à Hanna Corporation. Miguel Arraes eleito governador de Pernambuco; obriga usineiros a pagar salário mínimo, e as estradas lotam de caminhões carregados de bacias para banho, camas e outros "luxos". Com a direita assustada, inimigos se reconciliam, como Julio de Mesquita, do *Estadão*, e Assis Chateaubriand, dos *Diários Associados*. Jango sanciona 13º salário.

O Pagador de Promessas, de Anselmo Duarte, ganha Palma de Ouro em Cannes.

1963

Junho. Jango encontra Kennedy em Roma para os funerais de João XXIII; reclama apoio para as "reformas de base" e denuncia conspiração contra ele; Kennedy diz que nada pode fazer (e seria assassinado em novembro). O IV Exército reprime no Recife milhares de camponeses que pedem reforma agrária. Adhemar, governador paulista, dá armas e munições a fazendeiros e parafascistas urbanos. Dominicanos lançam o semanário combativo *Brasil Urgente*.

1964

Cara de Cavalo mata numa briga o policial Le Cocq, cujos colegas, os "homens de ouro", cercam o marginal e descarregam nele seus revólveres: nasce o Esquadrão da Morte carioca. CPI do Ibad aponta seus financiadores: Ciba, Texaco, Shell, Schering, Bayer, GE, IBM, Coca-Cola, Souza Cruz, Belgo-Mineira, Herm Stoltz, Coty. Sandra Cavalcanti, secretária de Assistência Social do governo Lacerda na ex-Guanabara, resolve o problema da mendicância: atira mendigos no Rio da Guarda. Editora Civilização Brasileira enriquece o debate lançando os *Cadernos do Povo*. Premiados em Cannes *Vidas Secas*, de Nelson Pereira dos Santos (baseado na obra de Graciliano Ramos) e *Deus e o Diabo na Terra do Sol*, de Glauber Rocha. Dalton Trevisan lança *Cemitério de Elefantes* e José Cândido de Carvalho, *O Coronel e o Lobisomem*.

Em 1º de abril, golpe militar sai-se vencedor: Jango ruma para o Uruguai. FHC e Serra vão rumar para o Chile.

1965

Em 26 de abril, Roberto Marinho põe a TV Globo no ar e passa a montar a "maior força desarmada" do país, da qual ele será o comandante. Baixam no Maranhão oficiais do exército a mando de Castelo Branco, com missão de "eleger" José Sarney governador; com apoio das Oposições Coligadas, inclusive PCB, ele derrota Victorino Freire e vira "coronel". Jovem Guarda, título criado pelo publicitário Carlito Maia, explode na tevê com Roberto e Erasmo Carlos comandando o ieieiê nacional.

1966

Em janeiro, dia 4, vai às bancas o *Jornal da Tarde*, moderno, invenção de Mino Carta e Murilo Felisberto. No carnaval só dá *Tristeza*, de Niltinho e Haroldo Lobo a celebrar o inconformismo com a ditadura: *Tristeza, por favor vá embora/ Minha alma que chora/ Está vendo o meu fim/ Fez de meu coração a sua moradia/ Já é demais o meu penar/ Quero voltar a aquela vida de alegria/ Quero de novo sonhar*. Em abril, estreia *Realidade*, revista "*cult*" da

O PRÍNCIPE DA PRIVATARIA

Abril, forte na reportagem, com Paulo Patarra de redator-chefe e Sérgio de Souza de editor de texto.

À falta de debate político, sufocado, no festival da TV Record duas músicas dividem o "eleitorado": a nostálgica *A Banda*, de Chico Buarque, e a politizada *Disparada*, de Geraldo Vandré e Teo de Barros, que dividem o primeiro prêmio. Zé Kéti fecha o ano com sucesso não gravado, marchinha de sucesso no *réveillon* carioca: *Marchou com Deus pela democracia/ Agora chia, agora chia*.

1967

Castelo devolve à Hanna as maiores reservas de minério de ferro do mundo, que Jango havia nacionalizado em 1962. Constituída a Embratel, para estruturar o sistema nacional de telecomunicações. Criada a Sudam, Superintendência para o Desenvolvimento da Amazônia, com verbas para gente graúda comprar terras com empréstimos "de favor".

Hélio Fernandes preso: escreveu, sobre a morte de Castelo, que se foi um homem "vingativo e sem grandeza". Guimarães Rosa morre três dias depois de tomar posse na Academia Brasileira de Letras. TV Tupi moderniza a telenovela com *Beto Rockefeller*, de Bráulio Pedroso, com tema brasileiro e popular. *O Rei da Vela*, de Oswald de Andrade, encenada por José Celso, detona o tropicalismo, correspondente na música a *Alegria, Alegria*, de Caetano Veloso. Baderneiros invadem teatro em São Paulo, espancam atores e destroem cenário de Roda Vida, de Chico Buarque; no Rio, polícia cerca Teatro Opinião e proíbe *Navalha na Carne*, de Plínio Marcos.

Guevara morto na Bolívia a mando da CIA, criando o maior mito do nosso tempo.

1968

PM mata a tiro Edson Luis, em ato pela reabertura do restaurante estudantil Calabouço, desencadeando protestos que culminarão na Passeata dos Cem Mil, no Rio. Guerrilheiros matam em São Paulo o capitão Chandler, agente da CIA. Canção *Pra Não Dizer que Não Falei de Flores*, de Vandré, enfurece a direita e vira hino: *Vem, vamos embora, que esperar não é saber/ Quem sabe, faz a hora, não espera acontecer*. Deputado Márcio Moreira Alves discursa na Semana da Pátria e sugere às moças que não dancem com os cadetes, desatando a fúria da linha-dura militar, o que resultará na edição do Ato Institucional 5, o AI-5: a ditadura passa a ter poderes de vida e morte sobre todo e qualquer cidadão.

FHC volta de seu "exílio dourado", que começou no Chile e acabou na França.

1969

Em abril, FH é aposentado da Universidade de São Paulo e tem os direitos políticos cassados. Funda com colegas o Cebrap, Centro Brasileiro de Análise e Planejamento, com o "ouro de Washington". Costa e Silva cancela eleições de 1970, proíbe professores punidos de lecionar, estimula a repressão cultural. Cresce a contestação armada, única que resta e que arrasta milhares de brasileiros destemidos; surgem os "porões" da ditadura, onde a tortura vai campear. Capitão Carlos Lamarca abandona o Exército com homens e armas e adere à guerrilha. Guerrilheiros de organização à qual pertence Dilma Rousseff assaltam a casa da amante do falecido governador paulista e levam um cofre, parte da "caixinha do Adhemar", com 2 milhões e meio de dólares. É instaurada a censura prévia. Lançado *O Pasquim* no Rio, sob direção do gaúcho Tarso de Castro. Entra no ar o *Jornal Nacional*, mostrando ao vivo a junta militar que assumiu devido ao infarto de Costa e Silva.

Vander Piroli renova a literatura infanto-juvenil com *O Menino e o Pinto do Menino*. Mídia mundial noticia o milésimo gol de Pelé.

1970

Oitavo recenseamento: somos 90 milhões. Tricampeã no México, a seleção mais poderosa da história ajuda Médici a embalar o "milagre" — somos "noventa milhões em ação" e "ninguém segura o Brasil". Forças Armadas se americanizam de vez, com oficiais enviados para lavagem cerebral em "escolas" nos EUA e no Panamá. Loteamento da Amazônia avança, ali já possuem terras Daniel Ludwig, Suyá-Missu, Codeara, Georgia Pacific, Bruynzeel, VW, Robin McGlohn; e vão entrar Anderson Clayton, Swift-Armour, Goodyear, Nestlé, Mitsubishi, Bordon, Mappin, Bradesco... O general de plantão Médici diz que o povo vai mal, mas o país vai bem, e anuncia a Transamazônica, que engolirá verbas e acabará servindo a "*rally* de onça". Criado o Incra, Instituto Nacional de Colonização e Reforma Agrária, para a antirreforma: entregar mais terra aos ricos. Médici diz que fará outro "milagre": transformar a Funabem em escolas.

Paulo Freire publica *Pedagogia do Oprimido* (nos EUA, aqui ele era vetado). Criado o Mobral, Movimento Brasileiro de Alfabetização, de ensino despolitizante, forma "analfabetos funcionais".

Guerrilheiros sequestram diplomatas do Japão, Alemanha e Suíça para trocar por presos políticos; vários já haviam sido assassinados na tortura. Sérgio de Souza, Narciso Kalili e Eduardo Barreto, egressos de *Realidade*, fundam outra revista "*cult*", *O Bondinho*.

Dalva de Oliveira lança seu último sucesso: *Bandeira Branca*, de Max Nunes e Laércio Alves.

1971

Ano do "milagre", crescimento de 11%, por manipulação estatística, e um tanto pela exportação das múltis que embolsaram fortunas, outro tanto graças ao arrocho salarial — que fez o povo ir mal, mas o país ir bem. O udenista Adauto Lúcio Cardoso, golpista de primeira hora, se demite do Supremo enojado — atira a toga no chão contra a aprovação da censura prévia. Oficiais da Aeronáutica matam a pancadas na Base do Galeão o deputado Rubens Paiva, por servir de pombo-correio de exilados no Chile; Marinha monta escola de tortura na

Ilha das Flores, baía da Guanabara, com assistência de "professores" americanos. Militares matam Lamarca no sertão baiano.

Traduções fazem sucesso: *Cem Anos de Solidão*, de García Márquez, e *Jogo da Amarelinha*, de Julio Cortázar.

1972

CNBB denuncia invasão de terras dos índios com conivência da Funai. Paulo Helal e Dante Michelini, de famílias capixabas ricas, violentam e matam a menina Aracelli; impunes.

Chega a televisão colorida. Por falta de anúncios, morre *O Bondinho*. Empresário progressista Fernando Gasparian lança no Rio o semanário *Opinião*, capitaneado por Raimundo Pereira. Para não ofuscar o ufanismo no sesquicentenário da Independência, a ditadura proíbe qualquer menção a um surto de meningite — que morressem as crianças.

1973

Em 11 de setembro, golpe de estado no Chile; detido no Estádio Nacional com mais 3 mil pessoas, não se sabe em que condições Serra é libertado e segue para os EUA com a chilena Monica Allende, sua mulher.

Sérgio de Souza e Narciso Kalili lançam o mensário de reportagem, política e quadrinhos *ex-* (eles eram ex-*Folha*, ex-*Notícias Populares*, ex-*Realidade*, ex-*Bondinho*).

Explode a pílula anticoncepcional.

Polícia política mata o estudante paulista Alexandre Vannucchi Leme e outros quarenta militantes de oposição. Eclode a Guerrilha do Araguaia, do PCdoB. Americanos escorraçados do Vietnã. Assassinato semelhante ao de Aracelli em 1972: em Brasília, filhinhos de papai drogam, violentam e matam a menina Ana Lídia Braga; entre eles estão o filho de Alfredo Buzaid, ministro da Justiça, e o filho do senador arenista Eurico Resende, do Espírito Santo; impunes. Morre no exílio em Paris, Josué de Castro. Sucesso na tevê é *O Bem Amado*, de Dias Gomes.

1974

Polícia civil paulista pega 300 garotos infratores, põe em ônibus e os abandona, nus e espancados, alguns com fraturas, em Camanducaia, Minas. Geisel substitui Médici como general de plantão; comparecem à posse Pinochet (Chile), Bordaberry (Uruguai) e Banzer (Bolívia); volta a mandar o grupo que articulou o golpe: a turma de Golbery do "Colt" e Silva.

Primeiras eleições após dez anos de ditadura: o povo vai à forra, elegendo dezesseis senadores da oposição e dando uma surra na Arena. Meningite mata milhares de crianças, por falta de informações: o governo segue proibindo que se noticie a epidemia.

Crise do petróleo acaba com o "milagre". Inaugurada a Ponte Rio-Niterói, marco em roubalheira e mortandade de operários.

1975

Garimpos proliferam perto do rio Xingu, explorando cassiterita, isolados e com acesso apenas por monomotores. O maior, em Antonio Vicente, reuniu 10 mil homens, e quarenta aviões faziam a ponte aérea até Conceição do Araguaia.

Revolta surda com a morte do jornalista Vladimir Herzog na câmara de tortura do II Exército, São Paulo; o ex-, único a publicar a reportagem completa, é vitimado pela censura prévia e fecha. Brasil e Alemanha firmam tratado secreto, de US$ 10 bilhões, de cooperação nuclear, para a construção de oito centrais atômicas e usinas de processamento de urânio. O Brasil todo vê *Gabriela*, baseada em Jorge Amado, com Sônia Braga. Revista *Argumento*, fundada por Elifas Andreato e outros intelectuais, fecha após apreensão do número 4.

1976

Geólogos da Docegeo (Vale) descobrem ouro na Serra das Andorinhas, enquanto se abre rodovia entre a PA-150 e São Félix do Xingu. Migrantes são atraídos para o Entrocamento (depois Xinguara).

Outro assassinato no II Exército, do operário Manoel Fiel Filho; Geisel demite o comandante, general Ednardo. Jango morre na Argentina, vítima da Operação Condor: envenenado; JK morre em desastre de automóvel na Via Dutra, em circunstâncias mal esclarecidas.

Gil, Caetano, Gal e Bethânia, os Doces Bárbaros, excursionam; em Florianópolis, perante policiais que invadiram o hotel e encontraram com um deles uma porção de maconha, o futuro ministro da Cultura Gilberto Gil assume que lhe pertence; preso, um juiz o libera dizendo: não pode ser criminoso alguém que cria uma música como *Refazenda*.

Morre Tsé-Tung.

CPI comandada por Alencar Furtado mostra que estrangeiros trouxeram US$ 299 milhões e remeteram de volta, só entre 1965 e 1975, US$ 755 milhões; Geisel cassa Alencar. Manifestações contra a ditadura pipocam, Geisel cassa pencas de deputados e baixa a Lei Falcão, do ministro da Justiça Armando Falcão: propaganda na tevê só com foto 3 x 4 e breve biografia narrada por locutor; o povo a chama de Lei Facão. Membros da Aliança Anticomunista sequestram e seviciam dom Hipólito, bispo de Nova Iguaçu, jogam bombas na Associação Brasileira de Imprensa e outros alvos. Governo baiano acorda e elimina a exigência de registro na polícia para cultos afro-brasileiros..

Dois sucessos: Sônia Braga em *Dona Flor e Seus Dois Maridos*, de Bruno Barreto; e Zezé Motta em *Xica da Silva*, de Cacá Diegues. Hamilton Almeida Filho, Mylton Severiano e Palmério Dória estão entre os lançadores do livro-reportagem, pela Editora Símbolo, de Moysés Baumstein, com *O Ópio do Povo*, sobre a Rede Globo.

1977

Garimpeiros "redescobrem" Andorinhas. A Vale, braço mineral do governo militar, dá o alerta. No grupo que visita os garimpos está o major Sebastião Rodrigues de Moura, ou *Doutor Luchini*: o Major Curió, que desde o fim da Guerrilha do Araguaia age ali. Pelo aparato enviado, a Docegeo imagina que deva haver 400 toneladas de ouro.

Três marmeladas do ano: a Torre Rio-Sul, em Copacabana, esconde negociata de Moreira de Souza, financiador do Ipes, que financiou o golpe de 1964, dando prejuízo de 100 bilhões de cruzeiros aos cofres públicos; a Corretora Laureano recebe bilhões do Banco Central para escapar à falência, resultante de especulação; a Fundação Getúlio Vargas revela que as estimativas de inflação de 1973 foram fraudadas, a fim de rebaixar os salários.

Estudantes fazem manifestações por democracia; na PUC-SP, o coronel Erasmo Dias, secretário da Segurança, comanda ataque com bombas, que mutilam uma universitária. Banqueiros mineiros enricam mais ao montar operação para a Fiat instalar-se em Minas. *Playboy* Doca Street mata a bela e rica Ângela Diniz, causando repúdio contra a "legítima defesa da honra". Congresso aprova o divórcio. Morre Carlos Lacerda.

Geisel baixa o Pacote de Abril: nomeia 17 senadores, como fez Calígula, que pôs seu cavalo Incitatus no senado romano; aumenta para seis anos o mandato do próximo general de plantão, Figueiredo. Mato Grosso vira dois, com a criação de Mato Grosso do Sul. Primeira mulher na ABL: Rachel de Queiroz, autora de *O Quinze*.

1978

Em janeiro, Geisel já avisa: seu sucessor será Figueiredo, que declara sobre a abertura: "É para abrir mesmo, e quem não quiser que eu abra, eu prendo e arrebento." Paulo Maluf, comprando votos, bate Laudo Natel na eleição indireta e torna-se governador biônico de São Paulo. O piauiense Petrônio Portella, ministro da Justiça, é o artífice da abertura: revoga o AI-5, torna elegíveis os cassados, restabelece o *habeas corpus*. Henry Kissinger e o ministro de Minas e Energia, Shigeaki Ueki acertam negociata: a "compra" da Light. Eleições sob a Lei Falcão resultam em quinze senadores e 231 deputados da Arena contra oito senadores e 189 deputados do MDB.

Antunes Filho encena antológica adaptação de *Macunaíma*, "herói de nossa gente", de Mário de Andrade, que viaja por mais de vinte países e se torna o espetáculo brasileiro mais visto no exterior. O cacique xavante Juruna sai de gravador, gravando funcionários e políticos, ganhando a opinião pública para impedir que qualquer burocrata declare uma tribo extinta. Primeira greve em dez anos paralisa indústria automotiva no ABC e projeta um líder nacional: Lula.

FH faz 47 anos e elege-se suplente de senador de Franco Montoro pelo MDB, Movimento Democrático Brasileiro.

1979

O posseiro Genésio descobre a Grota Rica, ao norte da Serra Pelada; dá-se a corrida do ouro do século XX.

Grupo Folhas fecha *Última Hora*, comprada de Samuel Wainer em 1968. Assume a presidência o general cavalariano João Baptista Figueiredo, carrancudo e grosso — "mulher e cavalo só se conhece montando". Consuma-se a negociata: "compramos" a Light por mais de US$ 1 bilhão, apenas dois anos antes de vencer a concessão em São Paulo (onze no Rio) e tudo passar para nós de graça.

Figueiredo sanciona a Lei de Anistia e a segunda metade do ano é só alegria de brasileiro voltando.

Série *Malu Mulher* joga para as massas temas como divórcio, orgasmo, aborto, na trilha aberta treze anos antes pela revista *Realidade*. O ano acaba com a Novembrada em Florianópolis: estudantes afrontam Figueiredo, que sai no braço, contido por seguranças; o ministro das Minas e Energia César Cals leva um pé de ouvido.

1980

Recenseamento: somos quase 120 milhões. Fevereiro: fundado em São Paulo o Partido dos Trabalhadores, PT. Com *Sonho de um Sonho*, baseado em poema de Drummond, Vila Isabel de Martinho da Vila vence o carnaval.

Sinatra canta no Maracanã para 140 mil pessoas, com cachê de quase US$ 1 milhão. João Paulo II, diante da multidão em Teresina, exclama: "Meu Deus, este povo tem fome." Na missa em Manaus, lê os nomes de cinco caciques assassinados por grileiros. Metalúrgicos em greve por aumento: ministro do Trabalho intervém nos sindicatos; treze líderes são enquadrados na Lei de Segurança Nacional, entre eles Lula. Terrorismo de direita: atentados só param depois do "acidente de trabalho" no Riocentro (ver 1981. Vão-se Vinicius aos 66 anos e Nelson Rodrigues aos 68).

Doçura, fundada por Narciso Kalili, publica a reportagem *Os Maridos Assassinos de Minas Gerais*, de Carlos Azevedo: é fechada (o assassino retratado era de família "influente"). Belorizontinas picham muros: *Quem ama não mata*. Começa a luta feminina contra o machismo.

Nova Iorque: maluco mata a tiros em 8 de dezembro John Lennon.

Chegam mais garimpeiros a Serra Pelada, alguns prospectam ao sul da Grota Rica, possível origem do ouro dos aluviões. Abrem catas que formarão a grande cava da Babilônia. Sai do ar a Rede Tupi de Televisão, substituída pelo Sistema Brasileiro de Televisão, o SBT de Silvio Santos. Miriam Dutra, 20 anos, trabalha no *Afinal*, jornal tocado em Florianópolis pelo editor Nelson Rolim de Moura.

1981

FHC se torna cinquentão. João Paulo II ferido a tiro em atentado. Bomba explode no colo de sargento que, com um tenente, num Puma, vai detonar a caixa de força do Riocentro, onde mil pessoas veem *show* de 1º de Maio (forças superiores evitaram monumental tragédia); era a linha-dura querendo barrar a abertura política, mas o fiasco a acelerou. Escândalo da Mandioca: equivalente a R$ 30 milhões desviados do BB de Floresta, PE, para financiar safra, vai parar na conta do major PM José Ferreira dos Anjos e outros; da pena de trinta anos, o major cumpre dez. Começam as obras da usina de Tucuruí; custo de US$ 2,1 bilhões chegaria a US$ 10 bilhões. Criada a CUT, Central Única dos Trabalhadores.

Cientistas americanos descrevem doença a que nomeiam síndrome de imunodeficiência adquirida, a *AIDS*. Estados

Unidos lançam primeiro ônibus espacial. Vão-se figuraças do nosso cinema: Amácio Mazzaropi, aos 69 anos, e Glauber Rocha, aos 48 anos. Bill Gates vende o primeiro modelo de computador pessoal. Argentina invade as Ilhas Malvinas, provocando guerra perdida contra a Grã-Bretanha.

Justiça Eleitoral "doa" a sigla PTB a Ivete Vargas e Brizola cria o PDT, Partido Democrático Trabalhista. Lideranças indígenas assassinadas país afora: um apurinã no Amazonas, dois guajajaras no Maranhão; e, no Paraná, o cacique Kretã, a mando do grileiro Slaviero.

Luís Carlos Prestes, aos 80, é exonerado da chefia do PCB — por esquerdismo.

1982
19 de janeiro: aos 36 anos, vítima de cocaína com álcool, morre Elis Regina. Encontrado em praia fluminense o corpo de Alexandre Baumgarten, diretor de *O Cruzeiro*, que havia acusado o chefe do SNI, general Newton Cruz, como responsável por sua presumível "extinção física"; o caso não deu em nada. Só no Brasil: Taça Jules Rimet é roubada da sede da CBD, no Rio.

Nas primeiras eleições estaduais desde 1965, a oposição vence por todo o país. Em São Paulo, Franco Montoro se elege governador e abre vaga para seu suplente assumir cadeira no Senado: FHC. Em 5 de novembro entra em funcionamento a hidrelétrica de Itaipu.

1983
FH assume cadeira no Senado no lugar de Montoro, que toma posse como governador paulista.

Samba de luto: vai-se Clara Nunes, durante operação simples de varizes, primeira mulher a bater recorde de vendas no primeiro disco gravado; e vai-se Garrincha, a alegria do povo. Marines invadem Granada, no Caribe, e depõem presidente socialista eleito.

Outubro. Eleição de Raúl Alfonsín põe fim à ditadura militar na Argentina, que em sete anos prendeu, torturou e matou 30 mil pessoas, muitas delas desaparecidas.

Novembro, 27. PT faz em São Paulo comício pró-eleições para presidente, detonando o movimento Diretas Já.

Figueiredo enfrenta crise da dívida externa de US$ 88 bilhões indo ao FMI, que manda para cá certa Ana Maria Jul, enfiar goela abaixo o remédio: arrocho salarial, recessão, inflação, fome, desemprego, falências, quebradeira geral. Chega o *compact disc*, o *CD*.

Auge de Serra Pelada: 60 mil garimpeiros no sonho da riqueza rápida, em que só uns poucos bamburraram (deram sorte).

Miriam Dutra começa em tevê, primeiro na Cultura, depois na RBS, em Florianópolis.

1984
Estoura escândalo da Coalbra, que Sérgio Motta montou para produzir álcool de madeira (no país que nasceu e cresceu plantando cana); rombo: US$ 250 milhões.

Janeiro, 25: 300 mil em comício na praça da Sé por Diretas Já; a Globo noticia como "festa pelo aniversário de São Paulo". O Congresso decide contra o voto popular para presidente. Julho: greve de petroleiros e metalúrgicos: protesto contra a política econômica. Agosto: PMDB homologa chapa Tancredo-Sarney e Figueiredo pede "união em torno de Maluf".

O modelo carioca Luiz Roberto Gambine Moreira vira Roberta Close, e viria a fazer operação para mudar de sexo.

1985
Em 28 de fevereiro, Figueiredo inaugura ponte sobre o Tocantins para a Vale escoar nossas riquezas. Funciona em São Paulo a primeira Delegacia da Mulher.

Eleito no Colégio Eleitoral, Tancredo adoece e morre; toma posse Sarney, que começa mal: proíbe *Je Vous Salue, Marie*, de Jean-Luc Godard, sobre a "sagrada família", alegando que fere nossa "religiosidade". *Roque Santeiro*, de Dias Gomes, é liberada depois de dez anos e conquista o país com as peripécias da viúva Porcina (Regina Duarte) e Sinhozinho Malta (Lima Duarte).

FH se deixa fotografar sentado na cadeira de prefeito de São Paulo antes das eleições; Jânio, o vencedor, desinfeta a cadeira antes de tomar posse.

1986
Brasil reata com Cuba. Nave Challenger explode setenta e três segundos após o lançamento, matando sete astronautas e chocando milhões que viam pela tevê.

Fevereiro: Plano Cruzado, dos tecnocratas Pérsio Arida e André Lara Resende; Delfim Netto diz que "por muito menos botamos o João Goulart para correr"; preços congelados, policial federal correndo atrás de boi no pasto e "fiscais do Sarney" de bótons vociferando nos telejornais; plano eleitoreiro: o PMDB elegerá vinte e dois de vinte e três governadores, no maior estelionato eleitoral da história. Novembro, 21: explode em Brasília o Badernaço, com saques, depredações e incêndios; Sarney põe tanques nas ruas. FH elege-se para o Senado.

Estaleiros Hyundai na Coreia do Sul começam a construir o Berge Stahl, para a linha São Luís-Rotterdam, sob contrato da Vale com siderúrgicas alemãs e holandesas: levará nosso minério de ferro à razão de meio Maracanã por viagem.

1987
Alívio internacional: Reagan e Gorbatchov assinam tratado para eliminar mísseis nucleares de médio alcance. Em 1º de fevereiro é instalada a Assembleia Nacional Constituinte. Com o monumental fracasso do Cruzado, Sarney lança o Plano Bresser no Dia dos Namorados e mete a mão na poupança do povo. PCdoB rompe com o governo, que suspende pagamento dos juros da dívida externa. Morrem: sociólogo Gilberto Freyre, autor de *Casa Grande & Senzala*; jornalista Cláudio Abramo, reformador de jornais; Carlos Drummond de Andrade; Golbery do Couto e Silva, criador do "monstro" Serviço Nacional de Informações e chefe do Gabinete Civil dos governos Geisel e Figueiredo.

O PRÍNCIPE DA PRIVATARIA

Ator Toni Lopes anuncia a Conta Remunerada, produto inovador do Bamerindus. Gordo, barbudo e bonachão, encerra os comerciais balançando a cabeça, com ar finório dizendo: "Esse Bamerindus...".

Governo Sarney naufraga em 25 de junho: uma multidão aborda seu ônibus na Praça XV, Rio, gritando "Sarney, salafrário! Está roubando o meu salário!", "Sarney, ladrão! Pinochet do Maranhão"; quebram uma janela e o ferem na mão; dois vão presos; governo acusa Brizola — *O Globo* e a Rede Globo pedem a cassação do ex-governador. Guarda Municipal de Jânio despeja 20 mil famílias que ocupam terrenos na Zona Leste paulistana e mata o pedreiro Adão da Silva. Julho, dia 1º, Rio: 30 mil incendeiam sessenta ônibus e destroem outros cem, após aumento de 49% nas passagens em pleno congelamento de preços; a polícia prende cem; o aumento é cancelado. No Acre, cercado por 1.200 soldados, Sarney ouve o povo gritar: "o povo não aguenta Sarney até noventa".

Pistoleiro mata com cinco tiros na cabeça Paulo Fonteles, 38 anos, advogado de posseiros do Pará. PMs invadem casa em São Paulo e matam com oito tiros o ex-menino de rua Fernando Ramos da Silva, 19 anos, ator do filme biográfico *Pixote*.

A três dias do *réveillon*, 4 mil garimpeiros de Serra Pelada se rebelam, a PM reage à bala: 133 mortos num dos maiores massacres da história recente.

Surge o Prozac, a "pílula da felicidade".

Unesco, a 7 de dezembro, declara Brasília Patrimônio da Humanidade.

1988

Vão-se no início do ano o cartunista Henfil, aos 43 anos, e o pintor Volpi, aos 92.

Sarney acha que o Brasil é um Maranhãozão: destina apenas 10,6% do orçamento à Educação. Estica o mandato para cinco anos, após negociação com o Congresso que inclui mais de mil concessões de emissoras de rádio e televisão.

Índia caiapó Tuíra passa facão no rosto de José Antônio Muniz Lopes, da Eletronorte, num encontro para discutir danos ambientais da construção da usina Belo Monte; a cena corre o mundo e o Banco Mundial sai da parada. PT elege primeira mulher prefeita de São Paulo, a paraibana Luiza Erundina.

Como na ditadura: em 9 de novembro, 1.300 homens do Exército invadem Volta Redonda para expulsar 3 mil operários em greve por reposição salarial e turno de seis horas; matam três e ferem nove.

FHC, Montoro, Covas, Serra, Sérgio Motta e outros fundam o PSDB, Partido da Social Democracia Brasileira, tendo o tucano como símbolo por sugestão de Montoro. Em 5 de outubro é promulgada a Constituição Cidadã. Criado o estado de Tocantins, na metade norte de Goiás. Em 22 de dezembro, o ambientalista Chico Mendes é assassinado a tiro de espingarda no peito, na porta de sua casa, em Xapuri, Acre. Em 31, o *Bateau Mouche* naufraga com 153 passageiros na Baía da Guanabara: cinquenta e cinco mortos; os donos, os espanhóis Faustino Puertas e Avelino Rivera e o português Álvaro Costa, permitiram o embarque do dobro da lotação permitida. Condenados, fugiram para seus países.

FHC conhece Miriam Dutra. Ele está com 57 anos, ela com 28.

1989

Em 16 de janeiro circula o cruzado novo, NCz$, que equivale a mil cruzados — a cabeça do brasileiro funde tentando saber quanto vale NCz$ 1,00. Sarney corta mais ainda o gasto com educação: 4,6% do orçamento.

Maio: PT, PCdoB e PSB lançam Lula à presidência. Sarney reaproxima-se de Collor; em segredo, preparam o confisco da poupança. Bahia: 1.600 famílias ocupam duas fazendas; em Feira de Santana, pistoleiros matam o líder camponês Olegário Dias Bispo. Greve nacional de bancários em abril; por medida provisória Sarney restringe o direito de greve. Maranhão: duzentas famílias ocupam fazenda em Victorino Freire e dois sem-terra são assassinados; em Santa Luzia, PM espanca e expulsa ocupantes de outra fazenda; morto a tiros em Montanha líder camponês capixaba Verinoi Sossai. Governo finda com recorde imbatível: maior inflação da história, 1.764,86% ao ano.

Em novembro, primeiras eleições diretas desde 1960. Collor derrota Lula. Dia 9, a queda do Muro de Berlim simboliza o fim da Guerra Fria. Em Washington, reunião patrocinada por Banco Mundial, FMI, BID (Banco Interamericano de Desenvolvimento) e governo americano, prepara o receituário a seguir, a exemplo do Chile de Pinochet, dos Estados Unidos de Reagan, da Inglaterra de Thatcher: "desregular o mercado" para dar liberdade total aos capitais privados, "abrir" a economia, rever direitos trabalhistas, reformar o estado — e privatizar estatais adoidado. É o Consenso de Washington, para o qual mandaram propostas os criadores do Plano Cruzado, do Cruzado Novo, do Real...

1990

Polícia Federal expulsa 45 mil garimpeiros de terras ianomâmis. Morrem Luís Carlos Prestes aos 92 e Cazuza aos 32. Povo saqueia supermercados nos subúrbios cariocas; em Jacarepaguá, 3 mil favelados invadem condomínio abandonado. Collor toma posse em 15 de março herdando a hiperinflação, bloqueia contas correntes e poupanças; gente se suicidou; gastos com educação caem mais: 2,4% do orçamento. Líderes rurais são sequestrados, feridos ou mortos no Ceará, Pará, Rio, Tocantins, Rio Grande do Sul, Pernambuco; até a CNBB denuncia a violência dos latifundiários.

Chegam a Internet e o telefone celular.

Em 16 de dezembro, os fazendeiros Darcy Alves Pereira e Darly Alves da Silva são condenados a 19 anos pelo assassinato de Chico Mendes.

Marco Maciel, vice de FHC em 1994, recebeu dinheiro "indiretamente" de PC Farias em sua campanha para o Senado. Por volta da semana de Natal, Miriam Dutra engravida e, ao que tudo indica, pode ser de FHC.

1991

Na ressaca do *réveillon*, favelados saqueiam mercados na periferia de São Paulo. Antropólogos vão pesquisar por que adolescentes guaranis e caiuás se matam: em dois anos, setenta e quatro casos. Entra em vigor o Código do Consumidor. Libertados sessenta e quatro trabalhadores escravizados em duas fazendas de Ourilândia, Pará.

Saldo dos protestos contra a primeira privatização de Collor, da Usiminas: setenta feridos e treze presos. No centro do Rio, 3 mil se manifestam contra a matança de crianças e adolescentes de rua. No plano internacional, não há mais União Soviética; mas nasce o Mercosul: em 26 de março, os presidentes Andrés Rodríguez, do Paraguai; Carlos Menem, da Argentina; Luís Alberto Lacalle, do Uruguai; e Fernando Collor assinam na capital paraguaia o Tratado de Assunção, que cria o Mercado Comum do Sul..

FHC expulsa Miriam Dutra de seu gabinete no Senado quando ela lhe comunica que está grávida de um filho dele. Tomás Dutra Schmidt nascerá em Brasília em 26 de setembro. Ela e o filho serão "exilados", com ajuda da Globo, primeiro para Portugal, depois Espanha.

1992

De 3 a 14 de junho, no Rio, Conferência das Nações Unidas sobre o Meio Ambiente e o Desenvolvimento, Eco 92, precursora da +20. Estados Unidos, responsáveis por um quarto das emissões de carbono, não assumem compromissos e boicotam documentos. Morre Jânio em 17 de fevereiro. Conselho Regional de Medicina paulista processa Harry Shibata e outros médicos que colaboraram com a tortura.

Em maio, dossiê de Pedro Collor acusa PC Farias, tesoureiro da campanha de seu irmão Fernando Collor, de possuir uma fortuna no exterior. CPI do PC Farias mostra corrupção instalada no coração do governo, com conivência do presidente. Imprensa denuncia superfaturamento na compra de cabos de alumínio pela Eletronorte, domínios de Sarney.

Morrem: Herivelto Martins, aos 80, autor de *Ave Maria no Morro* e *Praça Onze*; em acidente de helicóptero, o "senhor Diretas", Ulysses Guimarães.

Movimento dos caras-pintadas contra corrupção empurra Collor para o *impeachment* e ele renuncia; Senado cassa-lhe os direitos políticos até 2000; assume o vice, mineiro Itamar Franco.

Rapaziada dos morros cariocas inaugura o arrastão: aos magotes, saem por Copacabana, Ipanema e Leblon tomando o que podem de banhistas e transeuntes. PM paulista massacra 111 presos no Carandiru, na véspera das eleições de 3 de outubro. O governador Fleury Filho chama, para novo secretário da Segurança de São Paulo, Michel Temer, futuro vice da presidenta Dilma Rousseff.

Desfecho trágico a três dias do *réveillon*: ator Guilherme de Pádua, 23 anos, e sua mulher Paula Thomaz, 19, emboscam a atriz Daniella Perez e a matam com 18 tesouradas; Guilherme e Daniella faziam par amoroso na novela *De Corpo e Alma*, de Gloria Perez, mãe da atriz.

FH é chanceler de Itamar Franco.

1993

FH vai para o Ministério da Fazenda. Itamar prepara-o como sucessor.

Pesquisa da Ordem dos Advogados do Brasil: de oitenta e nove cursos, apenas sete formam advogados confiáveis. Plebiscito em abril: povo diz não à monarquia e ao parlamentarismo e sim à república e ao presidencialismo. Lula inicia Caravana da Cidadania, entre Garanhuns e São Paulo, em dois ônibus que num mês percorrem 300 municípios.

Em Arraial d'Ajuda, Bahia, a PM expulsa de suas terras trinta e cinco famílias pataxó.

Senado aprova até 100% de capital estrangeiro nas privatizações: vem aí com tudo o neoliberalismo — ou, como dizia Brizola, o velho colonialismo de roupa nova. PM prende e fere quem protesta contra a privatização da Cosipa, Companhia Siderúrgica Paulista; cinquenta presos e vinte feridos em Minas, em protesto contra o leilão da Açominas.

PC Farias preso na Tailândia. CPI revela corrupção sem precedentes na manipulação de verbas públicas, promovida por políticos e empreiteiras; deputados envolvidos ficam conhecidos como Sete Anões: João Alves (PPR-BA); Genebaldo Correia (PMDB-BA); Messias Góis (PFL-SE); José Geraldo Ribeiro (PMDB-MG); Cid Carvalho (PMDB-MA); Manoel Moreira (PMDB-SP); e José Carlos Vasconcellos (PRN-PE).

Morre o grande Grande Otelo.

Operação Mãos Limpas chega ao fim com 300 peixes graúdos encaminhados a julgamento, inclusive executivos e políticos — isso na Itália. PM carioca compete com a paulistana pelo pódio da crueldade: em 23 de julho mata sete crianças, na Chacina da Candelária; e em 29 de agosto, na Chacina de Vigário Geral, mata vinte e um moradores da favela.

1º de agosto: cortam três zeros da moeda, o cruzeiro, que passa a cruzeiro real; 26 de setembro: Tomás Dutra Schmidt apaga duas velinhas no bolo; dezembro: FHC anuncia novo plano de estabilização econômica.

1994

Revolta indígena-camponesa zapatista em Chiapas, sul do México; tomam cidades. Nelson Mandela é o primeiro presidente negro da África do Sul; fim do racista Apartheid.

No 1º de maio, morre Ayrton Senna da Silva, em Ímola, Itália, aos 34 anos, ao bater no muro de uma curva. Escândalo da gráfica do Senado; políticos ilegalmente imprimem ali material de propaganda eleitoral. Vexame no Rio: Exército e Marinha ocupam favelas, prendem, torturam, apreendem umas armas, trouxinhas de maconha, e caem fora. Brasil tetra nos EUA, batendo a Itália por 3 a 2 nos pênaltis.

Abril: pesquisa dá Lula com 40% e FHC com 12%. **Maio**: FHC guina à direita e se une ao PFL, para garantir votos do Nordeste. Lula, 43%, FHC subiu para 17%. **Junho**: Lula diz que o Plano Real é estelionato eleitoral. Cai nas pesquisas e empata com FHC em 30%. **Julho**: lançado o real no dia 1º e estabilizados os preços, FHC usa a moeda de 50 centavos como mote; toma café da manhã numa padaria carioca e paga com ela. **Agosto**: dia 1º, propaganda tucana diz: *O preço do pãozinho está comemorando o seu primeiro aniversário. Faz 1 mês que ele não muda. Feliz aniversário pãozinho! Bom começo Brasil!*; 70% dos eleitores de Lula aprovam o Real; dia 2, denúncia de corrupção com empreiteiras contra o senador pefelista Guilherme Palmeira, vice de FHC: Marco Maciel o substitui; dia 5, Mercosul estende-se à Bolívia; FHC 40%, Lula 22%. **Setembro**: dia 1º, esperando para dar entrevista à Globo, o novo ministro da Fazenda, Rubens Ricúpero, diz ao repórter, sem saber que o microfone está aberto: "Eu não tenho escrúpulos! Eu acho que é isso mesmo, o que é bom a gente fatura, o que é ruim a gente esconde!" Crise na campanha de FHC, mas o povo não está nem aí. **Outubro**, dia 3, segunda-feira: com 54,3% dos votos, FHC derrota Lula no primeiro turno. **Dezembro**, o STF absolve Collor e PC Farias da acusação de corrupção passiva; condena PC a sete anos de prisão por falsidade ideológica. Aos 67, em 8 de dezembro, se vai Tom Jobim, que disse: "O Brasil é um país de ponta-cabeça."

1995

1º de janeiro: FHC toma posse. Alberto Fujimori reeleito presidente do Peru em abril; FHC vai à posse e, escolhido orador em nome dos chefes de estado presentes, elogia o instituto da reeleição, "legitimado pelo voto popular". Já pensa nisso e disso vai cuidar. Em 14 de maio, outro reeleito: Menem, na Argentina; FHC fortalece em si a intenção. Sarney, presidente do Senado, indica, para diretor da Casa, Agaciel Maia, o patrono do escândalo da gráfica.

Três mil sem-terra gaúchos marcham por reforma agrária; em São Paulo, invadem três fazendas. Recife: manifestantes apedrejam ônibus de FHC. O presidente manda o Exército ocupar refinarias para acabar com greve de petroleiros. Conflito em São Félix do Xingu, Pará: morrem seis sem-terra e um PM. Primeira privatização sob FHC: Escelsa, Espírito Santo Centrais Elétricas S.A.

Escândalos já tisnam o governo: Júlio César Gomes dos Santos, assessor de FHC, cai num grampo intercedendo a favor de amigo empresário na bilionária concorrência para o Sivam, Sistema de Vigilância da Amazônia; Banco Econômico quebra e uma pasta rosa obtida com o estabelecimento contém nomes de quarenta e quatro políticos que receberam dinheiro na campanha de 1990, entre eles ACM.

1996

Em janeiro, auge da fama com suas letras escrachadas, os cinco jovens de Guarulhos, na Grande São Paulo, que formavam os *Mamonas Assassinas*, voltando de jatinho de *show* em Brasília, morrem espatifados na Serra da Cantareira, já perto de Congonhas. A 17 de abril, PMs do Pará matam dezenove sem-terra, no massacre de Eldorado dos Carajás. Em junho, Polícia Federal captura no Pará, Darli Alves da Silva, um dos assassinos de Chico Mendes, foragido desde 1993. Em novembro, pega no Paraná o outro, Darci Alves Pereira. Justiça paulista considera "inocentes" PMs que massacraram 111 presos no Carandiru em 1992. PC Farias assassinado em Alagoas, com evidências de queima de arquivo.

Morre no Rio João Antônio, autor do clássico *Malagueta, Perus e Bacanaço*; o corpo, que ficou três semanas no apartamento, é encontrado em 31 de outubro, enquanto em sua terra natal, São Paulo, um Fokker 100 da TAM cai logo após decolar de Congonhas matando noventa e nove pessoas.

Serra concorre a prefeito de São Paulo e fica em terceiro; vão para o 2º turno a petista Luiza Erundina e o malufista Celso Pitta, que vence.

1997

Em 25 de janeiro, Guilherme de Pádua, assassino da atriz Daniella Perez, é condenado a 19 anos. Em 28, emenda da reeleição aprovada na Câmara em 1º turno. Em 14 de abril, a CNBB acusa o governo de corrupção por compra de votos a favor da reeleição. Em 7 de março, amador filma doze PMs extorquindo moradores da Favela Naval, São Paulo; o soldado Gambro, o *Rambo*, dispara e mata o almoxarife Mario Josino; é condenado a 65 anos.

Sérgio de Souza, com antigos colegas, lança a mensal *Caros Amigos* em abril, 31 anos depois de *Realidade*. Chocante: em Brasília, cinco *boyzinhos*, entre eles o filho do presidente do Tribunal de Justiça da capital, jogam álcool e ateiam fogo no pataxó Galdino Jesus dos Santos, que dorme num ponto de ônibus depois de evento pelo Dia do Índio, 19 de abril; morre com 95% do corpo queimado.

Agora que Lula perdeu as eleições, Senado aprova a reeleição do presidente, governadores e prefeitos. Há denúncias de compras de votos, não dá em nada. Na mais escandalosa privatização da breve Era FHC, a Vale vai para a iniciativa privada por um terço do que vale: R$ 3,3 bilhões.

1998

Tomás Dutra Schmidt já está se alfabetizando, em castelhano. Vai completar sete anos em 26 de setembro. Fevereiro quente. PM expulsa da Câmara sindicalistas que gritam "ou paz a reforma, ou paramos o Brasil"; com o Congresso cercado, e cavalarianos espancando gente, a Câmara aprova a reforma da Previdência em 1º turno; dia 22, desabam na Tijuca, Rio, quarenta e quatro apartamentos do Palace II, da construtora Sersan, do deputado Sergio Naya (PP-MG), matando oito pessoas e desabrigando 120 famílias.

Março. Ficam na saudade o vozeirão e a interpretação de Tim Maia. Abril. Morrem Sérgio Motta, ministro e *trator* de FHC; e Luís Eduardo Magalhães, deputado federal, filho de ACM, que sonhava vê-lo presidente. Ministério da Justiça reconhece que a estilista Zuzu Angel, mãe de Stuart Angel, torturado até a morte em base aérea no Rio em 1971, morreu em 1976 em atentado, e não em acidente.

Maio. Coligação PT-PDT-PSB-PCdoB lança Lula-Brizola à presidência. Líder sem-terra e cacique são assassinados, sertanejos famintos saqueiam caminhões de alimentos. Enquanto Ronaldo sofre convulsão e entra apático em campo, a Copa da França é da França e de Zinedine Zidane.

Privatização da Telebras rende R$ 22 bi; Espanha, Portugal e Estados Unidos controlam o setor; PM fere quarenta e quatro e prende trinta e dois durante protestos; grampo revela que os mandachuvas Mendonça de Barros e André Lara Resende favoreceram um grupo; Mendonça diz a *IstoÉ* que FHC "sabia de tudo". Agosto. Preso o *Maníaco do Parque*, Francisco de Assis Pereira, que atraía garotas ao Parque do Estado, na capital paulista, prometendo emprego de modelo; espancava, violentava, matava por asfixia. Setembro. Fidel nos visita e se reúne com FHC e Lula.

FHC reeleito no primeiro turno; três meses depois, sua popularidade despenca.

1999

FHC toma posse em 1º de janeiro sem pompa e, logo, quebra a paridade do real com o dólar, ou seja, cai na real e desvaloriza o real. Seus aliados do PFL pedem abertamente a entrega do Banco do Brasil, da Caixa, da Petrobras para reconquistar a "confiança" dos investidores.

Lâmpadas apagam, elevadores estacam, metrô para: é o Apagão, por falta de investimentos e imprevisão do governo FHC.

Em acidente em São Paulo, morre Dias Gomes.

Banco Central socorre os bancos Marka e FonteCindam, com R$ 1,6 bilhão, gerando CPI e fuga do banqueiro Cacciola para a Itália, graças a uma suprema toga amiga. Antropólogo Walter Neves descobre em Lagoa Santa, Rio Grande do Sul, fóssil de crânio feminino, Luzia, com 11.500 anos. Baiano Arcelino Freitas, o Popó, nocauteia o russo Anatoly Alexandrov e se torna campeão mundial superpena de boxe. 3 de novembro, São Paulo: Mateus da Costa Meira, 24 anos, num cinema do Morumbi, metralha a plateia, matando três pessoas.

2000

Em abril, *Caros Amigos* circula com a manchete *Por que a imprensa esconde o filho de 8 anos de FHC com a jornalista da Globo?* A circulação passa de 19 mil para 40 mil exemplares mensais.

Ellen Gracie Northfleet, nomeada por FHC, é primeira mulher ministra do STF. Edemar Cid Ferreira, das falcatruas no Banco Santos, promove *Brasil+500: A Mostra do Redescobrimento*; em Porto Seguro, Bahia, polícia espanca índios, e a réplica da nau capitânia de Cabral não funciona, o ministro do Turismo Rafael Greca cai por envolvimento em denúncias contra a máfia dos bingos. Brahma se funde com Antarctica, forma a Ambev, sétima empresa de bebidas do mundo. Barbárie estatal: PM carioca mata refém Geisa Firmino, durante sequestro do ônibus 174; o sequestrador, Sandro Nascimento, é sobrevivente da chacina da Candelária (ver 1993); desta vez, os PMs o asfixiam no camburão.

Impunidade na imprensa: jornalista Pimenta Neves, diretor de redação do *Estadão*, mata a namorada e, recorrendo a altas togas, fica impune até entregar-se em maio de 2011 para cumprir quinze anos de cadeia. Junho: cassado em votação secreta o senador Luís Estêvão, envolvido no superfaturamento das obras do TRT de São Paulo. Agosto. *Veja* repercute as acusações do ex-banqueiro José Eduardo de Andrade Vieira, do Bamerindus: campanha de FHC em 1994 arrecadou mais dinheiro que o necessário: sobraram R$ 130 milhões. Outubro. Denúncias de corrupção contra Jader Barbalho (PMDB-PA), que em trinta e cinco anos de vida pública amealhou fortuna de R$ 30 milhões. Preso o juiz Nicolau dos Santos Neto, pelo desvio de R$ 169 milhões nas obras do TRT paulista. Saldo do ano: Fernandinho Beira-Mar acusa: pagou US$ 500 mil para evitar — em vão — que suas irmãs caíssem presas; parentes de magistrados, policiais e parlamentares da CPI do Narcotráfico receberam propina.

Negros em Florianópolis — Relações Sociais e Econômicas, de FHC, publicado em 1960 pela CEN, é republicado pela Insular, de Florianópolis. Miriam Dutra se torna quarentona. O filho Tomás fez nove anos e, segundo uma amiga da mãe, em Barcelona, "é a cara do presidente".

2001

FHC cria o Programa Nacional de Renda Mínima, vinculado à educação, o Bolsa Escola. Março. Plataforma da Petrobras P-36 explode na madrugada de 15, na bacia de Campos, matando 11 funcionários; o povo pôde ver pela tevê o naufrágio ao vivo. Presidente da Aepet, Associação dos Engenheiros da Petrobras, em entrevista a Palmério Dória e Mylton Severiano em junho de 2012, disse que acredita em sabotagem.

ACM (PFL-BA) perde a presidência do Senado e dispara acusações contra o vencedor Jader Barbalho (PMDB-PA) que renuncia para não perder os direitos políticos. Crise no Senado: ACM e José Roberto Arruda (PSDB-MG) renunciam, apanhados com a mão na botija: devassaram o painel de votação e sabem como votou cada colega na cassação de Luís Estêvão em 2000.

Atentado às torres de Nova Iorque em 11 de setembro.

FHC extingue Sudene e Sudam, em meio a denúncias de corrupção. Greves no serviço público: servidores de universidades e do INSS param quase todo o segundo semestre, por aumento de salários. Crise na energia leva o governo a implantar racionamento. Petrobras vazando: em fevereiro, em Morretes, Paraná, 50 mil litros de diesel contaminam quinze quilômetros de águas; em abril, 26 mil litros de óleo caem no mar na Bacia de Campos. Parece que "faz parte": governo ameaçou mudar o nome para Petrobrax, a fim de vender essa joia da coroa.

Ministério do Trabalho relaciona oitenta e dois trabalhos vetados a menores de 18 anos, entre eles aplicação de agrotóxicos e industrialização de açúcar e sisal.

CPI da CBF-Nike não dá em nada e o presidente Ricardo Teixeira se safa mais uma vez. Morrem Maria Clara Machado, aos 80, e Jorge Amado, aos 88.

Ano do apagão: o povo enfrenta racionamento e corre às lojas para comprar lâmpadas "econômicas". Custou nove meses de racionamento e empregos, investimentos gorados, perda de PIB.

26 de setembro: Tomás Dutra Schmidt faz dez anos.

O PRÍNCIPE DA PRIVATARIA

2002

1º de março: policiais federais vasculham a *Batcaverna*, ou empresa Lunus, de Roseana Sarney e seu marido; encontram 27 mil notas de R$ 50; a candidatura da governadora maranhense à Presidência — inventada pelo pefelista Jorge Bornhausen e turbinada pelo publicitário Nizan Guanaes — que subia como rojão aceso, cai como balão apagado.

João Paulo II canoniza Madre Paulina, primeira santa brasileira, nascida na Itália mas vinda ao Brasil criança e fixada em Santa Catarina; morreu em 1942. Junho. Tim Lopes, da Globo, filma escondido baile *funk* no Complexo do Alemão, para mostrar como drogas circulam à vontade: é capturado, "julgado e executado". Vão-se Mário Lago, ator, autor de *Amélia* (com Ataulfo Alves), e Chico Xavier, mais importante médium kardecista do mundo. Brasil bate Alemanha por 2 a 0 e se torna pentacampeão mundial na Copa Japão-Coreia.

Julho: *IstoÉ* descreve esquema gigante de envio irregular de bilhões de dólares para o exterior; um trecho: *Na papelada encontrada por investigadores na agência Banestado em Nova Iorque havia um boleto bancário no valor de 185 mil reais em nome de Jorge Konder Bornhausen*.

27 de setembro, sexta-feira, vésperas do primeiro turno das eleições presidenciais. Nuvem negra no horizonte de Serra: segundo apagão. Lula derrota Serra e pela primeira vez um operário senta na cadeira de presidente.

2003

Primeira medida de Lula: Fome Zero.

Junho. Procuradores da República entregam à Receita cerca de 6 mil documentos sobre mais de 80 mil pessoas que lavaram US$ 30 bilhões nos Estados Unidos, a partir da agência Banestado em Foz do Iguaçu; o Araucária, da família Bornhausen, lavou no mínimo US$ 5 bilhões.

Suspeita explosão na Base de Alcântara, Maranhão, mata onze engenheiros e dez técnicos, responsáveis pelo VLS (Veículo Lançador de Satélites), em 22 de agosto. Lula nomeia para o STF o mais velho dos oito filhos de um pedreiro e uma dona de casa, negros: Joaquim Barbosa Gomes. Daiane dos Santos é primeira brasileira medalha de ouro num mundial de Ginástica Artística, na Califórnia. Presidente da Câmara Aldo Rebelo (PCdoB-SP) recebe denúncia: Eduardo Cunha (PMDB-RJ) mais dois deputados tomam dinheiro de empresários de combustíveis, cobrando "pedágio" para que se livrem de convocação perante a Comissão de Fiscalização e Controle; não deu em nada.

Morre Roberto Marinho.

2004

Banco Central intervém no Banco Santos, de Edemar Cid Ferreira, amigo de Sarney, por rombo de mais de US$ 2,2 bilhões: daria para comprar frota de 88 mil automóveis Fiat Palio; Sarney pede a Lula para suspender a medida, em vão; relaxa e tira do Banco Santos, às escondidas, R$ 2 milhões que ali possui.

Morre de infarto, aos 82, Leonel Brizola, fundador do PDT e, caso único, governador do Rio Grande do Sul na década de 1960 e do Rio de Janeiro na de 1980.

Entrevistado por *Caros Amigos* em agosto, senador gaúcho Pedro Simon diz que FHC comprou 150 deputados para aprovar a reeleição em 1997.

2005

Grileiros assassinam a missionária americana Dorothy Stang, em Anapu, Pará.

Atriz Maria Alice Vergueiro é sucesso do ano no YouTube, com *Tapa na Pantera*: brinca com o hábito da maconha, acendendo o movimento pró-liberação. Morre aos 88 Miguel Arraes, fundador do PSB, governador de Pernambuco preso em 1964 quando os militares dão o golpe e, depois do exílio, novamente por duas vezes.

Após escândalo do Banestado, o governo muda regras das contas CC5. Quem mandar dinheiro para fora deve assinar contrato de câmbio com algum banco, registrado no Banco Central — o CMN instalou uma "torneira", sob seu controle, no "encanamento" da CC5.

Natureza em fúria: em agosto, o furacão Katrina, com ventos de 250 quilômetros por hora, ataca Louisiana, Mississipi, Alabama e Flórida; em dezembro, entre Ásia e África, *tsunami* mata 150 mil, fere 500 mil e desabriga 5 milhões de pessoas.

Acusado de operar o Mensalão, esquema de pagamento de propina para parlamentares apoiarem medidas do governo, cai o ministro da Casa Civil José Dirceu, que sai dizendo "tenho as mãos limpas, saio de cabeça erguida".

2006

Fevereiro. A mídia esconde que "foram condenados a onze anos de prisão, pela 12ª Vara Federal do Distrito Federal, o ex-presidente do Banco do Brasil, Paulo César Ximenes e seis ex-diretores", por "gestão temerária devido a irregularidades em empréstimos feitos à construtora Encol entre 1994 e 1995". Entre os condenados, Ricardo Sérgio de Oliveira, um dos responsáveis por emprestar dinheiro à Encol, que faliu deixando prédios abandonados e lesando milhares de mutuários. Recorrem em liberdade.

29 de março. A bordo da nave russa *Soyuz*, vai ao espaço o primeiro brasileiro, Marcos Pontes, 43 anos.

Maio: preso Edemar Cid Ferreira, do Banco Santos.

29 de setembro. Jatinho *Legacy* atinge *Boeing* da Gol, que cai matando 154 pessoas; comprado por empresa norte-americana, ia fora do plano de voo; *Jornal Nacional* ignora a notícia para, na véspera da eleição presidencial que opõe Lula a Alckmin, não ofuscar o encontro de dinheiro com "aloprados" do PT presos quando pretendiam comprar dossiê que comprometeria tucanos.

Advogada Carla Cepollina é acusada de matar o namorado, coronel Ubiratan Guimarães, chefe do massacre de 111 presos no Carandiru, em outubro de 1992; absolvida pelo tribunal do júri em novembro de 2012.

Lula reeleito com 60% dos votos, apesar do trabalho da mídia contra ele e a favor de Alckmin. Oligarquia baiana se verga: em final eletrizante, petista Jacques Wagner derrota Paulo Souto, candidato de ACM, fotografado em pose inédita: cabisbaixo; morrerá aos 79, nove meses depois.

A frase do ano é "Ontem o diabo veio aqui, ainda cheira a enxofre esta mesa", de Hugo Chávez, presidente da Venezuela, ao falar na ONU no dia seguinte à fala de George W. Bush.

A estatal Sabesp, no governo Alckmin, doa 500 mil reais ao Instituto FHC.

2007

Março: grampo da PF capta Ernane Sarney, o *Gaguinho*, irmão de José Sarney, cobrando propina que a construtora Gautama lhe devia. Renan Calheiros, presidente do Senado, renuncia para escapar à cassação, após a descoberta de que bancava amante com mesada paga pela construtora Mendes Júnior; festeja na casa de Sarney; a moça posa nua mostrando a borboleta que traz tatuada na nádega.

20 de julho. Morre Antônio Carlos Magalhães, o ACM.

FHC passa constrangimento entrevistado pela BBC de Londres. O âncora questiona duro sobre o procurador-geral da República Geraldo Brindeiro, tão leniente que o chamavam engavetador-geral; FHC diz que ele era "independente", o jornalista contesta que quem o nomeou (e sucessivas vezes) foi ele, FHC, e pergunta: se nunca houve "nada de errado" em seu governo, não seria porque Brindeiro "sentou" sobre os processos?

2008

Fevereiro: Instituto FHC recebe R$ 5.717.385,00 por meio de leis de incentivo.

4 de março. Explosão em subestação da Companhia Transmissora de Energia Elétrica Paulista deixa quase 3 milhões de famílias sem luz, atinge o metrô, semáforos e o gerador do Hospital das Clínicas. A mídia não incomoda o governador Serra.

Entra no ar a TV Brasil, promessa de tevê "útil".

Ano de perda no jornalismo: em janeiro, Paulo Patarra, criador de *Realidade*, da Editora Abril; em março, Sérgio de Souza, fundador da *Caros Amigos*; em maio, o também psicanalista e dramaturgo Roberto Freire, o *Bigode*; seguem Nicodemus Pessoa, o *Pessoinha*; o cronista Lourenço Diaféria; e, no último dia do ano, Tide Hellmeister, artista plástico e expoente da colagem.

Veja revela em junho: agenda de Zuleido Veras, dono da Gautama, apreendida em 2007, anota Roseana Sarney ao lado de "R$ 200 mil", dois meses antes da eleição que ela perdeu para Jackson Lago; em outra anotação, lê-se Roseana e ao lado "R$ 63 milhões".

Caso Isabella em São Paulo: casal Nardoni é acusado de jogar pela janela filha do primeiro casamento do marido. Morrem Ruth Cardoso e Zélia Gattai, dona da cadeira 23 da ABL, que foi de seu marido, Jorge Amado, e de Machado de Assis.

Quase ex-ministro da Cultura, Gilberto Gil lança *Banda Larga Cordel*, CD em que homenageia mulheres.

Preso segundo homem da PF, Romero Menezes, suspeito de favorecer empresa que seu irmão gerenciava; a EBX, de Eike Batista, buscava "facilidades" de Menezes.

Revista americana *Esquire* inclui Lula entre 75 homens mais influentes do século XXI. Gilberto Kassab derrota Marta Suplicy na disputa pela prefeitura paulistana. Obama primeiro presidente negro dos EUA.

Novembro. 20º Congresso da Ordem dos Advogados do Brasil, em Natal, anistia Jango e, em pesquisa com os participantes, a Corte suprema presidida por Gilmar Mendes fica na rabeira: apenas 1% confia no STF.

Catarinense Cristóvão Tezza acontece na literatura com *O Filho Eterno*.

2009

2 de fevereiro. Sarney eleito presidente do Senado pela terceira vez. *The Economist* fala em "vitória do semifeudalismo". Esquisita providência no início da legislatura: arquivos são incinerados.

20 de fevereiro. Morre Sergio Naya, onze anos depois do desabamento do Palace II.

Jornal pequeno noticia que "maratona de jogatina" reuniu uma dezena de pessoas na residência oficial do presidente do Senado, pai de Roseana Sarney, a qual admite: quatro vieram de São Luís com sua cota aérea; descoberta, ela diz que passaram sábado e domingo em "reunião de trabalho". Carlos Roberto Muniz exonerado da Diretoria de Comunicações do Senado, porque tentou fazer estudo sobre o "mau uso dos celulares" pelos senadores; o único punido pelos escândalos até ali.

Joaquim Barbosa bate boca com o presidente do STF, Gilmar Mendes, quando este sugere que ele desconhece uma matéria por faltar à sessão anterior; Barbosa diz a Mendes que "não está falando com seus capangas do Mato Grosso" e o aconselha a ir "às ruas", pois Mendes só está "na mídia", "destruindo a credibilidade do Judiciário brasileiro"; inédito nos anais do STF.

Zabé da Loca, tocadora de pífaro, grava primeiro disco aos 84 anos, trinta dos quais morou numa loca (gruta) no sertão paraibano. Aos 50, morre o astro *pop* Michael Jackson.

Crise mundial esquisita, nunca chega aqui; Lula diz que ela se deve a loiros de olhos azuis.

Vale é segunda maior mineradora do mundo, valor de mercado de 100 bilhões e 660 milhões de dólares, só atrás da australiana BHP Billiton, com 159 bilhões e 710 milhões.

2010

Pela segunda vez (a primeira na euforia da reeleição, em 1998) FHC se insinua candidato ao fardão da Academia, citado em colunas de jornal. Em seu *blog*, o repórter Leandro Fortes republica artigo de João Ubaldo Ribeiro avisando que, na ABL, FHC só entra na vaga dele, ou seja, só depois de João Ubaldo morrer. FHC desistiu.

Dilma Rousseff passa por correção da arcada dentária danificada por torturas na ditadura. Em 31 de outubro, torna-se a primeira mulher presidente da República, depois de campanha em que a mídia trabalhou contra ela e a favor de Serra.

Novembro. A *Folhinha*, suplemento infantil da *Folha de S. Paulo*,, anuncia que a Rádio Disney entra no ar, com "a proposta de interatividade: o ouvinte participa dando sugestões por telefone e Internet, ou participando de promoções exclusivas"; seriam "24 horas de programação com foco no *pop rock* atual". "Boa diversão!", conclui a nota, sem — é claro — aludir a suspeitas de que PHC seria testa de ferro da Disney Enterprises Inc. no Brasil.

Miriam Dutra chega aos 50, Tomás vive nos EUA, estudando ciência política, e chega aos 21 anos.

2011

Março. Enfim o FGC, Fundo Garantidor de Crédito, passa a devolver o dinheiro das ações que investidores do Bamerindus perderam com a intervenção do governo FHC. Euclides Nascimento Ribas, presidente da entidade que reúne investidores minoritários, declara: "O acordo tem mais peso moral que material, mesmo assim precisamos celebrar porque, pela primeira vez na história do sistema financeiro brasileiro, o Banco Central e o Fundo Garantidor resolvem ressarcir acionistas."

Junho. Na capa da revista *Trip*, sob a chamada "Maconha", FH posa com lousinha nas mãos onde se lê: *Maconha: liberar, não! Regulamentar, sim!* Sempre se desdizendo na mesma frase: como se pode regulamentar a venda do que não é liberado? Ou não liberar algo que cujo consumo foi regulamentado?

Superior Tribunal de Justiça anula Operação Satiagraha, chefiada pelo delegado da PF Protógenes Queiroz, sob alegação de que provas foram obtidas mediante quebra de sigilos telefônicos e rastreamento de *e-mails*. O principal envolvido, banqueiro Daniel Dantas, e outras figuras notórias, podiam sossegar que não seriam mais investigados.

No finzinho do ano, em seu *site*, Paulo Henrique Cardoso comemora o "recorde" de sessenta e nove empresas associadas ao Conselho Empresarial Brasileiro de Desenvolvimento Sustentável, "com a adesão de seis novas empresas — GE, Siemens, Ecofrotas, AES Brasil, Unimed e BR Foods". A ONG CEBDS publica a revista trimestral *Brasil Sempre*, que Paulo Henrique vem tocando.

FHC recebe homenagens por chegar aos 80 e publica *A Soma e o Resto: Um Olhar Sobre a Vida aos 80 Anos*, memórias, reflexões sobre infância, juventude, família, o país, colhidos pelo assessor Miguel Darcy.

Novembro, 29. Justiça Eleitoral condena pastor Caio Fábio d'Araújo Filho a quatro anos de prisão por envolvimento no *Dossiê Cayman*, papéis falsos sobre fatos que não se comprovou que também sejam falsos: acusava tucanos de ter dinheiro em paraísos fiscais.

2012

Janeiro: em doze meses, pobreza caiu 7,9% e desigualdade diminuiu 2,1%, pesquisa de Marcelo Neri, da FGV. Brasil é tetracampeão de "felicidade futura": de 0 a 10, o brasileiro dá nota média de 8,6 a sua expectativa de satisfação com a vida que levará pelos três anos à frente.

18 de maio. Dilma instala Comissão da Verdade, reunindo quatro ex-presidentes: FHC, Lula, Collor e Sarney.

Junho. Comissão da Verdade decide requisitar documentos encontrados em Minas que revelam torturas sofridas pela presidente na ditadura militar: pau de arara, choques elétricos, palmatória, socos no rosto que a fizeram perder dente. "A pior coisa é esperar por tortura", diz ela no relato, "as marcas da tortura sou eu, fazem parte de mim." Em 2002, Dilma recebeu indenização de R$ 30 mil pela prisão em Minas.

Julho, 2. Este livro é concluído.

Dezembro, dia 3: em seminário dos tucanos em Brasília, FHC lança senador Aécio Neves, neto de Tancredo, à presidência da República, antecipando a corrida presidencial de 2014.

2013

Este livro é acrescido de novo capítulo, o número 12, em 28 de fevereiro. Em agosto, é revisado pelos autores.

Índice Onomástico

Abramo, Cláudio 32
Abramo, Fúlvio 32
Abramo, Lélia 32
Abramo, Lívio 32
Abreu Sodré, Roberto 364
Achcar, Alberto Fares 81
ACM (Antônio Carlos Magalhães) 50, 96, 101, 195, 230, 232, 238, 276
Airton, Carlos 126, 132, 133
Alberico 23, 24, 25, 338
Alberto (Alberto Participações — empresa) 77
Alberto (laranja) 76, 77
Alckmin (Geraldo) 200
Alencar, José 82, 93
Alencar, Marcelo 17, 270
Alessandra, Taninha e Cláudio 94
Al-Fayed, Dodi 304
Allende 22
Allende, Monica 22
Allende, Salvador 22
Alves, Roberto Cardoso 124
Amadeo, Edward 218
Amado, Jorge 33
Amaral, Marina 27, 64, 332, 338
Amaral, Sérgio 70, 336
Amaral, Tarsila do 33

Amin, Esperidião 73
Amorim, Paulo Henrique 81, 227, 236, 253, 349, 350, 354
Andrade, Carlos Drummond de 310
Andrade, Evandro Carlos de 338
Andrade, Oswald de 33, 45
Antunes, Azevedo 194
Aparecida, Ivanilda 205
Aparecido, José 65, 360
Aras, Vladimir 48
Arbex Jr., José 27, 332, 336
Arida, Pérsio 26, 218, 221, 224, 251, 277
Arruda, José Roberto 136, 137
Assis, Luciane Gomes de 204
Assis, Machado de 158, 159
Aun, Ricardo 98
Aydar, Bia 67
Azeredo, Eduardo 187, 233

Babo, Lamartine 193
Bacha, Edmar 71, 217, 218, 222
Balza, Guilherme 201, 202
Bandeira, Manuel 168
Barbosa, Joaquim 13
Barreto, Lima 346
Barros, Guilherme 284

Barros, João de 64
Barros, José Roberto Mendonça de 238
Barros, Luiz Carlos Mendonça de 116, 186, 238, 276, 277, 354
Barros, Miguel 33
Barros, Oscar Peregrini de 292, 301, 304
Bartieri, Ricardo 151
Barusco, João 302, 303
Bastide, Roger 35, 43
Bastos, Márcio Thomaz 284
Batista, Eike 323, 327
Batista, Eliezer 317
Beatriz (filha de FHC) 33, 367
Beauvoir, Simone de 33, 35
Beirão, Nirlando 68
Bell, Graham (inventor do telefone) 239
Bell, Peter 39
Belluzzo, Luiz Gonzaga 60
Bengell, Norma 195
Bérgami, Zeca 193
Bergamo, Mônica 331, 333, 366
Bermudes, Sergio 367
Beteguelli, Marlene 341
Bezerra, Zila 106, 118, 128
Bier, Amaury 220
Bilachi, Jair 92, 180
Biondi 17, 252, 256, 354
Biondi, Aloysio 16, 81, 161, 237, 251, 252, 256, 275, 349
Bissell, Richard 37
Boechat, Ricardo 343
Bolsonaro, Jair 291
Bond, Frank Fraser 255
Borges, João 361, 364, 365
Borges, Pio 218, 224, 277, 278, 320
Bornhausen 25, 28, 43, 46, 48, 49, 50, 52, 96, 151
Bornhausen, Fernanda 149, 150
Bornhausen, Irineu 45
Bornhausen, Jorge 24, 25, 28, 45, 46, 49, 51, 68, 149, 150, 151, 220, 352

Bornhausen, Jorge Konder 45, 47, 150
Bornhausen, Ricardo Dalcanale 149, 150
Bracher, Fernão 221
Braga, Almeida 362
Braga, Kati Almeida 92, 93
Braga, Rubem 195
Branco, Castelo (ex-presidente) 138, 247, 321
Brandão, Lázaro 362
Brasil, Jocelyn 30
Bréa, Sandra 301
Bresser-Pereira, Luiz Carlos 87, 89, 92, 93, 221, 238, 272, 282
Brígido, Chicão 106, 113, 118, 128
Brindeiro, Geraldo 131, 218, 222
Brito, Guilherme de 238
Britto, Antônio 50, 66
Brizola, Leonel 42, 70, 73, 150, 241, 243
Brossard, Paulo 138
Buarque, Chico 190, 195, 196, 272, 354
Buarque, Cristovam 135, 136
Bush, George 58, 177

Cabral, Luís Carlos 23
Cacciola, Salvatore 93, 227, 228
Cachoeira, Carlinhos 222
Calabi, Andrea 218, 237
Caldas Pereira, Eduardo Jorge 222
Calheiros, Renan 141, 143, 146, 288, 290, 347
Cals, Cesar 21, 45
Camarotti, Gerson 8, 363
Camata, Gerson 25
Camata, Rita 25, 26
Cameli, Orleir 106, 107, 110, 111, 112, 113, 114, 126, 128, 130
Campanella, Juan José 301
Campelo, João Batista 291
Canhedo, Wagner 9, 93
Cantanhêde, Eliane 116
Capanema, Gustavo 310

Capristo, Jair 87
Cardoso de Mello, Zélia 302
Cardoso, Alberto 288
Cardoso, Augusto Inácio do Espírito Santo (general) 29
Cardoso, Ciro do Espírito Santo general 29
Cardoso, Eliana 218
Cardoso, Felicíssimo 19, 321, 322
Cardoso, Fernando 57
Cardoso, Fernando Henrique 7, 9, 10, 13, 14, 16, 18, 19, 26, 29, 33, 38, 41, 57, 74, 78, 92, 125, 127, 129, 132, 158, 249, 258, 276, 291, 331, 332, 341, 347, 349, 350, 354, 355, 363, 365, 367, 368
Cardoso, Leônidas 29, 30, 32, 321
Cardoso, Paulo Henrique 146, 152
Cardoso, Rodolpho 223
Cardoso, Ruth 36, 41, 42, 52, 140, 353, 367
Carneiro, Cláudia 146
Carneiro, Enéas 73
Carta, Mino 340, 341
Carvalho, Augusto 136
Carvalho, Caio Luis de 150
Carvalho, Clóvis 43, 110, 186, 238
Carvalho, João 313
Carvalho, Ronald 24
Carville, James 57, 58, 62
Casado, José 276
Casé, Paulo 195
Castilho, Fausto 33
Castro, Antônio Carlos de Almeida 304
Castro, Fidel 37
Castro, Plácido de 122
Castro, Tarso de 195
Cavalcanti, Di 33
Cavalcanti, Tenório 230
Cavaquinho, Nelson 238
Cavendish, Thomas 272, 273, 274
Caymmi, Dorival 65
Célia, Vanda 276
Chateaubriand 362

Chaves, Aureliano 21
Chávez, Hugo 129, 178
Chelotti, Vicente 283, 288, 289, 290, 291
Chong, Law Kin 74
Christofoletti, Lilian 293, 294
Civita, Roberto 252, 253
Clark, Walter 194
Clinton, Bill 58
Collor 9, 10, 23, 24, 25, 26, 42, 46, 51, 57, 60, 65, 124, 149, 209, 210, 216, 220, 225, 227, 228, 285, 288, 302, 315, 325, 339
Collor, Fernando 8, 17, 46, 51, 57, 60, 284, 322, 339
Collor, Tereza 148
Connery, Sean 177
Conti, Mario Sergio 334
Cordeiro, Miriam 335, 339
Corrêa, Camargo (construtora) 223, 234, 362
Correa, Maurício 71
Correa, Rafael 129
Costa, Byron 142
Costa, Eudo Santos 281
Covas, Mário 13, 17, 21, 41, 42, 54, 138, 141, 146, 200, 216, 228, 283, 284, 288, 290
Cruz, Alberico Souza 20, 23, 338
Cunha, Euclides da 161
Cypriano, Márcio 362

D'Araújo, Caio Fábio 283, 284
Da Paz, Einhart Jacome 58, 59
Da Vinci, Leonardo 326
Dantas, Daniel 219, 229, 269, 276, 278, 361
Davis, John 274
Del Roio, José Luiz 176, 177, 178
Di, Lady 304
Dias, Maurício 223
Dieguez, Consuelo 147
Dimenstein, Gilberto 344

Diniz, Abílio 120, 121
Dirceu, José 285, 351
Docinho (o *yorkshire*) 349, 350
Dominguinhos (o sanfoneiro) 67, 68
Dória, Palmério 8, 9, 13, 27, 74, 75, 80, 332, 334
Dornbusch, Rudiger 222
Dornelles, Francisco 224, 225
Dulles, Allen 37
Dutra (despachante) 25
Dutra Schmidt, Tomás 28, 52, 331, 333, 334, 337, 338, 343, 347, 366, 367, 368
Dutra, Marlene 25
Dutra, Miriam 20, 21, 22, 24, 25, 28, 42, 46, 139, 331, 332, 333, 334, 335, 336, 337, 338, 339, 340, 343, 344, 346, 347, 348, 367, 368
Dutra, Olívio 218

Eduardo, Zé 94, 95
Einstein, Albert 98
Elizabeth I (rainha da Inglaterra) 273
Ermírio de Moraes, José 362
Escobar, Ruth 9
Espírito Santo, Felicíssimo do 29
Espírito Santo, Ricardo 363
Estêvão, Luiz 136, 137
Estrella, Guilherme 352
Evans, Monique 301

Falcão, Cleto 284
Falcão, Djalma 284, 285, 288
Falcão, João Emílio 65
Faletto, Enzo 39, 155
Farias, Paulo Cesar 9
Farias, PC 10, 57, 60
Farquhar, Percival (recolonizador) 246, 247
Feffer, David 362
Felipe, Antônio Dias 141, 142

Fernandes, Florestan 35, 43
Fernandes, Hélio 21
Fernandes, Millôr 31, 154, 177, 346
Fernandinho 78
Fernando 11, 55, 56, 57, 66, 67, 72, 77, 80, 126, 229, 285
Fernando II 17, 107, 115, 119, 180, 187, 210, 216, 225, 228, 229, 231, 298, 302, 326, 353, 355
Ferraz, Luiz Cláudio 303
Ferreira, Ricardo José 261
FHC 8, 17, 19, 21, 22, 26, 27, 28, 29, 30, 33, 36, 37, 38, 39, 42, 43, 44, 45, 46, 51, 52, 54, 56, 57, 58, 59, 60, 62, 63, 64, 65, 66, 67, 68, 69, 70, 71, 72, 73, 74, 82, 83, 84, 85, 87, 88, 89, 92, 93, 94, 95, 96, 98, 99, 101, 103, 104, 106, 110, 111, 114, 116, 117, 120, 125, 127, 128, 129, 131, 132, 135, 136, 137, 138, 139, 140, 141, 146, 147, 148, 151, 154, 155, 157, 158, 159, 160, 162, 173, 175, 179, 180, 186, 187, 192, 198, 204, 208, 209, 210, 211, 212, 213, 216, 217, 218, 219, 220, 221, 222, 223, 224, 226, 227, 228, 229, 230, 231, 232, 233, 234, 235, 236, 237, 238, 239, 245, 246, 248, 249, 250, 251, 252, 253, 254, 255, 256, 257, 258, 259, 260, 271, 272, 273, 274, 275, 276, 277, 278, 280, 284, 288, 290, 302, 303, 307, 309, 315, 319, 320, 321, 323, 324, 325, 326, 327, 328, 329, 330, 331, 332, 333, 334, 335, 336, 337, 338, 339, 340, 344, 346, 348, 349, 350, 352, 353, 354, 355, 356, 358, 359, 360, 362, 363, 364, 366, 367, 368
Figueiredo, João Baptista 21, 24, 45, 323
Figueiredo, Marcos Davi de 80
Figueiredo, Wilson 360
Filho, Expedito 88, 289
Filho, Hamilton Almeida 23, 378
Filho, José Mendonça 99
Filho, Mendonça 11, 99, 293

Filho, Miguel Faria 195
Fisher, Stanley 217, 230, 231
Fleming, Ian 177
Fleury Filho, Luiz Antônio 299
Fleury Filho 382
Flores, Mário César 61, 62
Fogaça, José 10
Fonseca, Hermes da 248
Fortes, Leandro 158, 160, 285, 290, 293, 301
Fortuna, Hernani (brigadeiro) 73
Fraga, Armínio 79, 80, 217, 218, 222, 225
Francisco, Luiz 77, 131, 150
Franco, Gustavo 218
Franco, Itamar 26, 49, 53, 61, 64, 72, 82, 84, 135, 136, 137, 218, 225, 250, 325, 358
Freire, Vinicius Torres 116
Freitas, Jânio de 115
Freitas, Pedro Pereira de 92
Frias Filho, Otávio 340, 344
Fritsch, Winston 26, 226
Fujimori, Alberto 98, 102, 103, 104, 248, 354
Funaro, Lúcio Bolonha 187
Furquim, Luiz Fernando 93

Galeano, Eduardo 315
Galisteu, Adriane 334
Gallotti, Antonio 194, 195, 196
Gandra, Mauro 226
Garcia, Alexandre 24
Garcia, Hélio 66
Garçoni, Ines 368
Garnero, Mario 224
Garotinho, Anthony 283
Garrido, Irene 322
Gaspari, Elio 272
Gavíria, César 103
Geisel, Ernesto 46, 209
Genoino, José 337
Georgia 314, 351
Gerdau, Jorge 362

Gianotti, José Arthur 238
Glasberg, Rubens 269, 270, 271, 351
Glencoe 156, 157
Gomes dos Santos, Júlio César 226, 323
Gomes, Alvércio 322
Gomes, Carlos Antônio 73
Gomes, Ciro 53, 54, 57, 59, 71, 136, 284, 358
Gomes, Dias 159
Gomes, João Carlos Teixeira 8
Gomes, Luiz Marcos 219
Gonçalves, Luiz Antônio 227
Gordinho, Margarida Cintra 36
Goulart, João 194, 242, 243
Goulart, Neusa 243
Gouvea, Gilda Portugal 43
Gramacho, Vladimir 92, 141
Grandini, Rubens 280
Graziano, Francisco 226
Graziano, Xico 43
Greca, Rafael 150
Gringo, José Stefanes 188, 189
Groisman, Serginho 69
Gros, Francisco 218, 222, 227
Grossi, Tereza 227, 230
Guanaes, Nizan 58, 59, 271
Guazzelli, Synval 61
Guimarães, Ulysses 101
Gutierrez, Andrade (construtora) 207, 281, 363

Haddad, Fernando 138, 234
Haddad, Jamil 66
Helena, Heloísa 68, 228
Henfil 154
Henrique, Fernando 10, 11, 17, 24, 25, 26, 27, 28, 29, 30, 31, 32, 33, 35, 36, 39, 40, 42, 45, 46, 49, 50, 51, 52, 53, 54, 55, 56, 57, 60, 63, 64, 65, 66, 67, 68, 71, 72, 73, 79, 80, 84, 85, 87, 88, 89, 95, 96, 97, 98, 102, 104, 115, 116, 117, 124, 129, 130,

131, 133, 138, 139, 146, 150, 160, 177, 186, 212, 216, 238, 250, 260, 283, 286, 288, 289, 290, 321, 322, 323, 326, 327, 329, 331, 333, 335, 337, 341, 342, 344, 347, 349, 350, 353, 354, 358, 359, 360, 362, 363, 364, 366, 367, 368
Hitchcock, Alfred 190
Hughes, Howard 349
Hugo, José 224
Humberto, Cláudio 8, 149

Iacocca, Lee 349
Ibrahim, José 10
Ignácio, Augusto 29
Ignácio, Joaquim 29
Itamar 26, 27, 53, 60, 61, 62, 63, 64, 65, 66, 67, 71, 82, 124, 135, 137, 138, 148, 208, 210, 216, 225, 230, 233, 250, 251, 358

J. McCloy, John 37
Jabor, Arnaldo 195
Jango (João Goulart) 242, 243, 244, 247, 362
Jardim, Lauro 272, 366
Jereissati 50, 189, 228, 276, 281
Jereissati, Carlos 189, 276, 280, 281
Jereissati, Tasso 44, 54, 228
JFK 57
JK 57, 241, 307, 334
Jobim, Nelson 290
Johnny (música) 240
Jorge, Emílio 362
Juan Carlos I (rei de Espanha) 236
Junior, Policarpo 147, 188, 189

Kalili, Narciso 28, 162
Kandir, Antonio 220, 228, 229, 320
Kassab, Gilberto 142
Kelman, Jerson 207

Kennedy 73
Kennedy, Jackie 307, 313
Kennedy, Jacqueline 313
Kennedy, John 242
Kennedy, John Fitzgerald 57
Kierkegaard, Sören 34
Kinjô, Celso 342
Kirchner, Cristina 129, 178, 351
Kissinger, Henry 210, 352
Knowles, Emerick 290
Konder, Leandro 46
Konder, Maria 45
Kubitschek, Juscelino 57, 362
Kubitschek, Sarah (hospital) 41, 44
Kyola 155

Lacerda, Carlos 242
Lafayet, Olivier 304, 305
Lafer, Celso 229
Lamounier, Bolívar 9, 10
Landau, Elena 198, 219, 224, 229
Lavareda, Antônio 57, 136
Lavieri, Fernando 75
Leite, Antonio Dias 281
Leite, José Corrêa 31
Leite, Ruth Vilaça Corrêa 31, 33
Lemos, Fernando 336, 337
Leoni, Brigitte Hersant 38, 39
Lessa, Bia 151
Lewis, Michael 173, 174, 175, 176
Librandi, Lulu 10
Lima, Marli 96
Lima, Osmir 106, 118, 128
Lima, Rubem Azevedo 19, 20, 139
Lins, Miguel 195, 196
Lobato, Monteiro 161
Lopes, Chico 217, 218
Lopes, Francisco 229
Lopes, Toni 86
Lowry, Sarah Nicole 190, 191
Loyola, Gustavo 82, 84, 87, 96

Lúcia, Ana 148
Luciana (filha de FHC) 33, 367
Luciani, Luca 272, 273
Lucinha 25, 28, 46
Ludwig, Daniel Keith 314
Lula 23, 24, 26, 27, 28, 46, 50, 52, 57, 59, 60, 61, 62, 67, 69, 70, 73, 80, 82, 84, 93, 104, 121, 124, 125, 127, 133, 135, 138, 139, 158, 172, 210, 223, 259, 283, 284, 285, 315, 327, 328, 331, 333, 335, 339, 342, 348, 350, 351, 355, 359, 360
Lurian (filha de Lula) 333

Machado, Alexandre 212
Maciel, Marco 44, 56, 57, 60, 66, 68, 96, 98, 131
Mackenzie, Alexander 247
Madonna (cantora) 67
Magalhães, Antônio Carlos 8, 43, 66, 96, 100, 195, 276
Magalhães, Carlos Airton 125
Magalhães, Luís Eduardo 66, 98, 100, 112, 117, 125, 129, 135, 238
Magalhães, Rafael de Almeida 353
Maia, João 106, 107, 109, 111, 118, 127, 128, 129
Maierovitch, Wálter Fanganiello 367, 368
Malan, Pedro 26, 71, 83, 84, 87, 96, 140, 170, 216, 217, 218, 219, 220, 222, 231
Maluf, Carlos 353
Maluf, Paulo 58, 74, 99, 100, 106, 124, 138, 224, 230, 284, 285, 353
Malvadeza, Toninho (ACM) 230
Maranhão, Aluízio 335
Mardegon, Angela 289
Maria, Alice 24
Maria, José (monge) 248
Mariani, Clemente 230
Marinho, Lily Monique de Carvalho 159
Marinho, Roberto 25, 41, 42, 50, 158, 159, 253

Mariquita (Maria Vilaça [prof[a]]) 31
Martinez, Beltran 221
Martino, Telmo 30
Martins, Fernando 193
Martins, Ives Gandra 71
Martins, Osvaldo 285
Matalin, Mary 58
Matarazzo, Andrea 92, 93, 231
Matos, Adílson Alcântara 281
McClelland, David 157
McLaughlin, David James 191
Medeiros, Alexandre 280
Medeiros, Luiz Antônio de 10, 11
Médici, Emílio Garrastazu 122, 158, 281
Medina, Rubem 149, 150
Megale, Bela 368
Meirelles, Henrique 81
Mellão, João 364
Mello, Hélio Campos 335
Mello, Pedro Collor de 148
Mello, Washington 289, 290
Mello, Zélia Cardoso de 65, 302
Melo, José Edmar Santiago de 109
Mendeleiev, Dmitri 186
Mendes Júnior (construtora) 347
Mendes, Amazonino 106, 110, 111, 112, 113, 118, 126, 128
Mendes, Célia 125, 132
Mendes, Narciso 9, 14, 121, 122, 123, 124, 126, 128, 130, 131, 132
Mendonça Filho, Plínio Xavier 293
Menem, Carlos 354
Mercadante, Aloizio 59, 227
Merton, Robert K. 156
Michael, Andréa 92
Milani, Carlos 229
Millazo, Daniel 190
Milliet, Sérgio 34
Mineiro, Jovelino 363, 364, 365
Miranda, Gilberto 226
Miranda, Henrique 322

Miriam 14, 24, 25, 26, 28, 43, 331, 333, 334, 335, 336, 337, 340, 344, 346, 366
Mitterrand 344
Molina, Ricardo 126, 127
Molinari, Henrique 188
Monforte, Carlos 70
Monteiro, Maciel 160
Monteiro, Tânia 61, 62
Montenegro, Carlos Augusto 50, 51
Montesinos, Vladimiro 104
Montoro, Franco 20, 21, 22, 40, 223, 298
Morais, Antonio Ermírio de 222, 234, 235
Morales, Evo 129, 178
Moreira, Marcílio Marques 216, 217, 302
Motta, Sérgio 8, 9, 10, 11, 12, 13, 20, 21, 22, 51, 58, 68, 72, 83, 84, 85, 88, 89, 92, 98, 99, 100, 104, 111, 112, 113, 114, 115, 117, 118, 125, 126, 129, 131, 135, 223, 232, 238, 265, 271, 272, 274, 275, 276, 283, 287, 289, 292, 293, 298, 299, 301, 303, 304, 305
Motta, Serjão 44, 67, 290, 293
Motta, Vilma 286, 287
Moura, Geraldo 343, 345
Moura, Nelson Rolim de 24
Moura, Onaireves 115
Muniz, Waldir 59
Muniz, Wilson 59
Murdoch, Rupert 271

Nabuco, Joaquim 159, 160
Nabuco, Wagner 76
Nascimento, Luiz 362
Nascimento, Roston Luiz 150
Nasser, David 334
Nayda 30, 349
Nelson 24, 25
Nery, Sebastião 20, 22, 135, 139, 195, 196, 230
Neto, Coelho 159

Neto, José Castilho 48
Neto, Mário Covas 141
Neto, Nicolau dos Santos (Lalau) 235
Netto, Delfim 359
Neves, Tancredo 7, 50, 224, 225, 325
Noblat, Ricardo 344, 345
Nogueira, Armando 24
Nogueira, Duarte 262
Nogueira, Franco 329
Nogueira, Ronaldo 109
Nogueira, Rose 25
Novaes, Washington 161
Nunes, Augusto 335

O'Neill, Jim 173
Odette (moradora da rua dos Arcos) 203
Oliveira, Marco Antônio de 226
Oliveira, Miguel Darci 29
Oliveira, Neide de 203
Oliveira, Ricardo Sérgio de 179, 180, 186, 187, 188, 189, 275, 276, 278, 281, 292, 294, 295, 296, 298, 299, 300, 303, 304, 354
Onetti, Rubens 313
Opitz, Fernando 270, 320
Ornelas, Waldeck 232, 233

Padilha, Eliseu 233
Paiva, Paulo 10
Palast, Greg 196, 197, 257, 258, 260
Palmeira, Guilherme 56, 60, 68
Palmieri, Emerson 84
Parente, Pedro 220
Parsons, Talcott 156
Pascoal, Hildebrando 74
Pascowitch, Joyce 368
Pasqualini, Alberto (refinaria) 211
Pauderney, Avelino 112, 113
Paulinho 11, 12

Paz, Einhart Jacome da 58
Pedregal, Jesus 59
Pedro II (o imperador) 29, 35, 239, 249
Pedrosa, Mino 141
Pelé 342, 352
Pellon, Marco Aurélio 191
Perillo, Marconi 136
Perseu (Abramo) 32
Petras, James 37
Petrelli, Mário 92
Petrelluzzi, Marco Vinício 142
PHC 30, 67, 147, 148, 149, 150, 151, 152, 153
Philippe, Henri 212, 233
Pillar, Patrícia 57
Pinheiro, Helô 301
Pinto, Ana Lúcia Magalhães 147
Pinto, Luís Costa 284, 285
Pinto, Magalhães 82, 148
Pinto, Tão Gomes 337
Pires, Waldir 232
Pitanguy, Ivo 158
Pitta, Celso 100, 217, 341
Piva, Pedro 362
Porto, Márcia 301
Prado, Almeida 32
Prado, Silva 32
Prata, José 68
Preciado, Gregório Marin 300
Proença, Maitê 301
Puzzi, Nicole 301

Quadros, Jânio 26, 362
Queiroz, Protógenes 74, 81
Queiroz, Souza 32
Quércia, Orestes 20, 21, 60, 73, 284
Quicé, André 326

Rabinovitch, Moisés 286
Ramalho, Elba 67
Ramos, Deodato Manuel 248

Ramos, Graciliano 31, 64
Ramos, Helena 301
Ramos, Lupércio 110
Rauscher, Bernhard 320
Reagan, Ronald 17, 217
Reichstul 208, 212, 213, 214, 215, 233, 352
Rennó, Joel 233, 353
Requião, Roberto 236, 347, 360
Resende, Lara 218, 219, 221, 224, 231, 277
Resende, André Lara 26, 219, 276
Resende, Eliseu 52
Resende, Otto Lara 195, 196, 229
Resende, Temilson Antônio Barreto de 280
Rezende, Iris 101, 136, 137
Ribas, Euclides Nascimento 86
Ribas, Marcelo 343
Ribeiro Jr., Amaury 294
Ribeiro, Darcy 160, 246, 247
Richa, Beto 95
Richa, Fernanda Vieira 95
Ricúpero, Rubens 70
Rioli, Vladimir 294, 300
Rioli, Vladimir Antônio 298
Rivieri, Claudia 301
Rocha, Alessandra 204
Rocha, Glauber 38, 154
Rocha, João 27, 332, 334
Rocha, Joel 96
Rocha, Marta 334
Rodrigues, Fernando 14, 106, 117, 118, 124, 125, 126, 128, 133, 286
Rodrigues, Nelson 42, 193, 350
Roelofs, Joan 37
Roosevelt, Franklin Delano 148
Roriz, Joaquim 135, 136
Rosa, Guimarães 159
Rosa, Luís Pinguelli 165
Rousseff, Dilma 97, 104, 122, 174, 210, 228, 328, 355
Rubem 19, 139
Rubin, Robert 256, 257, 258
Rubino, Frank 304

Ruff, Arthur 313
Ruth 9, 31, 32, 33, 34, 35, 36, 42, 44, 52, 140, 366

Sá, Ângelo Calmon de 82
Sabrit, Marina de 341
Sachs, Jeffrey 260
Safdié, Edmund 365
Salinas, Carlos 354
Salles, Mauro 195, 196
Sant'Anna, Clarimundo 147
Santayana, Mauro 64, 84, 173, 218, 325, 360
Santiago, Ronivon 106, 107, 109, 110, 111, 113, 114, 115, 118, 127, 128, 129
Santos, Breno Augusto dos 308, 316, 323
Santos, Ernesto Joaquim Maria (Donga) 239
Santos, Luzia Gomes dos 204
Santos, Ney Lemos dos 303
Santos, Silvio 120, 314
Santos, Wanderley Guilherme dos 255
Saraiva, Juiz 346, 347, 348
Sarney 8, 30, 42, 65, 75, 76, 81, 124, 154, 157, 219, 221, 225, 227, 233, 327, 353, 360
Sartre, Jean-Paul 29, 33, 35
Saturnino, Roberto 228
Saunders, Frances Stonor 38
Sayad, João 10
Schabib, Luana 81, 202
Schmidt, coronel 25
Schmidt, Miriam Dutra 20, 25, 331
Schmidt, Tomás Dutra 338, 367
Seiler, Evangelina 148
Seligman, Milton 290
Serjão 11, 19, 20, 21, 22, 44, 52, 84, 85, 89, 98, 99, 105, 111, 112, 113, 114, 115, 118, 238, 275, 286, 289, 290, 291, 293, 294
Serra 13, 21, 22, 43, 54, 80, 130, 172, 177, 178, 186, 187, 198, 216, 217, 222, 223, 232, 270, 271, 285, 288, 289, 290, 291, 294, 298, 299, 300, 325, 326, 327, 329, 351, 358, 359
Serra, José 7, 8, 12, 20, 21, 22, 54, 100, 104, 122, 127, 180, 186, 198, 217, 223, 228, 232, 237, 270, 275, 283, 284, 289, 290, 291, 292, 298, 303, 350, 351
Serra, José Chirico 22
Severiano, Mylton 27, 75, 77, 78, 79, 123, 161, 162, 270, 307, 332, 341, 342, 343
Sheldon, Sidney 152
Silva, Geovani Pereira da 222
Silva, Golbery do Couto e 21
Silva, Honor Rodrigues da 291, 301, 303, 304, 305
Silva, Ismael 240
Silva, Luiz Inácio Lula da 127
Silva, Marina 122, 125
Silva, Michele Bezerra da 201
Silva, Paulo Pereira da (Paulinho) 11
Silveira, Helena 33
Simão, José 175, 222, 336
Simon, Pedro 65, 66, 67, 70, 71, 116, 119, 228, 237, 321, 322
Simon, Vitor 193
Simone 29, 33, 34, 35
Sintoni, Gerson 94
Siqueira, Fernando Leite 209
Slim, Carlos 269, 354
Soares, Amaury 8
Soares, Delúbio 13
Sobrinho, Barbosa Lima 32, 321, 325, 327
Soros, George 225
Souza, Josias de 116, 344
Souza, Luiz Francisco Fernandes de 131, 150
Souza, Marcos Valério Fernandes de 186, 187
Souza, Paulo Renato 21, 43, 117, 186, 234, 276
Souza, Roberto Antonio de 206
Souza, Ronaldo de 187
Souza, Sérgio de 27, 162, 332, 335
Souza, Tânia 94, 95, 97

Souza, Vânia Conceição de 201
Spiegman, Mikhael 304, 305
Steinbruch, Benjamin 12, 148, 169, 180, 234, 276
Sudbrack, Roberta 363
Summers, Lawrence 217
Suplicy, Eduardo 9
Suplicy, Marta 25, 283, 284

Takeda, Yutaka (hospital) 318
Tanzi, Vito 256
Tápias, Alcides 222, 223, 234, 235
Tavares, Ana 43, 343
Tavares, Martus 235
Tchekhov, Anton 349
Teixeira, Paulo de Tarso 289, 290
Temer, Michel 101
Terra, Anna 26, 28
Thatcher, Margaret 17, 217
Tocqueville, Alexis de 160
Toledo, Roberto Pompeu de 30
Tomás 28, 52, 331, 333, 334, 337, 338, 343, 347, 366, 367, 368
Tomioka, Teiji 68
Torres, Heleno 300
Toynbee, Arnold 328
Travassos, Luís 59
Trimaine, John 309
Tsé-Tung, Mao 314, 329

Ubaldo, João 31, 39, 154, 158, 159, 160
Ueki, Shigeaki 195

Valdir (ex-PM) 137
Valverde, Orlando 322
Vargas 29, 32, 66, 110, 179, 235, 242, 246, 247, 249, 250, 260, 321
Vargas, Getúlio 29, 32, 148, 159, 209, 222, 249, 250, 309

Vasconcellos, Gilberto Felisberto 31, 39, 249
Veiga, João Pimenta da 233
Veloso, Mônica 347
Vergara, Rodrigo 87
Viana, Jorge 122, 123, 131
Viana, Sampaio 32
Viana, Tião 120, 123, 131
Vidigal, Gastão 361
Vieira, Eduardo Eugênio Gouvêa 92
Vieira, José de Lima 317
Vieira, José Eduardo de Andrade 12, 82, 83, 84, 85, 86, 87, 88, 94, 95, 96, 97
Vilaça, Maria 31
Villa, Pancho 302
Von, Ronnie 109

Walther, Geraldo 58, 135
Wania 326
Weffort, Francisco 36
Wilma 10

Xavier, Chico 58
Ximenes, Paulo César 179, 180

Zibordi, Marcos 77
Ziraldo 321
Zorzal e Silva, Marta 317
Zuzinha 141, 142, 146
Zylbersztajn, David 235, 238